Alfred Ziffer

Nymphenburger Porzellan
Sammlung Bäuml
Bäuml Collection

*Dieser Katalog verdankt seine Entstehung dem Engagement
der Erben der Familie Bäuml
und erscheint anläßlich des 250jährigen Bestehens
der Porzellan-Manufaktur Nymphenburg.*

Sonderausgabe für

 Bayerische Verwaltung
der staatlichen Schlösser, Gärten und Seen

Alfred Ziffer

Nymphenburger Porzellan
Sammlung Bäuml

Bäuml Collection

ARNOLDSCHE
Art Publishers

Copyright 1997 © by ARNOLDSCHE und Ch. Karreth

Englische Übersetzung: Claudia Lupri, Köln
Graphische Gestaltung: Wolfgang Felber, München
Titelgestaltung: Silke Nalbach, Stuttgart
Offset-Reproduktionen: Vignold GmbH, Ratingen
Druck: Graficas Santamaria, Vitoria-Gasteiz

Umschlag-Vorderseite: s. Kat.Nr. 98, 99 (S. 65)
Umschlag-Rückseite: s. Kat.Nr. 630 (S. 219)
Frontispiz: s. Kat.Nr. 164 (S. 94)

Dieses Buch wurde gedruckt auf 100 % chlorfrei gebleichtem Papier und entspricht damit dem TCF-Standard.
This book was printed on 100% chlorine-free bleached paper in accordance with the TCF standard.

Die Deutsche Bibliothek – CIP-Einheitsaufnahme
Nymphenburger Porzellan : Sammlung Bäuml / Alfred Ziffer. [Engl. Übers.: Claudia Lupri]. Stuttgart : Arnoldsche, 1997

ISBN 3-925369-61-9

Made in Europe, 1997

Bildnachweis/Photo Credits

Aufnahmen von Marianne Franke, München, sofern nicht nachfolgend aufgeführt

BSV, Dr. Albrecht Miller (Labor: Marianne Schmidkunz): S. 19 oben rechts, Kat. 47, 118, 123, 124, 135, 143, 150–152, 158, 159, 172, 175, 176, 178–180, 185, 186, 200, 203–205, 207–210, 237–240, 251, 253, 255, 289–291, 293, 330, 331, 354, 365, 385, 387, 388, 392–393, 397, 398–399, 417, 421, 423, 427–429, 452–454, 472, 489, 506, 517–518, 551, 565, 628, 629, 632, 636, 637, 646, 719, 737, 739, 742–750, 752, 753, 761–764, 767, 768, 777, 779–781, 791, 796, 798, 800, 803, 804, 810, 813, 816, 819, 821, 822, 824–907, 913, 914, 916, 918–920, 923, 945, 951–955, 959, 984, 1002, 1030, 1051–1053, 1097, 1098, 1133, 1252, 1253, 1322, 1326, 1327, 1338, 1339, 1344, 1369, 1370, 1438, 1440
BSV, Lucinde Weiß: Kat. 33, 81, 83, 162, 167, 464–470, 479–483, 559, 613, 721 innen
BSV, Maria Custodis/Heidi Mayer: Kat. 332, 516, 1113–1117, 1135, 1246–1251, 1255, 1257–1262, 1325
BSV, Barbara Nahstoll: Kat. 795
BSV, Gartenabteilung: Vorlage zu Kat. 515
Bayerische Staatsbibliothek München: Vorlage zu Kat. 691
Städtische Kunstsammlungen Augsburg: Vorlagen zu Kat. 566–572
Gierhards, Düsseldorf: S. 9
Christie's, London: Kat. 505
Sotheby's, London: Kat. 305
Familie Bäuml: S. 12 unten, Vorlagen zu Kat. 586, 614, 724

Inhalt

Contents

Dank

Der vorliegende Katalog dokumentiert die weltweit größte Sammlung Nymphenburger Porzellans des 18. bis frühen 20. Jahrhunderts. Da seit der Publikation von Prof. F. Hofmann zur Geschichte der Nymphenburger Manufaktur über 70 Jahre verstrichen sind, haben sich die Erben der Slg. Bäuml entschlossen, anläßlich der Ausstellung zum 250jährigen Jubiläum der Manufaktur im Jahr 1997 einem kunstinteressierten Publikum den bislang unveröffentlichten Bestand ausführlich vorzustellen. Da heutzutage große Kunstsammlungen meist nur für ihre Versteigerungen katalogisiert werden, die sie in alle Winde zerstreuen, ist das Engagement der Besitzer fraglos eine mäzenatische Leistung. Fast 100 Jahre Sammlertätigkeit von drei Generationen schufen einen Bestand, dessen immense Spannweite an Figuren, Geschirren und Bemalungen auch noch während der Katalogerstellung um Neuerwerbungen bereichert wurde. Ausgelassen wurden lediglich bei Figuren die Tripletten sowie im Geschirrbereich Wiederholungen in Dekor oder Form sowie stark beschädigte Stücke, die nur als Malmuster erworben worden waren. Mein Dank gilt in erster Linie Frau Christl Karreth als Initiatorin und Sponsorin des Projekts.

Herr Dr. Miller als verantwortlicher Museumsdirektor der Staatlichen Verwaltung der Bayerischen Schlösser, Gärten und Seen ermöglichte die Arbeiten inmitten der Porzellansammlung und stand mir mit Rat und Tat sowie seiner langjährigen Erfahrung zur Seite. In Frau Dr. Hantschmann vom Bayerischen Nationalmuseum fand ich vor allem zu Fragen des 19. Jahrhunderts eine engagierte Spezialistin. Dr. Alexander Herzog von Württemberg löste alle heraldischen Fragen souverän. Seltenes Einfühlungsvermögen bewies die Fotografin, Frau Marianne Franke, die geduldig unsere Wünsche umzusetzen bereit war, die Herr Wolfgang Felber im Layout realisierte. Zum Gelingen der vorliegenden Publikation hat auch das Verlagsteam der Arnoldschen Verlagsanstalt mit großem Engagement beigetragen. Eine konzentrierte Arbeit am Projekt ermöglichte mir stets Herr B.M. Andressen. Besonders den Nymphenburger ‚Nachbarn', d.h. allen Abteilungen des Museums, der Schloßverwaltung Nymphenburg, dem Wittelsbacher Ausgleichsfond, der Manufaktur und ihren Mitarbeitern bin ich für zahlreiche Auskünfte, Hinweise und vielerlei Unterstützung dankbar.

Um einen Überblick zu vergleichbaren und ergänzenden Beständen zu erhalten, war die Zusammenarbeit mit folgenden Museen und ihren Leitern, Kuratoren und wissenschaftlichen Mitarbeitern unerläßlich, die mir Einsicht in ihre Inventare gewährten und mich kollegial berieten: Amsterdam, Rijksmuseum; Augsburg, Städtische Kunstsammlungen; Bern, Historisches Museum; Berlin, Kunst-

Acknowledgements

The present catalog documents the world's largest collection of Nymphenburg porcelain of the 18th to early 20th centuries. As 70 years have passed since Professor F. Hofmann published the history of the Nymphenburg factory, the heirs of the Bäuml collection have decided to introduce the hitherto unpublished holdings in a comprehensive manner to an art-interested public on the occasion of the 250th anniversary of the factory in the year 1997. Since today large art collections are cataloged only for auctions, which then scatter them in all four corners of the world, the committment of the owners is without doubt a significant patronage. Almost 100 years of collecting activity over three generations have created an immense range of figures, pieces of tableware, and painted decoration, which even during the catalogization was being enriched by new acquisitions. My gratitude is due first of all Christl Karreth, initiator and sponsor of the project.

As the responsible museum director of the Staatliche Verwaltung der Bayerischen Schlösser, Gärten und Seen (State Department of Bavarian Palaces, Gardens, and Lakes), Dr. Albrecht Miller made the work in the porcelain collection possible, supported me in word and deed and with his many years of experience. Dr. Katharina Hantschmann of the Bayrisches Nationalmuseum, a committed expert particularly in questions pertaining to the 19th century, was of invaluable help. The photographer Marianne Franke demonstrated rare sensitivity in patiently translating our wishes, which Wolfgang Felber in turn transposed into the lay-out with empathy. Dr. Alexander Herzog von Württemberg superbly solved all questions of heraldry. B.M. Andressen always ensured that I could concentrate on the project. The commitment of the Arnoldsche Art Publishers' team also contributed greatly to the successful outcome of the present publication. I acknowledge with gratitude the numerous pieces of information, tips, and all sorts of support from the „neighbors" of Nymphenburg, i.e. all departments of the museum, of the Nymphenburg palace administration, of the Wittelsbach Ausgleichsfond (foundation), the factory and its employees.

In order to gain an overview of comparable and supplementary collections, collaboration with other museums was essential. The directors, curators, and staff of the following museums allowed me to view their holdings and advised me as colleagues:
Amsterdam, Rijksmuseum; Augsburg, Städtische Kunstsammlungen; Bern, Historisches Museum; Berlin, Kunstgewerbemuseum; Chicago, The Art Institute; Dresden, Porzellansammlung im Zwinger; Eichenzell, Schloß Fasanerie; Frankfort on the Main, Museum für Kunsthandwerk; Fulda, Vonderau-Museum; Geneva, Musée Ariana; Halle

gewerbemuseum; Chicago, The Art Institute; Dresden, Porzellansammlung im Zwinger; Eichenzell, Schloß Fasanerie; Frankfurt a.M., Museum für Kunsthandwerk; Fulda, Vonderau-Museum; Genf, Musée Ariana; Halle a.d. Saale, Staatliche Galerie Moritzburg; Hamburg, Museum für Kunst und Gewerbe; Karlsruhe, Badisches Landesmuseum; Köln, Museum für angewandte Kunst; Kopenhagen, Museum of Decorative Arts; Leipzig, Grassimuseum; London, Victoria & Albert Museum und British Museum; Miami, The Wolfsonian Foundation; München, Münchner Stadtmuseum; New York, The Metropolitan Museum of Art; Nürnberg, Landesgewerbeanstalt im Germanischen Nationalmuseum; Opava/Troppau, Slezské Muzeum; Paris, Musée des Arts Décoratifs; Ratingen, Museum der Stadt; Schwerin, Staatliches Museum; Sèvres, Musée national de Céramique; Stockholm, Nationalmuseum; Stuttgart, Württembergisches Landesmuseum; Toronto, The George R. Gardiner Museum of Ceramic Art; Zürich, Schweizerisches Landesmuseum.

A. Ziffer

on the Saale, Staatliche Galerie Moritzburg; Hamburg, Museum für Kunst und Gewerbe; Karlsruhe, Badisches Landesmuseum; Cologne, Museum für angewandte Kunst; Copenhagen, Museum of Decorative Arts; Leipzig, Grassimuseum; London, Victoria & Albert Museum and British Museum; Miami, The Wolfsonian Foundation; Munich, Münchner Stadtmuseum; New York, The Metropolitan Museum of Art; Nuremberg, Landesgewerbeanstalt im Germanischen Nationalmuseum; Opava, Slezské Muzeum; Paris, Musée des Arts Décoratifs; Ratingen, Museum der Stadt; Schwerin, Staatliches Museum; Sèvres, Musée national de Céramique; Stockholm, National Museum; Stuttgart, Württembergisches Landesmuseum; Toronto, The George R. Gardiner Museum of Ceramic Art; Zurich, Schweizerisches Landesmuseum.

A. Ziffer

Neuerwerbung / New Acquisition

Knabenbüste
1761, F. A. Bustelli

H. 26 cm
PM: RS 4; RM: „I"
Inv.Nr. A 299 (Gierhards, Düsseldorf, 5.12.1996)

Brustbild eines lachenden Knaben, der den Kopf nach rechts wendet. Das lockige Haar wird im Nacken von einer Schleife gehalten. Unter der offenen Jacke trägt der Knabe ein Rüschenhemd. Runder, vierpassig eingezogener Sockel mit aufgelegten, teilweise durchbrochenen Rocaillen. Unbemalt. Kleiner Rauchfleck am Haaransatz, links am Rand kurzer, etwas ausgebrochener Brandriß.

Aufgrund der Marke, der geschlossenen Gestaltung der Unterseite mit sauber ausgeschnittenem Luftloch und der dünnen Glasur über einem feinweißen Scherben ist die Ausformung dieser Büste wohl noch zu Lebzeiten Bustellis erfolgt. Die Fabrikrechnungen erwähnen erstmals im Jahr 1761 „2 große gekleidete Bruststück-Kindln à 20 fl" (Hofmann, S. 438), die ein nach links gewandtes Mädchen als weibliches

Pendant ausweisen. Die Büste zählt zu den größten Stücken, die noch in der Neudecker Periode der Manufaktur ausgeformt wurden. Bei einem Vergleich mit dem um 1756 von J.J. Kaendler in Meissen geschaffenen Kinderpaar mag zwar die Priorität Sachsen zugeschrieben werden, die lebhafte Gestik und anschauliche Mimik der Schöpfungen Bustellis strahlen jedoch „unendlich mehr Blut und Wärme" aus, wie schon F. Hofmann befand (S. 438). Eine vergleichbare Knabenbüste befindet sich aus der Lesley and Emma Sheafer Collection im British Museum, Inv.Nr. 1974, 356, 515. Unbemalte Pärchen sind aus der Slg. Hirth heute im BNM, Inv.Nr. Ker 3619/3620, ein weiteres seit 1858 im V&A, London, Inv.Nr. 46416, 4617-1858, sowie außerdem in unbekanntem Besitz (Weinmüller, München, 15.4.1953, Nr. 93). (Später?) bemalte Ausformungen besitzen aus der Slg. Darmstädter das BNM, Inv.Nr. 79/332, 333 (JB des BNM 1980, Abb. 11) und aus der Slg. von Sir Bernhard Eckstein das British Museum, London, Inv.Nr. 1948, 12-3, 69/70; eine einzelne, bemalte Mädchenbüste befindet sich im V&A, London.

Albert Bäuml, Daguerreotypie um 1890

Die Sammlung Bäuml

Als Albert Bäuml 1888 die Leitung der Nymphenburger Porzellanmanufaktur übernahm, mußte er feststellen, daß sämtliche Modellformen aus der Zeit des Rokoko im Jahr 1804 vernichtet worden waren. Um seinem selbst aufgestellten Programm zu folgen, alte Modelle und ihre Bemalungen wieder auszuführen, war er gezwungen, die Originale des 18. Jhs. aufzuspüren.

In engem Kontakt mit dem Bayerischen Nationalmuseum und Dr. Georg Hirth, dessen Sammlung 1898 zur Versteigerung kam, entstanden die ersten Abformungen. Die Ausstellung „Altes Bayerisches Porzellan" im Nationalmuseum 1909 zeigte die große Spannweite der Nymphenburger Figurenproduktion und die Vielfalt der Bemalungen. Da sich zahlreiche Objekte in Privatbesitz befanden, reifte der Entschluß, eine eigene Vorlagensammlung für genaue Vergleichsstudien aufzubauen. Um das Budget der Manufaktur nicht zu belasten, erwarb Albert Bäuml die Porzellane ausschließlich mit privaten Mitteln. Zu den ersten Erwerbungen gehörten im Jahr 1909 die vier großen bunten Götterfiguren von Auliczek (Kat. 163–166), die den stolzen Preis von 20000 Goldmark kosteten.

Nachdem im Jahr 1912 der älteste Sohn, Dr. Fritz Bäuml (geb. 22.12.1887), nach einem Studium der Chemie und Kunstgeschichte sowie einem langen Aufenthalt in Sèvres als promovierter Chemiker in die Manufaktur eintrat und ihr künstlerischer Leiter wurde, dehnten sich die Erwerbungen von Privatankäufen auf Kunsthandlungen sowie Versteigerungen im In- und Ausland aus. Die seit damals aufbewahrten Versteigerungskataloge stellten für die vorliegende Katalogbearbeitung eine unschätzbare Quelle dar. Fast aus jeder Porzellansammlung, die in den kommenden Jahrzehnten versteigert wurde, konnten wichtige Nymphenburger Stücke erworben werden. Auch exemplarische Meisterwerke der Manufakturen in Frankenthal, Ansbach, Höchst, Ludwigsburg, Meissen und Wien durften in der Sammlung nicht fehlen. Die Zeitgeschichte spiegelt sich in der Summe von 450000 Mark wider, die im Inflationsjahr 1923 für das Déjeuner mit Soldatenbildern (Kat. 1246–1251) ausgegeben werden mußte. An dieser Stelle sei auch an einen Privatmann erinnert, der sein Leben lang große und kleine Beiträge zur Sammlung lieferte. Ludwig Steinhauser war ein frühzeitig pensionierter Postbeamter, der sein Asthmaleiden durch ausgedehnte Spaziergänge lindern sollte. Bei seinen Wanderungen durch die Stadt stöberte er in Antiquitätenläden und Trödelgeschäften viele Porzellane auf, die er zwischen 1914 und 1963 in Nymphenburg vorlegte.

In mehreren Oktavbüchern begann Dr. Fritz Bäuml wohl um 1919, den Bestand zu inventarisieren, trug frühere

The Bäuml Collection

At the time Albert Bäuml took over the direction of the Nymphenburg porcelain factory, he discovered that all model forms from the rococo period had been destroyed in the year 1804. In order to fulfill the program he had set himself, to carry out old models and their painted decoration anew, he was forced to search out the originals of the 18th century.

In close contact with the Bayerisches Nationalmuseum and Dr. Georg Hirth, whose collection was auctioned in 1898, the first copies were made. The exhibition *Altes Bayerisches Porzellan* at the Nationalmuseum in 1909 documented the large range of Nymphenburg figural production and the variety of painted decoration. Since numerous objects were in private collections, it was concluded that one's own collection should be built up for exact comparative studies. So as not to overburden the budget of the factory, Albert Bäuml purchased the porcelain with private funds. The four colorful figures of gods by Auliczek was one of the first large acquisitions in the year 1909 (cat. nos. 163–166), costing the princely sum of 20000 gold marks.

After the oldest son Dr. Fritz Bäuml (b. 22 December 1887), having studied chemistry and art history and having spent a long time in Sèvres, entered the factory as chemist with a doctorate degree and took on the artistic direction in the year 1912, acquisition expanded from purchases from private collections to those from art galleries as well as auctions in Germany and abroad. The auction catalogs, which have been preserved since that time, have been an invaluable source for the present documentation. From almost every porcelain collection that was auctioned in the coming decades, important pieces of Nymphenburg porcelain could be acquired. Exemplary master pieces from the factories in Frankenthal, Ansbach, Höchst, Ludwigsburg, Meissen, and Vienna had to be part of the collection. The history of the times is reflected in the astronomical sum of 450000 marks, which had to be expended for the Déjeuner illustrated with figures of soldiers in the inflation year 1923 (cat. nos. 1246–1251). At this point, a private individual, who all his life contributed large and small pieces to the collection, should be mentioned. Ludwig Steinhauser was a civil servant at the post office, who had been pensioned off early, and who was supposed to alleviate his asthma complaints with long walks. In doing so, he unearthed many pieces of porcelain, which he presented at Nymphenburg between 1914 and 1963. Probably around 1919, Dr. Fritz Bäuml began to make an inventory of the holdings in several octavos, added earlier acquisitions as chronologically as possible, and thus laid the basis for the

Dr. Fritz Bäuml, Bronzebüste von Hans Wimmer, 1967

Erwerbungen möglichst chronologisch nach und legte damit den Grundstock zur vorliegenden Bearbeitung. Trotz der akribischen Beschreibung, genauer Angaben zu Provenienz und Hinweisen zu Vergleichsstücken in eigenem und fremdem Besitz notierte Dr. Bäuml fast niemals das jeweilige Entstehungsdatum eines Objekts, das ihm als Kenner – er war später Gründungsmitglied der Keramischen Gesellschaft sowie über viele Jahre Mitglied in der Ankaufskommission und im Freundeskreis des Bayerischen Nationalmuseums – wohl nur zu geläufig war. Zum Zeitpunkt des Todes von Albert Bäuml am 9.3.1929 verzeichnete der Bestand 118 Figuren und 391 Geschirre.

Nachdem ein Bombenangriff am 9.3.1943 die Gebäude der Manufaktur stark beschädigte und auch Teile der Sammlung vernichtete, verlagerte man Kisten nach Niederbayern und in die Badenburg, die jedoch später selbst dem Bombenhagel zum Opfer fiel und deren Lagergut aus den Ruinen geplündert wurde. Nach dem Krieg galt die Aufmerksamkeit Dr. Bäumls gleichermaßen dem Aufbau der Manufaktur als auch der Erweiterung der Sammlung, bis er am 6.10.1969 verstarb. Seine letzten Inventareinträge datieren vom 18.4. (Stier, Inv.Nr. A 252) und 31.5.1968 (Gläserkühler mit Vogelspalier, Inv.Nr. B 740). Die Sammlung war in 40 Jahren um das Doppelte gewachsen.

Nach seinem Tod übernahmen die Brüder, die stets gemeinsam die Manufaktur geführt hatten, die Verpflichtung ihres Erbes. Doch Alfred Bäuml (geb. 24.5.1892), der ebenfalls 1912 in die Manufaktur eingetreten war und sich kaufmännischen Belangen angenommen hatte – seit 1954

present catalog. In spite of the precise descriptions, exact provenance, and comparisons to similar pieces in the Nymphenburg and other collections, Dr. Bäuml hardly ever recorded the date of the object, which he as connaisseur would have been familiar with – he was later a founding member of the Keramische Gesellschaft as well a member of the purchasing committee and of the Freundeskreis (Society of Friends) of the Bayerisches Nationalmuseum. At the time of Albert Bäuml's death on 9 March 1929, the collection contained 118 figures and 391 pieces of tableware. After a bombing on 9 March 1943 badly damaged the buildings of the factory and portions of the collection were destroyed, crates were transferred to Niederbayern and to the Badenburg in the Nymphenburg park, which itself fell victim to a hail of bombs, though. The goods stored there were looted from the ruins. After the war, Dr. Bäuml gave equal attention to the rebuilding of the factory and to the expansion of the collection until he died on 6 October 1969. His last entries in the inventory lists are dated 18 April 1968 (Bull, inv. no. A 252) and 31 May 1968 (Wine-glass Cooler with Bird Trellis, inv. no. B 740). The collection had doubled in 40 years. After his death, the brothers who had always managed the factory together assumed responsibility for the inheritance. Alfred Bäuml (b. 24 May 1892), who had also begun to work at the factory in 1912 and who had been concerned with the business aspects – Norwegian consul since 1954 – died on 21 January 1971 without descendants, however. Kurt Bäuml (b. 7 April 1899), Dipl. Ing., who had been responsible for both technical and legal-administrative issues at the factory, continued to manage the factory and the collection and decided to return the lease of the factory to the state in the year 1975, who transferred it to the Wittelsbach Ausgleichsfond (foundation).

Dr. Fritz Bäuml, Alfred Bäuml, Kurt Bäuml

norwegischer Konsul – verstarb am 21.1.1971 ohne Nach-kommen. Kurt Bäuml (geb. 7.4.1899), seit 1917 in der Manufaktur als Dipl. Ing. für technische wie juristisch-administrative Bereiche verantwortlich, führte die Manu-faktur und die Sammlung weiter und entschied, die Pacht der Manufaktur im Jahr 1975 an den Staat zurückzugeben, der sie dem Wittelsbacher Ausgleichsfond übertrug.

Den drei Töchtern Kurt Bäumls, Frau Christl Karreth, Frau Erika Heilmann und Frau Ursula Storp, ist es nach seinem Tod am 4.4.1979 zu verdanken, daß die mittlerweile durch Objekte aus Familienbesitz und weitere Ankäufe bis in die Zeit des Jugendstils erweiterte Sammlung der Öffent-lichkeit zugänglich gemacht wurde. Zur Verfügung standen damals neu renovierte Räume im Obergeschoß des Mar-stallmuseums in Schloß Nymphenburg, die in der Obhut der Bayerischen Verwaltung der staatlichen Schlösser, Gär-ten und Seen stehen, wo seit 1986 zumindest der größte Teil der Sammlung präsentiert wird. Trotzdem versäumt es auch die dritte Generation der Familie Bäuml nicht, durch gezielte Ankäufe den Bestand weiterhin zu mehren und letzte Lücken zu schließen.

After Kurt Bäuml's death on 4 April 1979, it is thanks to his three daughters, Christl Karreth, Erika Heilmann, and Ursula Storp, that the collection, meanwhile expanded by objects from the family's private collection and other purchases up to the Jugendstil period, was made accessible to the public. At that time, the newly renovated upper level rooms of the Marstallmuseum at Schloß Nymphen-burg, which comes under the jurisdiction of the Bayerische Verwaltung der staatlichen Schlösser, Gärten und Seen, were available. Since 1986, it has been possible to present at least the largest portion of the holdings here. In spite of this, the third generation also continues to increase the holdings with specific purchases and to close the last gaps in the collection.

Nymphenburg im 18. Jahrhundert

Geschichte der Manufaktur 1747–1797

Im Jahr 1747 unternahm der Hafnermeister Franz Ignaz Niedermayer, unterstützt von Kurfürst Max III. Joseph und seiner Gemahlin Maria Anna Sophia, geb. Prinzessin von Sachsen, im Jagdschloß Neudeck in der Au den Versuch, Porzellan herzustellen. Nach etlichen Probebränden im Jahre 1748, die wenig erfolgreich waren, sperrte der Kurfürst 1749 seine Zuschüsse. 1751 übernahm Sigmund Graf von Haimhausen (1708–1793), Förderer von Industrie und Wirtschaft, Gründer der Bayerischen Akademie der Wissenschaften, Obrist-Münzmeister und Ober-Bergbaudirektor, die Leitung und Finanzierung der Manufaktur. Die Zuschüsse seitens des aufgeschlossenen Grafen beliefen sich bis 1755 auf ungefähr 10000 fl, doch zunächst blieb ein Erfolg aus. Erst zu Beginn des Jahres 1754 konnten mit Hilfe des Wiener Arkanisten und Ofenspezialisten Johann Jakob Ringler (1730–1804) in Zusammenarbeit mit dem „Chymikus" Johann Paul Rupert Härtl (1715–1792) endlich in größerem Umfang Porzellan hergestellt werden. Daraufhin wurde das Unternehmen dem offiziellen Behördenorganismus eingereiht und als „Churfürstliche Porcelain-Fabrique" in den offiziellen Hofkalender aufgenommen.

Nachdem im Februar 1754 der Wiener Bossierer Joseph Ponhauser seine Arbeit aufgenommen hatte, trat im November F. A. Bustelli in die Manufaktur ein. Der erste große Auftrag des Hofes war die Tafeldekoration, die anläßlich der Hochzeit der bayerischen Prinzessin Maria Anna Josepha mit dem Markgrafen Ludwig Georg von Baden im Juli 1755 angefertigt wurde. Obwohl Ringler 1757 Neudeck verließ, konnte Härtl die Produktion mit neu eingestellten Fachkräften steigern und führte die Manufaktur unter der künstlerischen Leitung Bustellis zu einer ersten Blüte, die steigende Einnahmen verzeichnen konnte. Haimhausens Verdienste würdigte der Kurfürst mit der Verleihung der eigens dafür geschaffenen Medaille mit dem Kerykeion, den auch seine Büste ziert. Streitigkeiten mit dem benachbarten Paulanerkloster führten schon bald zu dem Entschluß, die Manufatur zu verlegen. 1758 wurde mit dem Bau von drei Pavillons im nördlichen Rondell von Schloß Nymphenburg sowie von Fabrikgebäuden und Arbeiterhäusern begonnen, die am 8.4.1761 bezugsfertig waren. Da Härtel sich weigerte, die Rezeptur zur Porzellanherstellung schriftlich niederzulegen, wurde er schließlich entlassen, und Haimhausen nahm sich der Manufaktur persönlich an. 1763 begann unter der Leitung des Inspektors Joseph Karl v. Linprun (1741–1787) die kommerziell erfolgreichste Periode des Unternehmens. 1765 arbeiteten

Nymphenburg in the 18th Century.

History of the Factory 1747–1797

In the year 1747, the master potter Franz Ignaz Niedermayer, supported by Elector Max III Joseph and his spouse Maria Anna Sophia, née Princess of Saxony, attempted to produce porcelain at the hunting lodge Neudeck in der Au. After numerous test firings in the year 1748 which were not very successful, the elector stopped his subsidies in 1749. In 1751, Sigmund Graf von Haimhausen (1708–1793), sponsor of industry and commerce, founder of the Bayrische Akademie der Wissenschaften, colonel mint master and chief mining director, took over the direction and the financing of the factory. The subsidies by the open-minded count ran to approximately 10000 fl until 1755, but, at first, success was not in sight. Only at the beginning of the year 1754, porcelain could finally be produced on a larger scale with the help of the Viennese arcanist and kiln expert Johann Jakob Ringler (1730–1804) in collaboration with the „Chymikus" Johann Paul Rupert Härtl (1715–1792). Subsequently, the enterprise was taken into the official bureaucracy and listed in the official court calender as „Churfürstliche Porcelaine-Fabrique."

After the Viennese repairer Joseph Ponhauser was hired in February 1754, F. A. Bustelli began to work at the factory in November. The first big commission by the court, which was successfully carried out and led to countless orders by the aristocracy, consisted of the table decoration made on the occasion of the wedding of the Bavarian princess Maria Anna Josepha and the margrave Ludwig Georg von Baden in July 1755.

Although Ringler left Neudeck in 1757, Härtl was able to increase production with new specialist staff and with Bustelli's artistic achievements led the factory to a first flowering, recording increased proceeds. The elector acknowledged Haimhausen's services by awarding a medallion created just for that purpose. It depicts the Kerykeion, which is also decorated with his bust (fig. 1).

Disagreements with the Paulanerkloster situated nearby, soon led to the decision to relocate the factory. In 1758 one began building three pavilions on the northern semicircle in front of the Nymphenburg palace as well as factory buildings and houses for the workers, which were moved into 8 April 1761. As Härtl refused to put the formula for making the porcelain down in writing, he was fired in the end and Haimhausen took on the direction of the factory personally. In 1763, under the direction of the young inspector Joseph Karl v. Linprun (1741–1787), the commercially most successful period of the enterprise

187 Personen in Nymphenburg; die Produktion erreichte ihren höchsten Stand seit der Gründung, und der Warenabsatz erstreckte sich weit über Bayerns Grenzen hinaus. Doch die Konkurrenz anderer Manufakturen, eine falsch geführte Bilanz unter voller Anrechnung des unverkauften Warenbestandes und der Entzug der Unterstützung durch das übergeordnete Münzamt führten zu dem Entschluß, in einer sog. „Reduktion" 1767 zahlreiche Entlassungen auszusprechen. Linprun bewarb sich um die Direktion. Zu seinen Neuerungen zählte der Druck des ersten Preiscourants, um den Absatz zu steigern, der jedoch in den Teuerungsjahren 1770 und 1771 fast zum Erliegen kam. Ein Schuldenberg von über 80000 fl führten 1773 zur Entlassung Linpruns, obwohl er sicher nicht die alleinige Verantwortung dafür trug. Sein Nachfolger wurde der bisherige Modellmeister Dominikus Auliczek, dem

Graf Sigmund von Haimhausen, Kat. 1368

began. In 1765, 187 people worked at Nymphenburg; the production reached its highest level since the founding of the factory and the sale of goods extended far beyond the borders of Bavaria. But the competition from other factories, an incorrectly drawn-up balance sheet which fully included unsold stock, and the withdrawal of the support of the higher-level Department of Minting led to the decision to lay off numerous employees in a socalled „reduction" in 1767. Linprun applied for the position of director. His innovations included the printing of the first price list in order to increase sales, which in the years of rising prices 1770 and 1771 however, almost came to a stand-still. Debts of over 80000 fl led to Linprun being dismissed in 1773, although he certainly was not the only one responsible for this situation. His successor

strenge Richtlinien vorgeschrieben wurden. Der Export half, die Kosten weitgehend zu bestreiten. Der Tod von Max III. Joseph 1777 wurde zum einschneidenden Ereignis, da der nachfolgende Kurfürst Carl Theodor von der Pfalz Erzeugnisse seiner 1762 erworbenen Porzellanmanufaktur in Frankenthal bevorzugte. Dem Künstler Auliczek behagte die Behördenaufsicht wenig, und Auseinandersetzungen beantwortete er über Jahre hinweg mit Arbeitsverweigerungen. Um den Niedergang aufzuhalten, wurde 1788 der Bergrat Matthias Flurl vom Münz- und Bergwerks-Kollegium mit der Geschäftsführung betraut. Nach dem Tod des immer noch nominell als Direktor fungierenden Grafen Haimhausen im Jahr 1793 wurde diese Stellung Graf Joseph August v. Toerring übertragen. Trotz eines erfolgreichen Abverkaufs der Warenlager und der Ausführung neuer Entwürfe mehrten sich die Schwierigkeiten im Umgang mit Auliczek, den man 1797 überreden konnte, seine Pensionierung einzureichen. Nach dem Tod des Kurfürsten Karl Theodor 1799 wurde das Amt des Manufakturdirek-

was the previous model master Dominikus Auliczek, who was given strict guidelines. Particulary exports helped to cover most costs. The death of Max III Joseph in 1777 came to have far-reaching significance, as the succeeding elector Carl Theodor von der Pfalz preferred the works of the highly productive porcelain factory in Frankenthal, which he had acquired in 1762. The artist Auliczek did not at all feel comfortable with bureaucratic supervision and responded to disagreements by refusing to work, a situation that extended over years. In order to halt the decline, the senior mining official Matthias Flurl of the Minting and Mining Department was entrusted with the supervision of the management. After the death of Count Haimhausen, still acting nominally as director, in the year 1793, this position was given to Count Joseph August v. Toerring. In spite of successful sales of the stock at fairs and lotteries and the carrying out of new designs, the difficulties in dealing with Auliczek increased. He was finally persuaded to retire in 1793. Shortly after the death of Elector Karl

tors eingezogen und Graf Toerring ersatzweise zum Präsidenten der neuen General-Landesdirektion ernannt.

Die Künstler des 18. Jahrhunderts

Franz Anton Bustelli

Sein geniales Werk im Geiste des Rokoko spricht für sich selbst, doch wissen wir über die Person von F. A. Bustelli nur wenig. Sein Familienwappen führt ins Tessin, wo Archivalien am 11.4.1723 von der Taufe eines gleichnamigen Kindes in Locarno berichten. Dieser Knabe lebte allerdings noch 1744 bei seiner Mutter in Muralto. Andere Mitglieder der Familie Bustelli lebten im 18. Jh. in Landau an der Isar und in Landshut. Jugend und Ausbildung lassen sich also bis heute nicht sicher dokumentieren, doch steht „Franz Anthony Bustelli, Figurist, den 3ten November 1754 in Arbeit eingestanden" im stilkritischen Vergleich seiner ersten Werke mit der damaligen Bildhauerkunst den Arbeiten des Münchner Hofbildhauers Johann Baptist Straub (1704–1784) so nahe, daß eine Lehr- und Gesellenzeit in dessen Werkstatt anzunehmen ist. Bustellis unnachahmliche Oberflächenbehandlung, die uns die Spuren seines Schnitzmessers am Holzmodell erkennen läßt und seine geistvollen Kompositionen in Abwandlung bekannter Motive, die eine persönliche Handschrift zeigen, machten ihn zu einem der bedeutendsten Porzellanplastiker des Rokoko. Binnen acht Jahren entstanden im Neudecker Jagdschloß rund 150 Porzellanfiguren. Bei seinem Tod am 18. April 1763 hinterließ Bustelli ein künstlerisches Erbe, das in allen Facetten in der Slg. Bäuml dokumentiert ist.

Peter Anton Seefried

Nach dem Tod Bustellis gelang es Peter Seefried (um 1742–1812), eine gewisse Selbständigkeit als Bossierer zu erlangen. Er war schon 1756 in Neudeck „zur Erlernung des Reparierens" aufgenommen und für diese Arbeit Bustelli unterstellt worden. Nach der großen Entlassungswelle in Nymphenburg war Seefried 1766/67 in Ludwigsburg tätig, wanderte jedoch weiter nach Kelsterbach, wo er zwischen Juni 1767 und März 1769 zahlreiche Modelle schuf, die unter dem Einfluß des zuvor dort tätigen Modelleurs Carl Vogelmann standen (Röder 1931, S. 73, Nr. 72–89). Die Übernahme von Nymphenburger Entwürfen in die Kelsterbacher Produktion ist belegbar. Anschließend kehrte er nach Nymphenburg zurück und wird 1786 und 1792 als Oberbossierer genannt. Früher wurden Seefried zahlreiche Bildwerke zugeschrieben (Künstlerlexikon, Nagler, Bd. XVI, S. 199), von denen jedoch heute sicher ist, daß es sich neben einigen neuen Entwürfen über-

Theodor in 1700, the position of factory director was made redundant and Count Toerring was appointed as president of the new general state administration instead.

The Artists of the 18th Century

Franz Anton Bustelli

His inspired work in the spirit of the rococo speaks for itself, but we know little about the person F. A. Bustelli. His family coat of arms leads us to Tessin, where archival records report the baptism of a child of the same name in Locarno on 11 April 1723. This boy still lived with his mother, however, in Muralto in 1744. Other members of the Bustelli family lived in Landau on the Isar and in Landshut in the 18th century. In other words, the artist's youth and education can to the present day not be securely documented, but when the first works of "Franz Anthony Bustelli, figurist, employed on 3 November 1754," are critically compared on a stylistic basis with the sculpture of the times, a close affinity to the works of the Munich court sculptor Johann Baptist Straub (1704–1784) is apparent, so that one can assume that Bustelli had a period of training and apprenticeship in his workshop. Bustelli's inimitable treatment of the surface, which allows us to recognize traces of his wood-carving knife on the wood model, and his brilliant compositions, variations of well-known motifs showing his personal style, make him one of the most significant porcelain sculptors of the rococo period. Within a period of eight years about 150 porcelain figures were created at the Neudeck hunting lodge. By the time of his death on 18 April 1763, Bustelli left an artistic oeuvre documented in all facets in the Bäuml collection.

Peter Anton Seefried

After the death of Bustelli, Peter Seefried (about 1742–1812) was successful in achieving a certain independence as repairer. He had been taken on at Neudeck „to learn repairing" already in 1756 and had been placed under Bustelli for this work. After the large wave of dismissals at Nymphenburg, Seefried was active in Ludwigsburg in 1766/67, but then moved on to Kelsterbach. There he created numerous models between June 1767 and March 1769 showing the influence of the modeler Carl Vogelmann, who had worked in Kelsterbach previously (Röder 1931, p. 73, nos. 72–89). The use of Nymphenburg designs in the Kelsterbach production can be documented. Subsequently Seefried returned to Nymphenburg and is named as head repairer in 1786 and in 1792. Numerous works have previously been attributed to Seefried (Künstlerlexikon, Nagler, vol. XVI, p. 199). Today it

Maria Josepha Auliczek, Gemälde von J. Weiß, um 1765, Sammlung Bäuml

Joseph Weiß mit seinem Schwiegersohn Dominikus Auliczek und einem Grisaille-Portrait seiner Tochter Maria Josepha, Gemälde von J. Weiß, um 1765, Sammlung Bäuml

wiegend um Ausformungen vorgegebener Modelle handelt, wobei er sich teils recht geschickt zahlreicher Modelle Bustellis und anderer Bildhauer bediente. Gleichzeitig verdeutlicht die neue, wenn auch kunstfertige Zusammenstellung einzelner Bustelli-Figuren, daß Seefried die Ideen seines Lehrers nicht wirklich verstanden hat und lediglich auf dekorative Wirkung abzielte.

Dominikus Auliczek

Bustellis Nachfolger, der böhmische Bildhauer Dominikus Auliczek d. Ä. (1734–1804), begann seine Ausbildung in der lokalen Bildhauerwerkstatt der Familie Pacak in Leitomischel. Um 1752 wurde er Geselle des Wiener Bildhauers Johann Georg Leuthner und besuchte die Akademie. 1754 führte ihn sein Weg über Paris nach London, wo er sich eineinhalb Jahre aufhielt, um sich dann nach Rom zu begeben. Hier kam er gleichermaßen mit dem römischen Hochbarock der Bernini-Nachfolge wie mit der Antikenverehrung von J. J. Winkelmann in Berührung, der mit Auliczeks Lehrmeister Gaetano Ghiaveri befreundet war. Anatomiestudien im Ospedale Santo Spirito und der Besuch der päpstlichen Akademie in San Luca rundeten seine Ausbildung ab. Von den ersten Aufträgen ist leider kein Werk

is almost certain that, aside from a few new designs, these were mostly carried out on the basis of existing models, Seefried, sometimes very cleverly, using numerous models by Bustelli and other sculptors. At the same time the new compositions of individual Bustelli figures, even if artistic, make clear that Seefried did not really understand the ideas of his teacher and was only aiming for decorative effects.

Dominikus Auliczek

Bustelli's successor, the Bohemian sculptor Dominikus Auliczek the Elder (1734–1804), began his training at the local sculpture workshop of the Pacak family in Leitomischel. Around 1752 he became apprentice of the Viennese sculptor Johann Georg Leuthner and visited the academy. In 1754 he went via Paris to London, where he stayed approximately one and a half years, and then made his way to Rome. Here he came in contact with the Roman High Baroque of Bernini's successors and at the same time with the veneration of antiquity by J. J. Winkelmann, who was a friend of Auliczek's master Gaetano Ghiaveri. His training was rounded off by anatomical studies at the Ospedale Santo Spirito and a visit to the papal academy in San Luca.

erhalten. Mit einem Emp-
fehlungsschreiben von Kardinal Alexander Albani
machte sich Auliczek 1762
auf den Weg nach Deutsch-
land, saß auf der Reise
einem Betrüger auf und erreichte schließlich Mün-
chen mittellos und ohne
Habe. Zum Glück stellte
ihn Graf Haimhausen nach
Anfertigung einer Probear-
beit am 12.6.1763 in der
Manufaktur als Modelleur
ein, und schon zwei Jahre
später wurde er Aufseher
über die Bossierabteilung.
Im Februar 1763 vermähl-
te er sich mit Maria Josepha, der Tochter des Male-
reiinspektors Josef Weiß,
der ein Schüler des Hofpor-
traitisten Georg Demarées
war. Auliczek blieb auch
bei seinen Entwürfen für
Porzellanfiguren dem ihm
eigenen Stil der Großpla-
stik treu. Nach anfängli-
cher Unsicherheit der Mo-

Johann Kaspar v. Lippert, Biskuitrelief von J. Albani, 1798,
Sammlung Bäuml, Inv.Nr. A 254

With a letter of recommen-
dation from Cardinal Alexander Albani, Auliczek left
for Germany in 1762, was
taken in by a confidence
trickster on the way, and
finally arrived in Munich
without any means or
worldly goods. Fortunately
he was hired by Count
Haimhausen as a modeler
on 12 June 1763, after
having carried out trial
work, and as early as two
years later was made super-
visor of the repair department. In February 1763 he
married Maria Josepha, the
daughter of the painting inspector Josef Weiß, who
was a pupil of the court
portraitist Georg Demarées
(figs. 2+3). Auliczek stayed
true to his own style for
large sculptures even in his
designs for porcelain figures. After an uncertainty
in modeling on a small
scale at the beginning, he

dellierung im kleinen Maßstab entwickelte er eine
souveräne Formensprache, die seine großen Götterfiguren
und Allegorien zu Meisterwerken des frühen Klassizismus
in Deutschland machen. Dem Stil der Zeit folgend, begeg-
nen sie uns als geschlossene Einzelwerke, die einen Hauch
von Kühle und Zurückhaltung verströmen. Das Selbst-
bewußtsein des jungen Künstlers spiegelt sich in seinem
Portrait wider, das der Schwiegervater um 1765 malte
(Abb. S. 17). Bereits 1772 veröffentlichte der Landesregie-
rungsrat und Geheime Archivarius Johann Kaspar v. Lippert
anonym im „Augsburgischen monatlichen Kunstblatt"
Auliczeks Biographie, die rund 100 Werke verzeichnet.
Eigentümlicherweise stellte Auliczek seine Entwurfstätig-
keit mit der Ernennung zum Fabrikinspektor 1773 nahezu
ein, da er schon zuvor zunehmend mit der Ausführung
mehrerer Großplastiken für den Nymphenburger Schloßpark befaßt war. Sein gelungener Entwurf des Perlservices
1792–95 konnte die Schwierigkeiten im Umgang mit der
Verwaltung nicht mehr aufwiegen, so daß man Auliczek
nahelegte, selbst seine Pensionierung zu beantragen. Nach
einer gerichtlichen Auseinandersetzung mit der Manufaktur, aus der er schuldlos hervorging, verstarb Auliczek am
15.4.1804 in München.

developed a most superb language of forms, making his
large figures of deities and allegories master pieces of early
classicism in Germany. Following the style of the period,
they are individual unified works, emanating an aura of
coolness and reservation. The self-confidence of the young
artist is reflected in the portrait that his father-in-law painted around 1765 (p. 17). Already in 1772 the head of the
state government and privy archivist Johann Kaspar v.
Lippert anonymously published Auliczek's biography, with
about 100 works, in the *Augsburgisches monatliches
Kunstblatt*. Strangely enough, Auliczek almost stopped his
creative activity at the time he was appointed factory inspector in 1773, as he had already been increasingly involved in carrying out several large sculptures for the Nymphenburg palace gardens. His successful design of the pearl
service in 1792–95 could not counter-balance the difficulties in his dealings with the administration, so that it was
suggested that Auliczek apply for retirement. After a court
case from which he emerged free of blame, Auliczek died
in Munich on 15 April 1804.

Katalog
Catalog

Katalogsystem

[Nummer]
[Titel]
[Datierung des Modells und der Ausformung, soweit letztere zeitgleich] [Name des Entwerfers, sofern bekannt]

[Maße]
[Marken, sofern nicht anders angegeben, auf der Unterseite des Objekts]
[Inventarnummer (Provenienz)]

[Beschreibung]
[Beschädigungen]

[Text und/oder Vergleichsstücke]

[Publikation dieses Objekts]

Sofern nicht anders vermerkt, sind alle Objekte aus glasiertem Hartporzellan und in Aufglasurtechnik bemalt, die Goldstaffage ist glanzpoliert.

Catalog System

[number]
[title]
[date of the model and its execution, in so far as the latter is contemporaneous] [name of the designer, if known]

[measurements]
[marks are on the bottom of the object, if not indicated otherwise]
[inventory number (provenance)]

[description]
[condition]

[text and/or comparable objects]

[literature]

If not otherwise indicated, all objects are made of hard porcelain with overglaze painting and gilding is gloss polished.

Abkürzungsverzeichnis/Abbreviations

Abb.	Abbildung
AK	Ausstellungskatalog
BLM	Badisches Landesmuseum
BNM	Bayerisches Nationalmuseum
BStG	Bayerische Staatsgemäldesammlung
BSV	Bayerische Schlösserverwaltung
Dm.	Durchmesser
Ex.	Exemplar
ges.	gesamt
GGMCA	The George R. Gardiner Museum of Ceramic Art
GHA	Geheimes Hausarchiv
GNM	Germanisches Nationalmuseum
GSlg	Graphische Sammlung
H.	Höhe
Inv.Nr.	Inventarnummer
KGM	Kunstgewerbemuseum
KPM	Königliche Porzellan-Manufaktur
KuH	Kunst und Handwerk
LGA	Landesgewerbeanstalt
Lit.	Literatur
MAK	Museum für angewandte Kunst
MAD	Musée des Arts Décoratifs
MFA	Museum of Fine Arts
MJB	Münchner Jahrbuch
MK	Museumskatalog
MKG	Museum für Kunst und Gewerbe
MKH	Museum für Kunsthandwerk
MM	Malermarke
MMA	Metropolitain Museum of Art
MNC	Musée National de Céramique
MPA	Museo Provinciale d'Arte
MStm	Münchner Stadtmuseum
NDM	National Design Museum
PM	Preßmarke
PSZ	Porzellansammlung im Zwinger
Publ.	Publikation
RM	Ritzmarke
RS	Rautenschild
SGM	Staatliche Galerie Moritzburg
SK	Sammlungskatalog
SKS	Staatliche Kunstsammlungen
SLM	Schweizerisches Landesmuseum
Slg.	Sammlung
SPMN	Staatliche Porzellanmanufaktur Nymphenburg
StKS	Städtische Kunstsammlungen
V&A	Victoria and Albert Museum
Verst.	Versteigerung
VK	Versteigerungskatalog
WAF	Wittelsbacher Ausgleichsfond
WLM	Württembergisches Landesmuseum
ZS	Zeitschrift
Zug.Nr.	Zugangsnummer

1

1
Taube auf Baumstumpf
um 1755, nach Modell von
J. J. Kaendler für Meissen

H. 26,5 cm
PM: RS 3
Inv.Nr. A 251 (Mme. Torré, Zürich,
20.7.1967)

Auf naturalistischem Baumstumpf mit
plastischen Blumen, Blättern und aufgelegtem Moos sitzender Pirol, den Kopf
nach rechts gewandt, den Schnabel
leicht geöffnet. Unbemalt.
Schnabel restauriert, Moos und Zweige
bestoßen.

Während das Meissener Vorbild ein
Pendant besitzt und beide vor 1740
von Kaendler modelliert wurden
(AK München 1966, Nr. 1106, 1107,
Taf. XXX), ist von unserem Vogel noch
kein Gegenstück bekannt. Ein unbe-
maltes Ex. in unbekanntem Besitz
(AK München 1909, Nr. 757).

Das Gartendessert

Der erste große Auftrag des kurfürstlichen Hofes an die Neudecker Manufaktur war ein Tafelaufsatz anläßlich der Hochzeit der bayerischen Prinzessin Maria Anna Josepha mit Ludwig Georg Markgraf von Baden im Juli 1755, der von Joseph Ponhauser zusammengestellt wurde und an dem der im November 1754 eingestellte F.A. Bustelli bereits mitarbeitete. Der Aufsatz stellte einen barocken Lustgarten „en miniature" dar, der aus steinernen Balustraden in unterschiedlich geschwungener Form (Kat. 4) bestand. Diese Einzelteile setzte man auf große Spiegelplatten in vergoldeten Metallrahmen und streute auf den glatten Boden zwischen den Rabatten farbigen Sand (Hofmann, Abb. 36).

In diesem Garten spazieren verschiedene Einzelfiguren, elegante Damen und Herren des Hofes und ihre Bediensteten darstellend, denen die beiden Posaunenengel die Nachricht der Vermählung und des Ruhmes aller Beteiligten verkünden (Hofmann, Abb. 36). Als Anregung für diese, wohl zu den ersten Figuren Bustellis zählenden Engel, gelten 14 bis 18 cm hohe, mit einem flatternden Gewand bekleidete Posaunenengel aus Meissener Produktion in vergleichbarer

The Garden Subtlety

The Neudecker factory's first big commission by the electoral court was table decoration on the occasion of the wedding of the Bavarian princess Maria Anna Josepha with Ludwig Georg Markgraf von Baden in July 1755. It was put together by Joseph Ponhauser in collaboration with F.A. Bustelli, who had begun working for the factory in November 1754. The table decoration depicted a baroque pleasure garden „en miniature," and consisted of stone balustrades in variously curved forms (cat. no. 4), trees pruned in pyramid-like shapes, and doubled curving and straight hedges (cat. no. 5). These individual pieces were set onto large mirrors in gilded metal frames and colored sand was strewn onto the smooth ground between the borders (Hofmann, fig. 36).

Different single figures, representing elegant ladies and gentlemen of the court and their servants, stroll about this garden. Two cherubs with trumpets announce the news of the marriage and the fame of all participants (Hofmann, fig. 36). Cherubs with trumpets from the Meissen production, dressed in fluttering garments, 14 to 18 cm high, in a comparable stance, are considered to

3 4 2

Haltung (VK Hirth 1898, Nr. 133, 134; VK Härtel 1907, Nr. 34), zu denen auch ein Posaune blasender Engel gehört, der auf einem Postament sitzt und sich früher in der Slg. C. H. Fischer befand (VK Fischer 1906, Nr. 968). Ein Engel mit Posaune bekrönt den 1733 datierten Huldigungspokal von J. J. Kaendler nach einem Modell von J. G. Kirchner, in zwei Ausformungen in der PSZ, Dresden, Inv.Nr. P.E. 418–419.

Lit.: Hofmann, S. 373–382, Tafel, 1–2, Abb. 32–38, 311

have been the inspiration for these angels, probably Bustelli's first (VK Hirth 1898, nos. 133, 134; VK Härtel 1907, no. 34). To these also belong a cherub blowing on a trumpet who sits on a pedestal, and previously belonged to the collection of C. H. Fischer (VK Fischer 1906, no. 968). A cherub with trumpet crowns the tribute goblet, dated 1733 and made by J. J. Kaendler after a model by J. G. Kirchner, in two versions in the PSZ, Dresden, inv. nos. P.E. 418–419.

Lit.: Hofmann, p. 373–382, plates 1–2, figs. 32–38, 311

2
Engel mit Posaune (Abb. s. S. 21)
um 1755, wohl von F. A. Bustelli

H. 13,8 cm, Sockel 3,6 x 3,9 cm
PM: RS 9, „P" und „I"
Inv.Nr. A 217 (L. Steinhauser, München, 23.10.1959)

Flacher, quadratischer Sockel mit plastischen, rosa getönten Wolken. Der geflügelte Engel im Lauf, bekleidet mit einem grünen Lendentuch, das von einem weiß-rot-goldenen Band gehalten wird. Er bläst in eine goldene Tuba, die er in der Rechten hält. Haar hellbraun gestrichelt. Zartes Inkarnat.
Rechtes Bein, Flügel und Tuba ergänzt.

Ein formgleiches, bemaltes Modell im BNM (Inv.Nr. Ker 3643) besitzt eine Höhe von 15,4 cm.

3
Engel mit Posaune (Abb. s. S. 21)
um 1755, wohl von F. A. Bustelli

H. 14,5 cm, Sockel 4,5 x 3,7 cm
RM: „3"
Inv.Nr. A 41 (Slg. Hirth, 1916)

Aufbau der vorigen Figur entsprechend, jedoch in der Linken eine Tuba und in der Rechten eine grünstaffierte Frie-

denspalme haltend. Sockel mit schmalem Goldrand, Wolken rosa getönt, gelbes, grau gefüttertes Lendentuch mit Goldrand, Flügel purpur und braun, hellbraune Haare, zartes Inkarnat. Brandriß in den Wolken, rechter Arm geklebt, Hand und Palme ergänzt, Finger der linken Hand und Tuba restauriert.

Ein formgleiches, bemaltes Modell im BNM (Inv.Nr. Ker 3644) besitzt eine Höhe von 17,5 cm.

Publ.: VK 1898, Nr. 308; VK Hirth 1916, Nr. 254, Abb. Tafel 29

4
Balustrade aus dem Gartendessert (Abb. s. S. 21)
1755, Joseph Ponhauser

H. 8,5, L. 41,8 cm
PM: auf der Unterseite der beiden Ecksockel RS 6
Inv.Nr. A 164 a (Prov. unbekannt)

Zwischen zwei quadratischen Postamenten mit profilierten Sockel- und Deckplatten sowie reliefierten Medaillonfeldern S-förmig verlaufende Balustrade mit acht Stützen. Unbemalt. Restaurierter Bruch, Brandrisse, bestoßen.

Ein 26,6 cm langes, nur einfach geschwungenes Teilstück besitzt das WLM, Stuttgart, Inv.Nr. 1968/839 (Hofmann, Abb. 462; AK München 1963, Nr. 7).

Publ.: AK München 1963, Nr. 8

5
Heckenstück aus dem Gartendessert (o. Abb.)
1754/55, Joseph Ponhauser

3 x 19,7 x 5,2 cm
RM: oben in Boden „10" und „11" (wohl bzgl. Reihenfolge der nächsten Stücke);
MM: auf der Unterseite in Rot: V, Z, IIII, 2 Kreuze; in Schwarz: Z, 6.
Inv.Nr. A 164 b (Prov. unbekannt)

Schmale, gerade Platte mit zwei Außenwänden, an denen kleine Blätter aufgelegt sind. Unbemalt.
Ecken bestoßen, mehrere Blättchen fehlen.

Figuren von Franz Anton Bustelli
1754–1763

Putten als ovidische Götter

Ursprünglich bestand diese Puttenserie laut Formeninventar von 1760 aus „26 Götter-Figurlen, 1te Sorte, ovidische Götter vorstellend". Im Sinne Bustellis gehörten wohl jeweils eine männliche und eine weibliche Gottheit als Paar zusammen, doch ließen sich bis heute erst 23 Figuren nachweisen, deren paarweise Gruppierung nicht schlüssig geklärt ist. Sie sind wahrscheinlich nicht in einem Zug entstanden, sondern in zwei Gruppen (Rückert 1963, S. 10), wobei sich eine Lieferung an den kurfürstlichen Hof im Jahr 1758 über „9 staffierte Götterfigurlen à 9 fl." nachweisen läßt (Hofmann, S. 434).

Obwohl das Thema in verschiedenen Manufakturen aufgenommen wurde, zeichnen sich diese Allegorien göttlicher Macht fast ironisierend durch besonders kindliche Repräsentanten aus, die spielerisch mit ihren Hoheitszeichen umgehen. Die freudig lächelnden Gesichter ließen keine Gedanken an göttliche Allmacht, sondern eher an ein himmlisches Fest auf Erden aufkommen.

Sofern nicht anders angegeben, stehen die molligen Figürchen mit einem Lendentuch bekleidet auf einem flachen Sockel, dessen Konturen – im Wechsel mit gerieften Rändern als Grassockel – von zartplastischen C-Bögen ein- und ausschwingend gebildet werden, deren Oberfläche häufig tupfenartig als Rasendarstellung geritzt und farbig staffiert ist. Auffallend sind auch die häufig spiralartigen Drehungen der kleinen Körper und eine ausgeprägte Ponderation zwischen Stand- und Spielbein.

Das Herrscherpaar des antiken Universums, Juno und Jupiter, sind die einzigen Modelle, die auf Wolken schwebend dargestellt sind, um ihren allerhöchsten Rang im Olymp zu versinnbildlichen. Von diesen Modellen leiten sich sehr ähnliche, aber etwas größere Figuren ab, die in Höchst ausgeformt und durch Venus und Hermes zu einer vierteiligen Gruppe ergänzt wurden. Bisher um 1760/65 datiert und Laurentius Russinger zugeschrieben (Esser/Reber 1964, Nr. 128–131), entschied man sich neuerdings für eine Datierung um 1770 und Johann Peter Melchior als Modelleur (AK Frankfurt 1994, Nr. 6.6.17).

Lit.: Hofmann, S. 433–437, Abb. 99–105

Figures by Franz Anton Bustelli
1754–1763

Putti as Ovidian Gods

Originally this series of putti consisted, according to the 1760 inventory of forms, of "26 small figures of deities, first quality, representing Ovidian gods." It was probably Bustelli's intention that a male and female deity always belonged together as a pair, but to the present day one has been able to document only 23 figures, whose grouping as pairs cannot be clearly determined. They were probably not made all at once, but in two groups (Rückert 1963, p. 10), whereby a delivery "of 9 small painted figures of deities à 9 fl." to the electoral court can be documented for the year 1758 (Hofmann, p. 434).

Although the subject had been taken up at various factories, these allegories of divine power are almost ironically distinguished by being particularly childlike representatives, who playfully handle their emblems. The joyfully smiling faces did not raise thoughts of divine omnipotence, but rather of a heavenly celebration on earth.

When not otherwise indicated, the plump little figures stand, dressed in loin cloths, on a flat pedestal, whose contours – in alternation with the grooved edges of a pedestal of grass – are formed by gently sculptural C-arcs curving in and out. The surface of the pedestals is often incised and painted as a tuft-like lawn. Also striking are the often spiral-like twists of the small bodies and a marked equilibrium between the engaged and the free leg.

The ruling couple of the ancient universe Juno and Jupiter are the only models who are represented floating on clouds, symbolizing their uppermost rank on Mount Olympus. Similar, but somewhat larger figures are derived from these models, which where executed at Höchst (near Frankfort on the Main), and supplemented by Venus and Hermes to a four-part group. Previously dated around 1760/65 and attributed to Laurentius Russinger (Esser/Reber 1964, nos. 128–131), one has recently decided on a date of around 1770 and on Johann Peter Melchior as the modeler (AK Frankfurt 1994, no. 6.6.17).

Lit.: Hofmann, p. 433–437, figs. 99–105

9 25 16 30

6
Putte als Andromeda
um 1755–60, Ausformung wohl um
1765–70, F. A. Bustelli

H. 10 cm
PM: RS 10; RM: „A"
Inv.Nr. A 116 (Slg. v. Ostermann, 1928)

Auf gelb-grün-rot staffierter Sockelplatte
stehende Putte, die mit der Rechten
bunte Blumen an die Brust drückt, mit
der Linken ein gelb-zartlila Tuch rafft.
Im grau gestrichelten Haar ein blaues
Band und eine lila Blume. Auf dem
Sockel ein hellgrauer Dreizack. Sehr
zartes Inkarnat.
Minimal am Sockel bestoßen, kleine
Brandrisse, flach geschlossener Sockel
mit kleinem Brandloch.

Mit obiger Bemalung identisch war
eine Putte ehemals in der Slg. Gumprecht (AK Berlin 1904, Nr. 986). Ein
bemaltes Ex. im WLM, Stuttgart,
Inv.Nr. 1968/728, ein weiteres ehemals in Slg. v. Ostermann (VK Ostermann 1928, Nr. 632) und ehemals in
Slg. Levi (VK Levi 1956, Nr. 37) sowie
eines mit rosa-gold gestreiftem Tuch

auf hohem, rechteckigem Sockel mit
rosa Marmorierung ehemals in Slg.
Dr. Joseph Kler (Christie's, New York,
30.1.1985, Nr. 191).

Publ.: VK Ostermann 1928, Nr. 632; AK
München 1963, Nr. 108

7
Putte als Andromeda (o. Abb.)
um 1755–60, F. A. Bustelli

H. 10 cm
PM: RS 8, „i" und „C"
Inv.Nr. 62 (A.S. Drey, München, 1912)

Modell wie vorige Nr., unbemalt.
Sockelplatte mehrfach best., Unterseite
glasiert.

Unbemaltes Ex. im KGM, Köln, Inv.Nr.
E 1698 (MK Köln 1975, Nr. 173 d).

Publ.: AK München 1963, Nr. 9; Rückert
1965, Abb. 3

8
Putto als Äolus (Abb. s. S. 28)
um 1755–60, F. A. Bustelli

H. 9,8 cm
PM: RS 5 und „I" auf dem Sack
Inv.Nr. A 52 (Slg. Rittershausen, 1917)

Auf Sockelplatte stehender Putto, die
rechte Hand erhoben, mit der Linken
hält er einen Sack auf, in dem ein Gesicht mit aufgeblasenen Pausbacken im
Profil zu sehen ist. Unbemalt.
Eisenfleck am rechten Arm, Zipfel des
Lendentuchs restauriert.

Bemalte Ex. im Residenzmuseum München, Inv.Nr. Ker I/Ny 15a (AK München 1966, Nr. 109), ehemals in Slg.
Mühsam, Berlin (VK Mühsam 1925,
Nr. 356) und ehemals Ex. in Slg. Levi
(VK Levi 1956, Nr. 39). Unbemalte Ex.
im BNM, Inv.Nr. Ker 3880 (Hofmann,
Abb. 101; AK München 1963, Nr. 10),
im KGM, Köln, Inv.Nr. E 1700 (MK
Köln 1975, Nr. 173 e), im WLM, Stuttgart, Inv.Nr. 1968/730.

Publ.: VK Rittershausen 1917, Nr. 103

6   12   31   10

9
Putto als Apollo
um 1755–60, F. A. Bustelli

H. 12 cm
PM: RS 6 vorne auf dem Sockel, auf der
Unterseite „2"
Inv.Nr. A 96 (Fürst Hohenlohe, München,
1920)

Auf Sockelplatte stehender Putto, bekleidet mit einem Lendentuch. Mit der
Linken stützt er sich auf eine Lyra, mit
der Rechten hält er eine Sonnenscheibe
mit reliefiertem Gesicht über seinen
Kopf. Auf dem Sockel liegen Pfeil und
Bogen. Unbemalt.
Sonne und Sockel geklebt, leicht bestoßen.

Bemalte Ex. mit rosa-purpur geblümten
Lendentuch an gelbem Band in Privatbesitz, Hamburg (AK München 1963,
Nr. 110), auch Slg. v. Ostermann
(Hofmann, Abb. 102; VK Ostermann
1928, Nr. 625, Taf. XXXIV), mit rot-
goldenem Blütenmuster im Lendentuch
im MPA, Trento (Ziffer 1991, Nr. 23)
und ehemals in Slg. Levi (VK Levi
1956, Nr. 47). Unbemalt in der PSZ,
Dresden, Inv.Nr. P.E. 4281, mit fehlender Sonnenscheibe im MKH, Frankfurt
(AK Frankfurt 1963, Nr. 235 c).

Publ.: AK München 1963, Nr. 11

10
Putto als Bacchus
um 1755–60, F. A. Bustelli

H. 11,3 cm
PM: RS 6 auf dem vorderen Faßboden, auf der
Unterseite „2"; MM: außen am Sockel unter
dem rechten Fuß „L" in Gold
Inv.Nr. A 187 (Slg. Levi, 1956)

Auf ausgeschnittener Sockelplatte mit
grün-braunem Grasbewuchs und
Goldstaffage liegt ein dunkelbraunes
Weinfaß mit vier goldenen Reifen. Dar-
auf sitzt ein nackter Putto mit blauen
Trauben im Schoß und braungelockten
Haaren, im linken Arm ein braunes
Fiaschetto, die Rechte mit goldenem
Weinglas prostend erhoben. Kräftiges
Inkarnat.
Rechte Hand, Flasche und Sockel
restauriert.

Die Malermarke wird mit Christoph
Georg Lindemann (tätig zwischen 1758
und 1760) in Verbindung gebracht und
findet sich auch auf einem Putto als
Charon im BNM, Inv.Nr. 17/242 (vgl.
Kat. **30**). Ein bemaltes Vergleichsstück
ohne Marke im BNM, Inv.Nr. 14/208
(AK München 1963, Nr. 111).

Publ.: VK Levi 1956, Nr. 42;
AK München 1963, Nr. 112

11
Putto als Bacchus (o. Abb.)
um 1755–60, F. A. Bustelli

H. 10,8 cm
PM: RS 5 auf dem vorderen Faßboden;
RM: „1" auf der Unterseite
Inv.Nr. A 222 (L. Steinhauser, München,
29.4.1960)

Modell wie vorige Nr., jedoch Sockel
zart purpur und goldgehöht, Weinfaß
hellbraun mit Gold, Fiaschetto bräun-
lich und kupfergrün, sehr zartes Inkarnat.
Rechter Arm, Flasche und Sockel
restauriert.

12
Putte als Ceres
um 1755–60, F. A. Bustelli

H. 10 cm
PM: RS 10 und „1"
Inv.Nr. A 226 (Lucien Delplace, Brüssel,
21.8.1960)

Auf zartgrün-goldstaffierter Sockelplatte
eine Putte mit eisenrot-lila Lendentuch
über der linken Hüfte, im linken Arm
ein naturalistisch bemaltes Ährenbündel, während die Rechte bunte Blumen
emporhält. Das hellbraune Haar zu einem Knoten geschlungen, über dem

19   17

linken Ohr bunte Blumen. Sehr zartes Inkarnat.
Sockel rückseitig und rechter Arm restauriert, Brandriß im Sockel. Eingewölbter Boden mit großem Brandloch (8 mm).

Ein ähnlich staffiertes Ex. mit chamoisfarbenem Lendentuch aus der Slg. Hirth im BNM, Inv.Nr. Ker 3636. Eine wieder aufgetauchte Ausformung, die eine blaue Traubenrebe in der Hand hält, mit goldgemustertem Lendentuch, gelben Kornähren, graublau gestricheltem Haar und sehr zartem Inkarnat aus der Slg. v. Ostermann (VK Ostermann 1928, Nr. 626, Taf. XXXIV) ist heute im Besitz des WAF und trägt die F.B.-Marke. Ihr Sockel ist grün und braun getupft und nur an den Seiten sowie um das Rautenschild goldstaffiert (Inv.Nr. KIa115). Bemaltes und unbemaltes Ex. ehemals in Slg. Levi (VK Levi 1956, Nr. 24 u. 43).

13
Putte als Ceres (o. Abb.)
um 1760, F.A. Bustelli

H. 9,7 cm
PM: RS 5; RM: „B" und „0"
Inv.Nr. A 204 (L. Steinhauser, München, 10.1.1958, ehemals Slg. Levi)

Modell wie vorige Nr., grün staffierte Sockelplatte, lila Lendentuch, gelbes Ährenbündel mit Purpurhöhung. im braungestrichelten Haar und in der rechten Hand lila Blume
Rechter Arm ergänzt, Eisenfleck auf der Stirn, Brandriß in der linken Schulter.

Publ.: VK Levi 1956, Nr. 40; AK München 1963, Nr. 113

14
Putto als Cupido (Abb. s. S. 31)
um 1755–60, Ausformung um 1765, F.A. Bustelli

H. 9,1 cm
PM: RS 10 auf der Oberseite des Sockels, im Boden „I"
Inv.Nr. A 154 (L. Steinhauser, München, 20.11.1948)

Auf ausgeschnittener Sockelplatte stehender Putto mit Flügeln, dessen Augen mit einem eisenroten Tuch verbunden sind; ein Lendentuch über der rechten Hüfte. An einem goldgemusterten Band über der Schulter ein vergoldeter Köcher. Mit den Händen hält er rechts neben sich in einem Netz mit Goldmedaillon die Weltkugel fest. Sehr zartes Inkarnat.
Flügel geklebt, Köcherband und Schleife bestoßen.

Bemalte Ex. in Slg. Otto Blohm (Schmidt 1953, Nr. 278), ehemals in Slg. Hirth (VK Hirth 1898, Nr. 275), ehemals in Slg. v. Pannwitz (AK Berlin 1904, Nr. 985), ehemals in Slg. Baer, Frankfurt a. Main (Hofmann, Abb. 102) und in unbekanntem Besitz (Christie's, London, 17.10.1977, Nr. 218).

Publ.: AK München 1963, Nr. 115

15
Putto als Cupido (o. Abb.)
um 1755–60, Ausformung um 1765, F.A. Bustelli

H. 9,2 cm
PM: RS 10; RM: „44"
Inv.Nr. A 25 (Slg. v. Quadt, 1913)

Modell wie vorige Nr., auf dem Sockel liegt ein Bogen, auf einer Medaille am Netz geritztes Planetenzeichen ♀ (für Venus). Unbemalt.
Rechter Flügel ergänzt.

Unbemalte Ex. in der PSZ, Dresden, Inv.Nr. P.E. 4291, ehemals in Slg. Hirth (VK Hirth 1898, Nr. 276), ehemals in Slg. v. Ostermann (VK Ostermann 1928, Nr. 629) und ehemals in Slg. Levi (VK Levi 1956, Nr. 4).

Publ.: VK Quadt 1913, Nr. 75; AK München 1963, Nr. 13

16
Putte als Flora (Abb. s. S. 24)
um 1755–60, F.A. Bustelli

H. 10,7 cm
PM: RS 6 auf der Oberseite vorn, unter dem Boden „2"
Inv.Nr. A 117 (Lossow-Merkel, München, 1927)

Auf Grassockel mit Rocaillen stehende Putte mit blumengefülltem Lendentuch, das sie mit der linken Hand hält, in der erhobenen Rechten Blumen. Das Haar zu einem Knoten geschlungen, eine Rose über dem rechten Ohr. Unbemalt.
Brandrisse im Sockel gekittet, Fehlstellen auf der Rückseite des Sockels.

22 38 23 18

Bemalte Ex. befinden sich im Besitz des WLM, Stuttgart, Inv.Nr. 1968/823 (AK München 1963, Nr. 118), mit purpurgefüttertem Lendentuch im MPA, Trento (Ziffer 1991, Nr. 19) und ehemals in Slg. Hirth (VK Hirth 1916, Nr. 207), zwei Ex. ehemals in Slg. v. Ostermann (VK Ostermann 1928, Nr. 623, Taf. XXXIV, Nr. 624), ein Ex. in Slg. Böhler, München, sowie ein weiteres ehemals in Slg. Levi (VK Levi 1956, Nr. 51). Das Ex. in Privatbesitz, Hamburg, steht auf einem quadratischen Sockel und besitzt ein blau-goldgestreiftes Lendentuch, in dessen Bausch jedoch keine Blumen liegen (AK München 1963, Nr. 120). Ein unbemaltes Ex. der Slg. Bäuml, Inv.Nr. A 64, wurde aufgrund der späten Ausformung und grauer Glasur nicht in diesen Katalog aufgenommen (AK München 1963, Nr. 15). Weitere unbemalte Ex. befinden sich im Besitz der LGA im GNM, Nürnberg, Inv.Nr. 892 (Hofmann Abb. 100), im MKH, Frankfurt (AK Frankfurt 1963, Nr. 235a) und ehemals in Slg. Levi (VK Levi 1956, Nr. 25 u. 35).

17
Putte als Fortuna
um 1755–60, F. A. Bustelli

H. 11,7 cm
RM: „I"; auf der Erdkugel vorn „☉", rückwärts „☿"
Inv.Nr. A 227 (L. Steinhauser, München, 4.10.1960)

Auf länglicher Sockelplatte ruht eine hellrosa marmorierte Weltkugel, auf der eine Putte mit windzerzaustem, grauem Haar kniet und mit beiden Händen ein eisenrotes, flatterndes Lendentuch festhält, das sich über der rechten Schulter zum Kreis bläht. Auf dem Sockel vorne ein eisenroter Beutel, aus dem Goldstücke herausgefallen sind, rückwärts eine graue Kette mit Fußschelle. Zartes Inkarnat.
Kleiner Brandriß am Hals, Tuch restauriert.

Ein unbemaltes Ex. in der LGA im GNM, Nürnberg, Inv.Nr. 881 (AK München 1963, Nr. 16). Bemalte Ex. aus Slg. v. Ostermann (VK Ostermann 1928, Nr. 627, Taf. XXXIV) heute im WLM, Stuttgart, Inv.Nr. 1968/727),

auf rosa marmorierter Kugel in Slg. Böhler, München (AK München 1963, Nr. 121, 122), in Slg. Dr. Erich Zschocke, Köln (Schnorr v. Carolsfeld 1950, Abb. 221 als „Luft") und in Slg. Otto Blohm (Schmidt 1953, Nr. 279).

18
Putto als Herkules
um 1760, F. A. Bustelli

H. 10 cm
PM: RS 8
Inv.Nr. A 66 (Slg. Stegmann, 1917)

Auf flacher Sockelplatte stehender Putto, den Kopf nach rechts gewandt, über Kopf und Rücken das Löwenfell, im linken Arm eine Keule. Unbemalt. Sockel rückwärts ergänzt, rechter Arm restauriert. Rauhe Unterseite mit großem Brandloch.

Ein bemaltes Ex. mit gelbgestricheltem Fell in Slg. Böhler, München (AK München 1963, Nr. 123), mit gelb-purpur gestricheltem Fell im MPA, Trento (Ziffer 1991, Nr. 20) und ehemals in Slg. Levi (VK Levi 1956, Nr. 38),

41   21   8

unbemalt im WLM, Stuttgart, Inv.Nr.
1968/733, im Schlesischen Landesmuseum, ehem. aus Slg. Hirth in Slg.
v. Pannwitz (VK Pannwitz 1905, Nr.
457), Opava/Troppau, Inv.Nr. U 501
P, in Slg. Böhler, München, und ehem.
in Slg. Levi (VK Levi 1956, Nr. 19).

Publ.: VK Stegmann 1917, Nr. 166; AK München 1963, Nr. 17

19
Putte als Juno (Abb. s. S. 26)
um 1755–60, F. A. Bustelli

H. 10,8 cm
PM: RS 5, blau staffiert mit Goldrand auf der
Rückseite des Sockels; RM: „i".
Inv.Nr. A 188 (Slg. Levi, 1956)

Auf einer zart blau-lila getönten Wolkenbank lagernde Putte mit flatterndem, gold-gelb gemustertem Lendentuch, das blonde Haar zum Knoten
geschlungen, über dem linken Ohr
purpurne Rose. Auf dem Boden ruht
ein bunt staffierter Pfau, den Kopf nach
oben gewandt. Kräftiges Inkarnat.
Krönchen des Pfaus und eine Ecke des
Lendentuchs fehlen. Fuß beschädigt.

Ein bemaltes Ex. aus der kurfürstlichen
Hofkonditorei, bez. „C.H.C.", im Residenzmuseum, München, Inv.Nr. Ker
I/Ny 5 (AK München 1963, Nr. 124).
Eine ähnliche Staffage wie obige Nr.
hat das etwas später ausgeformte Stück
im MKG, Hamburg, Inv.Nr. 1917.322.

Publ.: VK Levi 1956, Nr. 45; AK München
1963, Nr. 125

20
Putte als Juno (o. Abb.)
1755–60, F. A. Bustelli

H. 10,6 cm
RM: „1"
Inv.Nr. A 71 (A.S. Drey, München, 1919)

Modell wie vorige Nr., unbemalt.
Blumenblatt und Finger bestoßen,
Krone des Pfaus fehlt.

Unbemalte Ex. beim WAF, München,
Inv.Nr. KIa14, ehem. in Slg. Rüttgers
(VK Rüttgers 1927, Nr.81,82) und
ehem. in Slg. Levi (VK Levi 1956, Nr.27).

Publ.: AK München 1963, Nr. 18

21
Putto als Jupiter
1755–60, F. A. Bustelli

H. 12 cm
PM: RS 6 und „1"
Inv.Nr. A 70 (A. S. Drey, München, 1919)

Auf Wolkensockel lagernder Putto mit
flatterndem Lendentuch, auf dem Kopf
eine sechszackige Krone, den Blick auf
die erhobene Linke mit Blitzbündel gerichtet. Mit dem rechten Arm umfängt
er einen Adler. Auf dem Sockel geritztes Planetenzeichen ♃ (für Jupiter).
Unbemalt.
Blitz und Schnabel des Adlers beschädigt, Lendentuch, rechtes Bein und
Flügel des Adlers gekittet.

Unbemalte Ex. im BNM, Inv.Nr.
11/121 (AK München 1963, Nr. 19),
aus Slg. Hirth ehem. in Slg. v. Pannwitz
(VK Pannwitz 1905, Nr. 465), ehem. in
Slg. Rüttgers (VK Rüttgers 1927, Nr.
80), und ehemals in Slg. Levi (VK Levi
1956, Nr. 22 und 27). Bemalt und mit
„C.H.C. 1771" bezeichnet im Residenzmuseum, München, Inv.Nr. Ker
I/Ny 4 (AK München 1963, Nr. 126).
Mit lila-gelbem Lendentuch im MPA,

Trento (Ziffer 1991, Nr. 16) und eisenrotem Lendentuch in Privatbesitz, München. Die Bemalung eines Ex. der Slg. v. Ostermann ist nicht dokumentiert (VK Ostermann 1928, Nr. 633).

22
Putte als Luna (Abb. s. S. 27)
1755–60, Ausformung um 1765,
F. A. Bustelli

H. 10,3 cm
PM: Nr. 10 und „o"
Inv.Nr. A 186 (Slg. Levi, 1956)

Auf ausgeschnittener Sockelplatte stehende Putte mit Lendentuch, in der linken Hand hält sie hinter dem Kopf eine Mondsichel mit eingeritztem Gesicht. Über der Schulter Köcher mit Pfeilen am Band, auf dem Boden ein Bogen. Unbemalt.
Pfeilenden schon vor dem Glasieren abgebrochen.

Ein unbemaltes Ex. im Residenzmuseum, München, Inv.Nr. Ker I/Ny 9, sowie ehemals Slg. v. Ostermann (VK Ostermann 1928, Nr. 631) und ein weiteres mit Höchster Bemalung (VK Ostermann 1928, Nr. 630).

Publ.: VK Levi 1956, Nr. 34; AK München 1963, Nr. 20

23
Putto als Mars (Abb. s. S. 27)
um 1755–60, Ausformung um 1770,
F. A. Bustelli

H. 10,4 cm
PM: RS 10; RM: „A"
Inv.Nr. A 157 (Prov. unbekannt)

Auf ausgeschnittener Sockelplatte Putto in Schrittstellung mit Helm, Schild und Brustpanzer, um die Hüften ein geschlungenes Tuch. In der Rechten ein gezücktes Schwert. Zu seinen Füßen ein Kanonenrohr und Kugeln. Unbemalt.
Rechter Arm mit Schwert ergänzt, Schild bestoßen, Schwertscheide geklebt. Graue, leicht blasige Glasur.

Unbemalte Ex. ehemals in Slg. de Ridder (VK Ridder 1931, Nr. 170), ehemals in Slg. Levi (VK Levi 1956, Nr. 33),

mit Goldstaffage und Bezeichnung „C.H.C." mit Datum „1771" im Residenzmuseum, München, Inv.Nr. Ker I/Ny 6 (AK München 1963, Nr. 21) sowie im MKH, Frankfurt (AK Frankfurt 1963, Nr. 235d). Figur mit rosa Lendentuch und hellgrau-goldenem Panzer und Helm in Privatbesitz, Hamburg (AK München 1963, Nr. 128) und mit gelb-rot gestreiftem Lendentuch zum blau-goldenen Brustpanzer im MPA, Trento (Ziffer 1991, Nr. 18).

24
Putto als Mars (o. Abb.)
um 1755–60, Ausformung um 1765,
F. A. Bustelli

H. 10,5 cm
PM: RS 10 und „i"
Inv.Nr. A 239 (Mehmel, München, 19. 4. 1963)

Modell wie vorige Nr., unbemalt.
Kanonenrohr und Schwert fehlen. Rechter Arm, Beine, Lendentuch und Schild geklebt.

25
Putto als Merkur (Abb. s. S. 24)
um 1755–60, F. A. Bustelli

H. 11 cm
PM: RS 6 vorn am Baumstumpf
Inv.Nr. A 19 (Slg. Seitz, 1912)

Naturalistischer Baumstumpf über ausgeschnittener Sockelplatte, darauf sitzender Putto mit Flügelchen an den Füßen und eingeprägtem Planetenzeichen $\male$... (für Merkur) am Hut, der auf einer Flöte bläst. Auf dem Boden liegender Merkurstab. Unbemalt.
Flügelchen, Flöte und rechte Hand geklebt.

Unbemalte Ex. im KGM, Köln, Inv.Nr. E 1695 (MK Köln 1975, Nr. 173a), ehem. in Slg. Rüttgers (VK Rüttgers 1927, Nr. 87, 88), ehem. in Slg. Levi (VK Levi 1956, Nr. 29 u. 30) und in unbekanntem Besitz (Neumeister, München, 21. 10. 1987, Nr. 99). Bemaltes Ex. mit „C.H.C." im Residenzmuseum, München, Inv.Nr. Ker I/Ny 7 (AK München 1963, Nr. 130), im BNM, Inv.Nr. 59/299, auch ehemals in Slg. Fischer, Dresden (VK Fischer

1918, Nr. 619) sowie ehemals in Slg. Levi (VK Levi 1956, Nr. 48).

Publ.: VK Seitz, 12.11.1912, Nr. 137; Hofmann, Abb. 104; AK München 1963, Nr. 22

26
Putto als Merkur (o. Abb.)
um 1760, F. A. Bustelli

H. 10,8 cm
ohne Marke
Inv.Nr. A 237 (Mehmel, München, 19.4.1963)

Modell wie vorige Nr., unbemalt.
Flügel am rechten Bein, ein Flügel am Hut und Spitze der Flöte abgebrochen.

Publ.: Weinmüller, München, 3.12.1958, Nr. 101

27
Putte als Minerva (Abb. s. S. 30)
um 1755–60, F. A. Bustelli

H. 11,4 cm
PM: RS 5 unterhalb des Medusenhaupts auf dem Schild; RM: auf der Unterseite „I"
Inv.Nr. A 142 (Prov. unbekannt, 1938)

Auf ausgeschnittener Sockelplatte stehende Putte in Sandalen, langem goldgeschupptem Rock mit Blumenmuster, einem blauen Brustpanzer mit goldenen Borten über einer goldgesäumten Bluse, purpurnem Schultertuch und schwarz-goldenem Helm mit bunt gestricheltem Federbusch. Mit der Rechten stützt sie sich auf eine braune Lanze, mit der Linken hält sie den Medusenschild. Kräftiges Inkarnat. Lanze unvollständig.

Einen ebenso goldgeschuppten Rock, jedoch einen purpurnen Panzer trägt das Ex. der R. Thornton Wilson Collection im MMA, New York, Inv.Nr. 43.100.57. Unter den Variationen der Bemalung gleichen sich zwei Ex. mit eisenrot-goldgestreiftem Rock und gelbpurpurnem Schuppenpanzer im MPA, Trento (Ziffer 1991, Nr. 17) und in unbekanntem Besitz (Christie's, Amsterdam, 24.11.1993, Nr. 236), während sich weitere Ex. mit unterschiedlicher Bemalung im Schlesischen Landesmuseum, Opava/Troppau, Inv.Nr. U502 P,

27 37

ehemals in Slg. Sayn-Wittgenstein (VK
Sayn-Wittgenstein 1907, Nr. 139), mit
purpurchangierendem Gewand zu blau-
geschupptem Panzer in Privatbesitz,
Hamburg (AK München 1963, Nr.
131) und in unbekanntem Besitz befinden (Weinmüller, München,
12.3.1975, Nr. 292; Christie's, London, 17.10.1977, Nr. 217; Christie's,
Genf, 12.5.1986, Nr. 144).

Publ.: AK München 1963, Nr. 133

28
Putte als Minerva (o. Abb.)
um 1755–60, F. A. Bustelli

H. 11,5 cm
PM: RS 6 unterhalb des Medusenhaupts auf
dem Schild, auf der Unterseite „2"
Inv.Nr. A 159 (Prov. unbekannt)

Modell wie vorige Nr., unbemalt.
Lanzenspitze fehlt.

Unbemalte Ex. aus Slg. Hirth ehem. in
Slg. v. Pannwitz (VK Pannwitz 1905,
Nr. 458), in der LGA im GNM, Nürnberg, Inv. Nr. 882, und in unbekanntem Besitz (Ruef, München,
25.3.1992, Nr. 334).

Publ.: AK München 1963, Nr. 23; Sedlmayr
1963, Abb. 7

29
Putte als Minerva (o. Abb.)
um 1760, F. A. Bustelli

H. 11 cm
PM: RS 6 unterhalb des Medusenhauptes auf
dem Schild sowie auf der Unterseite
Inv.Nr. A 236 (Mehmel, München,
19.4.1963, ehemals Slg. Levi)

Modell wie vorige Nr., unbemalt.
Obere Hälfte der Lanze fehlt, Sockel
bestoßen.

Publ.: VK Levi 1956, Nr. 28

30
Putto als Neptun (Abb. s. S. 24)
um 1755–60, F. A. Bustelli

H. 10,2 cm
PM: RS 5 auf dem Sockel rückwärts; RM: auf
der Unterseite „I"
Inv.Nr. A 244 (Weinmüller, München, 1965)

Auf ausgeschnittenem Rocaillesockel
stehender Putto mit nassem Haar in hohen Fischerstiefeln zwischen Schilfblät-
tern. Unter dem rechten Arm hält er
einen großen Fisch, in der Linken ein
Ruder. Unbemalt.
Oberes Ende des Ruders und Ruderblatt
fehlen, Sockel bestoßen.

Unbemalte Ex. ehemals in Slg. Stegmann (VK Stegmann 1917, Nr. 167),
ehemals in Slg. Levi (VK Levi 1956,
Nr. 1, 2), in Slg. Böhler, München (AK
München 1963, Nr. 24), ehemals in
Slg. Dr. Feit (Sotheby's, London,
4.12.1973, Nr. 97) und in unbekanntem Besitz (Neumeister, München,
21.10.1987, Nr. 100; Ruef, München,
26.6.1991, Nr. 220). Die Figur der Slg.
v. Quadt (VK Quadt 1913, Nr. 78) heute in Slg. Bäuml, Inv.Nr. A 27. Das bemalte Ex. aus der Slg. Hirth im BNM,
Inv.Nr. 17/242 (AK München 1963,
Nr. 134; Rückert 1963, Abb. 3) trägt
die J. G. Lindemann zugeschriebene
Malermarke „L" in Gold, vgl. Kat. 10.
Weitere bemalte Ex. ehemals in Slg.
Hirth (VK Hirth 1916, Nr. 219), ehemals in Slg. Mühsam, Berlin (VK Mühsam 1925, Nr. 355), weiters ehemals in
Slg. Levi (VK Levi 1956, Nr. 10) eventuell identisch mit einem Stück, ehemals in der Slg. Rockefeller (Sotheby's,
New York, 11.4.1980, Nr. 138).

Publ.: VK Weinmüller, München, 23.6.1965,
Nr. 204

31
Putto als Pan (Abb. s. S. 25)
um 1755–60, Ausformung um
1770, F. A. Bustelli

H. 11,8 cm
PM: RS 6 auf der Oberseite des Baumstumpfs;
RM: „43" im hohlen Sockel
Inv.Nr. CB 6 (Prov. unbekannt)

Naturalistisch bemalter Baumstumpf als
Sockel, darauf ein sitzender Putto mit
grauschwarzen Bocksbeinen, im Schoß
ein grünes Weinblatt, in der erhobenen
Rechten eine dunkelbraune Panflöte
haltend, während er sich mit der linken
Hand auf dem Sockel abstützt. Kräftig
staffiertes Inkarnat.
Brandrisse, teils ausgekittet.

Ein bemaltes Ex. im BNM, Inv.Nr.
Ker 3859 (AK München 1963, Nr.
116; Rückert 1963, Abb. 3) und ehemals in Slg. Levi (VK Levi 1956, Nr.
49). Das in Höchst staffierte Stück mit
Nymphenburger Marke der Slg. v.
Quadt (VK Quadt 1913, Nr. 90), heute
in Slg. Bäuml, Inv.Nr. A 29. Unbemalt
ehemals in Slg. Sayn-Wittgenstein (VK
Sayn-Wittgenstein 1907, Nr. 140).

32
Putto als Pan (o. Abb.)
um 1755–60, F. A. Bustelli

H. 11 cm
PM: „I"
Inv.Nr. A 185 (Slg. Levi, 1956)

Modell wie vorige Nr., unbemalt.
Rechter Arm gekittet, Sockel unten
bestoßen, Brandrisse, Flöte fehlt.

Eventuell mit dem Ex. aus Slg. Hirth
ehem. in Slg. v. Pannwitz (VK Pannwitz 1905, Nr. 466) identisch. Ein unbemaltes Vergleichsstück im MKH,
Frankfurt (AK Frankfurt 1963, Nr.
235f).

Publ.: VK Levi 1956, Nr. 20; AK München
1963, Nr. 14

33
Putte als Pandora
um 1755–60, F. A. Bustelli

H. 10 cm
Gemaltes Rautenschild auf der Sockeloberseite
vorn, blau staffiert mit Goldrand; PM: auf der
Unterseite „I"
Inv.Nr. A 189 (Slg. Levi, 1956)

Auf grün-goldgehöhter Sockelplatte stehende Putte in dunkelblau-gelbem
Manteltuch mit Goldsaum über dem
rechten Arm, in dessen Hand die goldene Büchse des Verderbens. Mit der Lin-

33

35   14

ken greift sie nach dem Stoff. Im grau-
gestrichelten Haar ein Golddiadem mit
blauem Band und eine purpurne Rose.
Zartes Inkarnat.
Blatt der Rose abgebrochen, Sockel
leicht bestoßen.

Publ.: VK Levi 1956, Nr. 46; AK München
1963, Nr. 135; Sedlmayr 1963, Abb. 4

34
Putte als Pandora (o. Abb.)
um 1755–60, F. A. Bustelli

H. 10 cm
RM: auf der Unterseite „3" (groß)
Inv.Nr. A 63 (A.S. Drey, München, September
1918)

Modell wie vorige Nr., unbemalt.
Minimal bestoßen.

Unbemalte Ex. in der LGA im GNM,
Nürnberg, Inv. Nr. 2934 (Hofmann,
Abb. 100) und in unbekanntem Besitz
(Christie's, London, 29.6.1987, Nr.
180).

Publ.: AK München 1963, Nr. 25; Rückert
1965, Abb. 4

35
Putto als Pluto
um 1760, F. A. Bustelli

H. 10 cm
ohne Marke
Inv.Nr. A 195 (Höchtl, München,
21.12.1956, ehemals Slg. Levi)

Auf ausgeschnittener Sockelplatte mit
Goldstaffage stehender Putto mit braunen Haaren und kupfergrünem, zartlila
gefüttertem Mantel, links zu seinen
Füßen der braunstaffierte Zerberus mit
drei Köpfen. In der Linken ehemals ein
Stab.
Teile des Sockels ergänzt, oberer Teil
des Stabs abgebrochen.

Figur mit schwarz-rosa Mantel in unbekanntem Besitz (Bangel, Frankfurt,
26.5.1925, Nr. 211).

Publ.: VK Levi 1956, Nr. 44; AK München
1963, Nr. 136

36
Putto als Pluto (o. Abb.)
um 1760, F. A. Bustelli

H. 10,4 cm
PM: RS 5 auf der Oberseite des Sockels;
RM: auf der Unterseite „Z"
Inv.Nr. A 97 (Fürst Hohenlohe, München,
26.1.1920)

Modell wie vorige Nr., unbemalt.

Unterer Teil des Stabs fehlt.

Unbemalte Ex. im Residenzmuseum, München, mit Bez. „C.H.C.", Inv.Nr. Ker I/Ny 8, weitere im BNM, Inv.Nr. Ker 3635, in der LGA im GNM, Nürnberg, Inv.Nr. 893, und im WLM, Stuttgart, Inv.Nr. 1968/821, außerdem ehem. in Slg. Rüttgers (VK Rüttgers 1927, Nr. 89, 90), ehem. in Slg. Levi (VK Levi 1956, Nr. 21) und eine späte Ausformung in Slg. Böhler, München.

Publ.: AK München 1963, Nr. 26

37
Putte als Proserpina (Abb. s. S. 30)
um 1755–60, F. A. Bustelli

H. 10,3 cm
PM: RS 5, blau staffiert mit Goldrand, auf der Unterseite „2"
Inv.Nr. A 143 (Prov. unbekannt, 1938)

Auf ausgeschnittenem grau-goldstaffiertem Grassockel stehende Putte mit langem, goldgemustertem Rock und blauem Mieder mit Goldkanten, über dem linken Arm ein purpurnes Manteltuch mit Goldsaum. Auf dem hochgesteckten, braunen Haar ein gelblich-graues Krönchen aus Mauerzinnen. In der linken Hand ein eisenrotes Buch mit goldenem Schlüssel auf dem Deckel. Kräftiges Inkarnat.
Sockel mehrfach bestoßen, Zeigefinger der rechten Hand fehlt.

Mit ähnlicher Bemalung im Grassimuseum, Leipzig, Inv.Nr. 15.13, in goldgeschupptem Rock mit bunten Blumen, blauem Panzer und eisenrot-gelbem Tuch in Privatbesitz, Hamburg (AK München 1963, Nr. 138), mit purpurnem Kreismuster im Rock ehemals Slg. Hirth (VK Hirth 1916, Nr. 206), eine spätere Ausformung mit RM „46" und blau-grün staffiert in unbekanntem Besitz (Bangel, Frankfurt, 26.5.1925, Nr. 212). Unbemalte Figuren im KGM, Köln, Inv.Nr. E 1697 (MK Köln 1975, Nr. 173 c), im WLM, Stuttgart, Inv.Nr. 1968/791, im MKH, Frankfurt (AK Frankfurt 1963, Nr. 235e) sowie ehemals in Slg. Levi (VK Levi 1956, Nr. 21) und Slg. Bäuml, Inv.Nr. 30, aus Slg. v. Quadt (VK Quadt 1913, Nr. 77).

Publ.: AK München 1963, Nr. 137

38
Putto als Saturn (Abb. s. S. 27)
um 1760, F. A. Bustelli

H. 10 cm
RM: „3" und „A" (groß), Bossiererzeichen auf Lendentuch „🐛"
Inv.Nr. A 24 (Slg. v. Quadt, 1913)

Auf ausgeschnittener Sockelplatte stehender Putto mit Lendentuch, der mit beiden Händen links neben sich eine Sense hält. Den rechten Fuß auf ein aufgeschlagenes Buch gestellt. Unbemalt.
Teil des Sockels ergänzt, Sense restauriert, Hüfttuch rechts schon vor der Glasur abgebrochen.

Bemalte Ex. im Residenzmuseum, München, Inv.Nr. Ker I/Ny 21 (Brunner 1977, Abb. 276), im V&A, London (Honey 1947, Abb. 47a), ehem. in Slg. Rüttgers (VK Rüttgers 1927, Nr. 85, 86), ehemals in Slg. Levi (VK Levi 1956, Nr. 41 u. 50) und unbekanntem Besitz (Weinmüller, München, 12.3.1975, Nr. 291); ein zeitgleich bemaltes Ex. sowie eine bemalte Ausformung um 1770, wobei der Figur Flügel und auf dem Sockel eine Sanduhr hinzugefügt wurden, im MPA, Trento (Ziffer 1991, Nr. 21, 22) und unbekanntem Besitz (Neumeister, München, 6./7.12.1961, Nr. 125), die Sense fehlt bei einem Stück in unbekanntem Besitz (Sotheby's, London, 21.10.1980, Nr. 22). Ein unbemaltes Ex. im MMA, New York, Inv.Nr. 1974.356.536, ein weiteres ehemals in Slg. de Ridder (VK Ridder 1931, Nr. 170a), ehemals in Slg. Levi (VK Levi 1956, Nr. 26) und Slg. Böhler, München (auch mit Bossiererzeichen „3" und „A"), ein beschädigtes Ex. in unbekanntem Besitz (Christie's, London, 1.7.1985, Nr. 95).

Publ.: VK Quadt 1913, Nr. 79; AK München 1963, Nr. 27

39
Putte als Venus
um 1755–60, Ausformung um 1765, F. A. Bustelli

H. 10,5 cm
PM: RS 10
Inv.Nr. A 53 (Slg. Rittershausen, 1917)

Auf ausgeschnittener, goldgehöhter Sockelplatte schreitende Putte mit blaugrünem Lendentuch, das graue Haar hochgesteckt und mit einer Rose geschmückt. Im rechten Arm eine braune Fackel, in der ausgestreckten Linken ein rotes, brennendes Herz. Auf dem Sockel graues Schild mit eingeritztem Planetenzeichen ♂ (für Mars) und Goldrand sowie ebensolches Schwert. Zartes Inkarnat.
Fackel oben abgebrochen, linker Arm gekittet.

Dr. Bäuml datierte die Bemalung jüngeren Datums als die Ausformung. Aus ehemals churfürstlichem Besitz der Hofkonditorei (bez. „C.H.C.") ein bemaltes Ex. der Slg. Hirth im WLM, Stuttgart, Inv.Nr. 1968/729 (AK München 1963, Nr. 140), weitere Ex. im BNM, Inv.Nr. Ker 4211, und ehemals in Slg. Levi (VK Levi 1956, Nr. 36).

Publ.: VK Rittershausen 1917, Nr. 102

40
Putte als Venus (o. Abb.)
um 1755–60, F. A. Bustelli

H. 11 cm
PM: RS 6 auf der Oberseite des Sockels, auf der Unterseite „2"; alte Beschriftung „393" und „159"; auf der Oberseite des Sockels in Purpur „C.H.C." (Marke der „Churfürstlichen Hof-Conditorei", siehe Kat. 39)
Inv.Nr. A 42 (Slg. Hirth, 1916)

Modell wie vorige Nr., unbemalt.
Leicht bestoßen, mehrfach gekittet.

Unbemalte Ex. im BNM, Inv.Nr. 2143, 3637 (AK München 1963, Nr. 28), ehem. in Slg. Rüttgers (VK Rüttgers 1927, Nr. 83, 84), ehemals in Slg. v. Ostermann (VK Ostermann 1928, Nr. 628) und ehemals in Slg. Levi (VK Levi 1956, Nr. 23).

Publ.: VK Hirth 1916, Nr. 220

39 42

41
Putto als Vulkan (Abb. s. S. 28)
um 1755–60, F. A. Bustelli

H. 11,4 cm
PM: RS 6 auf der Vorderseite unterhalb des
Ambosses
Inv.Nr. A 26 (Slg. v. Quadt, 1913)

Über ausgeschnittener Sockelplatte ein
naturalistischer Baumstumpf mit einem
Amboß. Der Putto in Lederschürze und
Schildmütze steht mit dem rechten
Bein auf dem Sockel, mit dem linken
kniet er auf dem Baumstumpf. Mit der
Linken hält er einen Pfeil, den er mit
einem Hammer in der erhobenen Rechten bearbeitet. Auf dem Boden ein
großer Hammer und ein Hufeisen. Unbemalt.
Rechter Arm, Hammer und Pfeil gekittet, Sockel bestoßen.

Bemalte Ex. ehemals in Slg. v. Oster-
mann (VK Ostermann 1928, Nr. 622,
Taf. XXXIV), ein zweites mit brauner
Schürze und grüner Mütze in der Slg.
Böhler, München (AK München 1963,
Nr. 141) sowie ein drittes mit der Be-
zeichnung „C.H.C.", die es als ehe-
maligen Residenzbestand ausweist
(Christie's, Genf, 16.11.1992). Unbe-
malte Ex. im BNM, Inv.Nr. Ker 2595,
im WLM, Stuttgart, Inv.Nr. 1968/732
(AK München 1963, Nr. 29), im
KGM, Köln, Inv.Nr. E 1696 (MK Köln
1975, Nr. 173 b), im MKH, Frankfurt
(AK Frankfurt 1963, Nr. 235b), in Slg.
Böhler, München, ehemals in Slg. de
Ridder (VK Ridder 1931, Nr. 169) und
ehemals in Slg. Levi (VK Levi 1956,
Nr. 31 u. 32).

Publ.: VK Quadt 1913, Nr. 76

42
Putto im eiligen Lauf
um 1760, F. A. Bustelli

H. 10 cm
PM: RS 6; RM: „3"
Inv.Nr. A 220 (The Antique Porcelain Co.
Ltd., London, 21.3.1960)

Auf Sockelplatte mit Goldstaffage eilig
laufender Putto, den Kopf nach rechts
gewandt, dessen grün-purpurnes Lendentuch mit Goldsaum im Wind flattert. Zartes Inkarnat.
Rechte Hand restauriert, Blumen in der
linken Hand fehlen.

Ein unbemaltes Ex. ehemals in Slg. Dr.
Feit (Sotheby's, London, 4.12.1973,
Nr. 96).

Publ.: AK München 1963, Nr. 142

Sakrale Figuren

Bereits in der zweiten Hälfte des Jahres 1755 verzeichnet die Liste der Formzugänge ein Kruzifix, dem 1756 die Assistenzfiguren Maria und Johannes folgten.

Den Korpus Christi zeichnet eine einzigartige Behandlung der Oberfläche aus. Trotz vermeintlicher Symmetrie im Aufbau zeigt jeder Körperteil die Durchführung einer Torsion, durch verschiedene Ausarbeitung der angespannten Muskelstränge wird die höchste Ausdruckssteigerung erreicht. Die geöffneten Augen und der Mund zeigen den noch lebenden Christus nach der geistigen Überwindung des körperlichen Schmerzes. Dargestellt ist der Grenzbereich zwischen Tod und Erlösung, den Maria und Johannes mit Blicken verfolgen. Der in ein Dreieck eingebundene Aufbau der Gruppe ergibt sich aus dem diagonal ausschwingenden Mantel Mariens und dem ausgestreckten linken Arm des Johannes, dessen hilflose Betroffenheit durch die Hand auf der Brust ausgedrückt wird. Die beiden Figuren der Slg. Bäuml sind die einzig bekannten Ausformungen mit einer Bemalung.

Diese drei Figuren sakralen Charakters lassen am deutlichsten die Ausbildung Bustellis in der Werkstatt des bayerischen Hofbildhauers Johann Babtist Straub (1737–1784) erkennen. Vor allem die scharfkantigen Grate und Falten der Gewänder sprechen für die sichere Beherrschung eines Schnitzmessers, wie sie nur in der Holzbildhauerei erlernbar war.

Lit.: Hofmann, S. 430–432, Abb. 124, 324, Tafel 12, 13

Sacred Figures

Already in the second half of the year 1755 the list of accessions documents a crucifix, which was followed in 1756 with the secondary figures Mary and John.

The body of Christ is characterized by the unique treatment of the surface. In spite of the apparent symmetry in the build-up, every part of the body shows torsion; the highest possible expressivity is achieved in the variously worked out cords of tensed muscles. Widely opened eyes and mouth show the still living Christ after having spiritually overcome the bodily pains. Depicted here is the moment of passing from death to redemption, which Mary and John follow with their eyes. The triangular composition of the group results from Mary's coat swinging out diagonally and the stretched-out left arm of John, whose helpless consternation is expressed by the hand on his chest. The two figures from the Bäuml collection are the only known painted ones.

These three figures of sacred characters show Bustelli's training in the workshop of the sculptor at the Bavarian court Johann Babtist Straub (1737–1784) most clearly. Particularly the sharp-edged folds of the drapery speak for the confident handling of a wood-carving knife, as it could only be learned from sculpting in wood.

Lit.: Hofmann, p. 430–432, figs. 124, 324, plates 12, 13

45   43   46

43
Kruzifix
um 1755, Ausformung um 1760–65,
F. A. Bustelli

H. ges. 34,5 cm, Korpus 30,5 cm
PM: RS 10, darüber „7"
Inv.Nr. A 235 (Weinmüller, München, 1963)

In einer steilen S-Kurve gedrehter Korpus ohne Brustwunde im Dreinagel-
Typus, das Haupt mit Dornenkrone sowie geöffneten Augen und Mund nach
links geneigt. Über der linken Leiste
liegt in Falten das Lendentuch, das zwischen den Beinen nach hinten flattert
und auf der rechten Hüfte von einem
Band gehalten wird. Zugehörig ein geschwungenes Schriftplättchen mit ein-
gepreßt und schwarz ausgemaltem
Schriftzug „INRI". Unbemalt.
Drei Finger der rechten Hand und ein
Finger der linken Hand fehlen. Linker
Arm gekittet, Schleife, Band und Lendentuch bestoßen. Linker Fuß gekittet.
Ausgezeichnete Modellierung, dünne,
in den Tiefen leicht bräunliche Glasur,
sorgfältige Bossierung.

Zwei Ausformungen dieses Kruzifixes
besitzen neben der rechten Hüfte einen
zweiten Gewandbausch: beim Ex. im
BNM, Inv.Nr. Ker 4479 a weist dieser
Bausch nach oben (Hofmann, Abb.
124), während er bei der Ausformung
im MStm, Inv.Nr. 37/1254 (Ziffer
1988, Abb. 1) wohl aus produktions-
technischen Gründen nach unten gerichtet wurde. Bei dem Ex. ehemals in
Slg. Jean Wurz ist dieser Bausch in der
Mitte abgebrochen gewesen (VK Wurz
1924, Nr. 16, Taf. 30). Die weiteren
bekannten Ausformungen entsprechen
dem Kruzifix der Slg. Bäuml und verzichten auf einen Bausch neben der
rechten Hüfte. Diese befinden sich im
BNM, Inv.Nr. Ker 2268 (Hofmann,
Abb. Taf. 12 mit einem zusätzlichen
Tuchbausch, der in Photomontage an-
gefügt wurde; AK München 1963,
Nr. 39; Rückert 1963, Abb. 9), in der
Elisabethinerinnenkirche Azlburg in

43

Straubing (Hofmann, Abb. 324), in der
LGA im GNM, Nürnberg, Inv.Nr.
9733, im Kunstindustrimuseet, Kopenhagen, Inv.Nr. B73/1944, im MMA,
New York, Inv.Nr. 1977.216.56, ehemals in der Slg. Fritz Buckardt, Berlin
(VK Buckardt 1925, Nr. 110) sowie in
unbekanntem Besitz (Christie's, London, 6.6.1978, Nr. 171).

Publ.: Weinmüller, München, 20.3.1963,
Nr. 203

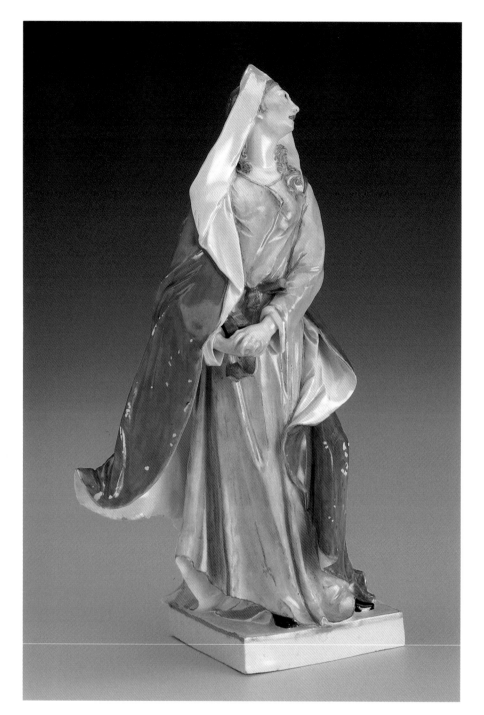

45

ehemals in Slg. Fritz Buckardt, Berlin (VK Buckardt 1925, Nr. 110) sowie in unbekanntem Besitz (Christie's, London, Hamilton Palace sale, 18.7.1882; 4.7.1983, Nr. 72 - mit RM „T"). Die Ritzmarke „T" auch auf dem Ex. im MKG, Hamburg, Inv.Nr. 1898.240.

45
Maria aus der Kreuzigungsgruppe
um 1756–60, F. A. Bustelli

H. 31 cm
PM: RS 6 vorne am Sockel
Inv.Nr. 107 (Slg. Darmstädter, 1925)

Modell wie vorige Nr., jedoch Sockel mit Goldrand, schwarze Schuhe, zartlila Unterkleid mit Goldsaum, eisenroter Gürtel, blauer Mantel mit gelbem Futter und Goldsaum. Haar braun gestrichelt. Kräftiges Inkarnat.
Kanten leicht bestoßen, blaue Farbe mehrfach abgeplatzt, Brandrisse.

Publ.: AK Berlin 1904, Nr. 988; Falke 1919, Taf. 19; Hofmann, Tafel 13; VK Darmstädter 1925, Nr. 257, Taf. 62; Ware 1951, Abb. 87; AK München 1963, Nr. 160

44
Maria aus der Kreuzigungsgruppe (o. Abb.)
um 1756–60, F. A. Bustelli

H. 30,8 cm
PM: RS 5; RM: „T"
Inv.Nr. A 144 (Prov. unbekannt, 1938)

Auf einem quadratischen Sockel stehende Figur in langem Unterkleid und Mantel, den Kopf zu Christus erhoben, die Hände schmerzhaft über der Hüfte ineinander verklammerten. Unbemalt.

Sockel und Mantel mehrfach bestoßen, zahlreiche Brandrisse.

Unbemalte Figuren im BNM, Inv.Nr. Ker 4479b (AK München 1963, Nr. 40), im MStm, Inv.Nr. K70-150 (Ziffer 1988, Abb. 2), im Grassimuseum, Leipzig, Inv.Nr. 25.69 (MK Leipzig 1983, Nr. 127), im Art Institute of Chicago, Inv.Nr. 1986.1009, im V&A, London, Inv.Nr. C122-1937 (Honey 1947, Abb. 46), im Nationalmuseum, Stockholm, Inv.Nr. NM236/1921 (Hannover 1925, Abb. 311), im MAK, Wien,

46
Johannes aus der Kreuzigungs-
gruppe
um 1756–60, F. A. Bustelli

H. 30,8 cm
PM: RS 6 vorne am Sockel
Inv.Nr. A 108 (Slg. Darmstädter, 1925)

Auf einem quadratischen Sockel mit
Goldrand stehende Figur in langem,
grünem Gewand mit Goldsaum und
braunem Gürtel. Darüber eisenroter
Mantel mit lachsfarbenem Futter, Goldsaum und Kippfalte über dem linken
Bein, den Kopf mit grauen Locken und
offenem Mund zu Christus gewandt,
die Rechte an die Brust geführt,
während der linke Arm nach außen
weist. Kräftiges Inkarnat.

Von dieser Figur existiert eine unbe-
malte Ausformung mit „F.B.“-Marke im
MStm, Inv.Nr. K70-151 (Ziffer 1984,
Abb. 3), sowie weitere Ex. im BNM,
Inv.Nr. Ker 4479c (AK München 1963,
Nr. 41) und in unbekanntem Besitz
(Christie's, London, 4.7.1983, Nr. 72).

Publ.: AK Berlin 1904, Nr. 989, Taf. XXXVI;
Hofmann, Tafel 13; VK Darmstädter 1925,
Nr. 258, Taf. 62; AK München 1963, Nr. 161

46

47

48
Mater dolorosa
um 1755–56, F. A. Bustelli

H. 18 cm
PM: RS 6 links auf dem Sockel
Inv.Nr. A 110 (Gräfin Drechsel-Almeida,
München, Mai 1925)

Auf rundem Rasensockel stehende Figur in faltenreichem Unterkleid und Mantel, den Kopf zu Christus am Kreuz erhoben, die Hände liegen auf der Brust, in der das Schwert der Sieben Schmerzen steckt. Unbemalt. Schwert und Schleife am Gürtel fehlen, Finger der linken Hand gekittet, Mantel bestoßen.

„1 kleines Cruzifix, wobey 1 schmerzhaffte Muttergottes unter dem Creuz" ist bereits im Formenverzeichnis von 1760 nachweisbar. Ein unbemaltes Ex. im BNM, Inv.Nr. Ker 3616 (AK München 1963, Nr. 42), im WLM, Stuttgart, Inv.Nr. 1968/719, im SLM, Zürich, Inv.Nr. LM 26035, ehem. in Privatbesitz (Helbing München, 28.9. 1917, Nr. 155, Taf. XXV) und ehemals in Slg. Levi (VK Levi 1956, Nr. 63).

48

47
Kleines Kruzifix
um 1758, Ausformung um 1765–70,
F. A. Bustelli

H. gesamt 20 cm, Korpus 18 cm
PM: RS 9; RM: „79"
Inv.Nr. A 124 (L. Steinhauser, München,
Dezember 1936)

Nur wenig gedrehter Korpus im Dreinagel-Typus mit Brustwunde nach dem Tod, über der linken Hüfte hält ein Band das eingeschlagene Lendentuch, das zwischen den Beinen verläuft und hinter dem rechten Knie in einem Bausch endet. Unbemalt.

Im Gegensatz zum größeren Kruzifix (Kat. 43), das Christus noch lebend in seinem Leiden darstellt, ist bei dieser Fassung bereits der erlösende Tod eingetreten, der durch die Brustwunde, die geschlossenen Augen, die ge-

krümmten Hände und eine weniger spannungsreiche Gestaltung der Muskelpartien ausgedrückt wird.

Ein unbemaltes Ex. im MPA, Trento (Ziffer 1991, Nr. 33), im GNM, Nürnberg, Inv.Nr. Ke 422, und ehemals in Slg. Levi (VK Levi 1956, Nr. 64). Eine spätere Überarbeitung aus der Slg. Hirth (VK Hirth 1916, Nr. 234) heute im WLM, Stuttgart, Inv.Nr. 1968/717 (Hofmann, Abb. 374).

Innerhalb einer Serie von sechs Berufsfiguren, die Ende 1755 erstmals erwähnt ist, bilden eine „Pilzverkäuferin" (Kat. 49) und ein „Rastlbinder" (Siebmacher oder Kesselflicker), eine „Apfelfrau" und ein „Fischhändler" (Kat. 50), ein „Käsmann" und die „Eiergretel" (Kat. 51–52) jeweils ein Paar. In direkter Übernahme der Stichfolge „Cris de Paris" des Comte de Calyus nach Zeichnungen des Bildhauers Edmé Bouchardon wurden in Meissen bereits um 1745 und erneut zwischen 1753 und 1755 von J. J. Kaendler, P. Reinicke und F. E. Meyer pittoreske Handwerks- und Händlertypen in Porzellan ausgeformt. Sie zierten das Dessert der höfischen „Bauernhochzeiten" oder „Handwerksopern", bei denen der extreme Standesunterschied zum Amusement gemacht wurde. Bustelli nahm sich im Gegensatz dazu reale Charaktere der auf dem Schrannenplatz in München abgehaltenen Märkte zum Vorbild, deren Kleidung und Gesten er nach genauer Beobachtung übernahm. Auch die Bediensteten des Hofes (Kat. 54, 55) und Vertreter des Klerus (Kat. 56) gehörten zu diesem Querschnitt durch das Volk.

Lit.: Hofmann, S. 404–409 u. Abb. 120–123

Within a series of six figures of the trades, which were first mentioned at the end of 1755, a *Woman Selling Mushrooms* and a *Rastlbinder* (A Maker of Sieves or a Tinker), an *Apple Woman* and a *Fish Merchant*, a *Cheeseman* and the *Eiergretel* (Woman Selling Eggs) are each a pair. Picturesque trades and merchant figures were already being made in porcelain in Meissen around 1745 and between 1753 and 1755 by J. J. Kaendler, P. Reinicke, and F. E. Meyer, in direct adoptation of the sequence of etchings *Cris de Paris* by Comte de Calyus after drawings of the sculptor Edmé Bouchardon. They decorated the dessert tables of the courtly "Peasant Weddings" or the "Operas of the Trades", at which a frolic was made of the extreme differences between the classes. In contrast to this, Bustelli used real characters from the markets held on the Schrannenplatz in Munich as models, whose clothing and gestures he adapted after very careful observation. The servants of the court and representatives of the clergy also belonged to this cross-section of the population.

Lit.: Hofmann, p. 404–409 and figs. 120–123

49

49
Pilzverkäuferin
(„Täubling-Gretel")
um 1755–60, F. A. Bustelli

H. 19 cm
PM: RS 6 vorn auf dem Sockel, auf der Unterseite „2"
Inv.Nr. A 131 (Slg. Dr. Remé, Hamburg, 1938)

Auf einem grün-braunen Rasensockel vor einem Baumstumpf schreitendes Mädchen in grünem, knielangem Rock mit rotem Streifen, hellgrauer Schürze, dunkelblauem Mieder, weißer Bluse und gelbgrünem Hut, an einem Band über der linken Schulter zwei Tragkörbe mit Pilzen, von denen sie zwei mit der Rechten emporhält und lautstark feilbietet. Zartes Inkarnat. Schürzenschleife und Pilze im Korb bestoßen, Brandrisse am Baumstumpf, Hutkrempe restauriert.

Aufgrund der Sockelgestaltung und der relativ steifen Haltung der Figur ist die Urheberschaft Bustellis nicht eindeutig

festzustellen. Vermutlich stellt der Hut eine spätere Zutat dar, da sowohl ein unbemaltes Ex. in der LGA in GNM, Nürnberg, Inv.Nr. 452, das Haar zum Kranz geflochten zeigt (AK München 1963, Nr. 30), als auch ein Ex. ehemals in Slg. Hirth (VK Hirth 1898, Nr. 266), ebenso eine bemalte Figur ehemals in Slg. Fischer, Dresden (VK Fischer 1918, Nr. 617). Ein bemaltes Ex. mit Hut im WLM, Stuttgart, Inv.Nr. 1968/722 (AK München 1963, Nr. 146), aus der Slg. Fritz Buckardt, Berlin, heute in Slg. Kocher, Bern, Inv.Nr. 27849, weiters ehemals in Slg. Levi (VK Levi 1956, Nr. 68), in unbekanntem Besitz (Weinmüller, München, 19.11.1969, Nr. 84) und ehemals in Slg. Sir B. Eckstein (Christie's, London, 17.10.1977, Nr. 209), eine Variante als Blumenverkäuferin im BNM, Inv.Nr. Ker 2553 (AK München 1963, Nr. 144). Ein unbemaltes Ex. mit Hut ehemals in Slg. de Ridder (VK Ridder 1931, Nr. 166).

Publ.: VK Dr. Remé 1938, Nr. 906; AK München 1963, Nr. 145

50

50
Fischhändler
um 1755, F. A. Bustelli

H. 16,5 cm
PM: RS 3 mit Goldrand auf dem rechten Faß-
boden, auf der Unterseite „I"
Inv.Nr. A 290 (Slg. Ernesto Blohm, 1989)

Auf grünstaffierter Sockelplatte mit
Goldrand vor einem liegenden, braunen Faß stehende Figur, das rechte
Bein nach rückwärts darauf abgestützt,
in schwarzen Fischerstiefeln über einer
gelben Hose, einem eisenroten Wams
unter einer braunroten Jacke mit
weißem Futter, schwarzem Halstuch
und Hut. Mit der rechten Hand weist
er auf einen Fisch mit blau-lila Schup-
pen in seiner Linken. Auf dem Boden
ein Fischnetz. Kräftiges Inkarnat.
Zeigefinger der rechten Hand und Messer fehlen.

Eine „F. B."-gemarkte Ausformung mit
schwarzen Hosen und rotem Rock im
WLM, Stuttgart, Inv.Nr. 1968/726
(AK München 1963, Nr. 158), in gelben Hosen und grünem Rock mit geritztem Blütenmuster ehemals Slg.

Schöller (AK Berlin 1904, Nr. 982) und
ein weiteres mit blauer Jacke in unbekanntem Besitz (Sotheby's, London,
4.3.1986, Nr. 120). Ausgefallen ist die
wohl späte Staffage einer Figur in hellgrüner Jacke mit ausgeritztem Rankenmuster und rosa Hut sowie schwarz-
weiß gehaltenem Faß in Privatbesitz,
Hamburg (AK München 1963, Nr.
157). Unbemalte Ex. im BNM, Inv.Nr.
Ker 2554 (AK München 1963, Nr. 35,
Rückert 1963, Abb. 7), ehemals in Slg.
Levi (VK Levi 1956, Nr. 65) und unbekanntem Besitz (Sotheby's, London,
11.4.1972, Nr. 174).

Publ.: Sotheby's, London, 8.7.1969, Nr. 26;
Christie's, London, 10.4.1989, Nr. 71

51
Eierfrau („Ayr-Gredl")
um 1755, F. A. Bustelli

H. 14,5 cm
PM: RS 5 mit Goldrand auf dem Sockel vor
der Kiste, auf der Unterseite „↕ "
Inv.Nr. A 289 (Slg. Ernesto Blohm, 1989)

Auf ausgeschnittener Sockelplatte mit
Goldrand sich zu einer braungemaser-
ten Eierkiste herabbeugende Figur in
knielangem, schwarz-rotem Rock,
weißer Schürze, rot-gold gestreiftem
Mieder und blauer Jacke. Das braunge-
strichelte Haar zum Kranz geflochten.
Ihr Hut liegt auf dem Boden hinter der
Kiste. Ohne den Blick zu senken,
nimmt sie mit der Rechten das schüt-
zende Heu von den Eiern.
Minimaler Farbabrieb.

Bemalte Ex. befinden sich im BNM,
Inv.Nr. 77/285 (Christie's, London,
17.10.1977, Nr. 220), im MStm,
Inv.Nr. K37/405, ein Ex. aus der Slg.
Hirth (AK Hirth 1898, Nr. 268) heute
im MKG, Hamburg, Inv.Nr. 1899.90
(AK Hohenberg 1995, Abb. 52) und
ebendort ein weiteres aus anderem Besitz, Inv.Nr. 1940.34, sowie ehemals in
Slg. Levi (VK Levi 1956, Nr. 67) und in
unbekanntem Besitz (Christie's, London, 2.7.1966, Nr. 67; Lempertz, Köln,
20.11.1987, Nr. 882; Sotheby's, London, 4.3.1986, Nr. 119 mit besonders
reicher Bemalung).

Publ.: Sotheby's, London, 8.7.1969, Nr. 25;
Christie's, London, 10.4.1989, Nr. 72

52
Eierfrau („Ayr-Gredl") (o. Abb.)
um 1755, F. A. Bustelli

H. 14,5 cm
PM: RS 5 auf dem Sockel vor der Kiste, auf
der Unterseite „ ↕ "
Inv.Nr. A 212 (Weinmüller, München, 1958)

Form wie vorige Nr., unbemalt.

Die Ausformung zeichnet sich durch
eine besonders hohe Qualität in Modellierung und Glasur aus.

Unbemalt im BNM, Inv.Nr. Ker 2133
(AK München 1963, Nr. 32; Rückert
1963, Abb. 4), im KGM, Köln, Inv.Nr.
E 2210 (MK Köln 1975, Nr. 175), in
unbekanntem Besitz (Sotheby's,
London, 13.6.1995, Nr. 320) und eine
spätere Ausformung im WLM, Stuttgart, Inv.Nr. 1968/720.

Publ.: Weinmüller, München, 3.12.1958,
Nr. 99

51

53
Bettler mit Hund
um 1755–56, F. A. Bustelli

H. 16,5 cm
PM: RS 6 am Baumstumpf, auf der Unterseite „I"
Inv.Nr. A 169 (Gertrud Höfer, Stuttgart-Riedenburg, April 1953)

Auf einem ausgeschnittenem Sockel mit Baumstumpf als Stütze stehender Bettler in zerlumpten Kleidern, der sich leicht nach vorn beugt und mit einem Hut in der Rechten um ein Almosen bittet, da ihm die linke Hand fehlt. Links neben ihm sitzender Hund. Unbemalt.

Sehr schön ausgeformtes Exemplar mit elfenbeinfarbener Glasur.

Unbemalte Ex. in BNM, Inv.Nr. Ker 2546 (AK München 1963, Nr. 37; Rückert 1963, Abb. 5), ehemals in Slg. Levi (VK Levi 1956, Nr. 66) und unbekanntem Besitz (Christie's, London, 25.11.1991, Nr. 300). Eine bemalte Figur aus der Jack und Belle Linsky Collection im MMA, New York, Inv.Nr. 1982.60.227.

53

54
Botengänger mit Mädchen
(„Läufer mit Consortin")
um 1755–56, Ausformung um 1765, F. A. Bustelli

H. 16,5 cm
PM: RS 5 mit Goldrand auf der Mütze des Läufers; RM: „HI"; unterglasurblaue Hexagramm-Marke Nr. 14
Inv.Nr. A 151 (Slg. Dosquet, Berlin, 1941)

Auf einer ausgeschnittenen Sockelplatte mit Goldrand im Gehen begriffenes Paar. Nach rechts blickt der Botenläufer der Münchner Residenz in weiß-blauer Uniform mit kurzem, purpurnem Rock über den Kniehosen, sog. Schlegelmütze mit lachsfarbener Krempe und Federbusch. Seine rechte Hand liegt auf der Taille eines Mädchens, das er an der linken Hand führt. Sie trägt ein langes, gelb-purpur gestreiftes Kleid mit graubraun-schwarz gemusterter Schürze und weißem Schultertuch, wendet sich einem Bettler zu und gibt ihm mit der Rechten ein Almosen. Zartes Inkarnat.
Linke Hand des Mädchens restauriert, kleiner Finger rechts fehlt.

Die traditionelle Kleidung eines fürstlichen Botengängers zeigt der Kupferstich „Porte d'un Salon" von Johann Esaias Nilson (Schuster 1936, Nr. 74), von dem sich ein Abdruck bis heute im Besitz der Nymphenburger Porzellanmanufaktur befindet. Dem souveränen Künstler Bustelli diente er jedoch nur als Vorlage der Kleiderordnung und bildete nicht die Grundlage seiner Umsetzung dieses Motivs in Porzellan, da Bustelli eine Konzeption mit drei Figuren vorsah, wie das Formenverzeichnis von 1760 belegt: „1 Betlweib mit 2 Kindern, 1 Bettlmann mit 1 Hund, 1 Lauferer, so ein Jungfrau führet, die dem Betlweib ein Almosen reichet" (zit. nach Hofmann, S. 408–409), wobei die erstgenannte Figur dem Bettler Kat. 53 entspricht, während der Sammlung leider die zugehörige Bettlerin mit zwei Kindern fehlt (Hofmann, Tafel 7). Beide Figuren aus der Slg. Hirth (VK Hirth 1898, Nr. 259-260) befinden sich bemalt in der PSZ, Dresden, Inv.Nr. P.E. 4279-4280 (Walcha 1963, Abb. o. S.), und im Kunsthandel, London (The Antique Porcelain Co., Ltd., Illustrated Catalogue of English and Conti-

54

nental Porcelain, Juni 1951, S. 52). Der „Läufer mit Consortin" als unbemalte Ausformung im BNM, Inv.Nr. 17/240 (AK München 1963, Nr. 36; Rückert 1963, Abb. 5), im MKG, Hamburg, Inv. Nr. 1940.30 (Jedding 1974, Abb. 491) und ehemals in Slg. Sayn-Wittgenstein (VK Sayn-Wittgenstein 1907, Nr. 138); außerdem eine um 1765 bemalte Ausformung im BNM, Inv.Nr. 76/215.

Publ.: Lange, Berlin, 22.5.1941, Nr. 862, Taf. 89; AK München 1963, Nr. 159; Ducret 1962, S. 86, Nr. 20

55

56
Pilger
um 1760, F. A. Bustelli

H. 19 cm
PM: undeutlichen RS auf der Rückseite des Baumstumpfs; RM: auf der Unterseite „I"
Inv.Nr. A 190 (Slg. Levi, 1956)

Grün staffierte Sockelplatte mit Baumstumpf. Auf einen grau-rosa Felsen, dem eine Quelle entspringt, stützt sich mit der Linken die Figur in schwarzem Pilgergewand mit rosa Schulterkragen und breitkrempigem, schwarzem Pilgerhut, darauf jeweils plastische, weiß-blaue Muscheln. In der Rechten eine Kalebasse. Zartes Inkarnat.
Oberer Teil des Baumstumpfs fehlt, Blätter bestoßen, großer Brandriß auf der Rückseite.

Ein unbemaltes Ex. aus der Slg. Hirth heute im BNM, Inv.Nr. Ker 3617 (AK München 1963, Nr. 43; Rückert 1963, Abb. 8), aus der Slg. Fischer, Dresden (VK Fischer 1906, Nr. 1023) heute im KGM, Köln, Inv.Nr. E 2160 (MK Köln 1975, Nr. 176), ein weiteres im MKH, Frankfurt (AK Frankfurt 1963, Nr. 233).

Publ.: VK Levi 1956, Nr. 69; Ducret 1962, Abb. 66; AK München 1963, Nr. 163

56

55
Landbote
um 1755–60, F. A. Bustelli

H. 16,8 cm
PM: RS 5 mit Goldrand auf der rechten Brustseite, auf der Unterseite „I"
Inv.Nr. A 140 (Prov. unbekannt, 1938)

Über eine ausgeschnittene Sockelplatte mit naturalistisch bemaltem Baumstumpf bahnt sich die Figur in der Uniform eines bayerischen Amtsboten mit weißen Knopfgamaschen, schwarzen Hosen, rotbraunem Rock mit gelbem Futter und blauen Aufschlägen sowie braun-grüner Pelzmütze mit einem Stock in der Linken seinen Weg. An einem Riemen über der linken Schulter trägt er den Postsack auf dem Rücken; auf der Jacke als Zeichen der Amtswürde das Rautenschild. Bärtiges Gesicht mit deutlichem Inkarnat.

Linker Arm und Spitze des Stabs gekittet. Der ursprünglich neben der Figur sitzende Hund fehlt.

Weitere bemalte Ex. im BNM, Inv.Nr. Ker 4296 (AK München 1963, Nr. 151; Inv.Nr. 42/10 mit späterer Bemalung, Nr. 153), mit einer F.B.-Marke im MNC, Sèvres, Inv.Nr. 14012, ein weiteres in unbekanntem Besitz (Sotheby's, London, 7.7.1964, Nr. 104). Die Figur ohne Hund ehemals in der Slg. Countess of Halifax (Christie's, London, 27.11.1961, Nr. 46) und in unbekanntem Besitz (Sotheby's, London, 21.11.1978, Nr. 66).

Publ.: AK München 1963, Nr. 152

Büsten

Allegorische Serien gehörten zum Repertoire aller europäischen Porzellanmanufakturen, wobei stets kennzeichnende Attribute die jeweiligen Jahres- oder Tageszeiten symbolisieren. Weibliche und männliche Schulterbüsten charakterisieren die Temperamente der Jahreszeiten mit, für Bustelli typischen, feinmodellierten und ausdrucksstarken Gesichtszügen, deren Beigaben den Übergang zum gedrechselt wirkenden Sockel kaschieren. Ein vollständiger Satz von vier unbemalten Ex. im BNM, Inv. Nr. Ker 4018–4021, und ehem. in Slg. Mühsam, Berlin (VK Mühsam 1925, Nr. 351–354), ein unbemalter und ein bemalter Satz ehemals in Slg. Budge (VK Budge 1937, Nr. 964, Taf. 146), ehemals in der Slg. Fürst Max v. Lichnowsky, Schloß Grätz (AK Troppau 1906, Nr. 730–733) sowie in Slg. Levi (VK Levi 1956, Nr. 57 u. 60). Bemalt ehemals Slg. Baer heute im Reissmuseum, Mannheim, weiters in Slg. R. W. Gossage, Esq. sowie bei der BSV, Nymphenburg (Zug. Nr. 332).

Bustelli ist eine Pfeife mit fein modelliertem Kopf zuzuschreiben, die einen Humor widerspiegelt, der auf der Verbindung von Gegensätzen beruht. Beim Exemplar der Slg. Bäuml (Kat. 61) liegt das Amusement im Widerspruch des genußfreudigen Harlekins, der als Pilger eigentlich der Enthaltsamkeit verpflichtet wäre.

Lit.: Hofmann, S. 437, Abb. 118; S. 596–97 u. Abb. 133

Busts

Allegorical series belonged to the repertoire of all European porcelain factories, whereby the characteristic attributes always symbolize the respective seasons and the times of the day. Male and female shoulder busts characterize the temperaments of the seasons with finely modelled and expressive facial features, typical for Bustelli. Their attributes disguise the transition to the plinth, which has the appearance of having been turned on the lathe. A complete set of four unpainted examples at the BNM, inv. nos. Ker 4018–4021, a painted and an unpainted set in the Budge collection (VK Budge 1937, no. 964, plate 146), formerly in the collection of Fürst Max von Lichnowsky, Schloß Grätz (AK Troppau 1906, nos. 730–733), as well as in the Levi collection (VK Levi 1956, nos. 57 and 60). A painted set formerly in the Baer collection today at the Reissmuseum, Mannheim, others in the collection of R. W. Gossage, Esq. as well as at BSV, Nymphenburg (inv. no. 332).

One finely modelled head with a pipe, which reflects a sense of humor based on the linking of contrasts, can be attributed to Bustelli. In the example from the Bäuml collection (cat. no. 61) the humor lies in the inconsistency of the pleasure-loving harlequin who, as pilgrim, should actually be practicing abstinence.

Lit.: Hofmann, p. 437, fig. 118; p. 596–97 and fig. 133

57   59

57
Büste des Frühlings aus der Jahreszeitenfolge
um 1757–60, F. A. Bustelli

H. 14,5 cm
PM: RS 3 vorne auf dem Sockel in einer Kartusche
Inv.Nr. A 33 (S. Perron, Frankenthal, 18.5.1914)

Runder, nach oben einschwingender Sockel auf abgestuftem Stand mit Wulstrand, vorne eine dekorative Rocaillekartusche. Darauf nach rechts blickende Frauenbüste mit entblößter Brust und über der rechten Schulter drapiertem Schultertuch, das vorn in einem Bausch mit Blüten gefüllt ist. Das lockige Haar mit Blumen geschmückt. Unbemalt.
Schleife unter dem linken Arm und Sockel bestoßen.

Eine späte Ausformung des unbemalten Frühlings im WLM, Stuttgart, Inv.Nr.

60   58

28/119. Ein bemaltes Ex. im BNM, Inv.Nr. 63/41, und in unbekanntem Besitz (Sotheby's, London, 21.10.1980, Nr. 24).

Publ.: AK München 1963, Nr. 53

58
Büste des Sommers aus der Folge der Jahreszeiten
um 1757–60, F. A. Bustelli

H. 14,5 cm
PM: RS 3 vorne auf dem Sockel in einer Kartusche, im hohlen Sockel „Z"
Inv.Nr. A 34 (L. Perron, Frankenthal, 18.5.1914)

Sockel wie vorige Nr., darauf nach links blickende Frauenbüste in Mieder, Bluse und Schultertuch, das vorne ne-ben einer Sichel und Kornähren über den Sockelrand herabfällt. Auf dem hochgesteckten Haar ein breitkrempi-ger Hut. Unbemalt.
Brandrisse am Sockel.

Unbemalte Ex. im BNM, Inv.Nr. Ker 4019 (AK München 1963, Nr. 54) und in unbekanntem Besitz (Christie's, Lon-don, 11.4.1988, Nr. 66). Bemalte Ex. im WLM, Stuttgart, Inv.Nr. 1968/712, im BNM, Inv.Nr. 63/42, im MPA, Trento (Ziffer 1991, Nr. 29) sowie ehe-mals aus Slg. v. Pannwitz (AK Berlin 1904, Nr. 990) in Slg. Rüttgers (VK Rüttgers 1927, Nr. 78), ehemals in Slg. Darmstädter (VK Darmstädter 1925, Nr. 252, Taf. 65), ehemals in Slg. Levi (VK Levi 1956, Nr. 59) und in unbe-kanntem Besitz (Christie's, London, 27.11.1961, Nr. 82 und Christie's, Genf, 7.5.1979, Nr. 104; Sotheby's, London, 21.10.1980, Nr. 26)

59
Büste des Herbstes aus der Folge der Jahreszeiten (Abb. s. S. 43)
um 1757–60, F. A. Bustelli

H. 15 cm
PM: RS 3 vorne auf dem Sockel in einer Kartusche, im hohlen Sockel „Z"
Inv.Nr. A 4 (Baron von Pfetten, 30.8.1912)

Sockel wie vorige Nr., darauf Büste eines nackten, nach links blickenden Jünglings, unter dessen Armansatz links ein Schultertuch vorne über den Sockelrand fällt und einen Bausch formt, der mit Traubenreben und Wein-blättern gefüllt ist, die auch das lockige Haar schmücken. Unbemalt.
Brandrisse, Weinblatt am Kopf be-stoßen, Sockel gekittet.

Unbemaltes Ex. in unbekanntem Besitz (zuletzt Christie's, London, 13.3.1989, Nr. 80). Ein bemaltes Ex. im BNM, Inv.Nr. 63/43.

Publ.: AK München 1963, Nr. 55

60

Büste des Winters aus der Folge der Jahreszeiten

um 1760, F. A. Bustelli

H. 13,8 cm
PM: RS 3 vorne auf dem Sockel in einer Kartusche
Inv.Nr. A 5 (Baron von Pfetten, 30.8.1912)

Sockel wie vorige Nr., darauf in Mantel mit Pelzkragen, nach rechts blickend, Büste eines bärtigen Mannes mit Pelzmütze und Muff. Unbemalt.
Schleife über Muff abgebrochen, Sockelrand mehrfach bestoßen.

Im Gegensatz zu den ersten drei Büsten ist hier der Sockel unten geschlossen und hat ein kleines Brandloch; die Ausformung ist auch etwas kleiner. Unbemalte Ex. im BNM, Inv.Nr. 4021 (AK München 1963, Nr. 56), ehemals in Slg. Sayn-Wittgenstein (VK Sayn-Wittgenstein 1907, Nr. 136), ehemals in Slg. Levi (VK Levi 1956, Nr. 58) und in unbekanntem Besitz (Christie's, London, 11.4.1988, Nr. 66 und ebendort zuletzt 13.3.1989, Nr. 80). Bemalte Ex. im WLM, Stuttgart, Inv.Nr. 1968/713, im BNM, Inv.Nr. 63/44, ehemals aus Slg. v. Pannwitz (AK Berlin 1904, Nr. 991) in Slg. Rüttgers (VK Rüttgers 1927, Nr. 79), ehemals in Slg. O'Byrne (Christie's, London, 27.11.1961, Nr. 82), ehemals in Christner Collection (Christie's, New York, 8.6.1979, Nr. 65), ehemals in Slg. Jahn (VK Jahn 1989, Nr. 237) und in unbekanntem Besitz (Christie's, Genf, 7.5.1979, Nr. 104; Sotheby's, London, 21.10.1980, Nr. 25; Christie's, London, 30.3.1987, Nr. 53; Lempertz, Köln, 13.5.1993, Nr. 327).

61

Pfeifenkopf „Harlekin als Pilger"

um 1755–57, F. A. Bustelli

H. 5,5 cm
PM: RS 10 goldgerahmt auf der Unterseite des Stummels
Inv.Nr. A 122 (L. Steinhauser, München, 27.12.1935)

Runder, goldgehöhter Pfeifenkessel und -hals mit Blumenmalerei plastisch als Kopf eines lachend nach links blickenden Harlekins mit breitem Plisseekragen und hochgeschlagenem, lindgrünem Hut mit plastischer, goldener Pilgermuschel auf grau gestricheltem Haar mit eisenrotem Band. Kräftiges Inkarnat.

Oberer Rand bestoßen, Gold berieben. Durch unterschiedliche Anordnung der Iris scheint der Kopf bei den bemalten Ex. in verschiedene Richtungen zu blicken. Bemalte Ausformungen mit Metallmontierungen im BNM, Inv.Nr. Ker 1560 (AK München 1963, Nr. 248; Rückert 1963, Abb. 25), im Deutschen Tabakmuseum, Bünde (Morgenroth 1989, Nr. 97), und in unbekanntem Besitz (Christie's, London, 30.6.1986, Nr. 157, fälschlich Frankenthal zugeschrieben). Der bemalte Pfeifenkopf ehemals in Slg. Levi (VK Levi 1956, Nr. 121) eventuell identisch zum Ex. im V&A, London, Inv.Nr. C.57-1956.

Publ.: AK München 1963, Nr. 247

61

Schäferfiguren und Liebesgruppen

Die idyllische Welt der Schäferszenen gehörte im 18. Jahrhundert zum geläufigen Repertoire europäischer Hofkunst und führte zu zahlreichen Übernahmen des Genres in allen Porzellanmanufakturen. Das vermeintliche einfache Leben in einer idyllischen Natur verführte die kostümierte Hofgesellschaft zu sinnenfrohem Liebeswerben, wie es auf Antoine Watteaus Gemälden zelebriert wurde. Harmonische Melodien begleiteten diese amourösen Vergnügungen der Hofgesellschaft, die selbst teilweise ausgezeichnet musizierte (Kat. 62 und 63).

Bustelli setzte Momente dieser „fête galante" auf seine persönliche Weise plastisch um. In den beiden in Größe und Modellierung aufeinander bezogenen Liebesgruppen (Kat. 64 und 65) wird die Geschichte einer leichtsinnigen jungen Dame dargestellt, die sich versonnen den Rock über das Knie gezogen hat und ihr Bein mit Wasser kühlt. Dabei sieht ihr ein Kavalier zu, der sich hinter dem Brunnenpostament verbirgt, wobei ihm Amor durch den Finger auf dem Mund bedeutet, leise zu sein, um nicht entdeckt zu werden. In der nächsten Szene ist der stumme Verehrer zum entflammten Liebhaber geworden, der seiner Angebeteten so stürmisch einen Kuß abringen will, daß nun Amor den Bogen erhebt, um auf den unbeherrschten Galan abwehrend einzuschlagen. Während die Dame höfische Kleidung trägt, deuten die altertümliche Tracht des Neugierigen und die umgestülpten leeren Taschen des Galans auf Kostüme hin, verlegen somit die Szene auf eine imaginäre Bühne.

Für zwei große Tafelaufsätze wählte Bustelli das Thema der unerfüllten Liebe und verlegte die Handlung in eine arkadische Ruinenarchitektur. Ohne Gehör zu finden, begleitet die Schäferin ihr werbendes Liebeslied auf dem Hackbrett, doch sowohl der Kavalier als auch sein Hund schlummern seelig weiter (Kat. 68). Ebensowenig erfolgreich versucht der Kavalier der zweiten Gruppe seiner sich heftig wehrenden Angebeteten einen Kuß abzunötigen. Selbst der Hund verbellt nun seinen Herrn, nur der Ziegenbock, als geläufiges Liebessymbol, betrachtet den Vorgang gelassen (Kat. 69–70).

Hofmann: S. 403, Abb. 119; S. 444–452, Abb. 108, Taf. 9–11

Pastoral Figures and Amorous Groups

The idyllic world of pastoral scenes belonged to the customary repertoire of the art at European courts in the eighteenth century and led to the genres being widely adopted at all porcelain factories. The supposed simple life in an idyllic nature led the costumed court society to sensual amorous courting, the way it was celebrated in the paintings of Antoine Watteau. Harmonious melodies accompanied these amorous pleasures of the court society, who in part also made excellent music themselves (cat. nos. 62 and 63).

Bustelli sculpturally translated moments of this "fête galante" in his personal manner. In the two amorous groups, corresponding in terms of size and modelling (cat. nos. 64 and 65), the story of a foolish young woman is depicted. She has dreamily pulled her skirt up over the knee and is cooling her leg in the water. A nobleman, who has hidden behind a fountain pedestal, is watching her, while Amor admonishes him, with his finger to his mouth, to be quiet, in order to avoid discovery. In the next scene the silent admirer has become an inflamed lover, who so stormily demands a kiss of his beloved, that Amor now lifts his bow in order to hit the unrestrained gallant. While the lady is wearing court clothing, the old-fashioned garments of the curious gallant and his turned-out pockets suggest costumes, and thus place the scene on an imaginary stage.

For two large sets of table decoration Bustelli selected the subject of unfulfilled love and thus set the action into an Arcadian architecture of ruins. Unheard, the shepherdess accompanies her courting love song on the dulcimer, but the nobleman and his dog continue to slumber peacefully (cat. no. 68). The nobleman of the second group, who attempts to force a kiss from his heftily resisting beloved, is just as unsuccessful. Even the dog barks at his master; only the billy goat, a common symbol for love, regards the whole course of events with great composure (cat. nos. 69–70).

Hofmann: p. 403, fig. 119; p. 444–452, fig. 108, plates 9–11

62 63

62
Singende Schäferin
um 1756, Ausformung um 1760,
F. A. Bustelli

H. 14,5 cm
PM: RS 8 am Baumstumpf, auf der Unter-
seite „2"
Inv.Nr. A 106 (Baronin Viola Riederer von
Paar, März 1925)

Auf unregelmäßigem Rasensockel auf
einem Baumstumpf sitzende Schäferin
in langem Kleid und Hütchen, den Kopf
nach rechts zu ihrem Gegenüber gewandt; in der linken Hand aufgeschla-
gene Noten, mit der Rechten den Takt
angebend. Unbemalt.
Rechter Arm, Hals und Schleife gekittet, Hut und Sockel bestoßen, kleine
Brandrisse, Finger der rechten Hand
fehlt.

Unbemalte Ex. im BNM, Inv.Nr.
17/236 (AK München 1963, Nr. 4),
im Residenzmuseum, München, Inv.
Nr. Ker I/Ny 54, und im KGM Köln,
Inv.Nr. E 1694 (MK Köln 1975,
Nr. 177). Ein Ex. mit lila Rock und
gelbem Mieder in Slg. Kocher, Bern,
Inv.Nr. 27840 (Wyss 1965,
S. 174–175).

63
Laute spielender Schäfer
um 1756, Ausformung um 1760,
F. A. Bustelli

H. 11,5 cm
PM: RS 8 am Sockel unterhalb des Knies, auf
der Unterseite „2"
Inv.Nr. A 105 (Baronin Viola Riederer von
Paar, März 1925)

Auf einem länglichen Rasensockel lagernder Kavalier mit Dreispitz, der sich
beim Lautespiel mit dem linken Arm
auf einen Baumstumpf stützt. Den Kopf
nach links zur Dame gerichtet. Unbemalt.
Linkes Bein, Laute und Hut gekittet,
Sockel und Schleife bestoßen.

Obwohl erst das Formenverzeichnis
von 1760 „eine süngende Schäfferin"
und „ein detto Schäffer, so die Lauthe
schlaget" (zit. nach Hofmann, S. 403)
verzeichnet, so spricht doch der naturalistische Rasensockel für eine frühere
Datierung der Modelle. Die beiden aufeinander bezogenen Figuren kommen
fast immer paarweise vor. Unbemalte
Ex. besitzt das BNM, Inv.Nr. Ker 2110
(AK München 1963, Nr. 4, 5; Rückert
1963, Abb. 10), das WLM, Stuttgart,
Inv.Nr. 1968/715-716), ebenso ehemals die Slg. Ernesto Blohm, wobei der
Kavalier die „F.B."-Marke trägt (Christie's, London, 10.4.1989, Nr. 68).
Bemalte Ex. ehemals in Slg. v. Dallwitz
(Hofmann Abb. 119). Ein unbemaltes
Ex. im BNM, Inv.Nr. Ker 3630 (AK
München 1963, Nr. 5).

64
Der Neugierige am Brunnen
(„Fürwitz-Stück")
um 1756, F. A. Bustelli

H. 18,5 cm
PM: RS 5 vorne auf der Sockelkante
Inv.Nr. A 113 (Merkel, München, 31.8.1927)

Auf unregelmäßigem Rasensockel mit
ausgeschnittenem C-Bogen in der Mitte
ein Postament als Brunnen, mit dessen
Wasser sich rechts davon eine Dame
hingebungsvoll das entblößte rechte
Bein wäscht. Von links verfolgt ein auf
dem Boden liegender Kavalier neugierig
die Szene. Ein Putto neben der Vase
auf dem Postament bedeutet ihm durch
den Finger auf den Lippen, sich leise zu
verhalten. Unbemalt.
Linkes Bein, Bogen und Flügel des Putto fehlen. Wasserstrahl, rechte Schulter
des Kavaliers und rechter Arm der Dame gekittet. Blattwerk bestoßen.

Dieses beliebte Motiv wurde ähnlich
auch in anderen Manufakturen aufgegriffen, so in Frankenthal (vor 1759;
Hofmann, Abb. 109), seitenverkehrt in
Höchst als „eine Grub à fontaine" (AK
Frankfurt 1994, Nr. 6.9.4.) und in Kelsterbach (Röder 1931, Taf. XII). Unbemalte Vergleichsstücke im BNM, Inv.
Nr. Ker 3629 (Hofmann, Abb. 108), im

64

65

66

MKG, Hamburg, Inv.Nr. 1899.84, in zwei Ausformungen im Residenzmuseum, München (Brunner 1977, Abb. 277), ehemals in Slg. Dr. Augst, Zürich (AK Troppau 1906, Nr. 726) und unbekanntem Besitz (Weinmüller, München, 23.4.1975, Nr. 100). Bemaltes Ex. mit Putto ehemals in Slg. Darmstädter (VK Darmstädter 1925, Nr. 265, Taf. 65) und im SLM, Zürich, Inv.Nr. LM 24787 (65. Jahresbericht SLM 1956, S. 16, 34), das gleiche Modell ohne den Putto im BNM, Inv.Nr. 67/33, im MPA, Trento (Ziffer 1991, Nr. 25), ehemals in Slg. Levi (VK Levi 1956, Nr. 86), im BNM, Inv.Nr. 77/52 (Christie's, London, 28.3.1977, Nr. 173), zwei erst um 1770–80 staffierte Ex. im KGM, Köln, Inv.Nr. E 1688 (AK München 1963, Nr. 168; MK Köln 1975, Nr. 178) und in unbekanntem Besitz (Christie's, Genf, 16.11.1992, Nr. 32), letzteres wiederum ohne den Putto.

65
Der stürmische Galan
(„Amouret-Stück")
um 1756, F. A. Bustelli

H. 15 cm
PM: Nr. 5 vorne auf der Sockelkante; auf der Unterseite in rot bez.: „N 22" darunter „30 f"
Inv.Nr. A 102 (Graf Arco, Tegernsee, zwischen 1921 und 1925)

Sockel wie vorige Nr. mit einem Baumstumpf, auf dem die Dame mit entblößtem Bein sitzt; mit der linken Hand wehrt sie den rechts knienden Kavalier ab und ruft nach Hilfe, worauf der stürmische Galan von einem Putto an den Haaren zurückgerissen und mit dem Bogen geschlagen wird. Unbemalt. Brandriß im Sockel. Kleiner Finger der rechten Hand und die Spitze des rechten Fußes der Dame fehlen, ebenso der linke Fuß des Kavaliers und ein Flügel Amors und ein Teil des Bogens. Blattwerk bestoßen.

Ebenfalls unbemaltes Ex. im MKG, Hamburg, Inv.Nr. 1899.85.

Publ.: AK München 1963, Nr. 52; Ducret 1962, S. 183, Abb. 68

66
Der stürmische Galan
um 1756, F. A. Bustelli

H. 14 cm
ohne Marke
Inv.Nr. A 92 (Fürst Hohenlohe, München, 26.1.1920)

Form wie vorige Nr., jedoch Sockel farbig staffiert. Kleid der Dame weiß, Mantel eisenrot. Hose und Jacke des Kavaliers purpur mit blauen Ärmelaufschlägen. Amor mit blauem Lendentuch. Haare graubraun gestrichelt, zartes Inkarnat.Brandrisse, Bogen des Putto und Flügel fehlen.

Von diesem Modell sind verschiedene Bemalungen nachweisbar: im BNM, Inv.Nr. Ker 4215 (AK München 1963, Nr. 169; Rückert 1963, Abb. 14), in der PSZ, Dresden, Inv.Nr. P.E. 4282, in Slg.Ludwig (AK Nürnberg 1993, Nr. 184), ehem. in Slg. Ole Olsen (Schmitz, Nr.1583; Neumeister, München, 12.5. 1967, Nr. 162; Christie's, London, 5.4. 1982, Nr. 99; Neumeister, München, 16.3.1994, Nr. 31), ehem. in Slg. v. Pannwitz (Falke 1925, Nr. 374) und ehem. in Slg. Levi (VK Levi 1956, Nr. 85).

Publ.: AK München 1963, Nr. 170

68   69

67
Der stürmische Galan (o. Abb.)
Ausformung um 1770–75,
F. A. Bustelli

H. 13,8 cm
PM: RS 8; RM: „43"; rotgerändertes Papier-
etikett „7568"; Etikett Christie's Nr. 172
Inv.Nr. CB 5 (Christie's ‚London, 1977)

Form wie vorige Nr., die Dame in hell-
grauem Kleid mit lila Futter und ebensolchem, gelbgefüttertem Mantel mit
Goldsaum; der Kavalier in eisenroter
Hose und Jacke mit Goldsaum; Amor
mit lila Lendentuch an gelbem Band,
über der Schulter an rotem Band brauner Köcher mit bunten Pfeilen. Zartes
Inkarnat.
Schuh des Kavaliers, rechter Arm des
Putto und Teil des Sockels restauriert.
Finger der rechten Hand der Dame
fehlen.

Publ.: Christie's, London, 28.3.1977, Nr. 172

68
Der gestörte Schläfer
um 1756–60, F. A. Bustelli

H. 23,7 cm
PM: RS 1 unterhalb der Spitze des Obelisken
Inv.Nr. A 1 (Frl. Fanny Rug, Eichstätt,
24.5.1911)

Auf einem von Rocaillen begrenzten
Felssockel steht ein ruinenartiger Obe-
lisk. Links vor einem Baumstumpf mit
aufsteigendem Astwerk sitzt eine Schäferin in langem Kleid und breitkrempigem Hut, die auf einem Xylophon
rechts neben sich spielt und den links
auf zwei plastischen C-Bögen schlafenden Kavalier betrachtet, den sie mit
ihrem Gesang aufwecken will. Im unteren C-Bogen ein schlafender Hund.
Unbemalt.
Linker Fuß des Schäfers fehlt, einige
Schleifen, Bänder, Zweiglein und Blätter bestoßen.

Unbemalte Ex. im MKG, Hamburg,
Inv.Nr. 1899.86 (Jedding 1974, Abb.
493), im SLM, Zürich, Inv.Nr. LM
25044, in der PSZ, Dresden, Inv.Nr.
P.E. 4283 (Walcha 1963, Abb. o.S.),
ehem. in Slg. Hirth (VK Hirth 1898,
Nr. 227) und ehemals in Slg. Levi (VK
Levi 1956, Nr. 82). Bemalte Ex. mit
Dame in purpurgestreiftem Rock und
Kavalier in eisenrotem Kostüm im
BNM, Inv.Nr. 4028 (AK München
1963, Nr. 166; Rückert 1966, Abb. 11),
einen ebenso gemusterten Rock in Rot-
Blau trägt die Dame mit lila gekleide-
tem Kavalier in unbek. Besitz (Helbing,
München, 8.5.1930, Nr. 123). Im
MPA, Trento, trägt die Dame einen
purpur-blau geblümten Rock und ihr
Kavalier eisenrote Hosen zu gelb-grün
gestreifter Jacke (Ziffer 1991, Nr. 27),
etwas größer ist das Blumenmuster im
Rock der Dame einer Gruppe in unbekanntem Besitz (Weinmüller, München, 19.3.1969, Nr. 153). Beide Figuren in reizvoll kariert-geblümten

Kostümen im Cecil Higgins Museum, Bedford (Tait 1962, Taf. XXXVIII), mit unbekannte Staffierung der Gruppe ehemals Slg. v. Pannwitz (Falke 1925, Nr. 375) und mit geblümtem Rock der Dame sowie karierter Jacke des Herrn in unbekanntem Besitz (Lill, Tafel 8).
In das 19. Jh. datiert die Bemalung der Gruppe mit purpurgoldenen Rosenstreifen im Kleid der Dame und Kavalier in eisenrotem Rock der BSV, Nymphenburg (Zug.Nr. 400).
Eine Ausformung mit dem schlafenden Hund vorne auf dem Sockel und zusätzlichen Schäferstäben gegen den Obelisken gelehnt ehemals in Slg. Levi (VK Levi 1956, Nr. 83), dann Slg. Nelson Rockefeller (Sotheby's, New York, 11.4.1980, Nr. 136); nur einen querliegenden Schäferstab besitzt eine Gruppe ehemals in Slg. Fischer, Dresden (VK Fischer 1918, Nr. 614). Weitere bemalte Ausformungen in unbekanntem Besitz (Christie's, London, 27.11.1961, Nr. 14; 17.10.1977, Nr. 212; 2.10.1978, Nr. 64; 4.12.1978, Nr. 117 und 28.3.1983, Nr. 81)

Publ.: AK München 1963, Nr. 49

69
Liebespaar in der Ruine
(Abb. s. S. 49)
um 1755–60, F. A. Bustelli

H. 27 cm
PM: RS 1 auf dem Kragstein des Rundbogens unter einem Ast; auf der Unterseite in Rot bez. „N 24" darunter „40 f"
Inv.Nr. A 103 (Graf Arco, Tegernsee, zwischen 1921 und 1925)

Auf Sockel wie vorige Nr. überwachsene Ruinenarchitektur mit rechts vorgestellter Säule, davor auf zwei großen C-Bögen links eine lagernde Schäferin, die sich mit lautem Aufschrei des Schäfers erwehrt, der ihr einen Kuß geben will. Auf dem Sockel steht ein Hund, der den Kavalier verbellt, während auf der Sohlbank eines halb verfallenen Bogen-

fensters ein liegender Ziegenbock gelassen die Szene betrachtet. Unbemalt. Linker Fuß der Dame und Hörner des Ziegenbocks sowie einige Blätter und Teil der rechten Rocaille abgebrochen. Brandrisse.

Unbemalte Ex. im Residenzmuseum, München, Inv.Nr. Ker I/Ny 36, im MKG, Hamburg, Inv.Nr. 1899.87 (Jedding 1974, Abb. 494), im WLM, Stuttgart, Inv.Nr. 1968/734, im BLM, Karlsruhe, Inv.Nr. 69/43 (MK Karlsruhe 1977, Nr. 28/29), im V&A, London, Inv.Nr. C.324-1921, und in unbekanntem Besitz (Weinmüller, München, 27.10.1971, Nr. 203).

Publ.: AK München 1963, Nr. 50

70
Liebespaar in der Ruine
um 1760, F. A. Bustelli

H. 24,5 cm
PM: RS 1 mit Goldrand im Kragstein des Bogenfensters
Inv.Nr. A 93 (Fürst Hohenlohe, München, 26.1.1920)

Modell wie vorige Nr., jedoch Sockel purpur-gold und Architektur rotbraun-grau staffiert. Schäferin in grauem Rock mit lila Streifen, die sich im gelben Mieder wiederholen, der Schäfer in grünem Kostüm mit gravierten Goldborten und gelbgrünem Hut. Brauner Hund und Ziegenbock mit graugestricheltem Fell.
Bekrönende Vase und Ecken der Deckplatte fehlen, Äste bestoßen, Spitze des rechten Fußes beim Schäfer und zwei Füße sowie Hornspitzen des Ziegenbocks abgebrochen.

Die Gruppe gehörte zu den wohl beliebtesten Modellen der Manufaktur, wie die zahlreich erhaltenen Ausformungen beweisen, die sich in ihrer Bemalung stets etwas unterscheiden. Dezente, unifarbene Bemalungen

besitzen die Gruppen im BNM, Inv.Nr. Ker 4205 (AK München 1963, Nr. 167; Rückert 1963, Abb. 13), ähnlich im MPA, Trento (Ziffer 1991, Nr. 26) und ehemals in Slg. Levi (VK Levi 1956, Nr. 84), mit Streifen im Kleid der Dame ehemals in der KPM, Berlin (AK Berlin 1904, Nr. 980) sowie ehemals in Slg. Nelson Rockefeller (Sotheby's, New York, 11.4.1980, Nr. 135); das Ex. mit unifarbenem Kleid der Dame und Wellenbordüre im Kostüm des Kavaliers der Slg. Fritz Buckardt, Berlin, heute in Slg. Kocher, Bern, Inv.Nr. 27839 (Wyss 1965, S. 176–177), sehr ähnlich staffiert in Besitz des WAF, München, Inv.Nr. KIa106 (Sotheby's, London, 24.5.1966, Nr. 135; dann Neumeister, München, 20.9.1978, Nr. 140). Einen kostbar goldgestreiften Rock der Dame zeigt ein Ex. in unbekanntem Besitz (Christie's, London, 17.10.1977, Nr. 213), ein blaues Blütenmuster hat der weiße Rock einer Dame mit Kavalier in Eisenrot und Purpur aus dem MKH, Frankfurt, Inv.Nr. X 18698 (AK Frankfurt 1963, Nr. 228), einen blaugeblümten Rock die Dame mit Kavalier in zartlila Rock ehem. in Slg. v. Franckenstein (VK Franckenstein 1901, Nr. 83), ein buntes Blumenmuster das gelbe Kleid der Dame mit Kavalier in grüner Jacke ehemals in Slg. Jourdan (VK Jourdan 1910, Nr. 33, Taf. 3), beide Figuren in gemusterten und gestreiften Kostümen ehemals in der Christner Collection (Christie's, New York, 8.6.1979, Nr. 66). Eine Ausformung um 1765–70 war nacheinander Teil der Slg. Berg-Lust, Berlin, dann der Slg. Robert v. Hirsch, Basel, und später der Slg. Irwin Untermyr (Hackenbroch 1956, fig. 184, Pl. 121), bevor sie aus dem Besitz des Metropolitain Museum of Art, New York, versteigert wurde (Sotheby's, Monaco, 26.5.1980, Nr. 370). Die Gruppe mit gestreiftem Kleid der Dame und gemusterter Jacke des Kavaliers im Nationalmuseum, Stockholm, wurde erst um 1780 staffiert (Inv.Nr. NM 661/1950), ebenfalls um diese Zeit ausgeformtes und staffiertes Ex. in unbekanntem Besitz (Metz, Heidelberg, 11.12.1993, Nr. 498).

70

Typen fremder Völker

Wie bereits das Material Porzellan als solches eine Nachahmung ostasiatischer Keramik anstrebte, bildeten Figuren aus dem Themenkreis jener fernen Länder in allen Manufakturen traditionelle Motive. Allegorien der Erdteile und Typen fremder Völker folgen zum Teil Anregungen der Meissener Produktion (Kat. 71–72), doch schuf Bustelli zwei Gruppen chinesischer Gestalten, die deutlich seine individuelle Handschrift tragen. Mehreren Musikanten auf kleinen Grassockeln in aufrechter Haltung (Kat. 73–77) folgte wohl etwas später eine mehrfigurige Tempelszene, deren hingebungsvoll agierende Einzelfiguren auf flachen, ausgeschnittenen Sockelplatten um ein Götzenbild auf hohem Postament arrangiert werden konnten (Kat. 78–86). Zusammen mit späteren Ergänzungen, die aus Veränderungen bereits existierender Modelle resultieren (Kat. 120–122), wurden sie 1767 im Preiscourant als „Tempel der Götzen nebst 16 Götzenfiguren" angeboten.

Lit.: Hofmann, S. 422–430, Abb. 90–92, 95, 97, 112, 125–126, 321–323

Typical Figures from Foreign Parts

Just as the material porcelain already strove to imitate East Asian ceramics, figures on the subject of exactly those foreign countries were traditional motifs in all factories. Allegories of the different parts of the world and of types of foreign people partly follow impulses from the Meissen production (cat. nos. 71–72), but Bustelli created two groups of Chinese figures that clearly show his individual hand. Several musicians, having an upright posture, on small pedestals of grass (cat. nos. 73–77), were probably followed somewhat later by a temple scene with several figures, whose devoted-acting individual figures could be arranged on flat, cut-out plinths around an idol on a high pedestal (cat. nos. 78–86). Together with later additions that result from changes of already existing models (cat. nos. 120–122), they were offered for sale as Temple of the Idols with 16 Idolaters in the price list of 1767.

Lit.: Hofmann, p. 422–430, figs. 90–92, 95, 97, 112, 125–126, 321–323

71   72

71
Tartarin als Räucherhütchen
um 1756, F. A. Bustelli

H. 9,7 cm
PM: RS 3 vorne auf dem Sockel
Inv.Nr. A 136 (Slg. Blohm, Hamburg, 1938)

Quadratischer, hohler Sockel mit gekehltem Profil, allseitig in der Mitte ausgeschnitten. Auf einem Kissen im Schneidersitz hockende, weibliche Figur, in einem Gewand mit weiten Ärmeln, die Arme über der Brust verschränkt. Auf dem nach rechts gewandten Kopf eine anliegende Haube mit

Bausch, darin ein Luftloch. Unbemalt. Sockel bestoßen.

Bemaltes Ex. im BNM, Inv. Nr.11/300, im GNM, Nürnberg (AK München 1963, Nr. 187, 188), in rosa Gewand mit Goldranken der Slg. Fritz Buckardt, Berlin, heute in Slg. Kocher, Bern, Inv. Nr. 27851 (Wyss 1965, S. 172–173), im Staatl. Museum, Schwerin, Inv.Nr. KG 1994-1995, sowie mit Streublümchen ehem. in Slg. Budge (VK Budge 1937, Nr. 963, Taf. 146) und in der Linsky Collection im MMA, New York, Inv. Nr. 1982.60.199, bzw. Indianischen Blumen ehem. in Slg. Levi (VK Levi 1956, Nr. 53 u. 54), mit gelben Streifen im GGMCA, Toronto, Inv.Nr. G83.1.702, und in unbek. Besitz mit rosa-purpur Streifen (Helbing, München, 26.5.1911, Nr. 110), ähnliches Ex. in unbek. Besitz (Lempertz, Köln, 13.5. 1993, Nr. 326). Unbem. im WLM, Stuttgart, Inv.Nr. 1968/709, in der PSZ, Dresden, Inv. Nr. P.E. 4286, ehem. in Slg. v.Quadt (VK Quadt 1913, Nr. 72), ehem. in Slg. v. Ostermann (VK Ostermann 1928/II, Nr. 405), in Slg. Böhler, München, und in unbek. Besitz (Christie's, London, 21.9.1992, Nr.118).

Publ.: Lange, Berlin, 19.11.1938, Nr. 691; AK München 1963, Nr. 7

72
Tartar als Räucherhütchen
um 1756, F. A. Bustelli

PM: RS 3 vorne auf dem Sockel
Inv.Nr. A 135 (Slg. Blohm, Hamburg, 1938)

Sockel und Sitzhaltung der schnauzbärtigen Figur wie vorige Nr., die verschränkten Hände im Schoß, das Gewand geknöpft und einen spitzen Hut
mit Luftlöchern auf dem nach links
gewandten Kopf. Unbemalt.
Ausführung von höchster Qualität.

Ein exotisches Pärchen auf Sockel und
Sitzkissen als Räucherhütchen model-
lierte in vergleichbarer Form bereits
Johann Friedrich Eberlein im Dezember
1735 in Meissen (z.B. in Slg. Kocher;
Wyss 1965, S. 110-11).
Unbemalte Ex. im MPA, Trento (Ziffer
1991, Nr. 28), im WLM, Stuttgart,
Inv.Nr. 1968/709, im MKH, Frankfurt
(AK Frankfurt 1963, Nr. 232), in der
PSZ, Dresden, Inv.Nr. P.E. 4285, ehe-
mals in Slg. v. Quadt (VK Quadt 1913,
Nr. 72), in Slg. Böhler, München, und
MAK, Wien.
Bemalte Ex. im BNM, Inv.Nr. 11/299
(AK München 1963, Nr. 186), aus der
Slg. Fritz Buckardt, Berlin, heute in
Slg. Kocher, Bern, Inv.Nr. 27852
(Wyss 1965, S. 172–173), ehemals
in Slg. Ostermann (VK Ostermann
1928/II, Nr. 405), ehemals in Slg.
Budge (VK Budge 1937, Nr. 963), in
der Jack and Belle Linsky Collection
im MMA, New York, Inv.Nr.
1982.60.200, im GGMCA, Toronto,
Inv.Nr. G83.1.702, und ehemals in
Slg. Levi (VK Levi 1956, Nr. 53, 54
u. 55) sowie in unbekanntem Besitz
(Helbing, München, 26.5.1911,
Nr. 109; Lempertz, Köln, 13.5.1993,
Nr. 326).

Publ.: Lange, Berlin, 19.11.1938, Nr. 691; AK
München 1963, Nr. 74

73 74

73
Chinese mit Laute
um 1756–60, F. A. Bustelli

H. 16,9 cm
PM: RS 6 vorne auf dem Sockel
Inv.Nr A 10 (Frhr. v. Moreau, 10.6.1912)

Auf kleinem, ausgeschnittenem Grassockel mit grün-goldener Staffage
stehender Chinese mit dünnem Oberlippenbart in langem, buntgestreiftem
Rock und lila Übergewand mit purpur-
goldenem Blütenmuster, das linke Knie
vorgeschoben und seinen Gesang auf
einer Laute begleitend. Das nach links
gewandte Haupt bedeckt eine schwarz-
goldene Kappe mit Ohrenklappen.
Zartes Inkarnat.
Ohrenklappen und Sockel bestoßen.

Publ.: AK München 1963, Nr. 182

74
Chinese mit Laute
1756–60, Ausformung um 1765,
F. A. Bustelli

H. 17,4 cm
PM: RS 6 vorne auf dem Sockel
Inv.Nr. A 243 (Dr. Voelker, München,
16.6.1965)

Modell wie vorige Nr., jedoch grüner
Rock mit purpurnen Streifen und Goldsaum, das Übergewand gelb mit purpurnen Streifen und zartlila Futter.
Grüne Kappe mit Goldrand. Zartes Inkarnat.
Hals gekittet, ein Seitenteil der Kappe
fehlt, das andere ist bestoßen, großer
Brandriß innen. Am rechten Ellbogen
eine Blase.

76

75
Chinese mit Laute (o. Abb.)
1756–60, Ausformung um 1770–75,
F. A. Bustelli

H. 16,7 cm
PM: RS 46 vorne auf dem ergänzten Teil des
Sockels
Inv.Nr. A 182 (Graf Solms, Schloß Assenheim,
Oberhessen, 15.7.1955)

Modell wie vorige Nr., unbemalt.
Ohrenklappen der Mütze, rechter Ärmel und Sockel repariert und ergänzt.

Ein unbemaltes Ex. aus der Slg. Hirth
im KGM, Köln, Inv.Nr. E 1685 (MK
Köln 1975, Nr. 183) sowie im BNM,
Inv.Nr. 10/230.

Publ.: Bäuml 1960, Abb. 3

76
Chinese mit Glockenspiel
um 1756–60, F. A. Bustelli

H. 18,2 cm
PM: RS 5 vorne auf dem Sockel
Inv.Nr. A 101 (Prov. unbekannt, 11.1.1921)

Sockel wie vorige Nr., darauf stehender
Chinese in langem Gewand mit weiten
Ärmeln und breitem Kragen, auf dem
nach rechts gewandten Kopf ein kegel-
förmiges Hütchen mit Spitze. In der er-
hobenen Linken ein Glockenspiel, in
der Rechten den Klöppel. Unbemalt.
Sockel, rechte Hand, Glocke, linker
Ärmel und Spitze der Mütze repariert.
Gewand bestoßen.

Ein unbemaltes Ex. aus der Slg. Hirth
im BNM, Inv.Nr. Ker 3626, ebenso im
V&A, London, Inv.Nr. C. 283-1923
(Honey 1947, Abb. 44) und im MNC,
Sèvres, Inv.Nr. 26333. Ein bemaltes
Ex. ehemals in Slg. v. Dobay (VK
Dobay 1926, Nr. 258), ein später aus-
geformtes Modell mit Bemalung im
WLM, Stuttgart, Inv.Nr. 1968/721 (AK
München 1963, Nr. 181; Grospietsch
1981, Abb. S. 61).

Publ.: Bäuml 1960, Abb. 3

77
Chinese mit Glockenspiel
(o. Abb.)
um 1756–60, F. A. Bustelli

H. 17,3 cm
PM: RS 5 vorne auf dem Sockel
Inv.Nr. A 181 (Graf Solms, Schloß
Assenheim, Oberhessen, 15.7.1955)

Modell wie vorige Nr., unbemalt.
Klöppel fehlt, Glocken bestoßen, Brandrisse im Sockel.

78
Götzenbild auf hohem Sockel
um 1756–60, F. A. Bustelli

H. 26 cm
PM: RS 6 vorne über dem Widderkopf, auf der
Sockelkante rückwärts „F.B"
Inv.Nr. A 87 (Slg. Hirth, 20.12.1919)

Quadratischer Sockel mit zurückgesetz-
tem, leicht eingezogenem Postament
und ausladender Deckplatte, die vorne
vorspringt und von einer Konsole mit
Widderkopf getragen wird. Aufgelegte
Blüten. Hinter einer brennenden Öllampe auf einem flachen Podest mit
Kissen im Schneidersitz hockender Chinese in einem Gewand mit weiten Ärmeln, die Arme ineinander verschränkt,

79 78 80

das rasierte Haupt mit einzelner Locke
leicht zur Seite geneigt. Unbemalt.
Gesims und Sockel repariert, Locke
und Blüten bestoßen. Bläuliche Glasur.

Die Sitzhaltung ist mit jener der beiden
Räucherhütchen (Kat. **71–72**) ver-
gleichbar. Zwei unbemalte Ex. im
BNM, Inv.Nr. 56/117 u. 118 (AK
München 1963, Nr. 60, 61; Rückert
1963, Abb. 26), ebenfalls ein Paar aus
der Slg. v. Ostermann (VK Ostermann
1928/II, Nr. 404) ehemals in Slg.
Levi (VK Levi 1956, Nr. 56); ein Ex.
im MKG, Hamburg (Jedding 1974,
Abb. 489) sowie im MNC, Sèvres,
Inv.Nr. 26334. Eine bemalte Ausfor-
mung besitzt das V&A, London, Inv.
Nr. C.89-1985.

Publ.: Bäuml 1960, Abb. 1; AK München
1963, Nr. 59

79
Singendes Chinesenkind mit
geöffneten Armen
um 1756–60, F. A. Bustelli

H. 11,5 cm
PM: RS 6 rückwärts auf dem Sockel, auf der
Unterseite „i"
Inv.Nr A 8 (Freiherr von Cetto, 11.6.1912)

Auf ausgeschnittener Sockelplatte sich
zu seinem Gesang wiegender Knabe in
langem Gewand mit weiten Ärmeln.
Unbemalt.
Die Attribute in beiden Händen fehlen.
Unreinheiten in der Glasur. Falten und
Sockel bestoßen.

Unbemaltes Ex. in der LGA im GNM
(Hofmann, Abb. 95). Von dem entsprechenden Gegenstück ist eine Ausformung mit F.B.-Marke im V&A, London,
Inv.Nr. C.80-1929, sowie eine weitere
in unbekanntem Besitz (Sotheby's, London, 23.6.1992, Nr. 126) bekannt; das
Modell war früher nur durch eine spä-

ter zusammengestellte Kombination aus
dem Grassimuseum, Leipzig, bekannt
(Hofmann, Abb. 96).

Publ.: Bäuml 1960, Abb. 3; AK München
1963, Nr. 69

80
Bittender Chinesenknabe
um 1756–60, F. A. Bustelli

H. 9,2 cm
PM: RS 5 vorne auf dem Sockel
Inv.Nr. A 213 (Weinmüller, München, 1958)

Auf ausgeschnittener Sockelplatte sich
leicht nach vorne beugender Knabe in
langem, gegürtetem Gewand, die Hände gefaltet und das Haupt erhoben.
Unbemalt.
Nase bestoßen, Sockel restauriert.

Unbemaltes Ex. in Privatbesitz (Sotheby's, London, 23.6.1992, Nr. 125).
Bemaltes Ex im BNM, Inv.Nr. 13/198

81

(AK München 1963, Nr. 185; Rückert 1963, Abb. 26).

Publ.: Weinmüller, München, 3.12.1958, Nr. 100; Bäuml 1960, Abb. 1; AK München 1963, Nr. 68

81
Chinese, das Haupt neigend
um 1756–60, Ausformung um 1770, F. A. Bustelli

H. 14,8 cm
PM: RS 6 vorne auf dem Sockel, auf der Unterseite „i"
Inv.Nr. A 39 (L. Steinhauser, München, Oktober 1916)

Auf ausgeschnittener Sockelplatte stehender Chinese in weiten Pumphosen mit langem Mantel über einem knielangen Unterkleid, das linke Bein nach vorn gestellt, den gesenkten Kopf mit der Rechten demutsvoll bedeckend. Unbemalt.
Unreine, dicke Glasur.

Ein unbemaltes Ex. in Slg. Böhler, München (AK München 1963, Nr. 65), ein zart bemaltes Ex. mit gelber Hose und zartrosa Mantel über blauem Unterkleid im MPA, Trento (Ziffer 1991, Nr. 32), mit dunklem Mantel über changierendem Unterkleid in der PSZ, Dresden, Inv.Nr. P.E. 4287.

Publ.: Bäuml 1960, Abb. 1

82
Chinese mit Serpent über dem Kopf
um 1756–60, F. A. Bustelli

H. 14 cm
PM: RS 6 rechts vorne auf dem Sockel
Inv.Nr. A 223 (L. Steinhauser, München, 30.4.1960)

Auf ausgeschnittener Sockelplatte sich nach vorne beugender Chinese in weiten Pumphosen, das linke Bein vorangestellt, der einen Serpent bläst. Unbemalt.
Serpentröhre in Höhe der Hand infolge eines Fabrikationsfehlers unterbrochen, am Rand bestoßen. Besonders gute Glasur und Modellierung.

Unbemalte Ex. im MKH, Frankfurt (AK Frankfurt 1963, Nr. 234) und mit der F.B.-Marke im MNC, Sèvres, Inv.Nr. 26332. Ein bemaltes Ex. im BNM, Inv.Nr. 14/102 (Bäuml 1960, Abb. 4; AK München 1963, Nr. 180). Beim Gegenstück hält die Figur den Serpent so, daß die Öffnung des Instruments unter dem linken Arm hervorkommt; ein unbemaltes Ex. im MKH, Frankfurt besitzt die F.B.-Marke (AK Frankfurt 1963, Nr. 236; Hofmann Abb. 92; AK München 1963, Nr. 66; AK Northhampton 1965, Nr. 55 allg. beide Figuren).

Publ.: AK München 1963, Nr. 67

82

83
Opfernde Chinesin
um 1756–60, F. A. Bustelli

H. 10,3 cm
PM: RS. 5 links auf dem Sockel
Inv.Nr. A 139 (Prov. unbekannt 8.8.1938)

Auf ausgeschnittener Sockelplatte mit Goldstaffage kniende Chinesin mit geschlossenen Augen und vor der Brust

83

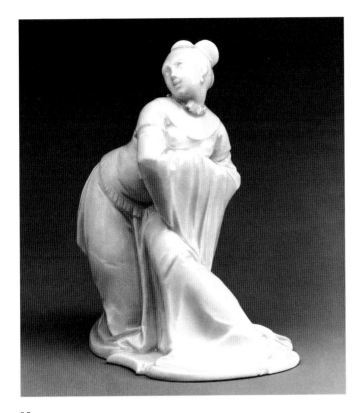

85

87

verschränkten Armen, die Hände in den weiten Ärmeln des rot-grün gemusterten Gewandes mit purpurnem Kragen verborgen, darüber eine gelbe Taille. Das Haupt mit einer blau-rot-goldenen Kappe bedeckt, die den Haarknoten freiläßt. Auf dem Boden davor eine staffierte Opferschale. Sehr zartes Inkarnat.
Brandriß.

Publ.: AK München 1963, Nr. 179

84
Opfernde Chinesin (o. Abb.)
um 1756–60, F. A. Bustelli

H. 10,8 cm
PM: RS 5 vorne auf dem Sockel
Inv.Nr. A 21 (Slg. v. Quadt, 1913)

Modell wie vorige Nr., jedoch mit aus der Schale aufsteigendem Rauch.
Unbemalt.
Mehrere Brandrisse, Sockel bestoßen. Ausformung und Glasur sehr gut.

Ein unbemaltes Ex. im BNM trägt die „F.B.“-Marke, Inv.Nr. Ker 3627 (AK München 1963, Nr. 64; Rückert 1963, Abb. 26), weitere ehemals in Slg. Levi (VK Levi 1956, Nr. 52) und in unbe-

kanntem Besitz (Sotheby's, London, 23.6.1992, Nr. 123).

Publ.: VK Quadt 1913, Nr. 73; Bäuml 1960, Abb. 2

85
Anbetende Chinesin
um 1756–60, F. A. Bustelli

H. 12,6 cm
PM: RS 6 vorne auf dem Sockel
Inv.Nr. A 146 (Ruef, München, 24.10.1940)

Auf ausgeschnittener Sockelplatte in die Knie sinkende Chinesin, die Hände vor der Brust ineinander verschränkt und von den weiten Ärmeln verborgen, das Haupt mit einem vierpaßförmigen Kopfputz bedeckt und in Ehrfurcht erhoben. Unbemalt.
Kleinere Bestoßungen am Sockel. Ausgezeichnete Qualität der Modellierung und der Glasur.

Bemalte Ex. im BNM, Inv.Nr. 62/52 (Christie's, London, 4.6.1962, Nr. 173; AK München 1963, Nr. 177; Rückert 1963, Abb. 24), aus der Slg. Hirth im KGM, Köln, Inv.Nr. E 1684 (MK Köln 1975, Nr. 179, Tafel III) und in unbe-

kanntem Besitz (Christie's, London, 4.6.1962, Nr. 173).

Publ.: Bäuml 1960, Abb. 2; AK München 1963, Nr. 63

86
Anbetende Chinesin (o. Abb.)
um 1756–60, Ausformung um 1770, F. A. Bustelli

H. 12,8 cm
PM: RS 6 vorne auf dem Sockel
Inv.Nr. A 88 (Slg. Hirth, 20.12.1919)

Form wie vorige Nr., unbemalt.
Mehrfach bestoßen, körnige Glasur.

Publ.: Hofmann, Abb. 90

87
Türke mit Tasse
(„Thürkh, so Caffée trinket")
um 1756, F. A. Bustelli

H. 12,1 cm
PM: RS 3 vorne auf dem Sockel
Inv.Nr. A 38 (A.S. Drey, München, 19.5.1914)

Mit Blumen und Blättern belegter Rocaillesockel, aus dem sich eine Voluten-

88 89

konsole erhebt. Darauf stützt sich mit
dem rechten Ellbogen ein daneben sitzender Türke mit Schnauzbart und
buschigen Augenbrauen in Pumphosen
und Übergewand, der in der Rechten
eine Kaffeetasse hält, auf die er mit der
Linken weist. Unbemalt.
Blattwerk, Sockel, Tasse und linke
Hand bestoßen, auf der linken Hälfte
der Figur im Brand angebackene Masse-
reste.

Unbemalt im Nationalmuseum, Stock-
holm, Inv.Nr. NM98/1907. Bemalte
Ex. im BNM, Inv.Nr. Ker 4297 (Bäuml
1960, Abb. 5; AK München 1963, Nr.
189), im British Museum, London,
Inv.Nr. 1923-14, 86 (Rollo 1964,
Abb. 33B), im SLM, Zürich, Inv.Nr.
LM 24769 (63./64. Jahresbericht SLM
1954/55, Abb. 36), und in unbekann-
tem Besitz (Christie's, London,
1.3.1993, Nr. 258 zus. mit Pendant).
Das ebenfalls 1756 erstmals erwähnte
Pendant ist laut Formenverzeichnis
von 1760 eine „Thürkin mit Ananas"
(Bäuml 1960, Abb. 6, bemaltes Ex. im
BNM, Inv.Nr. Ker 4087, AK München

1963, Nr. 190; ein unbemaltes Ex. im
Residenzmuseum, München, AK Mün-
chen 1963, Nr. 70). Beide Figuren sind
später zu einer Gruppe verschmolzen
worden (Kat. 125). Ein bemalter Türke
als Blickfang eines Tintenzeugs in
Bronzemontierung in unbekanntem
Besitz (Schloß Ricklingen, 15.10.1983,
Nr. 433) und als Neuerwerbung in der
Sammlung Bäuml.

Publ.: AK München 1963, Nr. 71

88
Mohrin mit Deckeldose
um 1760, F. A. Bustelli

H. 14,9 cm
PM: ohne Marke; RM: auf der Unterseite
„7 D"
Inv.Nr. A 49 (Freiherr von Malsen, Februar
1917)

Von plastischem Bogen begrenzte
Sockelplatte mit Felsaufbau, darauf

nach rechts gewandter weiblicher Akt
mit Lendentuch und üppigem Schmuck,
in der erhobenen Rechten eine Frucht,
auf dem Kopf eine Federkrone. Daneben eine ovale Deckelschale mit zweifach geschwungener Wandung, Korbrelief und glatten Vierpaßreserven.
Fruchtknauf. Unbemalt.
Zehen des linken Fußes, Knauf und
Dosenrand bestoßen. Brandrisse.

Formgleiche Deckeldosen mit Korb-
relief auf Felssockeln, die von jeweils
einem stehenden Mohren flankiert
sind, modellierten J. J. Kaendler und
J. F. Eberlein um 1750 in Meissen.
(Newman 1977/I, Abb. 149).
Unbemaltes Ex. mit den gleichen Ritz-
marken im GNM (AK München 1963,
Nr. 73) sowie ehemals in Slg. Thurn
und Taxis, Regensburg (VK Thurn &
Taxis 1993, Nr. 1920). Bemalte Ex. im
BNM (um 1765), Inv.Nr. 17/233 (AK
München 1963, Nr. 191; Rückert
1963, Abb. 15), ehemals in Slg. Levi
(VK Levi 1956, Nr. 88) und in Jack and
Belle Linsky Collection im MMA, New
York, Inv.Nr. 1982.60.197 ab.

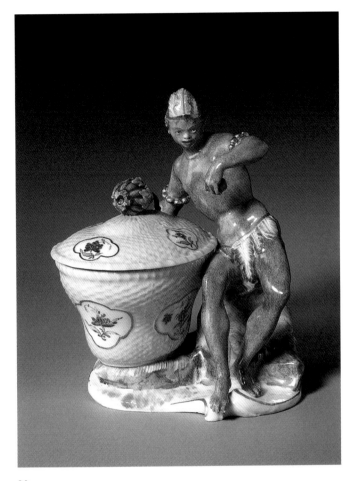

90

89
Mohr mit Deckeldose
um 1760, F. A. Bustelli

H. 14 cm
PM: RS 8 vorne auf dem Sockel
Inv.Nr. A 50 (Freiherr von Malsen, Februar
1917)

Seitenverkehrtes Modell zur vorigen
Nr., darauf nach links gewandt männli-
che Figur mit Lendenschurz und Krone
aus Federn, eine Bananenstaude in der
erhobenen Linken. Fruchtkapsel als
Deckelknauf. Unbemalt.
Deckelfalz und Sockel leicht bestoßen,
Eisenflecken in der Glasur.

Ein unbemaltes Ex. im BNM, Inv.Nr.
Ker 3634 (AK München 1963, Nr. 72).

90
Mohr mit Deckeldose
um 1760, Ausformung um 1770,
F. A. Bustelli

H. 14,2 cm
PM: ohne Marke; RM: auf der Unterseite „W"
und „I D"
Inv.Nr. A 178 (Irene Gräfin Boullion, 1955)

Modell wie vorige Nr., jedoch der
Sockel grün-braun mit Gold staffiert, Inkarnat in hellerem Braun, Federn purpur, eisenrot und blau mit Gold, Gold-
schmuck. Dose mit gelbem Fond und
goldgeränderten Reserven, darin Indianische Blumen in eisenrot, purpur und
grün.
Beide Arme und Deckel ergänzt.

Ein bemaltes Ex. ehemals in Slg. Levi
(VK Levi 1956, Nr. 88).

Publ.: AK München 1963, Nr. 192

91
Mohr mit Deckeldose (o. Abb.)
um 1760, Ausformung um 1770,
F. A. Bustelli

H. 13,8 cm
PM: ohne Marke
Inv.Nr. A 173 (Lucien Delplace, Brüssel,
7.12.1954)

Modell wie vorige Nr., jedoch der
Sockel braun-grün staffiert, Inkarnat
schwarz, Federn an gelbem Rockband
purpur, eisenrot und grau, ebenso an
der grün-gelben Haube. Dose mit gelbem Fond und purpurgeränderten
Reserven, darin einfache Indianische
Blumen. Blaue Traube als Deckelknauf.
Schwarze Farbe teils abgeplatzt und alt
ergänzt, Deckelrand und Blattknauf
bestoßen, Brandrisse.

Staffage und Traubenrebe als Deckel-
knauf vergleichbar mit einem Ex. in der
Jack and Belle Linsky Collection, MMA,
New York, Inv.Nr. 1982.60.198 ab.

Publ.: AK München 1963, Nr. 193

Die Italienische Komödie

Das Formenverzeichnis von 1760 verzeichnet insgesamt „16 Stukh Pantomin-Figuren", die aufgrund ihrer reifen Gestaltung auf plastischen Rocaillesockeln mit daraus aufsteigenden Volutenstützen erst kurz zuvor entstanden sein dürften. Ohne Frage kennzeichnen diese Figuren der Italienischen Komödie den Höhepunkt in Bustellis Schaffen und gehören zu den Glanzleistungen der Porzellanplastik im 18. Jahrhundert. Acht Paare stellen die Charaktere der Stegreifkomödie dar, die stets dem gleichen Handlungsablauf folgte.

Der geizige Kaufmann Pantalone aus Venedig (Kat. 103, 111) sucht für seine schöne Tochter Isabella (Kat. 98) einen passenden Ehemann, doch fühlt sich die Heldin zu dem schüchternen Octavio hingezogen, der ihr heimlich eine Kußhand zuwirft (Kat. 99, 110). In den Augen des Vaters wäre der leidenschaftliche Capitano Spavento (Kat. 92) ein passender Bewerber, der sich jedoch so temperamentvoll gebärdet, daß auch Isabellas Freundin Leda (Kat. 93) angstvoll vor ihm zurückschreckt. Die Grundzüge der Handlung werden durch die Freunde der Hauptpersonen erweitert, die einander im Rollenspiel ergänzen. Dazu gehören die kokette Lucinda (Kat. 94, 95) und der neugierige Pierrot (Kat. 96, 97), der geschwätzige Dottore (Kat. 101) und die biedere Donna Martina (Kat. 100, 102) als Eltern des Capitano, außerdem die schmachtende Corine, die einen Liebesbrief liest (Kat. 105). Die Elemente des Theaters repräsentiert der tanzende Scaramuz (Kat. 104, 106), während Colombine mit der Maske das Thema „Versteckspiel der Liebe" generell personifiziert (Kat. 107). Das burleske Element verkörpert Mezzetin im Gewand eines Harlekins, der ein Affenbaby im Arm hält (Kat. 108), das von Lalage mit einem Löffelchen Brei gefüttert wird (Kat. 109).

Die Reduzierung der üblicherweise als zusätzliche Verzierung betrachteten Sockel auf glatte Standflächen mit elegant aufschwingenden Voluten bedeuten eine einzigartige Umsetzung graphischer Vorbilder, wie sie z. B. im Werk von Johann Esaias Nilson vorgegeben sind. Mit Blicken, Gestik, ausgreifenden Bewegungen und starken Torsionen der Körper wird den Emotionen der Personen Ausdruck verliehen. Bustellis außergewöhnliche Fähigkeit die Oberflächen seiner Plastiken zu gestalten, zeigt sich nirgendwo deutlicher als in den kleinen Knitterfalten der Seidengewänder, die selbst unter den delikaten Staffierungen sichtbar bleiben.

Lit.: Hofmann, S. 409–422, Abb. 84–88, 318, Tafel 3, 6

Commedia dell' Arte

The list of forms for 1760 documents in total "16 pantomime figures," which, on sculptural rocaille pedestals with volute supports rising upward, show a maturity that indicates they were probably made just briefly before that date. No doubt these figures of Italian comedy represent the peak in Bustelli's oeuvre and belong to the highlights of porcelain sculpture of the eighteenth century. Eight couples represent the characters of the extempore comedy, which always followed the same scheme.

The miserly merchant Pantalone of Venice (cat. nos. 103, 111) is looking for a suitable husband for his daughter Isabella (cat. no. 98) but the heroine is attracted to the shy Octavio, who secretly blows her a kiss (cat. nos. 99, 110). In the eyes of the father the passionate Capitano Spavento (cat. no. 92) would be an appropriate suitor, but he behaves so temperamentally, that Isabella's friend Leda (cat. no. 93) is also scared of him. The essentials of the plot are expanded by the friends of the main characters, who supplement one another in the role play. Amongst these are the coquettish Lucinda (cat. nos. 94, 95) and the curious Pierrot (cat. nos. 96, 97), the gossipy Dottore (cat. no. 101) and the upright Donna Martina (cat. nos. 100, 102) as parents of the Capitano, also the pining Corine who is reading a love letter (cat. no. 105). The dancing Scaramuz represents elements of the theater (cat. nos. 104, 106), while Colombine with the mask generally personifies the subject "The Hide and Seek of Love" (cat. no. 107). Mezzetin in the costume of a harlequin, who holds a baby monkey on his arm (cat. no. 108), which is being fed a spoonful of porridge by Lalage (cat. no. 109), embodies the burlesque element.

The reduction of the pedestal, generally regarded as additional ornamentation, to a smooth ground with elegant upturned volutes, signifies a unique translation of graphic prototypes as they can be found in the work of Johann Esaias Nilson, for example. With glances, gestures, expansive movements, and strong torsions of the bodies, the emotions of the persons are given expression. Bustelli's unusual ability to fashion the surfaces of his sculptures can best be seen in the small creases of the silk garments, which remain visible even underneath the delicate paint.

Lit.: Hofmann, p. 409–422, figs. 84–88, 318, plates 3, 6

92

93

92
Capitano Spavento
um 1760, F. A. Bustelli

H. 19,2 cm
PM: RS 3 mit Goldrand auf der Sockelrocaille;
RM: auf der Unterseite „o"; bez. in Rot „ᴣᴄ"
Inv.Nr. A 134 (Lange, Berlin, August 1938)

Auf ausgeschnittenem Rocaillesockel
mit aufsteigender Volute und Goldstaffage in vorwärtsstürmendem Schritt Offizier in schwarzen Stiefeln, eisenroten
Kniehosen, gelbem Wams mit plissiertem Kragen, eisenrotem Rock mit weiten Ärmeln und Goldknöpfen, schwarzem Hut mit schwarz-roten Federn und
schwarz-goldenem Degen. Mit der Linken hält er seinen Hut, in der Rechten
einen gezückten Dolch.
Rechter Arm gekittet, Dolch, Stulpe des
linken Ärmels restauriert, Säbelgriff
und Scheide ergänzt. Sockel bestoßen.

Ein ebenso, jedoch wesentlich
schwächer bemaltes Ex. im BNM,
Inv.Nr. Ker 4295 (AK München 1963,
Nr. 199), mit rotem Wams und blauer
Jacke im MPA, Trento (Ziffer 1991,

Nr. 34), mit gelben Kniehosen und
Wams zu eisenrot-schwarz gestreifter
Jacke im MKG, Hamburg, Inv.Nr.
1940.32 (AK München 1963, Nr. 196;
Jedding 1974, Abb. 499). Ausformungen mit der Hexagramm-Marke: in
gelb-schwarz gemustertem Wams unter
eisenroter Jacke aus Slg. Otto und Mag-
dalena Blohm, heute im MKG, Hamburg (Schmidt 1953, Nr. 277), mit rotem Wams unter grüner Jacke ehemals
in Slg. Levi (VK Levi 1956, Nr. 78), mit
gelbem Wams unter roter Jacke im British Museum, London, Inv.Nr. 1948,
12-3.71, ehem. in Slg. Ernesto Blohm
(Christie's, London, 10.4.1989, Nr. 70)
sowie mit gestreiftem Wams in unbekanntem Besitz (Christie's, London,
28.3.1977, Nr. 166). Mit einer nach-
träglichen Bemalung in unbekanntem Besitz (Weinmüller, München,
29.9.1965, Nr. 210).
Unbemalt im Residenzmuseum, München, Ker I/Ny 49 (AK München
1963, Nr. 77), ehemals Slg. Hirth
(Hofmann, Abb. 84), mit Hexagramm-
Marke ehemals in Slg. Levi (VK Levi
1956, Nr. 71), im MAK, Wien, und in
unbekanntem Besitz (Christie's, New
York, 9.10.1985, Nr. 359).

Publ.: AK München 1963, Nr. 197; Rückert
1963, Abb. 34; Hornig-Sutter 1986, Abb.
S. 2998

93
Leda
um 1760, F. A. Bustelli

H. 19,6 cm
PM: RS 3 vorne auf dem Sockel, auf der
Unterseite „F.B" und „2"
Inv.Nr. A 170 (Weinmüller, München,
16.12.1953)

Auf einem Rocaillesockel in schreiten-
der Bewegung rafft die Figur mit der
Linken den weiten, mit Rüschen be-
setzten Rock. Der Blick folgt der rech-
ten Hand, die in Abwehr erhoben ist.
Unbemalt.
Großer Brandriß auf der Rückseite.
Rechter Arm, Sockel links ergänzt,
Schleifen bestoßen.

Unbemaltes Ex. im MKG, Hamburg,
Inv.Nr. 1908.335 (Hofmann, Abb. 84).
Bemalte Ex. mit besonders reich bemal-
tem Rock mit bunten Blumenrocaillen

auf goldenem Schuppenmuster ehemals
in Slg. Hirth (VK Hirt 1898, Nr. 244,
dann rheinischer Privatbesitz, Lempertz, Köln, 3.5.1934, Nr. 109), heute
im BNM, Inv.Nr. 68/52, und sehr ähnlich in unbekanntem Besitz (Christie's,
London, 28.3.1977, Nr. 167).Eine Figur mit gestrichelt changierendem Rock
in Purpur und gelbem Mieder aus der
Slg. v. Pannwitz (AK Berlin 1904, Nr.
978) heute im MKG, Hamburg, Inv.Nr.
1940.31 (AK München 1963, Nr. 214;
Jedding 1974, Abb. 500), in gelb-rot gestreiftem Rock aus Slg. Feist heute im
KGM, Berlin, Inv.Nr. HF 529 (AK
München 1963, Nr. 215; Rückert
1963, Abb. 35), in gelbem Kleid mit
rosa Streublumen im MKH, Frankfurt
(AK Frankfurt 1963, Nr. 230), in rosa
Rock mit Purpurblumen ehemals Slg.
Budge (VK Budge 1937, Nr. 967, Taf.
145), heute im Kunstindustrimuseet,
Kopenhagen, Inv.Nr. 3/1965 (MK
Kopenhagen 1969, Abb. 64). Mit einer
Staffierung um 1765 im GGMCA,
Toronto, Inv.Nr. G83.1.958 (Sotheby's,
Zürich, 2.12.1981, Nr. 65).

Publ.: AK München 1963, Nr. 85

94 96

94
Lucinda
um 1760, F. A. Bustelli

H. 20,6 cm
PM: RS 3 goldgerahmt auf dem Sockel;
RM: auf der Unterseite „O"
Inv.Nr. CB 39 (Christie's, London, 1977)

Auf goldstaffiertem Rocaillesockel stehende Figur in gelbem Jackenkleid mit
purpur-grünen Streifen und blauen
Schleifen, den Kopf nach rechts gewandt. Um den Hals eine Perlenkette
mit schwarzer Schleife, im graugestri-
chelten Haar eine kleine Goldkappe mit
Purpurfeder. Mit der Linken drückt sie
bunte Blumen an die Brust, mit der
Rechten weist sie nach außen. Zartes
Inkarnat.
Rechter Arm, Feder im Haar und zwei
Schleifen restauriert.

Ein bemaltes Ex. ehemals im Museum
Folkwang, Essen, und heute in unbekanntem Besitz, trägt die „F.B"-Marke
(AK München 1963, Nr. 216), weitere
Figuren mit gestreiftem Kleid im KGM,
Berlin (MK Berlin/Ost 1980, Nr. 240)
und im BNM, Inv.Nr. 71/493, sowie
in Hamburger Privatbesitz (AK München 1963, Nr. 218). Ein üppig gestri-
cheltes Streifenmuster im Rock zur
bunt geblümten Jacke auf der Figur
ehemals in Slg. Levi (VK Levi 1956,
Nr. 79). Einen karierten Rock zur geblümten Jacke trägt das Ex. der Lesley
and Emma Sheafer Collection im MMA,
New York, Inv.Nr.1974.356.802.
Unbemalt im Residenzmuseum, München, Ker I/Ny 52 (AK München
1963, Nr. 86), im MKG, Hamburg,
Inv.Nr. 1899.134, in der PSZ, Dresden,
Inv.Nr. P.E. 4289, im Kunstindustrie-
museet, Kopenhagen, Inv.Nr.
A24/1931 (MK Kopenhagen 1969,
Abb. 66) und unbek. Besitz (Helbing,
München, 8.5.1930, Nr. 224).

Publ.: Christie's, London, 28.3.1977, Nr. 160

95
Lucinda
um 1760, Ausformung um 1763–67,
F. A. Bustelli

H. 19,5 cm
PM: „O"; unterglasurblaue Hexagramm-Marke
Nr. 15 auf der linken Seite des Sockels
Inv.Nr. A 125 (Slg. Budge, 1937)

Modell wie vorige Nr., jedoch ohne
Blumen in der Hand und ohne Perlenkette. Das Kleid mit blau-purpurnen
Streifen auf blauem, changierendem
Grund und eisenrotem Mieder; Jacke
mit Blumenmuster in Purpur auf grün-
gemustertem Grund, gelbe Ärmelauf-
schläge. Zartes Inkarnat.
In der Mitte durchgebrochen und gekittet, Sockelstück und rechter Fuß
ergänzt, einige Brandrisse.

In gestreiftem Kleid und ebenfalls ohne
Perlenkette eine Figur im Musée Ariana,
Genf, Inv.Nr. AR 05599.

Publ.: VK Budge 1937, Nr. 960; AK München
1963, Nr. 217; Rückert 1963, Abb. 38

96
Pierrot
um 1760, F. A. Bustelli

H. 20,7 cm
PM: RS 8 goldgerahmt auf der Stützvolute;
RM: auf der Unterseite „..1. r"
Inv.Nr. A 167 (Dr. Franz Winzinger, Öttingen,
11.2.1952)

Goldstaffierter Rocaillesockel mit rückwärts aufsteigender Stützvolute, davor
in Schrittstellung Pierrot in anliegendem, rosa Kostüm mit plissierter,
weißer Halskrause und Goldknöpfen,
den Kopf mit gelbem Hut nach links
gewandt, in der Rechten eine silberne
Laterne, mit der Linken weist er zur
Seite. Kräftiges Inkarnat.
Zeigefinger der linken Hand ergänzt,
Schleife am linken Schuh und Gürtel
bestoßen.

Eine identische Bemalung besitzt das
Ex. aus der Slg. Feist, heute im KGM,
Berlin, Inv.Nr. HF 530 (AK München
1963, Nr. 227). Eine klassisch „bayerische" Staffage mit weißem Kostüm und
blauen Säumen trägt das bemalte Ex.
im BNM, Inv.Nr. Ker 4095 (AK Mün-
chen 1963, Nr. 228; Rückert 1963,
Abb. 39), blaue Wellenbordüren besitzt
ein Ex. mit F. B.-Marke, ehemals im
Kunsthandel (Röbbig, München, 1986).
Gestreifte Randbordüren auf dem
Ex. im Art Institute of Chicago, Inv.
Nr. 1958.409, gebogte Bordüren auf
dem Ex. ehemals in Slg. Baroness
van Zuylen van Nyevelt (Christie's,
London, 28.3.1977, Nr. 161), ein
weiteres in der Lucy Truman Aldrich
Collection (MK Providence 1965,
Abb. 46).

95

97
Pierrot (o. Abb.)
um 1760, F. A. Bustelli

H. 19,9 cm
PM: RS 6 auf der Stützvolute, auf der Unter-
seite „2"
Inv.Nr. A. 156 (Prov. unbekannt, 1910)

Modell wie vorige Nr., unbemalt.
Linker Zeigefinger und rechte Hand gekittet, rechtes Bein restauriert, Schlei-

fen bestoßen. Scherben und Glasur von
ausgezeichneter Qualität.

Unbemalt im MPA, Trento (Ziffer
1991, Nr. 37), im Residenzmuseum,
München, Inv.Nr. Ker I/Ny 51, aus
Slg. Hirth (VK Hirth 1898, Nr. 241)
heute im MKG, Hamburg, Inv.Nr.

1899.88, in unbekanntem Besitz (Helbing, München, 8.5.1930, Nr. 124)
und ehemals in Slg. Levi (VK Levi
1956, Nr. 70).

Publ. AK München 1963, Nr. 90

98 99

98
Isabella (s. a. Buchtitel)
um 1760, F. A. Bustelli

H. 19,7 cm
PM: RS 5 vorne auf dem Sockel, auf der
Unterseite „O"
Inv.Nr. A 193 (Slg. Levi, 1956)

Auf goldstaffiertem Rocaillesockel, den
Oberkörper zur Seite gebogen, stehende Figur in bodenlangem, aprikosenfarbenem Rock mit Goldspitzenbordüre
und blauem Mieder mit goldgemustertem Einsatz und Stulpen; die Arme sind
abwehrend nach rechts erhoben. Feines
Inkarnat.
Arme repariert, Sockel mit Brandrissen
bestoßen und repariert, Farbe leicht berieben.

Bemalte Ex. mit grün-gold-purpur gestreiftem Kleid, Inv.Nr. Ker 2106 (AK
München 1963, Nr. 208; Rückert
1963, Abb. 36) und purpurchangierendem Kleid im BNM, Inv.Nr. 77/50
(Christie's, London, 28.3.1977, Nr.
168), in purpurgeblümtem Rock und
rosa Mieder in Slg. Kocher, Bern,
Inv.Nr. 27855 (Wyss 1965, S. 188-
189), mit eisenrotem Mieder zu rosa-
purpur-grün gestreiftem Rock in Slg.

Ducret, Zürich (Ducret 1977, Abb. 51)
sowie mit schwarzem Mieder und Rock
mit reichem Wellenmuster in Purpur in
der Lesley and Emma Sheafer Collection im MMA, New York, Inv.Nr.
1974.356.527. Unbemalt im BNM,
Inv.Nr. Ker 2137 (AK München 1963,
Nr. 82), in der PSZ, Dresden, Inv.Nr.
P.E. 4290, und in unbekanntem Besitz
(Christie's, London, 5.6.1996, Nr.
383).

Publ.: VK Levi 1956, Nr. 77; AK München
1963, Nr. 209; Hornig-Sutter 1986, Abb.
S. 2998; Miller 1986, Abb. S. 3021

99
Octavio (s. a. Buchtitel)
um 1760, F. A. Bustelli

H. 19,3 cm
PM: RS 6 blaustaffiert auf der Stützvolute
rückwärts, auf der Unterseite „O"
Inv.Nr. A 121 (Rheinischer Privatbesitz, Köln,
1934, ehemals Slg. Hirth)

Auf goldstaffiertem Rocaillesockel vor
einer Stützvolute stehender Kavalier in
schwarzen Kniehosen, reich gold-pur-
pur gemusterter Weste und blau-golde-

nem Rock, den linken Fuß vorangestellt, den nach vorn gebeugten Oberkörper nach links gewandt und die
rechte Hand neckisch an den Lippen.
Unter dem linken Arm ein schwarzer
Dreispitz. Kräftiges Inkarnat.
Kleiner Finger der rechten Hand ergänzt, Daumen fehlt, Fehlstelle im
Sockel. Gold berieben.

Ein zartrosa staffiertes Ex. ehemals im
Museum Folkwang, Essen, heute in un-
bekanntem Besitz (AK München 1963,
Nr. 222), in mattem Purpur und Gold
im V&A, London, Inv.Nr. C. 107-1945
(Honey 1947, Abb. 45), im BNM mit
Dreiecksmuster in der Weste, Inv.Nr.
77/51 (Christie's, London, 28.3.1977,
Nr. 169), mit lila Hosen und brau-
ner Jacke über grüner Weste in Slg.
Kocher, Bern, Inv.Nr. 27856 (Wyss
1965, S. 186-187) und mit schwar-
zen Hosen und purpurnem Rock im
GGMCA, Toronto, Inv.Nr. G83.1.955
(Sotheby's, Zürich, 2.12.1981, Nr. 63).

Publ.: VK Hirth 1898, Nr. 245; Hannover
1925, Abb. 313; Lempertz Köln, 3.5.1934,
Nr. 108 ; AK London 1954, Nr. 134; Rococo
1956, Nr. 32; AK München 1958, Nr. 769 d;
AK München 1963, Nr. 221; Miller 1986,
Abb. S. 3021

100   101

100
Donna Martina
um 1760, F. A. Bustelli

H. 20 cm
PM: auf der Unterseite „O"
Inv.Nr. A 109 (Slg. Darmstädter, 1925)

Auf goldstaffiertem Rocaillesockel stehende Dame in langem Kleid mit reichem Streifenmuster in Gold und Purpur sowie schwarzer Spitzenmantille,
die mit der Rechten den Rock zum Gehen rafft und im linken Arm eine korb-
umflochtene Flasche (Fiaschetto) trägt.
Zwei Schönheitspflästerchen an den
Schläfen. Auf dem Kopf ein kleines
schwarzes Hütchen mit purpurner
Feder. Kräftiges Inkarnat.
Flaschenhals und Feder im Haar gekittet, Teile des Sockels ergänzt. Bemalung berieben.

Es handelt sich bei dieser Bemalung um
die reichste Staffage, die bisher bekannt
wurde. Ebenfalls eine schwarze Spitzenmantille besitzt das Ex. mit rosa
Rock und Goldspitzensaum aus der Slg.
v. Pannwitz, bzw. Slg. Feist, heute im
KGM, Berlin, Inv.Nr. HF 528 (Rückert
1963, Abb. 30), einen gelben Rock und
blauen Umhang das Ex. im BNM,

Inv.Nr. 77/74 (Christie's, London,
28.3.1977, Nr. 158), einen gelben
Rock zu schwarzer Mantille das Ex.
ehemals in Slg. van Zuylen van Nyevelt
(Christie's, London, 25.11.1954, Nr.8).
Eine schwarze Mantille zu diagonal
blau-gold-purpur gestreiftem Rock auf
dem Ex. aus der Slg. Kramarsky, New
York, heute in der Lesley and Emma
Sheafer Collection im MMA, New
York, Inv.Nr. 1974.356.521.

Publ.: AK Berlin 1904, Nr. 974; VK Darm-
städter 1925, Nr. 260, Taf. 64; Ware 1951,
Abb. 93; AK München 1958, Nr. 769e; AK
München 1963, Nr. 204

101
Dottore
um 1760, F. A. Bustelli

H. 19,3 cm
PM: RS 3 auf der Rückseite der Stützvolute,
auf der Unterseite „P"; RM: Strich
Inv.Nr. A 130 (Slg. Dr. Remé, 1938)

Auf goldstaffiertem Rocaillesockel mit
aufsteigender Stützvolute stehende
Figur mit Kinnbart in schwarzen Kniehosen, weißem Wams mit Goldknöpfen
und blauen Stulpen, gelber Jacke mit

bunten Ärmeln und plissiertem Kragen
mit blauen Kugeln; die Linke in die
Hüfte gestemmt, während die rechte
Hand nachdenklich an die Stirn geführt
ist. Auf dem Kopf ein gelbes Tuch, dar-
über ein schwarzer Schlapphut. Zartes
Inkarnat.
Brandrisse am Sockel, Mantelkante und
Hutkrempe leicht bestoßen, Farbe be-
rieben.

Ein eisenrotes Wams zu schwarzem
Mantel trägt das Ex. aus der Slg. Baroness van Zuylen van Nyevelt (Christie's, London, 28.3.1977, Nr. 159),
heute im GGMCA, Toronto, Inv.Nr.
G83.1.956, ein ähnliches ehemals in
der Christner Collection (Christie's,
New York, 8.6.1979, Nr. 68), eine rot-
gelb gestreifte Weste tragen die Figuren
aus der Slg. Feist, heute im KGM, Berlin, Inv.Nr. HF 536a (AK München
1963, Nr. 207; Rückert 1963, Abb. 31)
und ehemals im Kunsthandel, London
(Newman & Newman, Weltkunst,
15.4.1963, S. 18), heute im BNM,
Inv.Nr. 63/32, ganz in schwarz ge-
kleidet das Ex. in Slg. Kocher, Bern,
Inv.Nr. 27842 (Wyss 1965, S. 184-
185). Unbemalte Ex. im MKG, Hamburg, Inv.Nr. 1899.131 (AK München 1963, Nr. 81; Jedding 1974,

102　103

Abb. 498), im BNM, Inv.Nr. 17/239, und ehemals in Slg. de Ridder (VK Ridder 1931, Nr. 168).

Publ.: VK Dr. Remé 1938, Nr. 905; AK München 1963, Nr. 206

102
Donna Martina
um 1760, Ausformung um 1765, F. A. Bustelli

H. 20 cm
RM: „D"; Teil der unterglasurblauen Hexagramm-Marke Nr. 15 vorn am Sockel
Inv.Nr. A 132 (Lange, Berlin, August 1938)

Modell wie Kat. 100, gelber Rock mit Purpurstreifen, rosa Mantille mit Purpurblumen. Zartes Inkarnat.
Großer Brandriß in Rock und ergänztem Sockel, Schleifen defekt, Feder und eine Blume fehlen, Flaschenhals ergänzt. Farbe berieben.

Unbemalt im BNM, Inv.Nr. 14/1 (AK Hohenberg 1995, Abb. 71), im MPA, Trento (Ziffer 1991, Nr. 36), im MKG, Hamburg, Inv.Nr. 1899.132 (Jedding 1974, Abb. 497), ehemals in Slg. v. Quadt (VK Quadt 1913, Nr. 74), ehemals in Slg. Rüttgers (VK Rüttgers 1927, Nr. 72), ehemals in Slg. Levi (VK Levi 1956, Nr. 73) und in unbekanntem Besitz (Sotheby's, London, 5.7.1966, Nr. 75).

Publ.: AK München 1963, Nr. 205; Hornig-Sutter 1986, Abb. S. 2297

103
Pantalone
um 1760, Ausformung und Bemalung um 1763–67, F. A. Bustelli

H. 16,9 cm
Unterglasurblaue Hexagramm-Marke Nr. 14 auf dem Sockel rückwärts; PM: auf der Unterseite „H I"
Inv.Nr. A 126 (Slg. Budge, 1937)

Auf einem Rocaillesockel mit aufsteigender Stützvolute sich nach vorne beugender Mann mit Hakennase und Spitzbart, das linke Bein vorgestellt und die Hände auf dem Rücken unter einem schwarzen Mantel mit rosa Kragen und hellbraunem Futter verborgen, bekleidet mit lachsroten Strümpfen, eisenroten Kniehosen, lachsrotem Wams und schwarzem Hut mit beidseitig hochgeschlagener Krempe. Kräftiges Inkarnat.
Linkes Bein, Sockel, Dolchscheide repariert, Dolch defekt und gekittet, Mütze und Sockel bestoßen.

Eine nur rot-schwarz staffierte Figur im BNM, Inv.Nr. Ker 4096 (AK München 1963, Nr. 226; Rückert 1963, Abb. 33), aus der Slg. v. Pannwitz (VK Pannwitz 1905, Nr. 459) ein weiteres im MKG, Hamburg, Inv.Nr. 1906.189 (AK München 1963, Nr. 223; Sauerlandt 1923, Abb. 62) und andere im WLM, Stuttgart, Inv.Nr. 1968/723 mit Ritzmarke „D" (AK München 1963, Nr. 225; Grospietsch 1981, Abb. S. 61), im V&A, London, Inv.Nr. C.153-1932, in

104 105

der Lesley and Emma Sheafer Collection im MMA, New York, Inv.Nr. 1974.356.526, ein weiteres Ex. mit rosa Mantelkragen und gelben Schuhen zu eisenroten Strümpfen ehemals in Slg. v. Pannwitz (AK Berlin 1904, Nr. 983), dann in Slg. Baroness van Zuylen van Nyevelt (zuletzt Christie's, London, 5.4.1982, Nr. 100) und im GGMCA, Toronto, Inv.Nr. G83.1.953 (MK Toronto 1984, S. 45). Ein Ex. mit späterer Bemalung in purpurnen Hosen und schwarzem Mantel in unbekanntem Besitz (Christie's, London, 28.3.1977, Nr. 171).

Publ.: VK Budge 1937, Nr. 961; AK München 1963, Nr. 224

104
Scaramuz
um 1760, F. A. Bustelli

H. 18,8 cm
PM: RS 5 goldgerahmt auf der Stützvolute, auf der Unterseite „2"
Inv.Nr. A 153 (Slg. Dosquet, Berlin, 1941)

Aus goldstaffiertem Rocaillesockel aufsteigende Stützvolute, davor mit dem rechten Fuß auf dem Sockel, das linke Bein tänzerisch vorgestreckt, sich nach links drehender Komödiant in anliegendem Kostüm, bestehend aus schwarzer Kniehose und weißem Wams mit blauen Streifen und gelber Schärpe, die Rechte an die schwarze Kopfbedeckung geführt, über dem linken Arm lässig den rosa Mantel.
Brandriß rückwärts, Schleifen und Sockelunterseite bestoßen.

Bemalte Ex. mit braun-schwarz gemustertem Wams ehemals in Slg. v. Pannwitz (AK Berlin 1904, Nr. 977), im BNM, Inv.Nr. Ker 4213 (AK München 1963, Nr. 231; Rückert 1963, Abb. 63),

ferner in Slg. Leopold, New York und in unbekanntem Besitz (AK München 1963, Nr. 229, 230; Christie's, London, 28.3.1977, Nr. 164). Streng schwarz bemalt das Ex. der Slg. Feist, heute KGM, Berlin, Inv.Nr. HF 536, und eine Figur im Kunstindustrimuseet, Kopenhagen, Inv.Nr. 4/1965 (MK Kopenhagen 1969, Abb. 65).

Publ.: Lange, Berlin, 21.5.1941, Nr. 864, Taf. 89; AK München 1963, Nr. 230

105
Corine
um 1760, F. A. Bustelli

H. 19,2 cm
PM: RS 5 vorn auf dem Sockel, auf der Unterseite „2"
Inv.Nr. A 152 (Slg. Dosquet, Berlin, 1941)

Sockelplatte mit durchbrochen ornamentierter Stützvolute, davor stehendes Mädchen in weiß-blau gestreiftem Rock mit rosa Rüschen, schwarzer

106 107

Schürze mit rosa Rüschensaum und gelbem Mieder mit rosa Schleifen, den versonnenen Blick auf das Notenblatt mit einer mehrzeiligen „Aria" in ihren Händen gerichtet. Zartes Inkarnat. Schleifen bestoßen, mehrere Brandrisse.

Eine 1938 bei Lange in Berlin ersteigerte Figur mit einem „Leander" unterschriebenem Brief der Slg. Bäuml erhielt das BNM von Dr. Fritz Bäuml im Jahr 1955 zum 100-jährigen Jubiläum als Geschenk, Inv.Nr. 55/250 (AK München 1963, Nr. 201). Eben diesen Brief auch bei folgenden Figuren: mit purpur-gelb gestreiftem Rock und eisenroten Bordüren ehemals in Slg. Feist, heute KGM, Berlin, Inv.Nr. HF 532, ehemals in Slg. Baroness van Zuylen van Nyevelt (Christie's, London, 28.3. 1977, Nr. 163) und mit geblümtem Mieder und schwarzer Schürze ehemals in Slg. Darmstädter (VK Darmstädter 1925, Nr. 261, Taf. 64), eventuell identisch zur Figur der Slg. Jahn (VK Jahn 1989, Nr. 236). Bemalte Ex. auch im Art Institute of Chicago,

Inv.Nr. 1958.408, in der Lucy Truman Aldrich Collection (MK Providence 1965, Nr. 7) und ehemals in der R.M.W. Walker Collection (Christie's, London, 25.7.1945, Nr. 18). Unbemalte Figuren im BNM, Inv.Nr. Ker 4301 (AK München 1963, Nr. 79), im MKG, Hamburg, Inv.Nr. 1899.109, in der PSZ, Dresden, Inv.Nr. P.E. 4288, ehemals in Slg. Sayn-Wittgenstein (VK Sayn-Wittgenstein 1907, Nr. 137 u. 137a), ehemals in norddeutscher Privatbesitz (Helbing, München, 28.9.1917, Nr. 156, Taf. XXV) und ehemals in Slg. Levi (VK Levi 1956, Nr. 74).

Publ.: Lange, Berlin, 21.5.1941, Nr. 863, Taf. 89; AK München 1963, Nr. 202; Rückert 1963, Abb. 41; Hornig-Sutter, 1986, Abb. S. 2997

106
Scaramuz
Ausformung um 1770/80,
F. A. Bustelli

H. 18,3 cm
PM: RS 9 auf der Stützvolute; RM: auf der Unterseite „76"
Inv.Nr. A 95 (Fürst Moritz zu Hohenlohe-Schillingsfürst, 1920)

Modell wie Kat. 104, unbemalt. Brandrisse, Schleifen bestoßen. Blaugraue Masse und blasige Glasur, sichtbare Formnähte.

Unbemalte Ex. aus der Slg. Hirth (VK Hirth 1898, Nr. 243) heute im MKG, Hamburg, Inv.Nr. 1899.89 (AK München 1963, Nr. 91; Jedding 1974, Abb. 496), ehemals in Slg. Stein (VK Stein 1924, Nr. 213) und ehemals in Slg. Levi (VK Levi 1956, Nr. 76).

108   109

107
Colombine mit Maske
um 1760, F. A. Bustelli

H. 20,5 cm
PM: RS 6 vorne auf dem Sockel, auf der
Unterseite „2"
Inv.Nr. A 191 (Slg. Levi, 1956)

Auf ausgeschnittener Sockelplatte eine
Dame in leichtem Tanzschritt, in der
erhobenen Linken eine Maske, mit der
Rechten den Rock raffend. Auf dem
Kopf ein kleines Federhütchen.
Unbemalt.
Rock und Sockel gekittet, Schleifen
bestoßen.

Unbemalt im Residenzmuseum, München, Ker I/Ny 50 (MK München
1912, Taf. 7; AK München 1963, Nr.
78), ehemals in Slg. Rudolf Stein (VK
Stein 1924, Nr. 214) und im MAK,
Wien.
Ausformungen mit purpurnem Rock
und gelbem Mieder im BNM, Inv.Nr.
77/49 (Christie's, London, 28.3.1977,
Nr. 165), des weiteren ehemals in

Slg. Baroness van Zuylen van Nyevelt,
heute im V&A, London (Christie's, London, 25.11.1954, Nr. 6; Rollo 1964,
Taf. E) sowie in der Slg. Feist, heute im
KGM, Berlin, Inv.Nr. HF 537 (AK
München 1963, Nr. 200; Rückert
1963, Abb. 29). Mit weiß-blau gestreiftem Kleid in Slg. Kocher, Bern, Inv.Nr.
27848 (Wyss 1965, S. 182-183) sowie
in gelbem Rock und rosa Mieder ehemals in Slg. Budge (VK Budge 1937,
Nr. 966, Taf. 145), dann in Slg. Ernesto
Blohm (Christie's, London, 10.4.1989,
Nr. 69). Eine Figur mit gelbem Mieder,
hellgrünem Rock mit rosa Streifen und
kleinem Blümchenmuster ehemals in
Slg. Darmstädter (VK Darmstädter
1925, Nr. 259, Taf. 64) befindet sich
heute im Grassimuseum, Leipzig,
Inv.Nr. 25.7 (MK Leipzig 1983,
Nr. 126).

Publ.: VK Levi 1956, Nr. 72

108
Mezzetino als Harlekin mit Affenbaby
um 1760, Ausformung um 1770,
F. A. Bustelli

H. 20,3 cm
PM: RS 3 rückwärts auf der Stützvolute;
RM: auf der Unterseite „79"
Inv.Nr. A 72 (Alois Ebenböck, München,
27.6.1919)

Auf ausgeschnittener Sockelplatte aufsteigende Stützvolute, davor stehender
Harlekin in Kostüm mit Maske, der in
seinen Armen ein gewickeltes Äffchen
wiegt. Im Gürtel eine Pritsche. Unbemalt.
Pritsche unten abgebrochen, Gürtel
leicht beschädigt. Trotz präziser Ausformung sind Masse und Glasur
unsauber.

Unbemalt im Residenzmuseum,
München, Ker I/Ny 48 (AK München 1963, Nr. 87; Brunner 1977,
Abb. 280), im WLM, Stuttgart, Inv.Nr.
1968/725 (Grospietsch 1981,

Abb. S. 61), im MKG, Hamburg, Inv.Nr. 1899.133, im MKH, Frankfurt (AK Frankfurt 1963, Nr. 229) und ehemals in Slg. Rüttgers (VK Rüttgers 1927, Nr. 75). Im bunten Narrenkostüm mit Hexagramm-Marke aus der Slg. Baroness van Zuylen van Nyevelt im BNM, Inv.Nr. 77/46 (Christie's, London, 28.3.1977, Nr. 157), aus Slg. Otto und Magdalene Blohm (ehemals Slg. Feist, dann KGM Berlin, dann 1.6.1937 Versteigerung bei J. Böhler) heute im MKG, Hamburg (Jedding 1968, Nr. 8), ein zweites Ex. der Slg. Feist heute im KGM, Berlin, Inv.Nr. HF 535 (AK München 1963, Nr. 220). Das Rautenkostüm tragen Figuren im Kunstindustrimuseet, Kopenhagen, Inv.Nr. 2/1965 (MK Kopenhagen 1969, Taf. 7), in der Lesley and Emma Sheafer Collection (vorher Slg. Baer-Lust, Frankfurt, und Robert v. Hirsch, Zürich), im MMA, New York, Inv.Nr. 1974.356.525, ein Ex. im GGMCA; Toronto, Inv.Nr. G83.1.954, sowie ehemals Vagliano Collection (Christie's, London, 14.7.1955, Nr. 31) und ehemals in Slg. Levi (VK Levi 1956, Nr. 80). Eine Bemalung des 19. Jhs. auf der Figur im BNM, Inv.Nr. 53/112, und in Slg. Kocher, Bern, Inv. Nr. 27846 (Wyss 1965, S. 190–191).

109
Lalage (Abb. s. S. 69)
um 1760, F. A. Bustelli

H. 19,8 cm
PM: RS 6 auf der Stützvolute vorne, auf der Unterseite „♂" und alte, unleserliche Preisangabe
Inv.Nr. A 94 (Fürst Hohenlohe, München, 26.1.1920)

Ausgeschnittene Sockelplatte mit aufsteigender Volute, davor schreitende Harlekine mit wehendem Rock, in der Linken hält sie in Hüfthöhe eine Brei-

schüssel, in der erhobenen Rechten einen Löffel, um das Affenbaby in Mezzetinos Arm zu füttern. Unbemalt. Hutrand und Schleifchen beschädigt, Pritsche und Löffelchen abgebrochen.

Unbemalt im Residenzmuseum, München, Ker I/Ny 47 (Brunner 1977, Abb. 281) und im BNM, Inv.Nr. Ker 2139. In lila Rock und gelbem Mieder mit blauen Bordüren ehemals in Slg. Hirth (VK Hirth 1898, Nr. 242), im bunten Narrenkostüm mit Chinesenfiguren auf der Bordüre aus der Slg. Baroness van Zuylen van Nyevelt im BNM, Inv.Nr. 77/45 (Christie's, London, 28.3.1977, Nr. 157), mit Hexagramm-Marke und einfacher Blumenbordüre aus Slg. Otto und Magdalene Blohm (ehemals Slg. Feist, dann KGM Berlin, dann 1./2.6.1937 Versteigerung bei J. Böhler) heute im MKG, Hamburg (Jedding 1968, Nr. 9), mit Indianischen Blumen oberhalb der Rautenbordüre im KGM, Berlin (AK München 1963, Nr. 211; Sedlmayr 1963, Abb. 1), auch ehemals Slg. v. Pannwitz (Falke 1925, Nr. 373, Taf. LXIX), heute in der Lesley and Emma Sheafer Collection im MMA, New York, Inv.Nr. 1974.356.524, sowie ehemals Kunsthandel (Röbbig, München, 1986) und mit deutschen Blumen ehemals Vagliano Collection (Christie's, London, 14.7.1955, Nr. 31). Mit später emaltem Rautenkostüm in Slg. Kocher, Bern, Inv.Nr. 27845 (Wyss 1965, S. 192–193). Einen goldgeschuppten Rock mit bunten Blumen trägt die Figur mit Hexagramm-Marke der R. Thornton Wilson Collection im MMA, New York, Inv.Nr. 43.100.56 (Rosenfeld 1949, S. 61). Die Qualität seiner Modellierung läßt der zartlila Rock mit Goldbordüre zu gerautetem Mieder in Privatbesitz, Hamburg, sehr gut erkennen (AK München 1963, Nr. 213).

Publ.: AK München 1963, Nr. 84

110
Octavio (o. Abb.)
um 1760, F. A. Bustelli

H. 19 cm
PM: RS 5 auf der Stützvolute, auf der Unterseite „O"
Inv.Nr. A. 35 (Frau Dr. Jahn, München, 1914)

Modell wie Kat 99, unbemalt. Rechter Arm gekittet, Schleifen beschädigt, Brandrisse. Hervorragende Qualität in Scherben und Glasur.

Unbemalte Ex. im BNM, Inv.Nr. Ker 3876 (AK Hohenberg 1995, Abb. 71), im MPA, Trento (Ziffer 1991, Nr. 35), im MKG, Hamburg, Inv.Nr. 1899.107, im GNM, Nürnberg, Inv.Nr. Ke 643, im SLM, Zürich, Inv.Nr. LM 24770 (63./64. Jahresbericht SLM 1955/54, Abb. 38), im Kunstindustrimuseet, Kopenhagen, Inv.Nr. A25/1931 (MK Kopenhagen 1969, Abb. 66), ehemals in Slg. Rüttgers (VK Rüttgers 1927, Nr. 73), ehemals in Slg. Levi (VK Levi 1956, Nr. 75) und in unbekanntem Besitz (Helbing, München, 8.5.1930, Nr. 225; Sotheby's, London, 18.10.1955, Nr. 82).

111
Pantalone (o. Abb.)
um 1760, F. A. Bustelli

H. 17,3 cm
PM: RS 3 rechts auf der Stützvolute, auf der Unterseite „2" und „i"
Inv.Nr. A 114 (Slg. Rüttgers, 1927)

Modell wie Kat. 103, unbemalt. Brandriß links am Sockel, Mütze bestoßen.

Unbemalte Ex. im BNM, Inv.Nr. Ker 3632, im KGM, Köln, Inv.Nr. E 2138 (MK Köln 1975, Nr. 180), aus Slg. v. Pannwitz heute im MKG, Hamburg, Inv.Nr. 1906.189, im Muzeum Narodowe, Warschau, Inv.Nr. 129946 MN (MK Warschau 1964, Nr. 438, Taf. 61), ehemals norddeutscher Privatbesitz (Helbing München, 28.9.1917, Nr. 158, Taf. XXV) und ehemals in Slg. Budge, Nr. 976.

Publ.: VK Rüttgers 1927, Nr. 74; AK München 1963, Nr. 89

Tiere und Hatzgruppen

Die Zuweisung von Tierfiguren an Bustelli ergibt sich durch mehrfache Erwähnungen in den Archivalien. Schon im Sommer 1755 werden neben Katzen und Vögeln auch „Hundlen à 1 fl." erwähnt, denen im Jahr 1758 „Hunde à 2 fl." sowie „Hatzstückhe à 9 bzw. 12 fl" folgen. Eine Zwischengröße scheinen die „Hatzstückhe à 4 fl" aus dem Jahr 1760 zu haben. Das Formenverzeichnis von 1760 gibt nähere Beschreibungen: „1 stehendes Hündchen. 1 detto aufwartend. 1 detto, so scherzet. 1 hockende Kaz. 1 detto sitzende" (zit. nach Hofmann, S. 395). Es fällt natürlich auf, daß zahlreiche Hundefiguren keine Manufakturmarke tragen und nicht jeder Sockelumriß dem gewohnten Bild entspricht. Neuzuweisungen erfolgten bisher ohne Beleg an die Wiener Porzellanmanufaktur. Für eine Zuschreibung an Bustelli sprechen die gegenseitig aufeinander bezogenen Modellierungen und die gewählten Motive in Habitus und Bewegung, die über das bloße Abbild des Tieres hinausgehen und ein scharfes Auge mit Sinn für Humor verbinden. Zur kleinsten Gattung mit 3,5 cm Höhe gehörte wohl die junge Dogge, die sich sitzend „mit dem Hinterfuß am Ohr kratzt", ehemals in Slg. Jourdan (VK Jourdan 1920, Nr. 30). Erwähnt sei als Ergänzung zu den Hunden der Sammlung Bäuml jener „Häufchen machende Hund" im Rijksmuseum, Amsterdam, Inv.Nr. R.B.K. 1968-129, und ein aufmerksam den Kopf wendender Windspiel in der PSZ, Dresden, Inv.Nr. P.E. 4432. Bustellis Handschrift läßt sich auch an den Hunden auf dem „Jagdaufsatz" ablesen, der sich unbemalt im BNM, Inv.Nr. Ker 4017, im Residenzmuseum, München, Ker I/Ny 35, (Hofmann, Abb. 115, 116) und im V&A, London, Inv.Nr. C. 21-1946 (Honey 1947, Abb. 43) sowie mit einer Bemalung im MAD, Paris, Inv.Nr. 31906, befindet.

Aus den Jagdgruppen weisen wir die Pferdehatzen Bustelli zu, da Modellierung und Dramatik der Szene seinem Sinn für den spannungsreichsten Moment entsprechen. Das Motiv des gejagten, gefaßten und schließlich zu Boden gegangenen Pferdes ist stets durch unterschiedliche Angreifer auf eine durchdachte Art variiert, wodurch sich die Gruppen zwar zur Serie für einen Tafelaufsatz fügen, andererseits jedoch Bustellis Sinn für Abwechslung Rechnung getragen wird. Folgt man dem Ablauf einer Verfolgungsjagd, sind die weiteren Figuren ein Pferd, das von zwei Panthern (oder Löwinnen) angegriffen wird (unbemalt, sehr gut erhalten und mit Marke; ehemals Slg. Thurn und Taxis, heute BNM, Inv.Nr. 93/444), ein bereits in den Vorderbeinen einknickendes Pferd, das ein Löwe von der Seite angreift (bemalt, mit Marke, BNM, Inv.Nr. 17/248) sowie ein Pferd, das bereits mit den Hinterbeinen zu Boden gegangen ist und von Wölfen angefallen wird (bemalt, ohne Marke, BNM, Inv.Nr. 17/249). Die Gruppen der Slg. Bäuml bilden die Schlußsequenz. Die typische Nymphenburger Sockel-

Animals and Hunting Groups

The attribution of animal figures to Bustelli results from several mentions in the archives. Already in the summer of 1755, aside from cats and birds, "small dogs à 1 fl." were mentioned, followed in the year 1758 by "dogs à 2 fl." as well as "hunting pieces à 9 and 12 fl." The "hunting pieces à 4 fl." from the year 1760 appear to have been of a medium size. The inventory of forms for 1760 gives more detailed descriptions: "1 small standing dog. 1 ditto serving. 1 ditto, joking. 1 crouching cat. 1 ditto sitting" (cited from Hofmann, p. 395). It is striking of course that numerous small dogs have no factory mark and that not every contour of the pedestals corresponds to the accustomed picture. New attributions have until now been made without verification from the Wiener Porzellanmanufaktur. Speaking for a Bustelli attribution are the modellation corresponding from one figure to another, and the selected motifs of disposition and movement, which go beyond a simple replication of the animal, and combine a keen eye with a sense of humor. The young mastiff sitting and "scratching its ear with its back paw" probably belongs to the smallest of the genre with a height of 3.5 cm, formerly in the Jourdan collection (VK Jourdan 1920, no. 30). One should also mention, in addition to the dogs in the Bäuml collection, that "Dog Making a Pile" at the Rijksmuseum, Amsterdam, inv. no. R.B.K. 1968-129, and a grayhound turning his head attentively in the PSZ, Dresden, inv. no. P.E. 4432. Bustelli's distinctive style can also be found in the dogs of the unpainted Hunting Centerpiece, which is at the BNM (inv. no. Ker 4017), at the Residenzmuseum, Munich, Ker I/Ny 35 (Hofmann, figs. 115, 116), and at the V&A, London, inv. no. C. 21-1946 (Honey 1947, fig. 43), as well as a painted version at the MAD, Paris, inv. no. 31906.

From the hunting groups we attribute the horse hunts to Bustelli, since the modelling and the drama of the scene correspond to his sense for capturing the most tension-filled moment. The motif of the hunted, caught, and finally fallen horse is always varied with various attackers in a well thought-out way. Whereby the groups can be arranged to a series for table decoration, they on the other hand invomodate Bustelli's sense for variety. Following the course of a chase, the other figures are a horse that is being attacked by two panthers (or lionesses), (unpainted, in a very good state, and with a mark; formerly from the collection of Thurn and Taxis, today BNM, inv. no. 93/444), a horse with its front legs already giving way, being attacked by a lion from the side (painted, with a mark, BNM, inv. no. 17/248), as well as a horse that has already fallen to the ground on its hind legs and is being attacked by wolves (painted, without a mark, BNM, inv. no. 17/249). The groups of the Bäuml collection form the final sequence. The typical Nymphenburg pedestal plinth has a curvilinear con-

platte besitzt einen geschwungenen Umriß, der von ange-
deuteten Rocaillestreifen aufgelockert wird. Die Oberfläche
zieren fast immer aufrecht stehende Blättchen, die leider
häufig abgebrochen sind.

Lit.: Hofmann, S. 443–44, Abb. 127–130, 325–326

tour, which is loosened up with the suggestion of bands of
rocaille. The surface is almost always decorated with small
leaves stand-ing upright, unfortunately often broken off.

Lit.: Hofmann, p. 443–44, figs. 127–130, 325–326

112   113

112
Sitzender Hund mit Halsband
um 1755–60, F. A. Bustelli

H. 7,4 cm
ohne Marke
Inv.Nr. A 100 (L. Steinhauser, München,
28.4.1920)

Auf ausgeschnittener Sockelplatte auf
den Hinterbeinen sitzende, junge Dogge mit ledernem Halsband, den Kopf
nach rechts gewandt. Unbemalt.
Schwanz beschädigt, Sockel vorne
bestoßen, rechts abgebrochen.

Wohl das Pendant zur „Bracke" in
unbekanntem Besitz (Hofmann,
Abb. 129).

Publ.: AK München 1963, Nr. 97

113
Sitzender Hund
um 1755–60, F. A. Bustelli

H. 7,3 cm
ohne Marke
Inv.Nr. A 250 (Christie's, London, 1967)

Ovale Sockelplatte, auf den Hinterbeinen sitzender, mopsähnlicher Hund,
den leicht erhobenen Kopf nach links
gewandt. Unbemalt.
Brandrisse, Sockelplatte ergänzt.

Wohl das Pendant zum „Mops" in
unbekanntem Besitz (Hofmann,
Abb. 131).

Publ.: Christie's, London, 26.6.1967, Nr. 74

114   115   116   117

114
Dogge mit Knochen
um 1755–60, F. A. Bustelli

H. 5,1 cm
ohne Marke
Inv.Nr. A 197 (Höchtl, 18.4.1957, ehemals
Slg. Levi)

Flache, unregelmäßige Sockelplatte,
darauf mit leicht eingeknickten Hinterbeinen, nach rechts abliegende Dogge
mit ledernem Halsband, die einen Knochen benagt, der auf dem Boden liegt.
Unbemalt.
Schwanz, rechtes Vorderbein und
rechtes Ohr repariert, Sockel leicht
bestoßen.

Publ.: Christie's, London, 3.7.1956, Nr. 132;
AK München 1963, Nr. 94

115
Dogge mit Knochen
um 1755–60, F. A. Bustelli

H. 3,3 cm
ohne Marke
Inv.Nr. A 249 (Christie's, London, 1967)

Auf ausgeschnittener Sockelplatte nach
links lagernde Dogge mit einem geflochtenem Halsband, die einen Knochen benagt, der auf dem Boden liegt.
Unbemalt.
Vorderpfoten und Sockel darunter repariert, Sockelrand bestoßen, Schwanzspitze fehlt.

Dieses Modell ist das Pendant zu einem
bemalten Hund, ehemals in der Slg. v.
Ostermann (VK Ostermann 1928, Nr.
638), später in Slg. Levi (Christie's,
London, 3.7.1956, Nr. 131; Hofmann,
Abb. 326). Das Modell taucht auch in
Wien auf, doch ist es dort wesentlich
größer (Länge 21 cm) und besitzt eine
dicke Sockelplatte, die an den Längsseiten durch Rocaillen eingeschnitten
wird (Wiener Kunstauktionen,
28.3.1996, Nr. 911). Die vergrößerte
Übernahme in Wien spricht für Nymphenburg als Vorbild.

Publ.: Christie's, London, 26.6.1967, Nr. 73

116
Hechelnder Hund
um 1755–60, F. A. Bustelli

H. 5,8 cm
ohne Marke
Inv.Nr. A 32 (Slg. v. Quadt, 1913)

Auf ausgeschnittener Sockelplatte mit
Rocaillerand nach links liegender
Hund, den Kopf mit geöffnetem Maul
hechelnd nach oben gerichtet. Unbe-
malt.
Haarrisse am Ansatz der Vorderbeine.

Publ.: VK Quadt 1913, Nr. 84; Hofmann,
Abb. 128; AK München 1963, Nr. 95

117
Neugieriger Hund
um 1760, F. A. Bustelli

H. 7 cm
ohne Marke
Inv.Nr. A 245 (Ruef, München, 23.11.1965)

Auf ausgeschnittener Sockelplatte sitzender Hund, der eben Witterung auf-
nimmt, deshalb den Kopf nach rückwärts wendet und sich mit den
Vorderbeinen aufrichtet. Unbemalt.
Teil des Sockels fehlt, Schwanz und
rechte Hinterpfote gekittet, Sockel
leicht bestoßen.

118

118
Pferd von Bär angefallen
um 1760, F. A. Bustelli

H. 14 cm, L. 28 cm
PM: RS 3, darüber „z"
Inv.Nr. A 242 (L. Steinhauser, München,
13.8.1963)

Auf ausgeschnittener Sockelplatte zu
Boden gegangenes Pferd, auf dessen
Rücken sich ein Bär festkrallt, der es in
das linke Ohr beißen will. Unbemalt.
Brandrisse im Sockel, linkes Vorderbein
des Pferdes gekittet, rechter Huf und
Grasbüschel beschädigt, rechtes Ohr
des Pferdes bestoßen.

Dr. Bäuml schrieb in seinem Inventar:
„Das Modell der beiden Tiere wohl von
Bustelli, die Zusammenstellung der
auch sonst andersgruppiert vorkommenden Modelle wahrscheinlich auch
von ihm, da die plumpe Stellung des
Bären in bewußten Kontrast zu den eleganten Formen des Pferdes gebracht
ist".

119
Pferd von Wölfen angefallen
um 1760, F. A. Bustelli

H. 15,3 cm, L. 27,5 cm
PM: RS 3 auf dem Sockel
Inv.Nr. A 166 (Kurt Bohnen, München,
9.2.1952)

Auf ausgeschnittener Sockelplatte auf
den Rücken gestürztes Pferd, das einen
Wolf unter sich begräbt, während sich
ein zweiter Wolf von links zwischen
die Hinterbeine geworfen und den
Bauch des Pferdes aufgebissen hat.
Unbemalt.
Zahlreiche Brandrisse in Sockel und
Pferd, linkes Hinterbein des Pferdes
repariert, Grasbüschel beschädigt. Sehr
schöne Glasur.

Dr. Bäuml schrieb beim Erwerb das
Modell Auliczek zu, änderte seine
Meinung jedoch später in „vielmehr
Bustelli". Eine später ausgeführte Vari-
ante in unbekanntem Besitz zeigt unter
dem Pferd einen Löwen, während eine
Löwin das Pferd zerfleischt (Sotheby's,
London, 23.11.1982, Nr. 120).

Publ.: AK München 1963, Nr. 98; Rückert
1963, Abb. 22

119

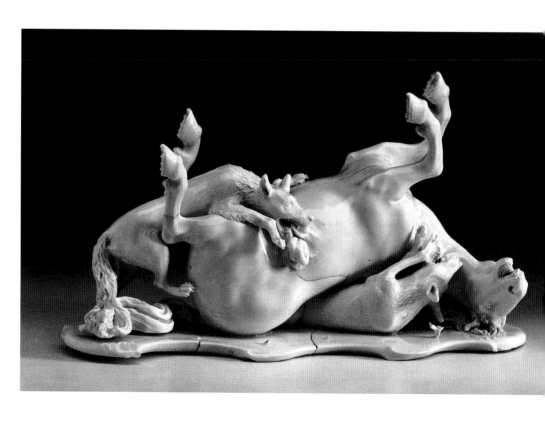

Figuren in der Nachfolge Bustellis

Mit dem Amtsantritt von Joseph Karl von Linprun am 1. April 1763 stieg die Produktion in Nymphenburg binnen kurzer Zeit und man erzielte in den nächsten zwei Jahren wachsende Gewinne (Hofmann, S. 90, 95). Dies läßt sich wohl auch dadurch erklären, daß eine Reihe von Modellen angeboten wurden, denen zwar kein grundlegend neuer Entwurf zugrunde lag, die jedoch durch Veränderungen vorhandener Figuren dem Publikum als „neu" angeboten werden konnten.

Die verändernde Bossierarbeit dürfte überwiegend von der Hand Peter Seefrieds stammen. Wohl einem bestimmten Auftrag für eine größere Serie verdanken die Chinesen auf Terrassensockeln (Kat. 120–122) ihre Entstehung. Obwohl die Umarbeitung der Gruppen von Bustelli dekorativ angelegt war, entbehrten doch die Neuschöpfungen der ursprünglichen Originalität (Kat. 125, 126). Seefrieds eigene Entwürfe sind durch seine Lehr- und Arbeitsjahre unter Bustelli geprägt, besitzen jedoch durchaus gefällige Wirkung und zeigen handwerkliches Können (Kat. 127–130). Für anspruchslose Tafeldekorationen entwickelte die Manufaktur aus den vorhandenen „Putten als ovidische Götter" verschiedene allegorische Serien (Kat. 133–143) und die 1767 im Preiscourant aufgeführten „Kinder mit türkischer Music" (Kat. 147–151).

Lit.: Hofmann, S. 495–505, Abb. 110–111, 114, 146–147, 217–222, 469

Figures by Bustelli's Successors

With Joseph Karl von Linprun taking office on April 1st, 1763, the production at Nymphenburg increased within a short period of time, and one was able to achieve growing profits in the next two years (Hofmann, p. 90, 95). That may also explain why a series of models were being offered for sale that were not based on any fundamentally new design, but which could be offered to the public as "new," with a few changes of available figures.

The changed embossed work could have stemmed primarily from the hand of Peter Seefried. The larger series of Chinese standing on pedestals probably owe their origin to a particular commission (cat. no. 120–122). Although the reworking of Bustelli's groups was primarily decorative in nature, the new creations lost their initial originality (cat. nos. 125, 126). Seefried's own designs show his years of training and working under Bustelli, but have a pleasing effect and demonstrate technical skill (cat. nos. 127–130).

For more simple table decorations the factory developed, from the available *Putti as Ovidian Gods*, various allegorical series (cat. nos. 133–143) and the *Children with Turkish Music* listed in the price list of 1767 (cat. nos. 147–151).

Lit.: Hofmann, p. 495–505, figs. 110–111, 114, 146–147, 217–222, 469

Figuren.	Pari-ferzoll höhe.	Bunt — Staffirt						Weis					
		fein gut		mittel gut		Ausschuß		fein gut		mittel gut		Ausschuß	
		fl.	kr.	fl.	kr.	fl.	kr.	fl.	kr.	fl.	kr.	fl.	kr.
C.													
Cupido, als Pilger	6½	9	—	6	—	3	—	5	—	3	20	1	40
Detto als Kaminfeger und andern Verkleydungen	—	—	—	—	—	—	—	—	—	—	—	—	—
Detto mit Pfeil und Kocher	4	5	—	3	20	1	40	3	—	2	—	1	—
Ceres	4	5	—	3	20	1	40	3	—	2	—	1	—
Cibele	4	5	—	3	20	1	40	3	—	2	—	1	—
Charon	4	5	—	3	20	1	40	3	—	2	—	1	—
Capitan Spavento	6	9	—	6	—	3	—	5	—	3	20	1	40
Columbine	4	5	—	3	20	1	40	3	—	2	—	1	—
Corine	4	5	—	3	20	1	40	3	—	2	—	1	—
Cibele	4	5	—	3	20	1	40	3	—	2	—	1	—
Ceres	4	5	—	3	20	1	40	3	—	2	—	1	—
Chineser mit muficalifche Inftrument	6	9	—	6	—	3	—	5	—	3	20	1	40
Detto . 2. Figuren auf Poftament	6	18	—	12	—	6	—	10	—	6	40	3	20
Detto . zu Pferd mit Waffen und 1. Thier	8	36	—	24	—	12	—	24	—	16	—	8	—
Crucifix mit Maria, Todtenkopf und Ueberschrift	6	22	—	16	—	10	—	18	—	12	—	6	—
Detto ohne Detto . mit Detto & Detto	—	—	—	—	—	—	—	—	—	—	—	—	—

Ausschnitt aus dem Preiscourant von 1767

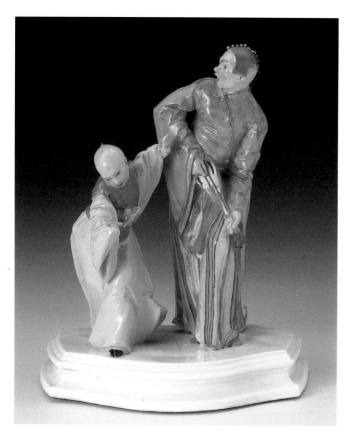

120

121

120
Chinesengruppe aus singendem Knaben und Lautespieler
um 1765, Ausformung Ende 18. Jh., Peter Seefried unter Verwendung von Bustelli-Modellen

H. 19 cm, Sockel 15 x 9,5 cm
PM: RS 20; RM: auf der Rückseite „W D 6";
auf der Unterseite in Rot bez. „12/213"
(alte Sammlungsnummer des BNM)
Inv.Nr. A 11 (Frhr. v. Moreau, 10.6.1912)

Auf einem großen, vorne profiliert geschwungenen Terrassensockel mit glatter, konkav-konvexer Rückseite links ein singender Chinesenknabe in gelbem Untergewand und rotbraunem Überkleid, in der Rechten ein Notenblatt, rechts ein Chinese mit Laute (Kat. **73–75**) in einem gelben Rock mit lila-purpur-schwarzen Streifen, lila Überkleid mit Goldkanten und grüner Mütze. Kräftig staffiertes Inkarnat. Sockel mit Haarriß, Kappe des Lautenspielers, Gürtelschleife und linke Hand des Knaben bestoßen. Notenblatt abgebrochen.

Die Gruppe war von 1912 bis 1914 als Leihgabe im BNM. Einen goldstaffierten

Sockel hat die bemalte Gruppe im BNM aus Götzenpfaff und grüßendem Chinesen aus Slg. Darmstädter (VK Darmstädter 1925, Nr. 264, Taf. 65), zwischen 1763–67, Inv.Nr. 25/14, die auch unbemalt mit flachem Hut auf der linken Figur bekannt ist, so aus der Slg. de Ridder heute im MPA, Trento (Ziffer 1991, Nr. 41). Einen gemeinsamen Sockel haben auch ein Chinese mit Glockenspiel und ein Chinese mit flachem Hut und Glocke in Slg. Kocher, Bern, Inv.Nr. 27854 (Wyss 1965, S. 194–195). Einen unbemalten Sockel hat die bemalte Gruppe aus singendem Knaben und Lautespieler wie obige Nr., ehemals in Slg. Hirth (VK Hirth 1898, Nr. 364); diese Zusammenstellung, durch Kopfbedeckungen wieder leicht verändert, zeigt eine Gruppe im BNM, Inv.Nr. 87/73. Eine unbemalte Gruppe aus Chinese mit Glockenspiel links und singendem Chinesenknaben rechts im Kunstindustrimuseet, Kopenhagen, Inv.Nr. 205/1989. Dasselbe singende Kind links und ein Chinese mit Laute rechts, unbemalt im Grassimuseum, Leipzig, Inv.Nr. 98.129 (MK Leipzig 1983, Nr. 125).

Publ.: Bäuml 1960, Tafel I

121
Chinesin mit Vogel
um 1765, Peter Seefried unter Verwendung von Bustelli-Modellen

H. 20,2 cm, Sockel 14,2 x 10,5 cm
RM: auf der Rückseite „D 6"; auf der Unterseite in Rot bez. „12/214" (alte Sammlungsnummer des BNM)
Inv.Nr. A 12 (Frhr. v. Moreau, 10.6.1912)

Auf dreiseitig profiliertem Terrassensockel mit konkaver Rückseite, geschrägten Seiten und abgesetzt geschwungener Front stehende Chinesin in ziegelrotem Kleid, gelb-grüngestreiftem Übergewand und dunkelgrüner Mütze, in der rechten Hand einen Vogel am rosa Band, das sie in der erhobenen Linken hält.
Brandrisse im Sockel, Band fehlt, Zeigefinger der linken Hand ergänzt, linker Arm geklebt, Gürtelschleife und Mützenband bestoßen.

Die Figur war zwischen 1912 und 1914 als Leihgabe im BNM. Identische Sockel besitzen ein Chinese mit goldener Glocke sowie ein Chinese mit Pfeil und Bogen aus der Slg. Goldschmidt-Rothschild, Frankfurt, heute im BNM

122

122
Chinese mit hohem Hut
um 1765, Peter Seefried unter
Verwendung von Bustelli-Modellen

H. 18,8 cm
ohne Marke
Inv.Nr. A 37 (Bruschwiler, München, 1914)

Modell wie Chinese mit Laute
(Kat. **73–75**) in grünem Kleid, rötlichem Übergewand mit gelbem Gürtel
und Goldknöpfen. Kräftiges Inkarnat.
Auf dem Kopf einen hohen, grünen Hut
mit breiter Krempe, in der Linken Reste
einer Peitsche (?). Rasensockel ergänzt.
Brandrisse, rechter Arm und Zopf fehlen, Hut bestoßen, Farbe berieben.

Publ.: Hofmann, Abb. 323; Bäuml 1960,
Abb. 9; AK München 1963, Nr. 182

123
Pferd von Löwe angefallen
um 1765–70, Peter Seefried unter
Verwendung eines Bustelli-Modells

20,4 x 23,5 x 11 cm
PM: RS 3
Inv.Nr. A 225 (L. Steinhauser, München,
18.5.1960, ehemals Slg. Levi)

Auf rechteckigem, nach vorne abfallen-
dem Terrassensockel mit geschrägten
Ecken nach links springendes Pferd, das
von einem Löwen angefallen wird. Unbemalt.
Brandrisse, Sockelplatte beim Brand
eingesunken. Ausgezeichnete Glasur
und Qualität.

Wie der Sockel belegt, entstand die
Ausformung erst um 1765–70, doch
hielt es Dr. Bäuml für wahrscheinlich,
daß sich Seefried hier eines Modelles
von Bustelli bedient hat (Bäuml 1960,
S. 12, Abb. 12), das er auch anderen
Gruppen zugrunde legte, wie z.B. für
einen reitenden Chinesen, der sich
bemalt in der R. Thornton Wilson
Collection im MMA, New York, Inv.Nr.

123

(Inv.Nr. 77/53 u. 54; Christie's, London, 28.4.1977, Nr. 174), ebenso
ein Chinese mit Glockenspiel in Slg.
Kocher, Bern, Inv.Nr. 27853, und ein
modifizierter Götzenpfaff in der Lesley
and Emma Sheafer Collection im
MMA, New York, Inv.Nr.
1974.356.535. Zusätzliche Goldstaffage des Sockels haben ein Chinese mit
flachem Hut und eine Chinesin im
BNM, Inv.Nr. 60/181,182), sowie
ein zum Bogenschützen modifizierter
„Götzenpfaff" in unbekanntem Besitz
(Christie's, London, 5.10.1981,
Nr. 75).

Publ.: Hofmann, Abb. 93 (als Bestand des
BNM)

43.100.59 (Rosenfeld 1949, S. 65) befindet und einem Chinesen zu Pferd, von wolfartigen Hunden angefallen in unbekanntem Besitz (ehemals The Antique Porcelain Co. Inc., New York, Bäuml 1960, Abb. 14). Ein Vergleich mit der Pferdegruppe aus Slg. Thurn und Taxis im BNM, Inv.Nr. 94/444, bestätigt diese Theorie und verdeutlicht gleichzeitig, um wieviel schwächer die Seefried-Variante ist.

Publ.: Hofmann, Abb. 468; VK Levi 1956, Nr. 140

124
Tartar zu Pferd mit dem Löwen
um 1765, Peter Seefried unter Verwendung von Bustelli-Modellen

H. 21,5 cm
RM: auf der Rückseite des Sockels „3"
Inv.Nr. A 147 (Prov. unbekannt, 1938)

Auf nierenförmig-rechteckigem, profiliertem Terrassensockel mit glatter Rückseite vor einem angreifenden Löwen aufsteigendes Pferd, darauf ein reitender Tartar in Pluderhosen, der mit der Rechten seinen Hut festhält. Zahlreiche Fehlstellen an Löwe, Pferd

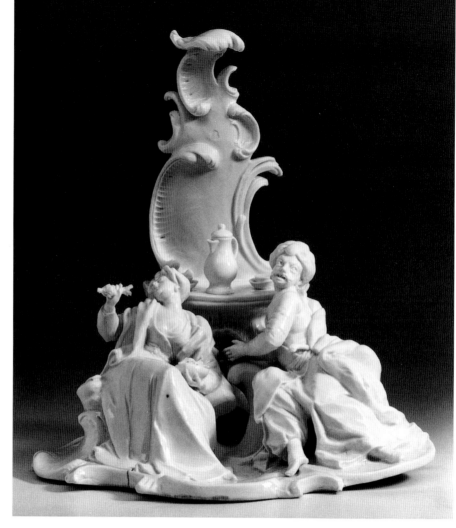

125

124

und Reiter, Sockel in der Mitte beim Brand eingesunken, Hutkrempe beschädigt, Brandrisse.

Kombination aus dem aufsteigenden Pferd im BNM, Inv.Nr. 93/444, und dem Chinesen, der sein Haupt neigt (Kat. 81). Ein bemaltes Ex. in der R. Thornton Wilson Collection (früher Slg. A. Beckhardt, Frankfurt) im MMA, New York, Inv.Nr. 43.100.53 (Bäuml 1960, Abb. 11).

Publ.: Hofmann, Abb. 469

125
Kaffeegruppe
um 1765, Ausformung Ende 18. Jh., Peter Seefried unter Verwendung von Bustelli-Modellen

H. 23,7 cm
PM: RS 11 auf der Rocaille über dem Tisch, auf der Unterseite „Ç"
Inv.Nr. A 47 (Otto Nathan, München, 20.12.1913)

126

Auf einer ausgeschnittenen und von plastischen Bögen begrenzten Sockelplatte sitzen auf geschwungenen Voluten links eine Türkin, die über eine Ananas in der Rechten hinwegsieht, in der Linken eine ebensolche auf einem Teller. Rechts ein Türke mit einer Tasse in den Händen, den Oberkörper nach links gedreht und dem Betrachter zugewandt. Zwischen den Figuren erhebt sich ein flacher Aufbau mit plastischem Rocaillerand, daran eine halbrunde Konsole mit einer Kaffeekanne und zwei Tassen. Unbemalt.
Brandrisse, Blätter der Ananas defekt. Schlechte, griesige Glasur, an den Falten der Gewänder berieben.

Verwendet wurden die Bustelli-Modelle „Türke mit Kaffeetasse" (Kat. **87**) und „Türkin mit Ananas" (Hofmann, Abb. 112), beide erhielten jedoch gewickelte Turbane als Kopfbedeckung.
Ein unbemaltes, bisher um 1820 (?) datiertes Ex. im BNM, Inv.Nr. Ker 4184 (Hofmann, Abb. 110), bemalte Ausformungen im Residenzmuseum, München, Ker I/Ny 41, in der Lesley and Emma Sheafer Collection im MMA, New York, Inv.Nr. 1974.356.528, im Johann-Jacobs-Museum, Zürich, Inv. Nr. C86/28 (Messerli-Bolliger 1989, Abb. 20, um 1765 datiert) und ehemals in Slg. Jourdan (VK Jourdan 1920, Nr. 34, Taf. 3).

Publ.: Bäuml 1960, Abb. 10

126
Der Alte am Brunnen
um 1765–70, Peter Seefried unter Verwendung von Bustelli-Modellen

H. 21,3 cm
ohne Marke
Inv.Nr. A 48 (Otto Nathan, München, 20.12.1913)

Sockel, Postament mit Brunnen und sich das Bein waschende Dame der Gruppe „Der Neugierige am Brunnen" (Kat. **64**) entlehnt, links daneben Figur des „Anselmo" aus der Italienischen Komödie (Hofmann, Abb. 123). Neben der Vase und auf der Rückseite des Postaments zwei Putten, die eine Girlande halten. Unbemalt.
Mehrere Brandrisse, Blattwerk bestoßen, Stock des Mannes und Fuß des Putto fehlen.

Publ.: Hofmann, Abb. 219

127
Schäferin mit Vogelkäfig
um 1765, Peter Seefried zugeschrieben

H. 17 cm
PM: undeutliches RS; RM: „H I"; unterglasurblaue Hexagramm-Marke, auf der geschweiften Seite in Rot bez. „40/410" (alte Sammlungsnummer des BNM), auf der Rückseite in Schwarz „17"
Inv.Nr. A 231 (Rauch, Darmstadt, 1962, ehemals Slg. Levi)

Auf der rechten Seite gerader Rasensockel mit Rocaillen vorne, darauf sitzendes Mädchen in gelbem Rock, weißer Schürze mit bunten Blumen, eisenrotem Mieder mit Einsatz, den Blick nach rechts, links neben sich ein Vogelkäfig. Zartes Inkarnat.
Linke Schuhspitze fehlt, Schleifen defekt, Käfig und Sockelkante bestoßen.

Die Figur bildet erst in Verbindung mit dem Schäfer, der seitlich angeschoben werden kann, eine vollständige Gruppe (Hofmann, Abb. 233). Bisher wurde sie Häringer (Hofmann, S. 510) oder Dominikus Auliczek (Dr. Bäuml) zugeschrieben, doch verweist die Modellierung eher auf Peter Seefried, dem bereits Nagler „Gruppen von Schäfern und Schäferinnen mit Lämmern und Ziegen" zuteilte. Ein unbemaltes Ex.

ehemals in Slg. Hirth (VK Hirth 1898, Nr. 221, dort als „Geflügelhändlerin" bezeichnet) heute im BNM, Inv.Nr. Ker 3621.

Publ.: VK Levi 1956, Nr. 96

128
Schäfer und Schäferin (Abb. s. S. 80)
um 1765, Peter Seefried zugeschrieben

H. 18,5 cm
PM: RS 10 jeweils auf dem Sockel
Inv.Nr. A 123 a-b (Bruschwiler, München, 11.8.1936)

Auf zwei am Rand senkrecht gerieften Felssockeln mit Grasnarbe, die zusammengeschoben werden können, sitzt links neben einem ruhenden Ziegenbock ein Schäfer in aufgekrempelten Hosen, mit Schäferstab und Hut; der Schäfer blickt nach rechts zu seiner Schäferin im Dirndl, die auf dem Schoß ein kleines Lämmchen hält. Unbemalt. Brandrisse, Stock des Schäfers oben und Hörner des Ziegenbockes abgebrochen, Schleifen und Blattwerk am Sockel bestoßen. Glasige Glasur.

Eine bemalte Gruppe ehemals in Slg. Hirth (VK Hirth 1898, Nr. 167-168), mit Hexagramm-Marke im Schlesischen Landesmuseum, Opava/Troppau,

127

128

Inv.Nr. U 48+49P (AK Troppau 1906, Nr. 724-725), im BNM, Inv.Nr. Ker 2551, 2552 (Hofmann, Abb. 147) und ehemals in Slg. Levi (VK Levi 1956, Nr. 93), eine einzelne, bemalte Schäferin ehemals in Slg. Levi (VK Levi 1956, Nr. 94) und in unbekanntem Besitz (Christie's, London, 17.10.1977, Nr. 216; Sotheby's, London, 25.6.1985, Nr. 164). Ein unbemalter Schäfer im BNM, Inv.Nr. 32/233.

129
Putto als Pilger
um 1765, Ausformung um 1775,
Peter Seefried zugeschrieben

H. 15,5 cm, Sockel 5,2 x 5,4 cm
ohne Marke
Inv.Nr. A 2 (Slg. Seitz, München, 1912)

Auf quadratischem Sockel Putto in Schrittstellung, mit Lendentuch und kurzem Umhang bekleidet, auf den lockigen Haaren einen seitlich hochgeschlagenen Pilgerhut. Bogen und Köcher über der Schulter. Auf Hut und Umhang eine plastische Muschel als Pilgersymbol. Die erhobenen Arme stützen sich mit der Linken auf einen Pilgerstab (fehlt). Auf dem Rücken ehemals zwei kleine Flügelchen (fehlen).

Unbemalt
Brandrisse, mehrfach bestoßen und Fehlstellen am Sockel, Umhang, Hut, Rücken und Finger.

Die deutlich sichtbaren Formnähte weisen auf eine späte Ausformung dieses Modells hin, das im Preiscourant von 1767 als „Cupido als Pilger, 6½ Zoll" bezeichnet wird. Weiter genannte Modelle „detto als Kaminfeger und andere Verkleidungen" zeigen die gleiche künstlerische Handschrift. Ein unbemalter Cupido mit Flügeln als Kaminkehrer im BNM, Inv.Nr. 35/372. Eine Zuschreibung an Ponhauser leitete Hofmann aus der Ähnlichkeit mit der Gruppe „Chinesenreither mit dem Panther" (BNM, Inv.Nr. 20/335) ab, die jedoch durch Dr. Bäuml Peter Seefried zugeschrieben wurde (Bäuml 1960, S. 12). Bereits für die Versteigerung der Slg. Prof. Otto Seitz wurde die Figur als „wohl Nymphenburg" bezeichnet. Die Zuschreibung an Seefried wird durch Details in der Modellierung unterstützt, so die Oberflächenstruktur des Sockels im Bereich der Füße des Puttos, die sich auch bei der Kat. 126 findet.

Publ.: VK Seitz 1912, Nr. 141; Hofmann, S. 386 u. Abb. 39

130
Putto als Bettler
um 1765, Ausformung um 1790,
Peter Seefried zugeschrieben

H. 16,5 cm
PM: RS 21, unterglasurblaue Hexagramm-Marke in Sternform Nr. 14
Inv.Nr. A 294 (Kunsthandlung Beyer, München, 7.5.1996)

Auf quadratischem Sockel stehender Putto als Bettler in zerlumpten Kleidern, der sich auf zwei Krücken stützt, weil er das linke Bein nach rückwärts abgewinkelt hat und zum Schein auf einem Holzbein läuft. In der rechten Hand den Bettlerhut. Auf dem Sockel Köcher mit Pfeilen.

In Größe und Modellierung mit dem oben angesprochenen „Kaminfeger" im BNM vergleichbar. Auch die Benennung im Preiscourant von 1767 als „Cupido in anderen Verkleidungen" ist wohl zu Recht mit dieser Figur in Verbindung zu bringen. Als einzige Figur der drei bisher bekannten Ausformungen dieser Serie trägt der „Putto als Bettler" die Nymphenburger Marken und beantwortet daher eindeutig die Frage nach deren Provenienz.

129

131
Putten beim Vogelfang
um 1770, Ausformung Ende 18. Jh.,
Peter Seefried unter Verwendung von
Bustelli-Modellen

H. 18,5 cm
PM: RS 21
Inv.Nr. A 211 (Mehmel, München,
14.11.1958)

Um einen teilweise belaubten, braun
staffierten Baumstamm auf braun-grün-
gelbem Rasensockel vier Putten nach
Bustelli-Modellen: vorne Putto mit grünem Hut (vgl. Merkur, Kat. 25–26),
der einen hellbraungestrichelten Uhu
als Lockvogel festhält, rechts daneben
Putto mit orange-blauem Lendentuch
(vgl. Charon, siehe Hofmann, Abb. 100),
wohl mit einer Leimrute, darüber neben dem Baumstamm Putto mit gelbem
Lendentuch (vgl. Juno, Kat. 19–20),
der eine Fangschachtel aufstellt, auf der
Rückseite Putto (vgl. Bacchus, Kat. 10–
11) mit braunem Vogelkäfig. Feines
Inkarnat.
Blätter am Baum defekt, Putten rückwärts und oben bestoßen, Fangschachtel repariert. Sockel unten offen.

Ein bemaltes Ex. im BNM, Inv.Nr. Ker
4206 (Hofmann, Abb. 217). Das Ge-

131

130

genstück ist eine Gruppe beim Fisch-
fang, unbemalt ehemals in Slg.
v. Quadt (VK Quadt 1913, Nr. 71).

132
Putto als Wasser (Abb. s. S. 82)
um 1765–70, Peter Seefried oder
F. A. Bustelli

H. 9,1 cm
ohne Marke
Inv.Nr. A 201 (Steinhauser, 10.10.1957)

Seitlich auf einem (fehlenden) Sockel
sitzender Putto mit purpurnem Lendentuch, gedrehtem Oberkörper und nach
rechts ausgestreckten Armen, den Kopf
nach links gewandt. Naturalistisches Inkarnat.

Sockel und rechter Fuß fehlen, Finger-
spitzen der rechten Hand und Attribut
in der Linken abgebrochen.

Der Preiscourant von 1767 führt Putten als Elemente auf, von denen Hofmann jedoch berichtet, daß sie in den
früheren Verzeichnissen nicht auftauchen (Hofmann, S. 437). Eine Zuschreibung an Bustelli oder Seefried ist deshalb und aufgrund der nur sehr
fragmentarisch erhaltenen Stücke
schwierig. Der bemalte Putto als Wasser, davon zwei Ausformungen im
Residenzmuseum, München (Inv.Nr.
Ker I/Ny 17, 18) wird durch triefnasses
Haar definiert (Hofmann, Abb. 107).

134   132   133

133
Putto als Wasser
um 1765–70, Peter Seefried oder
F. A. Bustelli

H. 8,3 cm, Sockel 2,7 x 2,7 cm
PM: RS 13; RM: „76"
Inv.Nr. A 98 (L. Steinhauser, München,
28.4.1920)

Modell wie vorige Nr., auf quadratischem, sich verjüngendem Mauer-
sockel. Unbemalt.
Linker Arm fehlt, Finger der rechten
Hand abgebrochen, Brandriß.

134
Putto als Erde
um 1765–70, Peter Seefried oder
F. A. Bustelli

H. 7,8 cm, Sockel 2,6 x 2,6 cm
PM: RS 13; RM: „76"
Inv.Nr. A 99 (Steinhauser, München
28.4.1920)

Sockel wie vorige Nr., darauf sitzender
Putto, den Kopf und den linken Arm
nach oben gerichtet. Unbemalt.
Linker Arm und rechter Unterarm fehlen.

Bemaltes Ex. im Residenzmuseum,
München (Hofmann, Abb. 107).

135
Sockel mit bayerischem Wappen
um 1760

5,5 x 5,2 x 5,2 cm
RM: „I +"; unterhalb des Wappens in dunklem
Purpur bez. „C.H.C. 1772"
Inv.Nr. B 557 (Prov. unbekannt)

Quadratische Plinthe mit S-förmigem
Profil, leicht eingeschwungenem Postament und abgetreppter Deckplatte. Auf
der Vorderseite reliefiertes, blau bemaltes Rautenwappen in purpurner Rocaillekartusche, die anderen Seiten sind
mit diagonal gestellten Blumenbuketts
bemalt.
Am unteren Rand minimal bestoßen,
oben eine Ecke bestoßen.

Eine Anfertigung für den Münchner
Hof ist durch das Wappen ebenso belegt, wie die Provenienz aus der Kurfürstlichen Hof-Conditorei durch die
1772 angebrachte Markierung jener damals durchgeführten Inventarisierung.
Drei bemalte Ex. im Residenzmuseum,
München mit gleicher Bezeichnung,
Inv.Nr. Ker I/Ny 75-77. Dieser und die
folgenden Sockel wurden einzeln oder
bereits in der Herstellung fest mit Putten verbunden gefertigt, wodurch eine
vielseitige Verwendung gewährleistet
war.

136
Putto als Frühling auf Sockel
um 1770, unter Verwendung eines
Bustelli-Modells

H. 12,6 cm, Sockel 5,1 x 5,1 cm
ohne Marke; 3 Punkte eingestochen; in
schwarzer Tusche bez. „L Nr. 3900..05"
Inv.Nr. A 233 (Galerie Almas, München,
29.6.1962)

Quadratischer, leicht eingeschwungener Sockel mit profilierter Boden- und
Deckplatte, goldstaffiert. Darauf über
Eck sitzender Putto mit windzerzaustem Haar und eisenrotem Lendentuch,
zwischen der nach rückwärts gehaltenen Linken und der erhobenen Rechten
ein blaues Band. Naturalistisches Inkarnat.
Rechte Hand stark beschädigt, kleiner
Finger der linken Hand und das Band
fehlen. Am Sockel grün übermalter
Brandriß.

Gesockelte Variante eines Putto als
„Luft" der Elementen-Folge im Resi-
denzmuseum, München (Hofmann,
Abb. 107).

135

137
Putto als Sommer auf Sockel
um 1770, unter Verwendung eines
Bustelli-Modells

H. 13,5 cm, Sockel 5,2 x 5,2 cm
ohne Marke
Inv.Nr. A 221 (The Antique Porcelain,
London, 21.3.1960)

Sockel wie vorige Nr., darauf sitzender
Putto mit gespreizten Beinen, dazwischen ein zartlila Lendentuch und bunte Blumen, in beiden erhobenen Händen Blumen. Naturalistisches Inkarnat.
Rechte Hand beschädigt, Blumenblätter
abgebrochen, Sockel leicht bestoßen.

Gesockelte Variante eines Putto als
„Feuer" aus der Elementen-Folge im
Residenzmuseum, München (Hofmann,
Abb. 107).

138
Sockel (Abb. s. S. 84)
um 1765

5,5 x 5,5 x 5,5 cm
ohne Marke
Inv.Nr. B 777 b (Prov. unbekannt)

Modell wie Kat. 135, jedoch ohne
Wappen, Goldkanten und bunte Blu-
menstaffage.

139
Putto als Sommer (Abb. s. S. 84)
um 1770, unter Verwendung eines
Bustelli-Modells

H. 15,2 cm, Sockel 5,5 x 4,5 cm
ohne Marke
Inv.Nr. A 184 (Slg. Levi, 1956)

Auf braun bemoostem Baumstumpf liegender Putto mit rötlichem Lendentuch, die Linke mit einer Sichel erhoben, in angewinkelten rechten Arm ein
gelbes Ährenbündel. Zartes Inkarnat.
Kittstellen an den Knien, Ähren abgebrochen, Lendentuch gekittet, Sockel
bestoßen.

Der Putto, eine Variation des „Jupiters"
(Kat. 21), und der Sockel nicht ursprünglich zusammengehörig.

Publ.: Hofmann, Abb. 395; VK Levi 1956, Nr.16

137 136

140
Sockel (Abb. s. S. 84)
um 1760

5,3 x 5,1 x 5,1 cm
ohne Marke
Inv.Nr. B 777 a (Prov. unbekannt)

Form wie Kat. 138, jedoch auf jeder
Seite ein vertieftes Feld mit Goldrand,
darin buntes Blumenbukett.
Gold berieben.

141
Putto als Sommer (Abb. s. S. 84)
um 1770, unter Verwendung eines
Bustelli-Modells

H. 14,8 cm, Sockel 5,1 x 4,4 cm
ohne Marke
Inv.Nr. A 219 (The Antique Porcelain, London, 21.3.1960)

Über einem quadratischen Sockel auf
einem bemoosten, braungrünen Baumstumpf mit rechts herabfallenden
Kornähren sitzender Putto mit grünem
Hut, in der erhobenen Linken zwei

Ähren, in der Rechten wohl eine
Sichel. Zartes Inkarnat.
Sichelblatt fehlt.

Das Modell des Putto als „Merkur"
(Kat. 25–26) wurde üblicherweise zur
Allegorie des Herbstes mit Trauben in
den Händen verändert. Bemalte Ex. mit
grünem Hut in unbekanntem Besitz
(Sotheby's, London, 21.10.1980,
Nr. 20; Christie's, London, 25.3.1985,
Nr. 69) sowie mit schwarzem Hut in
unbekanntem Besitz (Christie's, London, 17.10.1977, Nr. 219), auch anstelle des Baumstumpfs aufgestapelte
Feldfrüchte (Christie's, London,
9.10.1995, Nr. 114). Unbemalte Ausformung im BNM, Inv.Nr. 3671.

142
Putto als Herbst (Abb. s. S. 85)
um 1770, unter Verwendung eines
Bustelli-Modells

H. 9,5 cm
PM: RS 8 auf der Vorderseite des Baumstumpfs; rückwärts unterglasurblaue Hexagramm-Marke in einer Zeile Nr. 15
Inv.Nr. A 183 (Slg. Levi, 1956)

139   141   145   147
138   140   144   146

Auf quadratischem Sockel mit Baumstumpf lagernder Putto mit Blattkranz
im Haar, den Blick auf die erhobene
Linke, einen Apfel haltend, gerichtet.
In einem Bausch des Lendentuchs auf
dem Sockel Feldfrüchte. Unbemalt.
Sockelecke hinten rechts und Lendentuch abgebrochen, Blätter und Apfel
stark bestoßen, linker Arm gekittet.

Auch der Putto als „Jupiter" (Kat. 21)
wurde unterschiedlich abgeändert, wie
der Vergleich zu Kat. 139 zeigt.

Publ.: VK Levi 1956, Nr. 7

143
Putto als Winter auf Sockel
um 1770, unter Verwendung eines
Bustelli-Modells

H. 15 cm
ohne Marke
Inv.Nr. A 163 (Prov. unbekannt)

Auf Sockel wie Kat. 138 stehender Putto mit Pelzmantel über der Schulter,
die rechte Hand in die Hüfte gestützt.
Die linke Hand wärmt er an einem vor
ihm stehenden Öfchen. Unbemalt.
Linker Arm repariert, Sockelrand bestoßen, zahlreiche Brandrisse.

Variante des Putto als „Pluto" (Kat. 35).

144
Sockel
um 1765–70

7 x 2,5 x 5,6 cm
ohne Marke
Inv.Nr. A 184 (Slg. Levi, 1956)

Mehrfach profilierte Plinthe, gerades
Postament mit bunten Blumenbuketts
in rechteckigen, vertieften Feldern mit
gekröpften Ecken, vorkragende Deckplatte etwas unterhalb der Standfläche.
Brandrisse.

Publ.: VK Levi 1956, Nr. 16

145
Putte mit Doppelflöte
um 1765–70, unter Verwendung eines
Bustelli-Modells

H. 16,8 cm, Sockel 5,6 x 5,6 cm
RM: „3"
Inv.Nr. A 119 (L. Steinhauser, München,
16.2.1934)

Auf quadratischer Sockelplatte mit
Goldrand schreitende Putte mit lila-
gelbem Lendentuch und einer braun-
goldenen Doppelflöte in Händen. Zartes
Inkarnat.
Brandrisse, oberer Teil der Flöte und

zwei Finger der rechten Hand abgebrochen.

Variante der Putte als „Flora" (Kat. 16)
mit nicht zugehörigem Sockel.

146
Sockel
um 1765–70

7 x 5,6 x 5,6 cm
RM: „N. 7."; mit Tusche bez. „G"
Inv.Nr. B 615 (L. Steinhauser, München,
10.5.1956)

Modell wie Kat. 144, jedoch mit Goldkanten und -linien.
Kanten bestoßen.

147
Putte mit Trommel
um 1765-70, unter Verwendung eines
Bustelli-Modells

H. 16,5 cm, Sockel 5,6 x 5,6 cm
PM: „H I"; auf der Sockeloberseite rückseitig
unterglasurblaue Hexagramm-Marke Nr. 14
Inv.Nr. A 120 (L. Steinhauser, München,
16.2.1934)

142

Auf quadratischer Sockelplatte schreitende Putte mit grau-eisenrotem Lendentuch und rotem Tragriemen an der
goldenen Trommel. Zartes Inkarnat.
Teil des Riemens fehlt, Trommelschle-
gel oben abgebrochen.

Variante der Putte als „Flora" (Kat. 16)
mit nicht zugehörigem Sockel. Zusammen mit den folgenden Kat.Nr. darf
man in diesen Umarbeitungen jene
„Kinder mit türkischer Music" sehen,
die der Preiscourant von 1767 aufführt.

143

149
Putto mit Trommel
um 1765–70, Ausformung Ende
18. Jh., unter Verwendung eines
Bustelli-Modells

H. 10,2 cm, Sockel 3,5 x 3,6 cm
PM: RS 19
Inv.Nr. A 18 (Slg. Seitz, München, 1912)

Auf quadratischer Sockelplatte stehender Putto mit flatterndem Lendentuch,
eine Trommel am Band umgehängt.
Unbemalt.
Gewandbausch gekittet, Trommelband
ergänzt, Schlegel in der Rechten fehlt.
Leicht bräunliche Glasur.

Variante des „Putto als Äolus" (Kat. 8).
Die Figur war zwischen 1917 und
1986 Leihgabe an das BNM, Inv. Nr.
Ker 4489.

Publ.: VK Seitz 1912, Nr. 139; Hofmann,
Abb. 216

148   149

148
Putto mit Becken
um 1765–70, Ausformung Ende
18. Jh., unter Verwendung eines
Bustelli-Modells

H. 12,2 cm, Sockel 3,6 x 3,6 cm
PM: RS 19
Inv.Nr. A 17 (Slg. Seitz, München, 1912)

Auf quadratischer Sockelplatte stehender Putto mit Schlagbecken in den Händen. Unbemalt.
Rechter Arm und Hand gekittet.

Variante des Putto als „Apollo" (Kat. 9).
Die Figur war zwischen 1917 und
1986 Leihgabe an das BNM, Inv.Nr.
Ker 4488.

Publ.: VK Seitz 1912, Nr. 140; Hofmann,
Abb. 216

150

151

152

150
Putto mit Klarinette
um 1765–70, Ausformung Ende des
18. Jhs., unter Verwendung eines
Bustelli-Modells

H. 10 cm, Sockel 3,7 x 3,5 cm
PM: RS 11 und „4"
Inv.Nr. A 172 (Lempertz, Köln, 1954)

Auf quadratischer Sockelplatte stehen-
der Putto, der mit beiden Händen das
Instrument hält. Unbemalt.
Instrument repariert, Brandriß am
Lendentuch.

Bemaltes Ex. im BNM, Inv. Nr.
Ker 4208 (Hofmann, Abb. 215).

151
Putto mit Schellenbaum
um 1765–70, Ausformung Ende des
18. Jhs., unter Verwendung eines
Bustelli-Modells

H. 11,8 cm, Sockel 3,5 x 3,5 cm
PM: RS 19
Inv.Nr. A 23 (Slg. v. Quadt, 1913)

Auf quadratischer Sockelplatte stehender Putto mit einem Schellenbaum in
der Linken, den er mit der rechten
Hand stützt. Unbemalt.
Kleiner Finger der rechten Hand beschädigt, Schellenbaum repariert,
Brandrisse.

Variante des „Putto als Herkules"
(Kat. 18).

Publ.: VK Quadt 1913, Nr. 82; Hofmann,
Abb. 215

152
Putto mit Kerze
um 1770, unter Verwendung eines
Bustelli-Modells

H. 9,5 cm, Sockel 3,3 x 3,3 cm
PM: RS 9, darüber „0"
Inv.Nr. A 241 (Mehmel, München,
19.4.1963)

Auf quadratischer Sockelplatte stehender Putto, eine Kerze in der Linken,
deren Flamme er mit der Rechten vor
Zugwind schützt. Unbemalt.
Brandrisse. Kerze, Daumen und Zeigefinger der rechten Hand beschädigt.

Variante des „Putto als Herkules"
(Kat. 18). Unbemaltes Ex. im BNM,
Inv.Nr. 12/25 (Hofmann, Abb. 212).
Mit gleicher Haltung, gedrehtem Kopf
und einer Trompete im MAK, Wien,
Inv.Nr. 6605.

Werke anderer Bildhauer

Works by Other Sculptors

Von den Figuren, die im Preiscourant von 1767 aufgeführt sind, ließen sich seit frühesten Forschungen einige Modelle stilistisch und archivalisch weder mit Bustelli, noch Seefried oder Auliczek in Verbindung bringen. Zuschreibungen erfolgten dagegen an Josef Ponhauser, der neben den Figuren für den Gartenaufsatz eventuell noch weitere Entwürfe geliefert hatte, oder an den Bildhauer Ignaz Günther, der nachweislich im Jahr 1769 die Summe von 29 fl. aus der Fabrikkasse für eine unbekannte Leistung erhielt (Hofmann, S. 508). Stilkritische Vergleiche der neueren Forschung haben jedoch eine früher ausgesprochene Zuweisung der Serie allegorischer Figuren (Kat. 156–157) sowie einer Diana (Kat. 158) an Günther nicht erhärten können. Unberührt davon bleibt die Beurteilung des großen Kruzifixes im Residenzmuseum, München, Inv.Nr. Ker NyI/Ny 81, das die bislang einzig bekannte Ausformung dieses Modells ist und für Günther durchaus in Anspruch genommen werden kann.

Lit.: Hofmann, S. 495 ff.

From the figures that are listed in the price list of 1767 there are several models that one has never, since the earliest researches, been able to connect either stylistically or archivally with Bustelli, nor Seefried or Auliczek. Attributions could be made to Josef Ponhauser, however, who, aside from the figures for the garden subtlety, may perhaps have delivered other designs as well, or the sculptor Ignaz Günther, who is documented as having received the sum of 29 fl. from the factory coffers in the year 1769 for an unknown service (Hofmann, p. 508). More recent stylistic comparisons have, however, not confirmed an attribution to Günther, which had been voiced earlier on for the series of allegorical figures (cat. nos. 156–157), as well as for a Diana (cat. no. 158). The evaluation of the large crucifix at the Residenzmuseum, Munich, inv. no. Ker NyI/Ny 81, which is the only known execution for this model known to date, is not affected by this and can certainly be attributed to Günther.

Lit.: Hofmann, p. 495 ff.

153

153
Minerva
um 1761–65, nach einem Meissener Modell

H. 13 cm, Sockel 3,6 x 3,6 cm
ohne Marke; RM: „3"
Inv.Nr. 210 (Höchtl, München, 18.7.1958)

Auf quadratischem Sockel mit Goldrand stehende Göttin in langem, zartgelbem Rock mit eisenroten Streifen, gelbem Panzer mit hellen Purpurschuppen und zartgrau-lila Mantel, auf dem Kopf einen grau-goldenen Helm mit eisenrot-purpurnen Federn. Mit der Linken stützt sie sich auf einen goldgeränderten Medusenschild. Sehr zartes Inkarnat.
Eine Sockelecke und Tuchspitze fehlen, Hals gekittet, Speer in der Linken abgebrochen.

Der Preiscourant von 1767 nennt die Figur „Pallas geharnischt, 5½ Zoll" und ihr Pendant „Mars mit Schild und Schwert, 5½ Zoll". Ein ähnlich staffiertes Ex. zusammen mit einem Mars aus der Slg. Hirth heute im BNM, Inv.Nr. 17/254 (Hofmann Abb. 143), eine bemalte Minerva mit violettem Mantel im

KGM, Köln, Inv.Nr. E 2171 (MK Köln, Nr. 184), eine weitere mit Blütenmuster im gestreiften Rock in unbekanntem Besitz (Christie's, London, 3.12.1979, Nr. 39; Sotheby's, London, 25.6.1985, Nr. 160; Christie's, London, 21.9.1992, Nr. 119). Eine unbemalte Figur im Residenzmuseum, München, Ker I/Ny 30, und dem Nationalmuseum, Stockholm, Inv.Nr. NM125/1984 (MK Stickholm 1984, Abb. 98). Dem Kunstgewerbemuseum in Köln teilte Dr. Rückert 1974 brieflich mit, daß die Figur auf einem Meissener Vorbild beruht, dessen Modell 1761 entstand und als Teil einer Serie 1767 erstmals erwähnt wurde. Zum Vergleich zitierte er eine Minerva in ähnlicher Haltung als Bekrönung des Liebestempels von Kaendler um 1750 in der Sammlung des Marquis von Bath, Longleat (Tait 1962, Taf. XXXIV).

156   157

154–155
Zwei Sockel (o. Abb.)
um 1770

5,8 c 7,2 x 6, cm
PM: RS 10; RM: „42"
Inv.Nr. B 160 a + b (Slg. Hirth, 1916)

Modell wie Kat. 140, jedoch niedriger. Kanten bestoßen.

Aufgrund seiner Maße käme der Sockel als Postament für die folgenden Figuren in Frage, obwohl er keine geschrägten Ecken besitzt, wie deren Plinthe. Jedenfalls war die Kombination mit einem „Genius des Ruhmes" ehemals in Slg. Levi (VK Levi 1956, Nr. 90), heute im V&A, London, Inv.Nr. C.33-1962.

Publ.: VK Hirth 1916, Nr. 173

156
Genius der Musik
um 1765-70

H. 11,2 cm, Sockel 5,7 x 6,4 cm
PM: RS 10; RM: auf der Unterseite „I"
Inv.Nr. A 180 (L. Steinhauser, München, 27.5.1955)

Auf quadratischem Sockel mit geschrägten Ecken sitzende Figur, deren geschlitzter, gelber Rock das vorgestellte rechte Bein freiläßt; mit rosa Mieder

sowie über Kopf und Schultern ein lachsfarbenes Tuch, Goldsäume. Den Blick auf ein offenes Notenbuch im Schoß gerichtet, die Rechte mit einer Notenrolle erhoben. Auf dem Sockel liegen eine Lyra und ein Horn. Zartes Inkarnat.
Sockel bestoßen, rechter Arm gekittet.

„Freye Künste mit ihren Instrumenten, 4 ½ Zoll" listet der Preiscourant von 1767 auf. Hofmann kannte nur eine unbemalte Ausformung aus Privatbesitz, die er damals als „Schauspielkunst" klassifizierte (Hofmann, Abb. 142). Eine Zuschreibung dieser und der folgenden Figur an Ignaz Günther läßt sich nach heutiger Kenntnis nicht aufrechterhalten. Die Übernahme von Wiener Modellen der Zeit um 1745/50 beruht auf Vergleichsstücken im Hetjens-Museum Düsseldorf, Inv.Nr. Dff.19-68, 68a, 68b (MK Düsseldorf 1966, Nr. 239), die jedoch dort nicht mit letzter Sicherheit der österreichischen Manufaktur zugewiesen wurden. Der Vergleich stützt sich nicht nur auf die identische Sockelform, sondern beruht auf der großen Ähnlichkeit der Formgebung, die Hofmann einer „Durchschnittsbegabung" zuschrieb, „deren Individualität nicht besonders zutage tritt" (Hofmann 1932, S. 271, Abb. 286).

157
Genius des Ruhms
um 1765, Ausformung wohl 1771

H. 10 cm, Sockel 6 x 5,5 cm
PM: RS 10; RM: „49"; auf der Rückseite des Postaments in Gold bez. „1772", auf der Sockelplatte in Purpur „C.H.C.", auf der Unterseite „1771"
Inv.Nr. A 7 (A. Rosenhain, Heidelberg, 30.5.1911)

Sockel wie vorige Nr., auf einem einschwingenden, weiß-goldenen Postament sitzende Figur mit grünem Band im dunklen Haar, nur mit einem purpurnen Tuch bekleidet, im rechten Arm ein mit der Linken offengehaltenes Buch mit den Worten „VIVAT / MAX / MILIAN / IOSEPH" auf Goldgrund.
Auf dem Sockel eine gelbe Posaune. Zartes Inkarnat.
Sockel und Nase bestoßen, Farbe berieben.

Wie zahlreiche andere Figuren der obigen Serie im Residenzmuseum, München (Ker I, 22-24 Ny drei verschieden bemalte Genien der Malerei; Ker I, 25 Ny Genius des Ruhms oder der Musik mit Notenblatt und Tuba; Ker I, 26 Ny Genius der Astronomie; Ker I 27 Ny Genius der Architektur in purpurnem Mieder; Ker I 28 Ny Genius der Bildhauerkunst, siehe Hofmann, Abb. 140),

trägt diese Figur die nachträglich kalt aufgemalte Jahreszahl 1771, die allerdings generell nicht auf die Ausformung, sondern eher auf eine damals durchgeführte Inventarisierung der Hofkonditorei hindeutet. Die in der Manufaktur ausgeführte Jahreszahl 1772 verweist jedoch wahrscheinlich auf einen konkreten Anlaß der Fertigung, eventuell auf das Festbankett zum 65. Geburtstag von Kurfürst Max III. Joseph (geb. 1727) oder auf seinen 25. Hochzeitstag mit Maria Anna Sophie (Heirat 1747), wofür schon im Jahr zuvor das Stück geliefert worden sein könnte. Eine bemalte Ausformung mit der Beschriftung „Pictoribus atque Poetis" ehemals in Slg. Hirth (Hofmann, Abb. 142). Das Aussehen der Figur ehemals in Slg. Ostermann ist nicht näher dokumentiert (VK Ostermann 1928, Nr. 635). Ein unbemaltes und ein bemaltes Vergleichsstück ehemals in Slg. Levi (VK Levi 1956, Nr. 89, 90), letzteres heute im V&A, London, Inv.Nr. C.32-1962, eine bemalte Allegorie der Bildhauerei war ebenfalls ehemals in Slg. Levi (VK Levi 1956, Nr. 91). Eine unbemalte Allegorie des Ruhms bezeichnet als „Clio", Muse der Geschichte, im LGA am GNM, Nürnberg, Inv.Nr. 9732, und ehemals in Christner Collection (Christie's, New York, 8.6.1979, Nr. 64), unbemalte Figuren der Astronomie und des Ruhmes in unbekanntem Besitz (Christie's, London, 6.4.1981, Nr. 85; ebendort, 30.3.1987, Nr. 49), eine unbemalte Ausformung der Astronomie in der PSZ, Dresden, Inv.Nr. P.E. 4292, und eine unbemalte Allegorie der Bildhauerkunst im Musée Ariana, Genf, Inv. Nr. 013091.

158
Diana
um 1770

H. 15 cm, Sockel 4,5 x 4,5 cm
PM: RS 3 auf dem Fels
Inv.Nr. A 6 (Prov. unbekannt)

Auf quadratischem Sockel stehende Figur, den rechten Fuß auf einem Fels aufgestellt, in brustfreiem Mieder mit Schultertuch und langem Rock, den sie über dem rechten Bein hochnimmt. Auf dem Rücken Köcher mit Pfeilen, den Kopf in Richtung des ausgestreckten rechten Armes gewandt, in der Linken ehemals den Bogen. Im Haar ein Band mit Halbmond über der Stirn. Unbemalt.
Sockel und Hände defekt, linker Arm gekittet, Pfeile und Bogen fehlen.

Hofmann beurteilte die Figur als selten und schrieb: „Die Proportionen sind jetzt maßlos ins Überschlanke verzerrt, Becken und Brustkorb von einer geradezu pathologischen Verengung" (Hofmann. S. 509). Ein unbemaltes Ex. im Residenzmuseum, München, wurde früher Ignaz Günther zugeschrieben (Ker I/Ny 55; Hofmann, Abb. 139), eine bemalte Figur war ehemals in Slg. Levi (VK Levi 1956, Nr. 92) und befindet sich heute im V&A, London, Inv. Nr. C.4-1958.

158

159

159
Mausefallenhändler
um 1770

H. 18 cm
PM: RS 3 vorn am Sockel
Inv.Nr. CB 4 (Prov. unbekannt)

Auf rundem Sockel stehender, junger Mann in Kniehosen, Jacke und flachem Hut, in der rechten Hand einen Wanderstab, über der rechten Schulter an einem Strick Mausefallen, Blasebalge und Stiefelknechte. Unbemalt. Nachträglich überlackiert, Hände gekittet.

Das Modell wird nicht im Preiscourant von 1767 erwähnt, doch spricht die Prägemarke eindeutig für eine Ausformung des 18. Jahrhunderts.

Figuren von Dominikus Auliczek
1763–1797

Götter und Allegorien

Dem an internationalen Akademien geschulten Stil seiner Ausbildung gemäß, wählte Dominikus Auliczek für seinen ersten größeren Figurenzyklus zu einer Tafeldekoration die Darstellung antiker Götter, die als Sitzfiguren – der höchsten Würdeformel des klassischen Hochbarocks – ausgeführt wurden. Neben den klassischen Attributen der olympischen Heroen (Kat. 160–161, 167–168) fügte Auliczek gezielt weitere Embleme oder Gegenstände hinzu, die eine Zusammenstellung einzelner Figuren zu einer Folge der Jahreszeiten sinnvoll machte (Kat. 162–166). Auliczeks bildhauerische Fähigkeit wurde bisher in ihrer würdevollen Statuarik im Vergleich zu Bustellis lebendiger Rokokomanier als minderes Können eingeschätzt. Vermutlich liegt die Bewertung im unterschiedlichen Verständnis beider Künstler begründet: sieht man Bustelli als Meister des lebendigen Temperaments, so ist Auliczek der Meister des in sich ruhenden Charakters. Keine andere deutsche Manufaktur vollzog den Wechsel vom Rokoko zum Klassizismus so konsequent. Auliczeks Schöpfungen entsprechen den Anforderungen der damaligen Großplastik mit Sinn für monumentale Größe, die es zuvor in der Porzellanplastik nicht gab. In diesem Sinn und unter Berücksichtigung der technischen Leistung, derart großformatige Modelle auszuführen, sollte seiner Künstlerschaft und der Manufaktur in den ersten Jahren unter seiner Leitung angemessene Würdigung gebühren.

Lit.: Hofmann, S. 461–494,
Abb. 144–145, 170–179,
Taf. 18–21

Joseph Weiß, Portrait
Dominikus Auliczek,
Öl/Lwd., um 1770,
Slg. Bäuml

Figures by Dominikus Auliczek
1763–1797

Deities and Allegories

For his first larger cycle of figures for a centerpiece, Dominikus Auliczek chose, in accordance with the style acquired during his training at international academies, to depict classical deities executed as seated figures – the highest formulation of dignity in the classical High Baroque. Aside from the classical attributes of the Olympian heroes (cat. nos. 160–161, 167–168), Auliczek intentionally added several emblems or objects, so that the figures could be logically combined to a series of the seasons (cat. nos. 162–166). The sculptural ability Auliczek demonstrated in his dignified statuary has previously been evaluated as inferior to Bustelli's lively rococo manner. Presumably the difficulty lies in the perception of the two artists: if one sees in Bustelli the master of the lively temperament, one sees in Auliczek the master of the introverted character. No other German factory carried out the transformation from the rococo to classicism with such consequence. Auliczek's creations correspond to the demands of his time for large sculpture with a sense of monumentality, something that had not existed in porcelain sculpture until then. In this sense and considering the technical achievement in executing such large-format models, his artistry and the first years of the factory under his management deserve the appropriate appreciation.

Lit.: Hofmann, p. 461–494,
figs. 144–145, 170–179,
plates 18–21

160

161

160
Vulkan
um 1770, D. Auliczek

H. 40,5 cm
PM: RS 10 vorne auf dem Amboß; RM: „44"
Inv.Nr. A 59 (Baron Buttler, Schloß Haim-
hausen, 20.6.1917)

Seitlich auf einem Baumstumpf sitzende Figur mit flatterndem Tuch über
dem Schoß, das auf der rechten Schulter von einem Band gehalten wird. Das
bärtige Haupt gesenkt, auf den Locken
eine federgeschmückte Mütze. Der
rechte Arm mit einem Hammer in der
Hand zum Schlag erhoben, um auf dem
Amboß im Vordergrund einen Blitz zu
schmieden, den er mit der linken Hand
hält. Unbemalt.
Brandrisse. Hammer, Zange und Teil
des Blitzes fehlen, linker Fuß gekittet.

Ebenfalls unbemalt das Ex. im Residenzmuseum, München, Ker I/Ny 64.

Publ.: VK Stegmann 1917, Nr. 169, Taf. X

161
Venus mit Amor
um 1770, D. Auliczek

H. 36 cm
PM: RS 10 auf der Kugelbombe, darunter
RM: „44"
Inv.Nr. A 61 (Baron Buttler, Schloß Haim-
hausen, 20.6.1917)

Über aufgewölbten Rocaillen und
Gischtwellen auf einem ornamentierten
Rocaillesockel sitzender, weiblicher Akt
mit übereinandergeschlagenen Beinen,
ein gefranstes Tuch über dem rechten
Arm, Schoß und Sockel. Das Haupt mit
langen, geflochtenen Haaren nach links
zu einem Amor geneigt, dem sie gerade
ein Tuch von den Augen nimmt. Auf
dem Sockel liegen Bogen und Köcher,
in der Mitte eine Kugelbombe mit züngelnden Flammen. Unbemalt.
Brandrisse. Daumen der linken Hand
der Venus, Köcher und Bogen gekittet,
linke Hand des Amor bestoßen.

Ein unbemaltes Vergleichsstück im Residenzmuseum, München, Ker I/Ny
66, und ehemals in Slg. Jean Wurz (VK
Wurz 1924, Nr. 13). Eine bemalte
Figur mit der Bezeichnung „Venus,
das Feuer vorstellend" ehemals in Slg.
Schöller (AK Berlin 1904, Nr. 970).

Publ.: AK München 1909, Nr. 706; VK Stegmann 1917, Nr. 170, Taf. XI; Hofmann,
Abb. 176

162

162
Flora als Frühling
um 1770, D. Auliczek

H. 37 cm
ohne Marke
Inv.Nr. A 60 (Baron Buttler, Schloß Haimhausen, 20.6.1917)

Aus den Wellen des Meeres wachsen-
der Rocaillesockel, darauf sitzende
Gewandfigur mit entblößter Brust, zu
Füßen einen Korb mit Früchten, den
Blick nach rechts unten auf Amor gerichtet, der mit beiden Armen einen
blumengefüllten Korb emporhält, aus
dem die Göttin mit der Linken eine
Blüte nimmt. Mit der rechten Hand
drückt sie eine lange Blütengirlande an
ihre Brust. Unbemalt.
Brandrisse. Kleiner Finger der rechten
Hand fehlt, Blumen bestoßen, Sockel
bestoßen und gekittet.

Eine unbemalte Ausformung des Modells im Residenzmuseum, München,
Ker I/Ny 62, das Ex. im BNM, Inv.Nr.
Ker 2129, besitzt zusätzlich einen runden, mit üppigen Rocaillen und einem
zweiten Putto besetzten Sockel (Hofmann, Abb. 178), bemalt ehemals in
Slg. Hirth (VK Hirth 1898, Nr. 177).

Publ.: AK München 1909, Nr. 696; VK Stegmann 1917, Nr. 168, Taf. IX

163
Flora als Frühling
um 1770, D. Auliczek

H. 37 cm
PM: RS 17
Inv.Nr. A 13 (Frau Rittmeister Crusius, Schloß
Hirschstein, 1909)

Modell wie vorige Nr., jedoch ohne die
Blütengirlande. Purpurnes Gewand mit
Goldblumen, das von einem breiten,
eisenroten Gürtel gehalten wird, hell-
blaues Manteltuch. Bunte Blumen.
Zartes Inkarnat.
Brandrisse, kleiner Finger der linken
Hand geklebt, Eisenflecken, Sockel er-
gänzt.

Die Figur war zwischen 1909 und
1985 eine Leihgabe an das BNM,
Inv.Nr. Ker 4480, und bildet zusammen mit den folgenden drei Figuren
eine Serie der Jahreszeiten, die früher
als Meissener Erzeugnis galt (VK Hirth
1898, S. 33).

Publ.: AK München 1909, Nr. 697; Buchheit
1909, Abb. S. 165; Hofmann, Tafel 19

163

164

164
Ceres als Sommer
um 1770, D. Auliczek

H. 38 cm
PM: RS 10; RM: „43"
Inv.Nr. A 14 (Frau Rittmeister Crusius,
Schloß Hirschstein, 1909)

Auf einem staffierten Felssockel sitzende Göttin mit einem Ährenkranz im
Haar, nur mit einem hellblauen Manteltuch bedeckt, das auf der linken Schulter befestigt ist. Mit beiden Armen umfaßt sie ein gelbes Ährenbündel, ein
weiteres liegt auf der Sockelplatte.
Brandrisse im Sockel, Daumen der
rechten Hand fehlt, Ährengarbe und
Sockelrand bestoßen.

Die Figur war von 1909 bis 1985 als
Leihgabe im BNM, Inv.Nr. Ker 4481.
Ein unbem. Ex. ehem. in Slg. Hirth
(VK Hirth 1898, Nr. 175) und in unbekanntem Besitz (Ruef, München,
20.3.1985, Nr. 400).

Publ.: AK München 1909, Nr. 698; Hofmann,
Taf. 20

165
Bacchus als Herbst
um 1770, D. Auliczek

H. 36 cm
ohne Marke
Inv.Nr. A 15 (Frau Rittmeister Crusius, Schloß
Hirschstein, 1909)

Auf einem staffiertem Baumstumpf sitzende Figur, ein Pantherfell um die
Hüften, Weinlaub und Trauben im
lockigen Haar, in der erhobenen Rechten eine Traubenrebe. Den Fuß auf einen umgestürzten Weinkrug gestellt.
Sockel und rechter Arm gekittet, Blattwerk der Trauben bestoßen.

Die Figur war von 1909 bis 1985 als
Leihgabe im BNM, Inv.Nr. Ker 4482.
Ein bemaltes Ex. ehemals in Slg. Hirth
(VK Hirth 1898, Nr. 176), unbemalte
Ex. im Residenzmuseum, München,
Ker I/Ny 67, und in unbekanntem
Besitz (Ruef, München, 20.3.1985,
Nr. 400).

Publ.: AK München 1909, Nr. 699; Hofmann,
Taf. 20

165

166

flügelte Amor und dreht eine Spindel. Sockel gekittet, je zwei Finger an beiden Händen abgebrochen, Bart und Gewandsaum restauriert, Flügel des Putto gekittet, Pfeile im Köcher und Faden abgebrochen.

Die Figur war zwischen 1909 und 1985 eine Leihgabe an das BNM, Inv.Nr. Ker 4483.

Publ.: AK München 1909, Nr. 700; Hofmann, Abb. 177

166
Herkules als Winter
um 1770, D. Auliczek

H. 45 cm
PM: RS 10 goldgerändert vorne am Sockel
Inv.Nr. A 16 (Frau Rittmeister Crusius, Schloß Hirschstein, 1909)

Runder Rocaillesockel mit ornamentiertem Postament, darauf sitzender alter Mann mit erhobenem Haupt, ein purpurnes Manteltuch mit Goldsaum über dem linken Arm. Den linken Fuß auf dem Sockel eines hohen Spinnrocken, woraus er mit der linken Hand einen Faden zieht. Rechts unten sitzt der ge-

167
Mars
um 1770, D. Auliczek

H. 40 cm
PM: RS 10; RM: „43"; im Sockel in Rot bez. „28/286" (alte Sammlungsnummer des BNM)
Inv.Nr. A 112 (Lempertz, Köln, 1927)

Auf einem braunen Baumstumpf sitzender Gott des Krieges mit Federbusch auf dem goldgeränderten Helm in gelbpurpur geschupptem Panzer, darunter ein purpurner Schurz mit Goldfransen, an der Seite eine Schwertscheide, den eisenroten Mantel mit weißem Futter über der linken Schulter geknotet, in der ausgestreckten Rechten das Schwert. Zu seinen Füßen liegt ein brauner Löwe neben goldenem Kanonenrohr, graubraunen Kugeln und weiß-goldenem Schild.
Brandrisse, Sockel und Gewandbausch gekittet und ergänzt, Federn und einige Gewandteile bestoßen, Schwert ergänzt.

Bereits Hofmann sah in diesem Modell Ähnlichkeiten zu einer Großplastik von François-Gaspard Adam (1710–1761) im Park von Potsdam, die auch in der Porzellanmanufaktur Berlin als Vorbild für eine Figur genommen wurde (AK Berlin 1904, Tafel XXIV). Die Figur war zwischen 1928 und 1985 eine Leihgabe an das BNM, Inv.Nr. 28/286. Ein bemaltes Ex. ehemals in Slg. Hirth (VK Hirth 1898, Nr. 179). Unbemalt im Residenzmuseum, München, Ker I/Ny 65 (Brunner 1977, Abb. 282).

Publ.: AK München 1909, Nr. 694; Miller 1986, Abb. S. 3023

16*

168

168
Chronos (Saturn)
um 1770, D. Auliczek

H. 34,9 cm
ohne Marke
Inv.Nr. CB 44 (Ruef, München, 1981)

Viereckiger, abwechselnd blau-purpur mit Gold staffierter Rocaillesockel auf Füßchen, darüber auf einem grau-grünen Felspodest sitzender, nur mit einem gelb-purpurgestreiften Lendentuch bekleideter Greis mit Flügeln und wallendem Bart, in der erhobenen Rechten eine Sanduhr, im linken Arm lehnt eine Sense. Kräftiges Inkarnat.
Rechte Hand, Sense und Füßchen des Untersatzes repariert.

Der Preiscourant von 1767 verzeichnet einen „Saturnus auf dreyeckigem Postament", der dieser Figur zugrunde liegt und von dem sich Ausformungen in der Slg. Darmstädter und Slg. Rüttgers (bis 1907 in Slg. Sayn-Wittgenstein), heute im MPA, Trento (Ziffer 1991, Nr. 46), erhalten haben. Das Thema der Vergänglichkeit der Zeit lag auch der Figur eines geflügelten „Chronos" mit Sense von J.J. Kaendler, Meissen um 1745, zugrunde, die als Uhrenhalter konzipiert war (Pauls-Eisenbeiss 1972/I, S.128).

Publ.: Hofmann, wohl identisch mit Abb. 172; Ruef, München, 11.11.1981, Nr. 725

Tiere und Hatzstücke

Die Problematik der Zuschreibungen von Tierfiguren und Jagdgruppen an Nymphenburg wurde bereits bei den Werken F. A. Bustellis angesprochen (S. 71). Die Biographie von Dominikus Auliczek erwähnt „fünfundzwanzig verschiedene Thierhazen", die teils auf ausgeschnittenen Sockelplatten im Stil Bustellis, teils auf den von Auliczek vor 1767 eingeführten Terrassensockeln stehen. Dabei sind zwei Typen zu unterscheiden. Die Profilsockel der Chinesengruppen (Kat. 120–121, 124) und der Tierfiguren (Kat. 172–174) mit variierenden Umrißformen sind sämtlich für eine Aufstellung konzipiert, die keinen Blick auf die Rückseite erlaubt. Deutlich zu unterscheiden sind davon die schräg zum Betrachter hin abfallenden Rechtecksockel einiger Tiergruppen (Kat. 123, 177, 185), die für eine Aufstellung in erhöhter Position, eventuell in einem Wandarrangement, gedacht waren.

Lit.: Hofmann, S. 484–494, Abb. 187–191, 194–211, 333–342, 375

Animals and Hunting Pieces

The problem of the attributions of the animal figures and hunting groups at Nymphenburg has already been mentioned in regard to the works of F. A. Bustelli (p. 71). The biography of Dominikus Auliczek mentions "twenty-five different animal hunts," which stand in part on cut-out pedestal plinths in the style of Bustelli, in part on terraced pedestals introduced by Auliczek before 1767. Two types can be differentiated. The profile pedestal of the Chinese groups (cat. nos. 120–121, 124) and animal figures (cat. nos. 172–174) with varying contours have all been conceived of for an arrangement that does not permit a view of the back. Clearly to be differentiated are the rectangular pedestals for a few animal groups (cat. nos. 123, 177, 185), which slanted toward the viewer and were meant to be set up in a higher position, perhaps in a wall arrangement.

Lit.: Hofmann, p. 484–494, figs. 187–191, 194–211, 333–342, 375

169

169
Sogenannter Mastiff
um 1770, Nymphenburg oder Wien (?), F. A. Bustelli oder D. Auliczek

H. 11 cm
ohne Marke
Inv.Nr. A 137 (L. Steinhauser, München, 23.12.1938)

Auf ausgeschnittener Sockelplatte nach links absitzender Mastiff mit betont hohen Vorderbeinen, den Kopf nach rechts gewandt, Unbemalt.

Hofmann versah dieses Modell mit „Bustelli (?)" (Hofmann, Abb. 130), während zuletzt die zwei Ausformungen im BNM (unbemalt Inv.Nr. Ker 4314, 4315, bemalt 35/373) von Dr. Rückert mit Fragezeichen der Wiener Manufaktur zugeschrieben wurde. Dieselbe Zuweisung erhielt auch ein Hund, dessen Köperhaltung mit oben zitierter identisch ist, während sein Kopf einer Dogge ähnelt und die Figur dadurch etwas höher wird (unbemalt im BNM, Inv.Nr. 4315). Alle drei Stücke sind auf der Oberseite des Sockels mit den geritzten Buchstaben „AB" bezeichnet. Doch sowohl in Wien als auch in Nym-

phenburg ist dieses Monogramm bisher nicht weiter nachweisbar. Alle Ausformungen besitzen ausgezeichnet modellierte Tatzen mit feinsten Details, die noch feiner sind, als bei den Hunden des Jagdaufsatzes von Bustelli sowie den Hunden der gemarkten Tierhatzen. Diese Unterschiede sind sicherlich auffällig, während man andererseits sagen kann, daß es sich stets um dasselbe Modell handelt. Ein unbemalter Mastiff ehemals in Slg. Levi (VK Levi 1956, Nr. 133) trug eine Marke, kann aber wegen fehlender Abbildung im Katalog nicht näher beurteilt werden. Zwei weitere, etwas kleinere Mastiffs in der Slg. Levi trugen keine Marken und wurden auch nicht auf die Abb. 130 bei Hofmann bezogen (VK Levi 1956, Nr. 134, 135). Eine Hilfe für die Zuweisung an Auliczek, der Modelle gern durch kleinere Änderungen variierte, bieten zwei gemarkte Hunde in unbekanntem Besitz, die einmal das obige Tier bemalt auf einer ovalen Sockelplatte, zweitens einen ebenfalls bemalten Hund, der aber mit dem Kopf einer Dogge versehen wurde, auf einer ausgeschnittenen Sockelplatte zeigen (Sotheby's, London, 4.12.1973, Nr. 99, 100).

170   171

170
Mastiff – Sitzende Bulldogge
um 1770, F. A. Bustelli oder
D. Auliczek

H. 9 cm
PM: RS 3 auf der Sockelplatte
Inv.Nr. A 89 (Slg. Hirth, 20.12.1919)

Auf ausgeschnittener Sockelplatte sit-
zender Hund mit Halsband und
Glocke, den Kopf nach rechts gewandt.
Unbemalt.
Feine Glasurrisse, Sockel leicht be-
stoßen.

Da dieser Hund als einziges Modell ein
Rautenschild trägt, ist weniger die Bestimmung seiner Provenienz als seine
Qualität in der Ausführung problema-
tisch. Da die Figur eher nachlässig modelliert ist und durch eine nivellierende
Glasur verunklärt wird, kann die Qualität des Originalmodells nicht sicher
bestimmt werden, wodurch eine Künst-
lerzuschreibung offen bleiben muß. Die
statuarische Darstellung und die Größe
sprechen eher für Auliczek. In der Ver-
gangenheit wurde das Modell immer
wieder mit jenem Mastiff in Verbindung gebracht, der Bustelli zugeschrieben war (Hofmann, Abb. 130), ohne
daß bemerkt wurde, daß es sich um
zwei verschiedene Entwürfe handelt,
die sich nicht nur durch das Halsband,
sondern auch durch einen deutlichen
Unterschied in der Höhe der Vorderbeine auszeichnen. Bemalte Ausformungen dieses Modells ohne Marke aus der
Slg. Ostermann (VK Ostermann 1928,
Nr. 636, Taf. XXIV) heute im MPA,

Trento (Ziffer 1991, Nr. 30) und weitere in unbekanntem Besitz (Sotheby's,
New York, 8.3.1979, Nr. 91 auf ausgeschnittener Sockelplatte, ohne Marke;
Christie's, London, 6.4.1981, Nr. 86
auf ovaler Sockelplatte, mit Marke). Ein
unbemaltes Vergleichsstück ohne Marke in unbekanntem Besitz (Neumeister
München, 6./7.12.1961, Nr. 126).
Das Modell auf ausgeschnittener
Sockelplatte wurde von Samson in Paris
kopiert (Christie's, London, 23.7.1979,
Nr. 200, Modellnr. SX5725).

171
Löwin
um 1770, D. Auliczek

H. 9,5 cm
ohne Marke
Inv.Nr. A 192 (Slg. Levi, 1956)

Auf ausgeschnittener Sockelplatte nach
rechts sitzende Löwin mit erhobener
rechter Tatze, den Kopf mit offenem
Maul rückwärts gewandt. Unbemalt.
Brandrisse im Sockel, Schweifquaste
fehlt.

Eine unbemalte Ausformung auf einem
für Auliczek typischen Terrassensockel
(siehe folgende Nr.) ehemals Slg. Hirth
(VK Hirth 1898, Nr. 344 als „sitzender
Leopard" bez.) und im Schlesischen
Landesmuseum, Opava/Troppau,
Inv.Nr. U 51 P (Hofmann, Abb. 188).
Das BNM besitzt zwei Löwen in gleicher Haltung, aber mit kleinen Unterschieden in der Fellstruktur, die einmal
mit Bemalung Nymphenburg oder

Wien (Inv.Nr. 72/259) sowie unbemalt
nur Nymphenburg, zwischen 1750–75
(Inv.Nr. 10/17), zugeschrieben werden. Es handelt sich auf jeden Fall um
dasselbe Modell, wenn auch mit kleinen Unterschieden in der Ausformung.

Publ.: VK Levi 1956, Nr. 138

172
Papagei auf Sockel
um 1765–1770, D. Auliczek

H. 15,3 cm
PM: RS 9; RM: auf der Rückseite „A ⊡ j B"
(Hofmann Markentafel 2, Nr. 26)
Inv.Nr. A 90 (Slg. Hirth, 20.12.1919)

Auf einem vorn ausschwingenden,
stark profiliertem Terrassensockel mit
glatter Rückseite, über der Rasennarbe
erhebt sich ein naturalistischer Baumstumpf, auf dem ein Papagei sitzt. Unbemalt.
Schwanz und dicker Ast am Baumstumpf abgebrochen.

Der Preiscourant von 1767 nennt „Vögel, chinesische auf Ast sitzend/Detto
detto im Mosrohr stehend/Detto Papagei". Zu unserem Modell, unbemalt
in unbekanntem Besitz (Hofmann,
Abb. 187), ehemals in norddeutschem
Privatbesitz (Helbing, München,
28.9.1917, Nr. 152, Taf. XXV mit Hexagramm-Marke) und ehemals in Slg.

172

174 173

Levi (VK Levi 1956, Nr. 128, bemalt
Nr. 129) gibt es ein seitenverkehrtes
Pendant, bemalt in unbekanntem Besitz (Christie's, Genf, 8.5.1989, Nr.
19). Ein bemaltes Paar ehemals im
Kunsthandel, London (The Antique
Porcelain Co., Ltd., Ill. Catalogue of
English and Continental Porcelain, Juni
1951, Abb. gg. S. 52). Zur Serie
gehören ein Condor (bemalt, im BNM,
Inv.Nr. 63/12, im British Museum,
London, Inv.Nr. 1923, 3-14, 89, und
unbekanntem Besitz, Christie's, London, 6.10.1980, Nr. 88); ein Flamingo
im Schilf stehend (bemalt ehemals Slg.
Hirth, Hofmann, Abb. 191) und im British Museum, London, Inv.Nr. 1923,
3-14, 88; ein Seeadler (unbemalt im
BNM, Inv.Nr. Ker 4358, bemalt ehemals in Slg. Levi, VK Levi 1956, Nr.
126) sowie ein früher unbekannter
Reiher (bemalt, Christie's, London,
25.6.1979, Nr. 219; Sotheby's, London, 25.6.1985, Nr. 163).

173
Ziege auf Sockel
um 1765, wohl D. Auliczek

H. 11,5 cm
ohne Marke; auf der Unterseite alte Preisbezeichnung mit Tusche „f 2"
Inv.Nr. A 234 (Fischer, Luzern, 1962)

Rechteckiger Terrassensockel mit Goldkanten, geschrägten Ecken und Grasbelag. Darauf von einem Baumstumpf ge-

stützt, stehende Ziege mit grau-weiß
geflecktem Fell, den Kopf nach hinten
gewandt.
Hörner und Ausbruch am Sockel ergänzt, Schwanzspitze abgebrochen.

Das Modell wurde schon Bustelli zugeschrieben (AK München 1963, Nr.
233), doch die ungeschickte Stütze verweist – außer dem typischen Sockel –
auf Auliczek als Modelleur, wofür sich
auch Dr. Bäuml entschied. Bemalte Ex.
ehemals in Slg. Hirth (VK Hirth 1898,
Nr. 342) und im Schlesischen Landesmuseum, Opava/Troppau, Inv.Nr. U
50 P (Hofmann, Abb. 188).

Publ.: Fischer, Luzern, 27.6.1962, Nr. 842

174
Sich kratzender Bär auf Sockel
um 1765, wohl D. Auliczek

H. 9,4 cm
ohne Marke; auf der Unterseite alte Preisbezeichnung mit Tusche „1 fl 24 kr"
Inv.Nr. A 155 (L. Steinhauser, München
1949)

Sockel wie vorige Nr., darauf stehender
Bär mit fein gestricheltem, grau-brau-
nem Fell, der sich mit der linken Hin-
tertatze am linken Ohr kratzt und dafür
den Kopf stark nach hinten beugt.
Kleine Brandlöcher im Boden und der
Rückseite des Sockels.

Auch hier gab es bereits eine Zuschreibung an Bustelli (AK München 1963,
Nr. 234), die sich durch die humorvolle Ausstrahlung der Figur eher stützen
läßt, als durch die nachweisbar späte
Ausformung aufgrund der Sockelform.
Dr. Bäuml wies die Figur D. Auliczek
zu.

175
Sauhatz mit Hund (Abb. s. S. 102)
um 1765–70, D. Auliczek

9,5 x 18 x 8,5 cm
PM: RS 3; RM darunter: „2"
Inv.Nr. A 230 (Frhr. von Münchhofen,
Bregenz, 18.8.1961)

Auf ausgeschnittener Sockelplatte mit
kleinen Blattbüscheln nach rechts
springendes Wildschwein, das von
einem Hund davor angesprungen wird,
jeweils auf Baumstützen. Unbemalt.
Bandrisse, linkes Hinterbein und
Schwanz des Hundes fehlen, Grasbüschel abgebrochen, Sockel bestoßen.

Ein vergleichbares Modell wurde, jedoch weniger detailliert und ver-
größert, auch in der Wiener Manufaktur um 1750/55 ausgeführt (MK Wien
1971, Nr. 328, Taf. 57). Dem Motiv
des von einem Hund gejagten Wildes
entspricht auch ein fliehendes Reh von
F.A. Bustelli, das sich bemalt im BNM
befindet (Ker 4293), doch ist dort der
jagende Hund abgebrochen und die
Stütze überschliffen worden.

Publ.: AK München 1909, Nr. 738; Hofmann,
Abb. 204

176
Sauhatz mit drei Hunden
(Abb. s. S. 102)
um 1765–70, D. Auliczek

11 x 24,5 x 8 cm
ohne Marke
Inv.Nr. A 145 (L. Steinhauser, München,
1.3.1939)

Auf ausgeschnittener, dunkelbraun-
grün marmorierter Sockelplatte mit
Grasbüscheln nach rechts springendes,
rotbraunes Wildschwein, wie voriges

175

176

Modell, angegriffen von zwei gefleck-
ten Hunden, während eine dritter
Hund mit heraushängendem Gedärm
auf dem Boden liegt.
Mehrere Beine der Tiere und Grasbüschel fehlen, alte Retouchen deutlich
übermalt, Sockel minimal bestoßen.

Eine symmetrisch komplementäre
Gruppe, unbemalt und wesentlich kleiner (H. 9,2 cm, L. 10,7 cm) in MNC,
Sèvres, Inv.Nr. 10234.2. Die Kampfszene selbst, bei der sich das Wildschwein
gegen drei Hunde zur Wehr setzt, befindet sich bemalt und mit Marke, aber
eigentümlichem Sockel mit naturalistisch reliefierter Oberfläche im Nationalmuseum, Stockholm, Inv.Nr. NM
663/1950. In der Sequenz des Gesche-
hens folgt eine Gruppe, die das Wildschwein bereits am Boden zeigt, von
drei Hunden überwältigt (unbemalt in
unbekanntem Besitz, Christie's, London, 30.6.1986, Nr. 161).

177
Stierhatz mit drei Hunden
neben Baum
um 1765–70, D. Auliczek

17 x 27 x 8,7 cm
ohne Marke
Inv.Nr. A 214 (Mehmel, München,
28.1.1959, ehemals Slg Levi)

Auf rechteckigem Terrassensockel mit
vorne geschrägten Ecken nach links stehender, brauner Stier mit weißer Bles-
se; zwei dunkelbraune Hunde haben
sich in Nacken und Gurgel verbissen,
während auf einem Baumstumpf rechts

ein dritter Hund zum Sprung auf die
Beute ansetzt.
Brandrisse, Blattwerk am Baum und
eine Schwanzspitze bestoßen.

Die originelle Komposition kehrt in einem Bärenkampf wieder, wobei sich
hier ein Jungtier auf den rechts neben
der Kampfszene stehenden Baumstamm flüchtet (Hofmann, Abb. 201).
Der leicht abgeschrägte Sockel auch bei
einer nachfolgenden Szene, die den
Stier im Kampf mit drei Hunden zeigt,
unbemalt ehemals in Slg. Strauss, Wien
(VK Strauss 1922, Nr. 437).

Publ.: VK Levi 1956, Nr. 145

178
Stier
um 1765–70, D. Auliczek

10,5 x 20,5 x 7,5 cm
PM: RS 5
Inv.Nr. A 252 (Alois Schmid, München,
18.4.1968)

Auf ausgeschnittener Sockelplatte mit
Grasbüscheln nach rechts stehender
Stier über einer Baumstütze, den Kopf
zu Boden gesenkt. Unbemalt.
Brandrisse, Reparaturen an Sockel, Hör-
nern und linkem Ohr, Blätter bestoßen.

177

178

179
Stier mit Hund
um 1765–70, D. Auliczek

11,2 x 22,5 x 7,5 cm
PM: RS 3
Inv.Nr. A 293 (Kunsthandel Rudigier,
München, 1983)

Auf ausgeschnittener Sockelplatte nach
links stehender, brauner Stier über einer Baumstütze, der mit den gesenkten
Hörnern einen angreifenden, graubraunen Hund auf den Rücken geworfen
hat.
Blätter abgebrochen, rechtes Horn des
Stiers, Beine und Ohren des Hundes
repariert.

Das Modell entspricht einer unge-
markten Gruppe im BNM, Inv.Nr.
Ker 2547, mit einem Stier, der einen
Panther auf die Hörner nimmt,
während ein zweites Tier die Baum-
stütze verdeckt, auf flacher, ovaler
Sockelplatte (Hofmann, Abb. 199;
Rosenfeld 1949, Abb. S. 64), wird als
Wiener Erzeugnis betrachtet.

Im MAK, Wien, befindet sich eine un-
bemalte Gruppe mit obigem Stier im
Kampf mit drei Hunden auf schrägem
Terrassensockel, Inv.Nr. 8959.

180
Stier mit Panther (Abb. s. S. 104)
um 1765–70, D. Auliczek

11,3 x 23 x 8,5 cm
PM: RS 3, darüber „2"
Inv.Nr. A 44 (Slg. Hirth, 1916)

Auf ausgeschnittener Sockelplatte nach
links stehender Stier wie vorige Nr.,
der mit den Hörnern einen Panther auf-
spießt, der sich in seinem Hals verbissen hat. Unbemalt.

179

Brandrisse, Blätter bestoßen, Schwanz
und rechtes Horn des Stiers sowie rechtes Hinterbein und Schwanzspitze des
Panthers abgebrochen.

Das Motiv des Stiers, der von einem
angreifenden Hund in den Nacken gebissen wird, während dieser ihn auf die
Hörner nimmt, findet sich sehr ähnlich
auf einer Schüssel aus dem Jagdservice
von St. Paul der Wiener Manufaktur,
um 1730/40 (AK München 1994,
Nr. 6.43), dessen Motive als Übernahmen von J. E. Riedingers 1736 in Augsburg erschienen „Betrachtung der
wilden Thiere", der Einzelblätter „Darstellung verschiedener Thiere" und des
„Entwurff(s) einiger Thiere" (1738)
nachgewiesen wurden. Eine enge plastische Umsetzung ist ebenfalls in der
Wiener Manufaktur nachweisbar, wobei die ausgeschnittene Sockelplatte im
Umriß übernommen wurde, jedoch
wesentlich plumper und dicker ausfiel
(Wiener Kunstauktionen, 28.3.1996,
Nr. 919). Auch eine unglasierte Ton-
gruppe zu diesem Thema auf rechteckigem Terrassensockel ist bekannt
(Kunsthandel, München). Die Urheberschaft dieser und zahlreicher ähnlicher
Jagdgruppen muß offen bleiben. In der
Diskussion waren Tonmodelle zu Porzellanfiguren als Werke Auliczeks, zeitgenössische Arbeiten einer kopierenden
Werkstatt in Kehlheim nach Porzellan-
modellen (Hofmann, S. 490 ff.) sowie

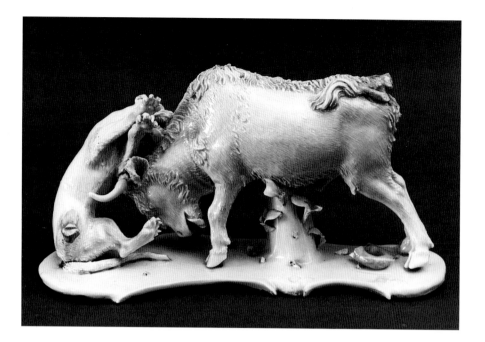

180

Zuschreibungen an den österreichischen Bildhauer Johann Peter Schwanthaler (1720–1795), die auf Überlieferung beruhen (AK Reichersberg 1974, S. 156ff., Nr. 237-246).

Publ.: AK München 1909, Nr. 744; VK Hirth 1916, Nr. 237

182
Stierhatz mit zwei Hunden
um 1765–70, D. Auliczek

13 x 21,7 x 9 cm
PM: RS 3; auf der Unterseite in Rot bez. „40/453" (alte Sammlungsnummer des BNM) Inv.Nr. A 216 (L. Steinhauser, München, 22.5.1959, ehemals Slg. Levi)

Auf ausgeschnittener, braun-grün bemalter Sockelplatte zu Boden gegangener Stier, auf den sich von hinten ein beißender Hund stürzt, während ein zweiter Angreifer von der Last des zusammenbrechenden Stiers zwischen seinen Vorderbeinen fast erdrückt wird, nachdem er ihm in die Gurgel gebissen hat.
Brand- und Haarrisse, rechte Hornspitze des Stiers fehlt, Blattwerk abgebrochen.

Publ.: VK Levi 1956, Nr. 144

181
Stierhatz mit drei Hunden
um 1765–70, D. Auliczek

181

11 x 22,5 x 10 cm
PM: RS 5; auf der Unterseite alte Preisbezeichnung „6 fl. 30" und in Rot bez. „40/454" (alte Sammlungsnummer des BNM) Inv.Nr. A 229 (Mehmel, 10.7.1961, ehemals Slg. Levi)

Braun-grün bemalte Sockelplatte mit braun-weiß geflecktem Stier wie vorige Nr., der seitlich von zwei Hunden über Baumstützen verfolgt wird, während er mit den gesenkten Hörnern einem dritten Hund den Bauch aufschlitzt. Übermalter Brandriß am rechten Hinterbein des Stiers, Blätter und Sockelrand bestoßen, beim angegriffenen Hund das rechte vordere Bein und der Schwanz gekittet.

Publ.: VK Levi 1956, Nr. 146

182

184
Bärhatz mit drei Hunden
um 1765–70, D. Auliczek

10 x 24 x 7 cm
ohne Marke; auf der Unterseite in Rot bez.
„40/456" (alte Sammlungsnummer des BNM)
Inv.Nr. A 215 (L. Steinhauser, München,
1959, ehemals Slg. Levi)

Auf ausgeschnittener, grün-brauner
Sockelplatte nach links gerichtet ein
dunkelgrauer Bär im Kampf mit drei
braunen Hunden, von denen ihn einer
von hinten anspringt, während ein
zweiter von vorne angreift und der dritte bereits zu Boden gegangen ist.
Blattwerk bestoßen, Schwanz des rechten Hundes ergänzt, Sockelplatte am
Rand leicht bestoßen.

Publ.: VK Levi 1956, Nr. 144; Ducret 1962,
S. 184, Abb. 69; Meister/Reber 1980,
Abb. 468

183
Bär am Baumstamm
um 1765–70, D. Auliczek

H. 11,5 cm
ohne Marke
Inv.Nr. A 165 (M. Steiner, Bern, 1951)

Auf ausgeschnittener Sockelplatte sitzender Bär, der sich mit den erhobenen
Vordertatzen an einem rechts stehenden, hohlen Baumstamm abstützt, den
Kopf nach links gewandt. Unbemalt.

Brandrisse am Baumstumpf und Sockel,
Blattwerk abgebrochen.

Die Haltung des Bären ist mit einer unbemalten Hatzgruppe ohne Marke im
V&A, London, Inv.Nr. C. 794-1936 vergleichbar (Honey 1947, Abb. 47b). Die
gleiche Gruppe mit Marke unbemalt
ehemals in Slg. Levi (VK Levi 1956,
Nr. 141).

183

184

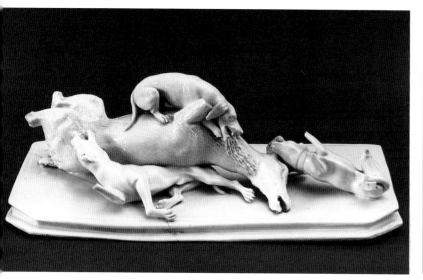

185

186

185
Hirschhatz mit drei Hunden
um 1765–70, D. Auliczek

9 x 25,5 x 10,5 cm
PM: RS 3
Inv.Nr. A 148 (Helbing, München, 8.11.1940)

Auf rechteckigem, nach vorn abfallen-
dem Terrassensockel mit geschrägten
Ecken auf dem Rücken liegender
Hirsch, der von drei Hunden gebissen
wird. Unbemalt.
Freistehende Beine der Tiere sämtlich
abgebrochen, Sockelplatte gekittet.

186
Pantherhatz mit drei Hunden
um 1765–70, D. Auliczek

8,4 x 22,8 x 10 cm
PM: RS 3; auf der Unterseite in Rot bez.
„40/392" (alte Sammlungsnummer des BNM)
Inv.Nr. A 246 (Weinmüller, München, 1965,
ehemals Slg. Levi)

Auf ausgeschnittener Sockelplatte nach
links jagender Panther, der zu beiden
Seiten von Hunden verfolgt wird, die
zum Sprung ansetzen. Unbemalt.
Brandrisse, Blätter bestoßen und abgebrochen, Schwänze des Panthers und
des vorderen Hundes gekittet.

Publ.: VK Levi 1956, Nr. 139; Lempertz,
Köln, 18.5.1962, Nr. 530; Weinmüller,
München, 8.12.1965, Nr. 169

187
Löwenhatz mit Jungen und Hund
um 1765–70, D. Auliczek

12 x 25 x 12 cm
PM: RS 3
Inv.Nr. A 149 (Riggauer, München, 7.3.1941)

Auf ausgeschnittener Sockelplatte mit
Grasbüscheln nach rechts stehender
Löwe, der mit der linken Vorderpranke
einen auf dem Rücken liegenden Hund
schlägt. Im Vordergrund und hinter
dem großen Löwen je ein Löwenjunges.
Unbemalt.

Brandrisse, Blattwerk bestoßen,
Schwänze defekt.

Eine bemalte Ausformung auf Terras-
sensockel ehemals in Slg. Hirth (Hof-
mann, Abb. 209). Ein Löwe in ver-
gleichbarer Haltung, der von Hunden
angegriffen wird, als Bemalung einer
Schüssel aus dem Jagdservice von St.
Paul (AK München 1994, Nr. 6.11).
Bei dieser Darstellung springt u.a. ein
Hund von rückwärts den Löwen an.
Diese Darstellung übernimmt eine
unbemalte Gruppe im MNC, Sèvres,
Inv.Nr. 10234.1.

187

Geschirre des 18. Jahrhunderts

Tableware of the 18th Century

Die archivalischen Quellen, die Friedrich H. Hofmann für seine Angaben über die Geschirrproduktion in Neudeck und Nymphenburg benutzte, sind im Krieg verloren gegangen; aus diesem Grund kann man für historische Zitate nur auf seine Veröffentlichungen zurückgreifen. Häufig sind diese Angaben sehr summarisch und kaum detailliert, so daß nur selten die Benennung einzelner Serviceteile verifiziert werden kann. Andererseits sind Formstücke bekannt, die zwar ausgefallen sind, sich jedoch nicht nachweisen lassen. Der große Bestand an Geschirrformen, die bereits im Sommer 1755 erwähnt werden, umfaßt jedenfalls sicher die heute bekannten Modelle der typisch Nymphenburger (Neudecker) Kaffee-, Tee- und Speiseservice. Zitate aus den Preiscourants von 1767 und 1792 werden ohne Quellenangabe angeführt, da der faksimilierte „Preiscourant von Porcellains bey der Churfürstlichen baierischen Fabrique in Nymphenburg" aus dem Bestand der Bayerischen Staatsbibliothek bei Hofmann in Beilage I, die Abschrift des „Preiskourant der Porzellanwaaren bey der kurfürstl. Porzellanfabrike zu Nymphenburg" von 1792 bei Mathias von Flurl, „Beschreibung der Gebirge von Baiern und der Oberen Pfalz" (Nachdruck, hrsg. von Gerhard Lehrberger, München 1992) im Anhang veröffentlicht sind.

Neben einigen nur selten oder bislang nur in einer Ausformung nachweisbaren Modellen, besitzen die meisten Kaffee- und Milchkannen eine ausgewogene Birnform, eine angesetzte Schnaupe und einen Henkel aus zwei C-Bögen, wobei der obere Schwung stets in zwei Spitzen ausläuft. Letztere ziert ein Rocaillerelief, das den Rändern entsprechend staffiert wurde. Bei den Teekannen in Ballonform variieren der Tierkopfausguß und die Deckelform. Die Teetassen sind überwiegend halbkugelig mit glatter Wandung oder ausgestelltem Lippenrand. Die Stab- oder Bandhenkel sind einfach und in Ohrform gebogen. Ovale Schälchen, die in anderen Manufakturen als Löffel- oder Einsetzschale bezeichnet wurden, hießen in Nymphenburg „Brodttasse" und wurden für Gebäck benutzt. Hier sind die Formen vielfältiger. Auch Zuckerdosen können verschiedene Formen besitzen.

Das „Große" und „Kleine" Nymphenburger Laubrelief unterschieden sich deutlich von den Vorbildern: in Meissen um 1745–50 die Reliefs „Prunusstaude" und „Weinlaub" und dem zwischen 1751–57 zu datierenden „Blütenstaudenrelief" in Berlin (Zick 1978, Nr. 250–259). Während in Berlin die Reliefs auf glatte Formstücke per Hand aufgetragen wurden, wurden sie in Meissen und Nymphenburg mit „radierten" Gipsformen hergestellt, in die das Muster negativ eingeschnitten war. Das „Große Laubrelief" kombiniert sechsblättrige Blüten mit dreilappigen Blättern an geschwungenen Stielen, während das „Kleine Laubrelief"

The archival sources that Friedrich H. Hofmann used for his references on the tableware production in Neudeck and Nymphenburg were lost during the war; for this reason one can only resort to his publications for historical citations. These references were often only summarizing and hardly detailed, so that the designation of the individual pieces of a service can be verified only rarely. On the other hand, forms are known that are unusual, but cannot be proven. The extensive holdings of different forms of tableware, already mentioned in the summer of 1755, certainly include the models of the typical Nymphenburg (Neudeck) coffee, tea, and dinner services known today. Sources for the quotations from the price lists of 1767 and 1792 are not cited since the facsimile of the *Preiscourant von Porcellains bey der Churfürstlichen baierischen Fabrique in Nymphenburg* – a copy of the *Preiskourant der Porzellanwaaren bey der kurfürstl. Porzellanfabrike zu Nymphenburg* by Mathias von Flurl, 1792 – from the holdings of the Bayerische Staatsbibliothek (Bavarian State Library) is published by Hofmann in the appendix of Supplement I of *Beschreibung der Gebirge von Baiern und der Oberen Pfalz* (reprint, publ. by Gerhard Lehrbergen, Munich, 1992).

Aside from models that can be documented only rarely or only on the basis of one execution, most coffee pots and milk jugs have a harmonious pear shape, an attached spout, and a handle consisting of two C-shaped arches, the upper curve always ending in two points. The latter is decorated with a rocaille relief, which was painted to match the edges. In the tea pots in balloon shape the animal head spout and the shape of the lid are varied. The tea cups are for the most part half-spherical with a smooth wall or a protruding lip. The round or flat handles are simple and have an ear-shaped curve. Small oval bowls, which were called spoon or insert bowls at other factories, were called "Brodttasse" in Nymphenburg and were used for baked goods. Here the forms are more varied. Sugar bowls can also have diverse forms.

The "large" and "small" Nymphenburg reliefs of leaves *(Großes* and *Kleines Laubrelief)* are clearly distinct from the prototypes: the reliefs *Prunusstaude* (Prunus plant) and *Weinlaub* (vine leaves) in Meissen around 1745–50 and the *Blütenstaudenrelief* (flowering shrubs) in Berlin, to be dated between 1751 and 1757 (Zick 1978, nos. 250–259). While in Berlin, the reliefs were attached onto smooth forms by hand, they were made in Meissen and Nymphenburg with "etched" plaster molds, in which the negative of the pattern had been cut. The *Großes Laubrelief* combines flowers with six petals, and three-bladed leaves on curving stalks, while the *Kleines Laub-*

dem Wasserhahnenfuß mit fünfblättrigen Blüten und drei-teiligen Blättern ähnelt.

Runde und ovale Terrinen mit Zitronenknauf auf vier Füßchen, 1755 als „Potoglies nach französischem Gou" be-zeichnet (Hofmann, S. 570), auf passenden, gehenkelten Unterplatten sind bis in die 1780–90er Jahren die gängigen Modelle. Die übrigen Gefäße der Tafel folgen diesen Ent-würfen. Eine Modifikation war die Terrine mit zusätzli-chem Reliefmedaillon auf der Wandung, Artischockenknauf und Unterplatte (Kat. 211). Bei den Speisetellerformen reicht das Spektrum von einfachster Sorte mit glattem Rand über solche mit gewelltem Rand, festoniertem Rand, gemu-schelter Fahne und Korbmuster bis zu einer Reihe aufwen-dig reliefierter Dessertteller und unterschiedlich gestalteter Schalen und Gefäße im Zusammenhang mit der Dessert-tafel. Zum Tafelservice gehörten laut Preiscourant von 1767 Flaschen- und Gläserkühler, gedeckelte Bouillontassen, Li-körtässchen, Tischvasen und Leuchter, während als „Diver-se Porcellaine, welche unter kein Assortiment gehören" im Preiscourant von 1767 Vasensätze, Rechauds, Weihwasser-kessel, Uhrgehäuse oder Barbierschüsseln aufgeführt wa-ren. Unter „Galanterien" verstand man Degen- und Stock-knäufe, Pfeifenköpfe, Tabatieren und Etuis, die jeweils dem herrschenden Zeitgeschmack folgten und teilweise auch mit einem Entwerfernamen in Verbindung zu bringen sind.

Für die Jahre zwischen 1755, als man erstmals Geschirr vergolden konnte und 1767, dem Jahr der großen Entlas-sungen im gesamten Personalbestand, sind rund 50 Maler und 55 Malerjungen namentlich bekannt. Doch keine Ar-chivalie bringt einen Künstler mit einem Werkstück in Ver-bindung. Obwohl es den Porzellanmalern des 18. Jahrhun-derts generell nicht zugestanden wurde, ihre Arbeiten zu bezeichnen, haben sich doch einige Objekte erhalten, die uns Aufschluß über ihre Urheber geben. Scheinbar wurde in Nymphenburg streng auf diese Verordnung geachtet, während es in anderen Manufakturen den Malern häufig gelang, diesen Erlaß zu umgehen.

Bei der Auswahl der Geschirre aus dem Sammlungsbestand wurde darauf geachtet, möglichst alle Formstücke sowie die breite Palette der Bemalungen exemplarisch vorzustellen.

relief is similar to the *Wasserhahnenfuß* (water crowfoot) with flowers of five petals and three-bladed leaves.

Round and oval tureens with lemon knobs on four small legs, designated in 1755 as "Potoglies nach franzö-sischem Gou" (tureens in the French taste: Hofmann, p. 570), on matching platters with handles, are the popu-lar models into the 1780s–90s. The other vessels of the service follow these designs. A modification was the tureen with the additional relief medallion on the wall, an arti-choke knob and platter (cat. no. 211). The spectrum of plate shapes ranges from the simplest type with a smooth edge to those with a wavy edge, with festooned edge, scal-loped border, and basket pattern to a series of dessert plates with lavish reliefs and differently shaped bowls and vessels in connection with the dessert service. According to the price list of 1767, ice buckets for bottles and glasses, lidded bouillon cups, small liqueur cups, table vases, and candelabra belonged to the table service, while sets of vases, food warmers, baptismal bowls, clock cases, or shav-ing bowls were listed under "diverse porcelains that do not belong to any specific assortment." With "Galanterien" one meant knobs of rapiers and walking sticks, bowls of pipes, tobacco tins and cases, which always followed the current fashion and can also sometimes be connected with the name of a designer.

For the years between 1755, when one could gild tableware for the first time and 1767, the year in which many employees in all areas were made redundant, about 50 painters and 55 painter apprentices are known by name. But no record creates a link between an artist and a piece of work. Although porcelain painters were generally not entitled to sign their work, some pieces that give us an indication about their creator have survived. Apparently one observed this decree very strictly in Nymphenburg, whereas in other factories the painters often managed to circumvent this edict.

Examples of as many forms as possible as well as of the broad range of painted decoration were selected from the collection holdings of tableware.

192   189   195   188   194

188–190
Drei Ziervächen
um 1755, Ausformung um 1765

H. 13,5 cm, Sockel 4 x 4 cm
PM: RS 13, 3 Punkte eingestochen;
190: in Purpur bez. „C.H.C."
Inv.Nr. B 558 a - c (Prov. unbekannt, 1951)

Quadratischer, sich nach oben verjüngender Sockel mit geschwungenem Profil. Becherförmiges Väschen auf Trompetenfuß mit geschwungenem Rand
und ausschwingenden Rocaillegriffchen,
darin plastische Blütenbäumchen. Unbemalt.
Brandrisse, restauriert, Fehlstellen,
Blüten bestoßen.

Das Modell gehört vermutlich zum
Gartendessert von 1755, da bereits in
diesem Jahr „Vaserln mit Bluem-
büschlen" erwähnt werden (Hofmann,
S. 570). Eine Beschreibung liefert der
Preiscourant von 1767: „1 Vase pousirt
ohne Henkel mit Blumenbuschen", die
es in zwei Größen gab.

191
Ziervächen (o. Abb.)
um 1755–60, Ausformung
Ende 18. Jh.

H. 8 cm, Sockel 4 x 4 cm
PM: RS; RM: „.S: 4. I"
Inv.Nr. B 323b (Baronin v. Ramberg, 1921)

Modell wie vorige Nr., jedoch kleiner
und ohne Blumen, Staffage in Purpur
und Gold.

Mehrfach bestoßen, Gold berieben.
Zwei unbemalte Ex. in der LGA im
GNM, Nürnberg, Inv.Nr. 5295/1-2.

192–194
Drei Tafelleuchter
um 1765, J. Häringer zugeschrieben

H. 18,5 cm, Ø 13–14,5 cm
PM: RS 9, darüber „o"
Inv.Nr. B 518a+b (Prov. unbekannt);
B 247 (Slg. Seitz, 1912)

Runder, glockenförmig ansteigender
Sockel, Balusterschaft mit Nodus, Ker-

zentülle mit ausgestelltem Rand. Voll-
ständig mit plastischen Rocaillen und
Ranken überzogen. Unbemalt.
Sockelränder bestoßen, bei Kat. 193
Stück der Tülle ausgebrochen.

Das Modell „Tafelleuchter pousiert"
wird 1762 erstmals erwähnt (Hofmann,
S. 572). Dieser Hinweis könnte sich
mit der Zahlung von 75fl. an den Stuk-
kateur Johann Häringer aus Wesso-
brunn, im Jahr 1763 „für verfertigte
Modelle und Risse" in Verbindung bringen lassen (Hofmann, S. 510). Ein unbemaltes Paar „in überaus flotter Relief-
ornamentik" ehemals in Slg. Hirth (VK
Hirth 1898, Nr. 187). Zwei rosa-grün-
blau-orange staffierte Leuchter im
WLM, Stuttgart, Inv.Nr. 8,524, ebensolche in der PSZ, Dresden, Inv.Nr.
P.E. 4301-4302 (der zweite Leuchter
mit einem blütenförmigen Tülleneins-
satz), zwei unbemalte im MKH, Frankfurt, Inv.Nr. 3328/RF 809 (MK Frankfurt 1983, Nr. 362).

Publ.: VK Seitz 1912, Nr. 147

195
Zierväschen (Abb. s. S. 109)
um 1765, Ausformung Ende 18. Jh.

H. 12 cm
PM: RS 11(?)
Inv.Nr. B 730a (Ruef, München, 1966)

Auf rundem Trompetenfuß umgekehrte Birnform mit hohem Hals, Korpus in senkrecht geschwungene Züge gegliedert und mit waagerechtem Wellenrelief; zwischen Hals und Schulter plastische Delphine als Henkel. Unbemalt. Henkelenden abgebrochen, am Fuß bestoßen.

Eine Vase „mit 2. Delphin-Henkel, pousiert" wird 1767 im Preiscourant erstmals erwähnt. Henkel in Delphinform sind schon um 1735 in Meissen bei einer kleinen Terrine nachweisbar (Wark 1960, Abb. 98). Senkrechte Züge und eine waagerechte Unterteilung besitzen die sehr ähnlichen Tischväschen aus dem bis 1741 größtenteils fertiggestellten Schwanenservice für Graf Brühl aus Meissen, eine Variante mit glatten Korpus auf gewelltem Fuß ist in Höchst um 1765 nachweisbar (AK Frankfurt 1994, Nr. 4.11.1).

Publ.: Ruef, München, 22.11.1966, Nr. 66

196–199
Vier Likörtässchen (Abb. s. S. 146)
um 1755–60, Ausformung um 1765

H. 3,3 cm, ⌀ 3,3 cm
PM: RS 10, „70" und „↥"
Inv.Nr. B 121 a-d (Prov. unbekannt, 1915)

Auf eingezogenem Standring hohe Becherform mit ausschwingendem Lippenrand; glatte Bandhenkel in Ohrform. Goldstaffage.
Kat. 198 bestoßen.

„Rosolis-Böcherln" tauchen schon 1755 im Inventar auf (Hofmann, S. 570). Man servierte in den kleinen Tässchen auf einem Tablett nach dem Dessert süße Liköre, vermutlich bevorzugt mit Rosenwasser versetzt oder mit Rosenöl parfümiert.

200
Salzgefäß mit Deckel
um 1760, Ausformung Ende 18. Jh.

8 x 9 x 8 cm
PM: RS 21; RM darunter: „76"
Inv.Nr. B 158a (Slg. Hirth, 1916)

Oval, auf kleinen Volutenfüßchen zwischen reliefierten Ranken und Rocaillen; der bauchige Korpus mit Wulstrand vierfach mit doppelten Zügen senkrecht gegliedert, die sich auf dem zweifach abgetreppten, gewölbten Deckel fortsetzen; Birne als Knauf. Innen durch Querwand geteilt. Unbemalt.

„Salzpixln mit Deckel" erwähnt das Inventar erst 1759 (Hofmann, S. 571). Die Form entspricht einer Verkleinerung der ovalen Terrine (Kat. 303).

Publ.: AK München 1909, Nr. 197; VK Hirth 1916, Nr. 155

201
Salzgefäß (o. Abb.)
um 1760

5,2 x 10 x 8,5 cm
PM: RS 9 und „7"
Inv.Nr. B 158b (Slg. Hirth, 1916)

Form wie obige Nr., aber ohne Querwand und Deckel. Unbemalt.

Publ.: AK München 1909, Nr. 197; VK Hirth 1916, Nr. 155

200

202
Salzgefäß (o. Abb.)
um 1770, Ausformung Ende 18. Jh.

4,9 x 9 x 7,5 cm
PM: RS 21, „L" und „7"
Inv.Nr. B 28 (Slg. Seitz 1912)

Form wie vorige Nr., die Wandung jedoch glatt, die Ranken dünner, die Rocaillen über den Füßchen hochgezogen. Unbemalt.
Bestoßen, Glasur im Brand verfärbt.

Publ.: VK Seitz 1912, Nr. 146

203
Milchkanne mit Großem Laubrelief
um 1755, Ausformung um 1765

H. 15 cm
PM: RS 13, darunter Strich
Inv.Nr. B 664 (Karl Schneider, Frankfurt, 30.6.1960)

Birnform auf gekehltem Standring wie Kat. 687, jedoch kleiner, zwei plastische Blütenreliefs unterhalb der

203

Schnaupe und des Henkelansatzes, gedrehter Ohrhenkel, hochgewölbter Aufsatzdeckel mit glattem Profilrand, Blütenrelief und spitzem Knauf. Unbemalt.
Standring bestoßen, Brandriß unterhalb
des Knaufs.

Ein „Milchhäfferle mit Laub" im Porzellaninventar von 1755 genannt, zum
„Service mit Großem Laubrelief"
gehörig, siehe Kat. 687ff.

204
Teedose mit Großem Laubrelief
um 1755–60

H. ohne Deckel 11,7 cm
PM: RS 4
Inv.Nr. B 590 (L. Steinhauser, München,
6.4.1954)

Rechteckig, mit gerundeter, leicht überstehender Schulter und kurzem, geradem Hals. Auf allen Flächen großblätt-
riges Laubrelief.
Deckel fehlt. Eine Ecke oben und Kante
unten bestoßen.

Ein „Teefläschchen mit Laub" 1755 im
Porzellaninventar genannt, zum Service
mit „Großem Laubrelief" gehörig, siehe
Kat. 687ff.

204

205
Weinkännchen mit Großem Laubrelief
um 1760

H. ohne Deckel 10,5 cm
PM: RS 4 und „2", RS 4 auf der Abdeckung
der Tüllenspitze
Inv.Nr. B 384 (Slg. v. Ostermann, 1928)

Rund, hoher eingezogener Standring.
Umgekehrte, gedrückte Birnform mit
ausgestellter, profilierter Öffnung,
Asthenkel in Ohrform. Ausgezogene,
sechskantige Tülle mit oben abgedeck-
ter Spitze. Kleines plastisches Laubrelief
auf den Seiten und unterhalb der Tülle.
Unbemalt.
Deckel fehlt. Kleiner Brandriß, an der
Tülle bestoßen.

Als „Krüglein zum Allantwein mit
Laub" wird 1758 erstmals erwähnt
(Hofmann, S. 571). Ein bemaltes Ex.
ehemals in Slg. Czermak, München
(VK Czermak 1917, Nr. 276, Taf. XI
und VK Czermak 1920, Nr. 121,
Taf. I).

Publ.: VK Ostermann 1928/II, Nr. 415

206
Muschelschale (Abb. s. S. 164)
um 1760, Ausformung um 1790

21,5 x 18,5 cm
In Purpur ligiert bez. „CT. 1793"
Inv.Nr. B 534 (Prov. unbekannt)

Naturalistische Muschelform mit pla-
stisch geriefter Unterseite, innen glatt.
Unbemalt.
Kleiner Glasurriß, Ränder berieben.

„Konfektschalen in Form von Muscheln" werden bereits 1759 genannt
(Hofmann, S. 571), siehe auch Kat. 439
und 443. Zwei ebenfalls „CT. 1793"
bezeichnete Schalen aus der Hofküche
des Kurfürsten Karl Theodors im Nationalmuseum, Stockholm, Inv.Nr. NM
665a-b/1950.

205

207
Dessertteller mit durchbrochenem Rand
um 1760

H. 3 cm, Ø 22,5 cm
PM: RS 9; RM: „69"
Inv.Nr. B 230 i (L. Steinhauser, München,
März 1919)

Rund, glatter Standring. Im Spiegel ra-
diales Flechtmuster, auf Steigebord und
Fahne reliefiertes Gitterwerk mit einem
waagerechten Stab über dem Steigebord, dem Geflecht folgend kleinteilig
gebogte, durchbrochene Fahne.
Brandrisse, am Standring bestoßen.

„Geflochtene" Teller sind summarisch
seit 1755 nachweisbar (Hofmann,
S. 570). 1763 unterscheidet man
„durchbrochene und undurchbroche-
ne" Teller (Hofmann, S. 571) und
bezieht sich damit auch auf das Teller-

207

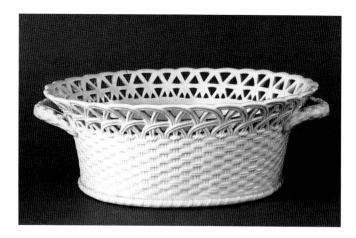

208

209

modell Kat. 365. In Meissen wurden erst 1764–1773 Dessertteller „No. 3" mit diesem Relief eingeführt, deren Fahne jedoch zusätzlich glatte Rocaillemedaillons füllten (Reinheckel 1968, Abb. 126; Röntgen 1984, Abb. 185).

208
Ovaler Korb
um 1760–70

7 x 22,8 x 17,5 cm
PM: RS 3, im Standring „3 PL M"
Inv.Nr. B 691a (Ruef, München, 1962)

Oval, nach oben ausladende Wandung. Bodenunterseite mit radialem Flechtwerk, in dessen Mitte das gepreßte Rautenschild. Umwickelter Standring, Außenseite zu zwei Dritteln mit waagerechtem, doppelt geführtem Flechtwerk reliefiert. Der Rand als bogenartiges Flechtwerk durchbrochen. Henkel ebenfalls mit Flechtwerk reliefiert. Unbemalt.
Bestoßen, Fehlstelle im Relief und Brandriß.

210

Körbe werden bereits 1760 und 1763 erwähnt, jedoch ohne nähere Beschreibung. Im Preiscourant von 1767 sind dann „durchbrochene Konfektkörbe, rund und oval" aufgeführt.

209
Ovaler Korb
um 1760–70, Ausformung Ende 18. Jh.

7 x 23 x 15,3 cm
PM: RS 21, „L" und „o", Punkt eingestochen; RM: Strich
Inv.Nr. B 656 (Frau Prof. Hofmann, München)

Oval und achtfach eingeschwungen, glatter profilierter Standring, Wandung durch acht flache Stäbe senkrecht unterteilt und mit lockerem, doppelläufigem Flechtwerk durchbrochen, das sich nach oben weitet. Den Zügen folgend geschwungener Wulstrand, doppelläufige Rocaillehenkel über reliefierten Rocaillefeldern. Unbemalt.

Ein unbemaltes Ex. dieser Größe ehemals in Slg. v. Gasser (VK Gasser 1912, Nr. 596).

210
Runder Korb
um 1760–70

H. 7 cm, Ø m. Henkeln 23,5 cm
ohne Marke
Inv.Nr. B 427 a (Bruschwiler, München, 11.7.1936)

Rund, sonst wie vorige Nr. Unbemalt. Spiegel überlackiert, kleine Glasurrisse.

211
Fragment einer Unterplatte mit Henkel
um 1765–70

L. ca. 47 cm
PM: RS 8 und „F"; RM: „47"
Inv.Nr. B 42 (Prov. unbekannt)

Oval, glatter Spiegel, steiler Steigebord, Fahne durch radiale Rippen in vier breite und vier schmale Felder unterteilt, darin querovale Medaillons mit Umrahmung aus abwechselnd rechteckigem und rautenförmigem Gitterrelief, quadratischem Gitter mit Blüten sowie geschwungenen Parallellinien mit Kreisen und Punkten. Doppelläufig durchbrochene Rocaillehenkel. Unbemalt.
Eine Schmalseite der Platte mit Henkel fehlt. Brandrisse, Schlechte Glasur.

Das Modell ist bisher nur in zwei Ausformungen als Unterplatte ovaler Terrinen mit Artischockenknauf in Slg. Ducret mit „Grüner Landschaft" (Ducret 1977, Abb. S. 85) und mit „Bunter Landschaft" im Campbell Museum nachgewiesen (MK Camden 1969, Nr. 32), letztere ohne Unterplatte auch in unbekanntem Besitz (Weinmüller, München, 27.11.1974, Nr. 143). Die Gitterreliefs seitlich der Reserven kombinieren Motive des Meissener Alt-Brandensteinreliefs in der Art des Brühl'schen Allerleireliefs und vergleichbar mit einem Reliefdekor, wie er auch für das Service Graf Gotters um 1753 in Berlin verwendet wurde (AK Hamburg 1993, Kat. Nr. 1, 2, 4).

211 Detail

212
Ovale Schale
um 1765–70, J. Häringer zugeschrieben

30 x 24,5 cm
Hexagramm-Marke in Sternform Nr. 14
Inv.Nr. B 155 (Slg. Hirth, 1916)

Oval, flacher Spiegel, breiter Steigebord, Fahne achtfach durch radiale Züge in vier schmale und vier breite Felder unterteilt, abgesetzter Wulstrand. Im Spiegel ein reliefiertes Blumen- und Früchtestilleben, auf der Fahne umlaufendes Rocaille- und Rankenwerk in Relief. Unbemalt. Eisenflecken in der Glasur.

Publ.: AK München 1909, Nr. 5; VK Hirth 1916, Nr. 145

213–216
Vier Blattschälchen
um 1765–70

4,0–4,4 x 10,2–10,8 x 6,9–7,4 cm
213: PM: RS 22. 214+215: ohne Marke.
216: in Rot bez. „C.[...] C."
Inv.Nr. B 379 a-d (Slg. v. Ostermann, 1928)

Tiefe Geleeschälchen mit dem Umriß eines herzförmigen, gekerbten Blattes, seitlich Astgabel als Henkel, der in ein plastisches Blütenrelief auf der Unterseite übergeht, dessen größere Blätter als Füßchen dienen. Bei Kat. 213 fein reliefierte, herzförmige Blätter mit gefedertem Rand; bei Kat. 214+215 ebenso mit zwei vierblättrigen Blumen, Kontur und Anordnung pro Schälchen symmetrisch aufeinander bezogen. Unbemalt. Kat. 216 wie 215, aber ohne Blüten und grün staffiert.
Kleine Brandrisse. Kat. 216: Henkel fehlt.

Zwischen 1765 und 1767 müssen die, im Preiscourant aufgeführten „Sulz- oder Geleè-Schalen mit Asthenkel, weinlaub. Facon" entstanden sein (Hofmann, S. 573). Die Formgebung beruht auf einer Meissener Tasse, die schon seit 1708 in Böttgersteinzeug nach einem Blanc de chine Porzellan ausgeformt wurde (AK Dresden 1982, Nr. I/12; Inv.Nr. P.E.1767). Die botanisch unkorrekte Bezeichnung als „Tassen auf Eichelarth" gab es sowohl bei Verkaufslisten in Meissen von 1731 (MK

212

Berlin 1980, Nr. 123), wie auch in Nymphenburg als „Weinlaub-Facon". Übernahmen kommen schon um 1730 in Wien (Jedding 1968, Nr. 122), um 1755 in Höchst (AK Frankfurt 1994, Nr. 4.5.4.) und Fulda vor (AK Fulda 1994, Nr. 125). Das Modell in einer größeren Ausformung L. 12 cm mit Blumen in Purpurcamaieu im BNM, Inv.Nr. 14/68.

Publ.: VK Ostermann 1928/II, Nr. 413

217–232
16-tlg. Kaffee- und Teeservice mit „Kleinem Laubrelief"
um 1765–70
Inv.Nr. B 18 a-p (Kunsthandel I. F. v. Herck, Antwerpen, 23.4.1910)

217
Kaffeekanne (Abb. s. S. 114)
H. 22,5 cm
PM: RS 13, „P", „J" und „⥮"
Inv.Nr. B 18 a
Birnform mit goldstaffiertem Profilrand auf gekehltem Standring, Oberseite des Henkels aus zwei C-Bögen und Unterseite der Schnaupe mit goldstaffiertem Rocaillenrelief, gewölbter Aufsatzdeckel mit Pinienzapfenknauf. Auf beiden Seiten aufwachsende Ranken aus braunen Stielen mit gelb-grünen, dreiteiligen Blättern und gelben, eisenroten, purpurnen und blauen Fiederblüten.
Zwei Haarrisse, Standring und Deckel am Rand bestoßen. Gold berieben.

215 214 216 213

224　217　221　222

218
Milchkanne (o. Abb.)
H. 18 cm
PM: RS 4, „PL", „J" und „↕"
Inv.Nr. B 18b
Form und Dekor wie vorige Nr., nur
kleiner.
Am oberen Rand Fehlstelle, mehrfach
bestoßen.

219
Teekanne
H. 12,2 cm
PM: RS 4, „PL", „J" und „↕"
Inv.Nr. B 18d
Ballonform mit innen abgesetztem
Stand, Henkel wie vorige Nr., leicht ge-
schwungene Tülle mit Tierkopfausguß,
flacher Einsatzdeckel mit Pinienzapfen-
knauf. Bemalter Reliefdekor wie oben.
Stand bestoßen, kleine Fehlstelle am
Deckel.

Eine Teekanne mit vergoldetem Relief
im V&A, London, Inv.Nr. C.29&A-1922
(Honey 1947, Abb. 40).

220
Teedose („Theeflaschl")
14,5 x 8,3 x 5,3 cm
PM: RS 13, „PL", „J" und „↕"
Inv.Nr. B 18e
Rechteckig, umlaufend nach innen ab-
gesetztes Standprofil, Ecken geschrägt,
geschwungene, leicht überkragende
Schulter, zylindrischer Hals, Stülpdeckel mit Pinienzapfenknauf. Goldstaffage und bemalter Reliefdekor wie
oben.
Zwei Ecken bestoßen, Deckel restauriert.

221
Zuckerdose
9,5 x 11,5 x 7,5 cm
PM: RS 9, „I"
Inv.Nr. B 18c
Oval, vier konvexe Züge über dem ge-
kehlten Standring, der becherförmigen
Wandung und dem gewölbten, abge-
treppten Aufsatzdeckel; umlaufend be-
malter Reliefdekor wie oben.
Ränder bestoßen.

222
Gebäckschale („Brodtasse")
19,4 x 15,2 cm
PM: RS 2, „PL", „M" und „4"
Inv.Nr. B 18c
Oval, glatter Spiegel, aufgebogener
Rand vierfach eingeschwungen, unter-
halb umlaufend bemalter Reliefdekor.
Rand bestoßen, Brandriß im Boden.

223
Spülkumme („Spühlnapf")
(o. Abb.)
H. 8,8 cm, Ø 16,7 cm
PM: RS 9, „PL" und „↕"
Inv.Nr. B 18f
Rund, gekehlter Standring, leicht aus-
schwingende Wandung, außen drei
Blütenzweige als bemalter Reliefdekor.
Oberer Rand bestoßen, Glasur innen
abgewetzt.

224–227
Vier Kaffeetassen mit
Untertassen
Obertassen: H. 6,8 cm, Ø 6,9 cm
Untertassen: Ø 13 cm
Obertassen: PM: „PL", „H" und „↕"
Untertassen: PM: RS 5 und 13, „PL" und „3"
Inv.Nr. B 18g-k

220   231   219

Obertasse auf glattem Standring, hohe becherförmige Wandung, ohrförmiger Volutenhenkel. Außen umlaufend drei Blütenzweige als bemalter Reliefdekor. Schalenförmige, niedrige Untertasse mit glattem Spiegel auf Standring. Auf der Außenseite umlaufend drei Blütenzweige als bemalter Reliefdekor, auf der Oberseite drei entsprechend gemalte Blütenzweiglein.
Mehrfach bestoßen.

228–232
Fünf Teetassen mit Untertassen
Obertassen: H. 4,4 cm, Ø 7,7 cm
Untertassen: Ø 12,6 cm
Obertassen: PM: RS 9 und 13, „PL" und „I"
Untertassen: PM: RS 4 und 13, „PL" und „3"
Inv.Nr. B 18 l-p
Teetassen auf glattem Standring, halbkugelige Wandung mit leicht ausgestelltem Lippenrand, einfache Ohrhenkel. Dekor wie oben, im Boden der Tasse entsprechend gemaltes Blütenzweiglein. Untertassen wie oben.
Bestoßen.

„Ein gantzes Caffee-Service mit kleinem Laub" nennt erstmals die Jahresrechnung 1764 (Hofmann, S. 571), und es dürften die Teile des Teeser-

vices darin enthalten sein, obwohl die Geschirrform nicht im Preiscourant von 1767 aufgeführt ist, dafür aber 1792 noch angeboten wird. Es handelt sich um eine bereicherte Verkleinerung des 1755 genannten Reliefdekors mit „Großem Laub", siehe Kat. 687–694. Neben den aufgeführten Formen gab es noch eine runde Teedose mit gerundeten Schulter, ehemals mit pastellfarbenen Blumen bemalt und bunt staffiert in Slg. Czermak (VK Czermak 1917, Nr. 278, Taf. VII).
Durch den terminus post quem 1764 ergeben sich auch neue Anhaltspunkte für das eingepreßte, ligierte Monogramm „PL", das von den bisher archivalisch ermittelten Drehern überzeugend dem, wohl aus Wien kommenden, Peter Lang zugeteilt wurde, der nicht nur zwischen Herbst 1753 und Mai 1755 in Neudeck tätig gewesen sein kann, wie früher angenommen (Hofmann, S. 333).
Die Vielzahl der so gemarkten Geschirre in dieser und anderen Sammlungen bedeutet entweder, daß Lang nach seiner Entlassung wieder neu eingestellt wurde, oder das Monogramm anders aufgelöst werden muß, wofür sich jedoch in den erhaltenen Listen der

Mitarbeiter kein entsprechender Name anbietet.

Publ.: Hofmann, Abb. 29, 30; Schönberger 1949, Taf. 44

233–235
Drei Deckeldöschen (Abb. s. S. 116)
um 1765–70

H. 7,5 cm
PM: RS 13; RM: „76"
Inv.Nr. B 806 a-c (Slg. Thurn und Taxis, Regensburg, 1993)

Runder, glatter Standring, blütenförmiges Gefäß mit plastischen, übereinander greifenden Artischockenblättern, flacher Einsatzdeckel mit liegenden Blättern reliefiert, stehende Blätter am Rand. Stielförmiger Knauf mit Fruchtstand. Unbemalt.

Das bislang unbekannte Modell stammt ursprünglich aus einer Gruppe von sieben Döschen und könnte Teil jener „Plat Menage von 11 Stücken" (auch von 6 Stücken) sein, die der Preiscourant von 1767 aufführt. Man darf sich

233–235   236

darunter eine ovale Platte vorstellen, die in der Mitte des Tisches stand und in der flache Spiegel für kleine Gewürzgefäße ausgespart waren. Artischockenblätter als Reliefdekor sind bereits um 1730 in Saint Cloud bei einem Kaffee- und Teeservice im Musée des Arts Décoratifs, Paris, nachweisbar, wobei jenes Gefäß, das formal unser Vorbild ist, wiederholt als Schminktöpfchen (?) bezeichnet wurde (Gauthier 1964, S. 64; Terrasson 1969, Taf. XI). Eine Benutzung als Cremetöpfchen ist jedoch wahrscheinlicher.

Publ.: VK Thurn und Taxis 1993, Nr. 2881

236
Salatschale
um 1765–70, Ausformung um 1800

H. 9,5 cm, Ø 24 cm
PM: RS 26, „S", im Standring 2 Punkte eingestochen
Inv.Nr. B 630 (L. Steinhauser, München, 12.12.1957)

Rund, auf glattem Standring nach oben leicht eingewölbte Schale aus zwölf naturalistisch reliefierten Kohlblättern, bemalt in abschattiertem Kupfergrün und hellem Gelb.
Form verzogen, oberer Rand leicht bestoßen, restauriert, Farbe etwas abgesprungen.

Der Preiscourant von 1767 nennt einen „Salat-Topf mit pousirtem Laub", der noch 1792 angeboten wird. Siehe auch Kat. 387.

237
Sieblöffel
um 1765–70

L. 25,2 cm
PM: RS 13 in einem kleinen, erhabenen Feld auf der Unterseite des Stiels
Inv.Nr. B 270 (Slg. Frank, Augsburg, 1919)

Ovale tiefe Laffe mit eingestochenen Löchern und auf der Außenseite plastischen Rocaillen am Rand, die in den

passig konturierten Stiel übergehen. Am Stielansatz gekittet.

Die Jahresrechnung von 1765 führt „Zuckerlöffel, grosse, wie Seiher" erstmals auf (Hofmann, S. 571); sie dienten zum Bestäuben von Backwaren mit zerstoßenem Zucker.

Publ.: VK Frank 1919, Nr. 405

238
Likörtässchen mit Ozierrelief
um 1765–70

H. 4,1 cm, Ø 4,9 cm
ohne Marke
Inv.Nr. B 289 (Prov. unbekannt)

Glatter Standring, becherförmige, vierpassige Tasse, die Wandung mit waagerechtem Korbgeflecht überzogen, auf den Seiten glatte Vierpaßreserven. C-Henkel mit Punkt- und Blattrelief. Unbemalt.

237   238

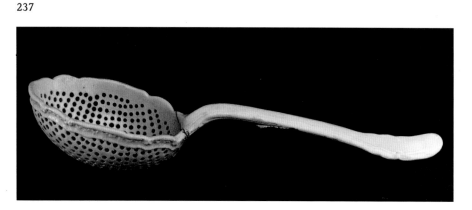

Wohl mit den „Rosoli-Becherl en osier mit Schilden" zu identifizieren, die im Preiscourant von 1767 aufgeführt werden. Diese kleinen Likörtässchen besaßen keine Untertassen, sondern wurden nach dem Essen auf einem Plateau herumgereicht, ähnlich einem Tablett mit vier etwas größeren Tässchen, bemalt mit Landschaften in Purpurcamaieu, in unbekanntem Besitz (Koller, Zürich, 16.11.1968, Nr. 3283). Ein Tässchen mit bunter Früchtemalerei und der Bez. „C.H.C." aus dem Bestand der Churfürstlichen Hof-Conditorei im BNM, Ker 2084.

stab in Relief. Naturalistischer Asthenkel mit Weinlaub und Trauben als Griff. Unbemalt.
Standring, Deckelrand und Weinlaub bestoßen, Haarriß im Deckel.

Obwohl im Preiscourant von 1767 bereits Teller und Rosoli-Becher „en osier" auftauchen, sind weitere Serviceteile mit diesem Reliefdekor wohl kurz danach entstanden.

Publ.: VK Hirth 1898, Nr. 403; Christie's, London, 3.7.1956, Nr. 166

240

239
Terrine mit Ozierrelief
um 1770

H. 22,6 cm, Ø m. Henkeln 28,8 cm
PM: RS 10, darüber 2 Punkte eingestochen
Inv.Nr. B 618 (Christie's, London, 1956, ehemals Slg. Hirth)

Rund, hoher, breit gekehlter Standring, gebauchter glatter Korpus mit steiler Wandung, im oberen Drittel zu einem zwölffach ausgebuchteten Streifen verbreitert und mit einem waagerechten Korbgeflecht reliefiert, das über acht senkrechte, diagonal umflochtene Stege führt. Waagerechte, reliefierte Henkel mit Akanthusblättern als Griffleiste. Gewölbter Deckel mit welligem Profilrand, darüber Mäanderfries und Eier-

240
Butterdose mit Ozierrelief
um 1770, Ausformung um 1790–1800

11 x 22 x 18,2 cm
PM: RS 18
Inv.Nr. B 303 (Frau Major Hatzler, Februar 1921)

Oval, Unterteller mit zwölffach gefelderter, reliefierter Fahne. Niedrige Dose mit Relief im oberen Drittel, geschwungen gewölbter Deckel mit Reliefband am Rand, Granatapfelknauf. Fahne, Dose und Deckel mit reliefiertem Korbgeflecht wie oben. Unbemalt. Rand bestoßen, Knauf gekittet.

241
Dessertteller mit Ozierrelief
(o. Abb.)
um 1770

H. 3,5 cm, Ø 23 cm
PM: RS 3 und „3"
Inv.Nr. B 725 (Prov. unbekannt)

Rund, glatter Spiegel, flacher Steigebord, schräg ansteigende Fahne durch radiale, diagonal umflochtene Stege unterteilt, dazwischen paralleles Flechtwerk, glatter, zwölffach eingebogter Wulstrand. Unbemalt.
Am Rand restauriert.

Sechs formgleiche Dessertteller mit lichten Blumenbuketts der Zeit um 1765 im BLM, Karlsruhe, Inv. Nr. V/10766-10771.

239

242   243

249   246   245   250

242–243
Kaffee- und Milchkanne mit Girlandenrelief (Abb. s. S. 117)
um 1780

H. 25,3 cm, bzw. 18 cm
PM: RS 9 und „x"
Inv.Nr. B 586 a-b (Weinmüller, München, 1953)

Durch Kehle abgesetzter, profilierter Standring, Korpus in unten eingezogener Birnform, spitze Schnaupe mit eingekerbter Abdeckung, vierfach eingezogener Rand, hochgewölbter Aufsatzdeckel mit geschwungenem Rocailleknauf. Unterhalb des Randes umlaufend gefiederte Rankenbordüre, daran hängend vier dichte Blütengirlanden. Reliefdekor auf dem Deckel spiegelbildlich fünffach wiederholt. Dreiteiliger steiler Henkel aus C-Bögen mit Blütenrelief. Unbemalt.
Obere Ränder und Deckelfalz bestoßen.

Erst der Preiscourant von 1792 führt das „Kaffeeservice mit Guirlanden" an (Hofmann, S. 601ff.), doch da die Henkel jenen der Essig- und Ölkännchen von 1765–67 ähneln (Hofmann, Abb. 70), dürfte die Entstehung zwischen diesen Daten liegen. Die an Modellen der Manufaktur in Sèvres orientierte Gestaltung der Tasse, siehe Kat. **493**, bestätigt die Datierung in die Jahre um 1780, als durch den Regierungsantritt Karl Theodors der französische Geschmack in Bayern maßgebend wurde.

Eine unbemalte Tasse mit Untertasse im BNM, Inv.Nr. 24/51a-b.

Publ.: Weinmüller, München, 16.12.1953, Nr. 41

244
Konfektschälchen
um 1790, nach einem Meissener Modell

5,5 x 10,2 x 8,5 cm
PM: RS 19
Inv.Nr. B 209 (Slg. Fischer, Dresden, 1918)

Auf drei ausgestellten Volutenfüßchen außen glatte Muschelschale, innen in breite Streifen geteilt und abwechselnd mit erhabenen Blumensträußen und goldenem Rankenmuster verziert. Goldstaffage.
Graue Masse durch Verunreinigung beim Brand.

Das Modell ist eine späte Übernahme eines Schälchens aus dem Meissener Service für Zarin Elisabeth von Rußland um 1744/45, das Relief entspricht „Gotzkowskys erhabenen Blumen" von Johann Friedrich Eberlein, um 1741 entworfen.

Publ.: VK Fischer 1918, Nr. 624; Hantschmann 1996, Mod. 451

245–248
Vier Tafelleuchter
um 1790, D. Auliczek

H. 19–20 cm, ⌀ 13–13,7 cm
PM: RS 9, „4" und „L". 246: PM: RS 11
244–245: Inv.Nr. B 291a-b (Slg. Hirth, 20.12.1919); 246–247: Inv.Nr. B 243 a-b (Richard Peter, 30.11.1912)

Rund, aufgewölbter Sockel mit Kreuzband und Perlstab, polygonaler Balusterschaft mit drei plastischen Widderköpfen auf dem Nodus über reliefierten Glockenblumen, dazwischen und auf der Tülle Akanthusblätter. Unbemalt. Widderköpfe bestoßen.

Vermutlich identisches Modell zu dem „Tafelleuchter antique" im Preiscourant von 1792. Ein Paar unbemalte Leuch-

244

251

252

ter ehemals in Slg. Hirth (VK Hirth 1898, Nr. 330), fünf unbemalte Leuchter ehemals in Slg. v. Gasser (VK Gasser 1912, Nr. 606), ein Paar in der SGM, Halle, Inv.Nr. Po 745-746.

249–250
Paar Tischvasen
um 1790–95, D. Auliczek, Ausformung um 1800

H. 12,9 cm, Ø 9,9 cm
249: PM: RS 36; RM: „A·P" und „AC".
250: ohne Marke
Inv.Nr. B 162a-b (Slg. Hirth 1916)

Runder, gekehlt eingezogener Fuß, konischer Korpus mit zur Hälfte gefüllten Kanneluren, gestufter Schulter und eingezogenem Hals mit ausgestelltem Rand; eckig umbrochene Vierkanthenkel, daran seitlich herabfallende Tuchgehänge. Unbemalt.

Typisches Beispiel des „goût greque", der in die Nymphenburger Geschirrproduktion erst spät Einzug gehalten hat und sich unter Melchior durchsetzen konnte. Das Modell ist auch mit einem kleinen, gewölbten Deckel mit Traubenknauf nachweisbar, unbemalt im BNM, Inv.Nr. Ker 3667 (Hantschmann 1996, Mod. 401).

Publ.: VK Hirth 1916, Nr. 77

251
Terrine
um 1790–95, D. Auliczek

H. 23,5 cm, Ø 32,8 cm
PM: RS 7, zwei Punkte eingestochen
Inv.Nr. B 1 (Dr. Hahn, Juni 1915)

Rund, drei gedrückte Kugelfüßchen mit Blattrelief, glatter zylindrischer Korpus mit nach oben hin vertieftem Pfeifenrelief, darin hängende Blüten mit plastischen Knöpfchen darunter, glatt abgesetzter Rand. Senkrecht angesetzte Volutenhenkel mit einem Akanthusblatt als Griffleiste. Gewölbter Deckel mit umwundenem Bandfries am welligen Rand, als Knauf plastischer Granatapfel mit üppigem Blattwerk. Unbemalt.
Unterteil mit grauer Glasur, beim Brand eingesunken, Brandrisse. Deckel bestoßen.

Deckel nicht ursprünglich zugehörig, jedoch auch bei einem gleichen Terrinenmodell, bemalt mit bunten Blumen, Früchten und Insekten, im BLM, Karlsruhe, Inv.Nr. V/3367, und bei einer Terrine mit goldstaffiertem Relief, grünen Füßchen, buntem Knauf sowie Blumen auf dem Deckel im WLM, Stuttgart, Inv.Nr. 20,53 nachweisbar.

252
Terrine
um 1790–95, D. Auliczek

H. 20,3 cm, Ø 20,4 cm
PM: RS 7 und „4"
Inv.Nr. B 593 b (Ruef, München, 10.10.1954)

Unterteil wie vorige Nr., nur kleiner. Der gewölbte Deckel mit Blatt- und Punktrelief am Rand, als Knauf ein gebrochen eckiger Henkel, darüber und seitlich mit Traubenreben garniert. Unbemalt.

Vermutlich der ursprüngliche Deckel für dieses Terrinenmodell. Es spricht für die ökonomische Arbeitsauffassung und Verkaufspolitik Auliczeks, Modelle zu entwerfen, die untereinander austauschbar waren, wie einheitlich staffierte Beispiele beweisen, siehe Kat. 541.

253–254
Zwei Körbe aus dem Perlservice
(Abb. s. S. 120)
um 1792–95, D. Auliczek

H. 9 cm, Ø m. Henkeln 26 cm
PM: RS 20, „L" und „4"; im Standring zwei Punkte eingestochen
Inv.Nr. B 271a-b (Slg. Frank, 1919)

Runde, 12-eckige Form auf glattem, profiliertem Stand, Felder mit senkrechten Stäben unterteilt, rautenförmig durchbrochenes Bandgeflecht, plasti-

253

255

scher Perlrand, senkrecht angesetzte
Volutenhenkel mit Akanthusgriffen.
Unbemalt.

Als Obstkorb für das Dessert Bestandteil des Perlservices, das für den kurfürstlichen Hof zwischen 1792–95 angefertigt wurde, siehe Kat. 545–553.
Die nächstkleinere Größe besaß die
Maße 8 x 21 x 19 cm, siehe zwei Körbe ehemals in Slg. v. Gasser (VK Gasser
1912, Nr. 595).

Publ.: VK Frank 1919, Nr. 406

255
Pfännchen für Setzei
um 1790, nach einem Meissener
Modell

H. 8,9 cm, L. 15,6 cm, Ø 9,5 cm
PM: RS 13, geritztes Ausschußzeichen
Inv.Nr. B 533 (Prov. unbekannt)

Auf drei ausgestellten Volutenfüßchen
flache, runde Schale mit steilem Rand,
umlaufend mit Wellenmäander und
Blüten reliefiert, seitlich runder Stiel
mit profiliertem Abschluß und Akanthusblattrelief. Deckel mit aufgewölbtem Rand, Perlstab, zum blattgesäum-
ten Knauf in Form eines Granatapfels

hin ansteigend. Unbemalt.
Unreine Glasur.

Ein bemaltes Pfännchen mit reicher
Goldstaffage und Meissener Marke,
dem unser Stück sehr genau entspricht,
ehemals in Slg. Hirth (VK Hirth 1898,
Nr. 125). Zwei unbemalte Nymphenburger Stücke im BNM, Inv.Nr. Ker
2161 und 1329. Hofmann bezeichnete die 1755 erstmals erwähnten
„Reindlen mit 3 Fiessen und Deckhlen"
als ein formgleiches Pfännchen für Eier
(Hofmann, S. 570). Das Formteil wurde
wohl dem Zeitgeschmack Ende des
18. Jhs. entsprechend neu modelliert.

Blumendekore

In allen deutschen Manufakturen spielte die Blumenmalerei die wichtigste Rolle. Um die Handhabung des Kataloges zu erleichtern, wurde angestrebt, die Entwicklung dieser Dekorgruppe in Stil und Auffassung chronologisch zu ordnen. Gewisse Stilmittel wurden jedoch über einen längeren Zeitraum hinweg beibehalten und führen zu Überschneidungen. Schwierigkeiten ergeben sich in der Unterscheidung gleichzeitig tätiger Blumenmaler, da wir nur eine signierte Blumenmalerei kennen, die von Joseph Zächenberger stammt, der von 1760 bis 1770 in der Manufaktur tätig war. Neben den im weiteren Andreas Oettner und J. Zächenberger zugeschriebenen Geschirren, sollen hier die Namen jener Blumenmaler genannt werden, die zumindest zeitlich für die Urheberschaft einer der folgenden Dekorgruppen in Frage kommen könnten, die sich in Details deutlich voneinander unterscheiden. Oettners Nachfolge trat zwischen 1756 und August 1758 sein Schüler Johann Willand an, der „in Blumenwerch ziemlich gut" war (Hofmann, S. 340). Zwischen 1761 bis 1764 waren Ignaz Anton Kotka und Franz Boulanger als Blumenmaler tätig, Blumen und Landschaften malte in diesen Jahren auch der „Kunstmaler" Johann Holeck oder Haleck (Hofmann, S. 584). Neben anderen Sparten lassen sich der Münchner Miniaturmaler Joseph Weiß (tätig 1764–1767), Joseph Lerch (tätig 1764–1770) und Joseph Klein (tätig 1765–1771) als Blumenmaler nachweisen. Ab 1770 scheint die Blumenmalerei von Johann Baptist Reis (1754–1825) ausgeführt worden zu sein, der praktisch sein ganzes Leben in der Manufaktur verbrachte. Der 12-jährige Malerjunge wurde nach zwei Jahren Ausbildung 1766 angestellt. Noch 1821 galt er „im Fache der Blumenmalery" als ausgezeichnet, jedoch seines hohen Alters wegen nur mehr einer geringen Leistung fähig" (Hofmann, S. 359).

Einteilung der Blumendekore:

a) Indianische Blumen (Kat. 256–257)
b) Einzelblumen (Kat. 258–268)
c) Blumenbuketts
   Buketts im „Wiener Stil" (Kat. 269–293)
   Gebundene Buketts (Kat. 294–302)
   Blumenmalerei von J. Zächenberger (Kat. 303–328)
   Natürlicher Blumenstrauß (Kat. 329–332)
   Das Nymphenburger Bukett (Kat. 333–368)
   Das Nymphenburger Bukett mit Goldbordüre
   (Kat. 369–384)
   Blumenmalerei des späten Rokoko bis Klassizismus
   (Kat. 385–397)
d) Fonddekor mit Blumen (Kat. 398–413)
e) Reliefstaffagen und Muster mit Blumen (Kat. 414–432)
f) Blumen in Camaieu (Kat. 433–440)

Flower Decors

Flower painting played the most important role in all German factories. For easier use of the catalog, an attempt was made to document the development of this group of decor, in terms of style and approach, chronologically. Certain stylistic means were maintained over a longer period of time, however, and lead to overlapping. Difficulties arise in differentiating flower painters working at the same time, as we have only one signed flower painting, which stems from Joseph Zächenberger, who worked at the factory from 1760 to 1770. Aside from other tableware attributed to Andreas Oettner and J. Zächenberger, the names of those flower painters are to be mentioned here, who, at least in terms of the time period, can be considered originators for one of the following groups of decoration, which in terms of details are clearly different from one another. Oettner was succeeded by his student Johann Willand, who was "pretty good in flower work" (Hofmann, p. 340), between 1756 and August 1758. Ignaz Anton Kotka and Franz Boulanger worked as flower painters between 1761 and 1764; the "artist" Johann Holeck or Haleck (Hofmann, p. 584) also painted flowers and landscapes in these years. The Munich miniature painter Joseph Weiß (active 1764–1767), Joseph Lerch (active 1764–1770), and Joseph Klein (active 1765–1771) can be documented as flower painters as well as working in other categories. As of 1770 the flower painting seems to have been carried out by Johann Baptist Reis (1754–1825), who spent practically his whole life at the factory. He was made an apprentice painter as a twelve-year-old and after only two years of training was employed as flower painter in 1766. Still in 1821 he was considered excellent "in the subject of flower painting," but "because of his age was capable of only a limited amount of work" (Hofmann, p. 359).

Categories of Flower Decoration:

a) Indian Flowers (cat. nos. 256–257)
b) Individual Flowers (cat. nos. 258–268)
c) Bouquets of Flowers
   Bouquets in the "Viennese Style" (cat. nos. 269–293)
   Tied Bouquets (cat. nos. 294–302)
   Flower Painting by J. Zächenberger (cat. nos. 303–328)
   Natural Bunches of Flowers (cat. nos. 329–332)
   The Nymphenburg Bouquet (cat. nos. 333–368)
   The Nymphenburg Bouquet with Gold Edging
   (cat. nos. 369–384)
   Flower Painting from the Late Rococo Period
   to Classicism (cat. nos. 385–397)
d) Background Decoration with Flowers (cat. nos. 398–413)
e) Painted Reliefs and Patterns with Flowers (414–432)
f) Flowers in Camaïeu (cat. nos. 433–440)

Indianische Blumen

Wie bei den meisten um die Jahrhundertmitte gegründeten Manufakturen spielten „Indianische Blumen", die sich aus den ostasiatisch inspirierten Kakiemon-Dekoren von Meissen ableiteten, eine untergeordnete Rolle. Für Nymphenburg sind sie in der Sammlung nur in einem Beispiel nachweisbar.

Indian Flowers

As in most of the factories founded around the mid-century "Indian flowers," which were derived from the East Asian inspired Kakiemon decors by Meissen, played a subordinate role. For Nymphenburg only one example is documented.

257

256–257
Paar Teetassen mit Untertassen
um 1760

H. 4,5 cm, Ø 7,8 cm
Untertasse: Ø 12,4 cm
Obertassen: PM: RS 12 und „⊥"
Untertassen: PM: RS 9, „PL" und „I"; in Schwarz bez. „JN/NR per Stük"
Inv.Nr. B 253a+b (Bruschwiler, München, 4.7.1919)

Teetasse auf konischem Standring, halbkugelige Wandung, einfacher Rundstab als Ohrhenkel. Flach gemuldete Untertasse mit aufgebogenem Rand. Auf den Seiten und im Spiegel freie Übernahme Indianischer Blumen (Päonie, Prunus und Pinus) in Eisenrot mit Gelb, Lila, Rotbraun und Grün über grünem Rasensockel. Eisenrote Rankenbordüre mit flachen Blütenmotiven und Vorstoß am Rand.
256: Obertasse restauriert, Malerei berieben. **257:** Rand bestoßen.

Zwei vergleichbare Tassen ehemals Slg. Czermak (VK Czermak 1917, Nr. 281, Taf. VIII), heute im BNM, Inv.Nr. Ker 17/291a,b und Ker 17/291a,b.

Einzelblumen

Die Wiedergabe einzelner Blumen am Stiel entspricht ihrer Darstellung nach botanischen Stichvorlagen. Das berühmteste Beispiel sind die naturalistischen Blumen auf dem Meissener Service von Clemens August, Erzbischof und Kurfürst von Köln, 1741. Auf einen dort den Pflanzen hinterlegten Schatten wurde in Nymphenburg verzichtet. Der Dekor war seit seiner Einführung noch lange beliebt und veränderte sich entsprechend der jeweils gängigen Art der Blumenmalerei in Kolorit, Komposition und Detailtreue.

Individual Flowers

The rendering of individual flowers on a stem corresponds to their depiction in botanical engravings. The most famous examples are the naturalistic flowers on the Meissen service of Clemens August, archbishop and elector of Cologne, from 1741. The decor was popular for a long time after its introduction and changed in terms of coloration, composition, and truth of detail in accordance with the just current mode of flower painting.

258

258–262
Fünf tiefe Teller
um 1755–60

H. 4 cm, Ø 23,5 cm
PM: RS 2, „PL", „2" oder „3"
Inv.Nr. B 157b-f (Slg. Hirth, 1916)

Rund, glatter Standring, steiler Steigebord, waagerechte, glatte Fahne mit gewelltem, zwölffach eingebuchtetem, goldstaffiertem Wulstrand. Auf Spiegel und Fahne unregelmäßig verstreut bunte große Einzelblumen, kleine Streublumen und Insekten.

Ränder bestoßen, Goldrand und Glasur berieben.

Die Form entspricht dem Meissener Tellermodell „Neuer Ausschnitt", das 1730 entstanden ist und in zahlreichen Manufakturen übernommen wurde. In Nymphenburg nannte man die Form seit 1755 „mit Wellen". Die Malerei weist Unterschiede zwischen den sehr fein gemalten Insekten und den eher flott hingeworfenen Blumen auf. Während die Blüten häufig in kontrastierenden Farben, bevorzugt Purpur, Eisenrot, Gelb und Blau, gehalten sind,

ist das Grün der betont verschnörkelten Stiele und krausen Blättchen im Brand mehrheitlich zu einem matten Grünschwarz gedunkelt. Ein vergleichbarer Teller im Art Institute of Chicago, Inv.Nr. 1958.507.

Publ.: VK Hirth 1916, Nr. 151

263
Flacher Teller (o. Abb.)
um 1755–60

H. 3,5 cm, Ø 22,5 cm
PM: RS 2 und „3"; RM: Strich
Inv.Nr. B 157a (Slg. Hirth 1916)

Form und Bemalung wie vorige Nr. in Braun, Purpur und Dunkelgrün mit Blumen und Insekten. Goldrand. Am Rand zweimal bestoßen. Glasur berieben.

Den Gebrauch dieser Tellerform bei Hofe belegt ein stark abgenutzter, flacher Teller (Ø 22,5 cm) mit gleicher Marke und Bemalung, der auf der Rückseite in dunklem Purpur „C.H. Silberkamer N. 9" bezeichnet ist, heute im Besitz der BSV, Zug.Nr. 1437. Ein Vergleichsstück im MMA, New York, Inv.Nr. 42.205.281, sowie ebendort mit größeren Blumen wie auf Kat. 268 und Hexagramm-Marke, Inv.Nr. 42.205.279.

Publ.: VK Hirth 1916, Nr. 151

264   265
266   267

264–267
Vier runde Platten
um 1760

H. 4,5 cm, Ø 40,5–41,2 cm
PM: RS 13, „O";
266: in Schwarz bez. „Nimphenburg"
264–265: Inv.Nr. B 93a+b (Slg. Seitz, 1912);
266: Inv.Nr. B 272 (Slg. Frank 1919);
267: Inv.Nr. B 728 (Sotheby's, London, 1966)

Rund, glatter Spiegel, niedriger Steigebord, leicht schräge, sehr breite und
glatte Fahne. Über Spiegel und Fahne
große bunte Einzelblumen, darunter
Schachbrettblume, Narzissen, Türkenbund, Tulpen, Rosen, Winden, dazwischen kleine bunte Streublumen in
Gelb, Purpur, Eisenrot und Mattblau,
die Blätter in lichtem Blaugrün oder
Gelbgrün. Größere Blumen auch auf
der Unterseite der Fahne.

Unebenheiten, Brandrisse, bei Kat. 266
blasige angegilbte Glasur.

Zwei weitere Platten mit dieser Art von
Bemalung im BNM, Inv.Nr. 24/56-57.

Publ.: VK Seitz 1912, Nr. 145; Hofmann,
Abb. 27 (Kat. 264–265); VK Frank 1919,
Nr. 409; Sotheby's, London, 22.2.1966,
Nr. 43

268
Rechaud
um 1765–70

H. 26 cm, Ø 19 cm
PM: auf Gehäuse und Bouillonschale RS 13,
„71"; Brennschale, Ausformung nach 1800:
PM: RS, „2"; RM: „1/5"
Inv.Nr. B 472 (Elfriede Langeloh, Köln, 1941)

Rund, zwischen zwei Profilen gekehlter
Standring, konisch zulaufender Korpus,
vorne geschwungen ausgeschnittene
Öffnung für Spiritusschälchen, seitlich
auf halber Höhe zwei reliefierte, nasen-
förmige Luftabzüge, ebenso auf Vorder-
und Rückseite unterhalb des profilierten Randes. Einsatzschale mit breitem
Rand und seitlich ausgezogenen Handhaben. Gewölbter Aufsatzdeckel mit
geschwungenem Rocailleknauf. Ränder
und Profile goldstaffiert. Spiritusschälchen mit reliefiertem Blattgriff, Deckel
fehlt. Pastellfarbene Einzelblumen und
kleine Streublümchen. Goldstaffage.
Standring und Spiritusschälchen bestoßen.

Ein in Form, Dekor und Marke ähnliches Ex. ehemals in Slg. Steinharter
(VK Steinharter 1918, Nr. 112, Taf. 6),
die gleiche Form besitzt ein Ex. mit
bunter Chinesenmalerei in den StKS,
Augsburg, Inv.Nr. 4215. Die vierteiligen Rechauds, 1755 als „Oefferlen
samt aller Zuegehör" bezeichnet
(Hofmann, S. 570), dienten gleichzeitig
als Nachtlampe und zum Warmhalten
einer Brühe in der Einsatzschale. Neben dem kleineren Modell (Kat. 332)
gibt es ein sehr gängiges Modell (Kat.
500), dessen Standring, Schürloch und
Knauf bei obigem Stück bereits geän-
dert sind. Eine weitere Variante mit
obiger Einsatzschale und gleichem
Deckelknauf sitzt auf einem glockenförmigen Unterteil. Das Modell im
MKG, Hamburg, mit einer Landschaft
in Grüncamaieu, Inv.Nr. 1911.42
(Jedding 1974, Abb. 480) und ebendort
unvollständig mit einer Landschaft in
Purpurcamaieu, Inv.Nr. 1878.686
(Hofmann, Abb. 66 links). Ähnliche
konische Rechauds sind auch in Höchst
um 1760 nachweisbar (AK Frankfurt
1994, Nr. 5.4.14), mit Maskarons als
Handhaben bei Rechauds der Manufaktur in Pfalz-Zweibrücken 1765–75 (MK
Düsseldorf 1966, Nr. 230).

268

Blumenbuketts

Buketts im „Wiener Stil"

Das typische Blumenbukett um 1757 ist ein lose übereinandergelegtes Arrangement verschiedener Einzelblumen, die mit dünnen Umrissen vorgegeben und lichten Farben ausgemalt wurden. Dabei wurde größerer Wert auf eine korrekte botanische Darstellung der unterschiedlichen Stiele und Blätter gelegt als auf eine ausgewogene Anordnung. Bei stark abschattierten Blüten wirkt die akribische Konturmalerei etwas trocken und leblos, zumal die Farben nur blaß leuchten und häufig im Brand abgeplatzt sind. Als Urheber dieser Bemalungen vermutete Dr. Bäuml den aus Wien oder Sachsen kommenden Andreas Philipp Oettner (Lebensdaten unbekannt), der zwischen Mai 1756 und Dezember 1757 in Neudeck tätig war und die Porzellanmalerei überhaupt erst eingeführt haben soll. In einem Bewerbungsschreiben an die Manufaktur Fürstenberg um 1765 schrieb Oettner: „aber keine Blumen mahle ich nicht mehr indem schon 6. Jahr keine mehr gemahlt habe sonst alles Watto figuren, Landtschaften, Patallien, und was sonst gemahlt kan werden", wobei seine figürlichen Szenen durch zahlreiche Arbeiten für andere Manufakturen belegt werden können (Reber 1974, S. 15). Sein Stil in der Blumenmalerei bleibt uns jedoch unbekannt.

Parallelen zu Wiener Geschirren liegen in der botanischen Wiedergabe und dem losen Arrangement, doch datiert diese Art der Malerei in die Jahre 1730–40. Ob Oettners Ausbildung, falls sie in Wien stattgefunden hat, so früh anzusetzen ist, bleibt offen. Sein figürlicher Stil weist eher auf die Lehre bei einem Hausmaler hin, auch sind Meissener Anregungen nicht zu leugnen. Auf Ähnlichkeiten in der Art der losen Streuung der Blumen zu Berliner Tellern der Periode unter Wilhelm Caspar Wegely (1751–57) sei an dieser Stelle hingewiesen (Zick 1978, Nr. 228, 229). Ein umfangreiches Service mit Purpurrand und z. T. gleichen Blumen wie die folgenden Nummern im Residenzmuseum, München, Inv. Nr. KII/Ny 1589-1649.

Bouquets of Flowers

Bouquets in the "Viennese Style"

The typical bouquet of flowers around 1757 is a loose arrangement of various individual overlapping flowers, which were indicated with thin outlines and painted in light colors. Here the correct botanical representation of the various stems and leaves was considered more important than a harmonious arrangement. With strongly shaded leaves, the precise outline painting has the effect of being somewhat dry and lifeless, particularly since the colors are not very bright and often flaked off during the firing. Dr. Bäuml assumes that Andreas Philipp Oettner (birth and death dates unknown), coming from Vienna or Saxony, was the originator of these paintings. Oettner was active in Neudeck between May 1756 and December 1757 and is supposed to have been the one who introduced porcelain painting in the first place. In a letter of application to the Fürstenberg factory around 1765 Oettner writes: "but I no longer paint flowers already in the 6th year, but everything else Watteau figures, landscapes, battles, and whatever else can be painted," whereby his figural scenes can be documented with numerous works for other factories (Reber 1974, p. 15). His flower painting style continues to remain unknown however.

Parallels to Viennese tableware lie in the botanical rendering and the loose arrangement, but this type of painting dates back to the years 1730–40. Whether Oettner's training, should it have taken place in Vienna, can be dated so early remains open. His figural style rather suggests an apprenticeship with an independent decorator, Meissen influences cannot be denied either. In the type of loosely strewn flowers, similarities to the Berlin plates of the period made under Caspar Wegely (1751–57) may here be pointed out (Zick 1978, nos. 228, 229). A comprehensive service with purple edging and some of the same flowers like the following numbers at the Residenzmuseum, Munich, inv. no. KII/Ny 1589-1649.

270

279

269–272
Vier flache Teller
um 1757, Bemalung A. Oettner
zugeschrieben

H. 3,0–3,3 cm, ⌀ 26,2 cm
269–270: PM: RS 9. **271–272**: PM: „3";
RM: Strich
Inv.Nr. B 27c, e, f, g (L. Steinhauser,
München, Mai 1914)

Rund, glatter Spiegel, über Steigebord
und schräg ansteigende Fahne acht plastische Radialrippen, Fahne in schmale
und breite Felder unterteilt sowie am
Rand eingekerbt, dazwischen geschwungen und mit Ranken plastisch
verziert. Im Spiegel lose bunte Blumenbuketts im „Wiener Stil": **269**: lila
Lichtnelken, rot-gelbe Kapuzinerkresse,
blaue Windenknospen, lila Chrysantheme, gelbe Narzisse; **270**: blaßlila
Heckenrosen, blaue Traubenhyazinthe,
rot-gelbe Aster; **271**: lila Rosen, gelb-
roter Federmohn; **272**: lila Rose, lila gestreifte Nelke, gelb-rote Tulpe. Auf den
Fahnensegmenten bunte Streublumen.
Purpurfarbene Randstaffage.
Wetzspuren, Farbe teils abgeplatzt,
Form im Brand verzogen.

Das Tellermodell wird in den Archivali-
en seit 1755 als „festoniert" oder „mit
Festons" bezeichnet, und diese Bezeichnung von uns im Folgenden übernommen. Es handelt sich um das am

häufigsten erhaltene Modell der Manufaktur, das bis Ende des Jahrhunderts
beliebt war. Eine runde Platte mit diesem Dekor im BNM, Inv.Nr. 13/87.

273–276
Vier tiefe Teller (o. Abb.)
um 1757, Bemalung A. Oettner
zugeschrieben

H. 4,1–4,3 cm, ⌀ 25,5–26 cm
273–275: PM: RS 2, „4 PL M" und „3"
276: PM: „3"
Inv.Nr. B 27a, b, h, k (L. Steinhauser,
München, Mai 1914)

Festonierte, tiefe Teller wie vorige Nr.
mit losen, bunten Blumenbuketts im
„Wiener Stil"; **273–275** bemalt wie
Kat. 269, **276**: lila Trichterwinde, gelber Goldlack und Vergißmeinnicht.

Die Wiederholung eines bestimmten
Buketts (siehe Kat. 269, 273–275)
steht im Widerspruch zur damals gängigen Blumenmalerei, die auf Abwechslung abzielte und deshalb jedes Teil mit
unterschiedlichen Buketts versah. Man
wollte vermutlich damit den Garni-
turcharakter eines Services betonen,
wie man es von den ostasiatischen
Dekoren Meissens, die auch auf allen
Tellern gleich waren, kannte.

277–278
Zwei tiefe Teller (o. Abb.)
um 1757, Bemalung A. Oettner
zugeschrieben

H. 4,8 cm, ⌀ 26,2 cm
PM: RS 2; RM: im Standring „V".
278: PM: „3"
Inv.Nr. B 662a-b (Prov. unbekannt, 1948)

Festonierte, tiefe Teller wie vorige Nr.
mit losen, bunten Blumenbuketts im
„Wiener Stil"; **277**: lila Rosen, roten
Sternblümchen und Rispe mit gelben,
glockenförmigen Blüten; **278**: rote Nel-
ke, lila Rosen und weiß-lila Blütenrispe.
Purpurrand.
Glasur berieben, am Rand bestoßen.

Publ.: Bäuml 1966, Abb. 2 (Kat. **277**)

279
Tiefer Teller
um 1757, Bemalung A. Oettner
zugeschrieben

H. 3,8 cm, ⌀ 24,5 cm
RM: „B 2"
Inv.Nr. B 527 (Prov. unbekannt)

Festonierter, tiefer Teller wie vorige Nr.
mit losem, bunten Blumenbukett wie
Kat. 277 im „Wiener Stil". Purpurrand.
Randstaffage stark berieben, Farbe teils
abgeblättert.

280

Laut Dr. Bäuml ist die Ausformung noch vor Einführung der Rautenschild-Marke zu datieren.

280
Ovale Platte
um 1757, Bemalung A. Oettner zugeschrieben

4,8 x 30,7 x 23 cm
PM: „3", darunter zwei Punkte eingestochen
Inv.Nr. B 453 (Fischer, München, 20.12.1939)

Festonierte, ovale Platte mit hohem Steigebord und glattem Spiegel, darin loses, buntes Blumenbukett aus gelb-roter Nelke, lila Rose und lila-roten Strohblumen im „Wiener Stil", Streublumen auf der Fahne. Purpurrand. Wetzspuren in der Glasur, Brandblasen.

Eine größere Platte mit L. 37 cm und ähnlicher Bemalung in unbekanntem Besitz (Lempertz, Köln, 13.6.1980, Nr. 703).

281
Ovale Platte (o. Abb.)
um 1757, Bemalung A. Oettner zugeschrieben

4 x 27 x 19,6 cm
PM: „o"; RM: Strich
Inv.Nr. B 711 (Auktion Emil Gutmann, Mannheim, 22.5.1964)

Festonierte, ovale Platte mit Bemalung wie vorige Nr., nur kleiner.

282
Ovale Kompottschale
um 1757, Bemalung A. Oettner zugeschrieben

4 x 27 x 23,2 cm
ohne Marke
Inv.Nr. B 377 (Slg. v. Ostermann, 1928)

Festonierte, leicht ovale Schale mit glattem Spiegel und geschwungenem Rand, bemalt mit buntem, losem Blumenbukett aus lila Rosen, gelb-roter Tulpe und roten Potentilla im „Wiener Stil" und Streublumen. Goldrand. Rand bestoßen.

Publ.: VK Ostermann 1928/II, Nr. 334

282

283–288

283–288
Sechs Tassen
um 1757, Bemalung A. Oettner
zugeschrieben

H. 5,4–5,9 cm, Ø 5,4 cm
PM: RS 9, „PL", „1" und „3"; RM: „A"
Inv.Nr. B 646a-f (Ruef, München, 8.4.1959)

Rund, zylindrische Form auf nach innen abgesetztem Stand, an den Enden
eingerollte flache Ohrhenkel. Auf der
Seite bunte, lose Blumenbuketts mit
Rosen, Lichtnelken, Aurikel und Strohblumen im „Wiener Stil", gegenüber
zwei Streublumen.
Bestoßen, Farbe teils abgeblättert.

46 Tassen mit dieser Malerei im Residenzmuseum, München, Inv.Nr.
K/IINy 1650-1695. Eine Tasse, deren
Untertasse einen steilen Rand besitzt,
im Musée Ariana, Genf, Inv.Nr. 2469.

289
Ovales Schälchen
um 1755–60

3,6 x 19,6 x 15,5 cm
PM: RS 2 und „PL M 4"
Inv.Nr. B 491 (Prov. unbekannt)

Oval, glatter Spiegel mit achtfach ge-
knickter Wandung, abgesetzter Profilrand ein- und ausschwingend. Im Spiegel loses Bukett aus lila Rose, blauem
Mohn und Narzisse im „Wiener Stil"
und Streublumen. Unterhalb des gold-

konturierten Randes mit Vorstoß und
Linie Goldbordüre aus symmetrischen
Rankenbögen mit Behang zwischen
Feldern mit gestricheltem Gittermuster,
Sternblüten oder halbierten Rosetten
im Wechsel gefüllt.
Malerei berieben.

Ein frühes Beispiel für Goldspitzenbordüre, die sich auch auf der Unterplatte
einer Sauciere mit Landschaftsmalerei
der Form wie Kat. 329 findet (Christie's,
London, 3.3.1986, Nr. 142).

290
Zuckerdose (Abb. s. S. 130)
um 1760

6,8 x 12,4 x 9,5 cm
PM: RS 3 und „↑"
Inv.Nr. B 415a (Prov. unbekannt, 1934)

Oval, glatter, gekehlter Standring, niedriger, bauchiger Korpus mit diagonalen
Zügen zwischen gebuckelten Feldern,
glatter gekehlter Rand. Aufsatzdeckel
mit breiten Randrelief der Wandung
entsprechend, in der Mitte ovales, glat-
tes Medaillon. Darin loses, buntes Blumenbukett mit rostroter Rose, auf den
einzelnen Feldern bunte Streublumen.
Goldstaffage.
Am Deckelrand bestoßen.

Das Modell eventuell mit der 1762 erwähnten „bossierten Zuckerpixen"
identisch (Hofmann, S. 571).

291
Zuckerdose (Abb. s. S. 130)
um 1755–60

5 (H. o. Deckel) x 13 x 11 cm
PM: RS 12
Inv.Nr. B 415b (Prov. unbekannt, 1934)

Oval-vierpassförmig, über eingezogenem Stand vierfach ausgebaucht mit
breiter Kehle unterhalb des Randes. Abgetreppter Aufsatzdeckel mit vier radia-
len Zügen ohne Knauf. Auf den Längsseiten lose, bunte Blumenbuketts mit
lila Tulpe und Rose, sonst bunte Streublumen. Malerei auf dem Deckel nicht
passend.
Brandriß am Rand. Haarriß auf einer
Schmalseite. Deckel ergänzt.

Der ursprüngliche Deckel trug einen
Apfelzweig als Knauf, siehe ein Ex. mit
Blumenmalerei in Grüncamaieu in unbekanntem Besitz (Christie's, London,
6.4.1981, Nr. 84).

289

290   291

292
Zuckerdose (o. Abb.)
um 1755–60

H. m. Deckel 8,9 cm, Ø 13 cm
PM: RS 5, darüber ein Punkt eingestochen
Inv.Nr. B 294 (Perron, Frankenthal, Dezember 1919)

Rund, niedriger flachgedrückter Korpus mit eingezogenem, abgesetztem Stand-ring und Hals. Flacher Aufsatzdeckel mit abgesetzter Randkehle. Naturalistisch staffierter Apfelzweig als Knauf. Lose, bunte Blumenbuketts mit lila Rose und mattroter Nelke sowie Streublumen auf Wandung und Deckel. Standring und Deckel bestoßen, Deckel geklebt.

Das Modell der Zuckerdose auch bei einem Gelbfond-Service mit Blumen im Residenzmuseum, München, Inv.Nr. K II/Ny 1922, sowie mit spätem Blumenbukett im Musée Ariana, Genf, Inv.Nr. 19117.

293

293
Kompottschale
um 1755–60

H. 4 cm, Ø 22 cm
PM: RS 2, gegenüber „3" und 2 Punkte eingestochen
Inv.Nr. B 262 (Antiquar Peter, München, 26.7.1919)

Rund, konischer Standring, geschwungene Wandung mit leicht ausgestelltem, goldstaffiertem Rand. Im Spiegel loses, buntes Blumenbukett mit lila Päonie, eisenroter Tulpe und mattgelber Rose sowie Streublumen.

Eine kleine Gruppe von Geschirren der Frühzeit zeigt eine Blumenmalerei, die nur aus wenigen Blüten besteht und deren Stiele nun annähernd parallel gelegt sind. Auffällig ist die im Kolorit sehr feine Kontrastmalerei mancher größerer Blüten im Gegensatz zur Schematisierung der Streublümchen. Generell fehlt der dunklen Palette eine gewisse Leuchtkraft. Beim Blattwerk, dessen Grün im Brand mehrfach nachgedunkelt ist, werden fransige Konturen bevorzugt.

A small group of tableware of the early period shows a type of flower painting, which consists of only a few flowers with the stems laid almost parallel to one another. What stands out is the very fine contrast painting of some of the larger flowers in terms of coloration as opposed to the schematization of the irregularly strewn flowers. Generally a certain brightness is missing from the dark palette. In the leaves, the green of which has darkened repeatedly during firing, jagged contours are preferred.

294–295
Kaffeekanne und
Milchkännchen
um 1755–60

294: H. 21 cm. 295: H. 10 cm
295: PM: RS 5. 295: PM: RS 8
Inv.Nr. B 202a+b (Frfr. v. Günderode, Juli 1917)

294: Kaffeekanne auf hohem, profiliertem Standring, schlanker birnförmiger Korpus mit auskragendem, geschwungenem Profilrand, tief angesetzte, spitze Schnaupe mit Doppelprofil und Abdeckung. In der Mitte angesetzter Henkel aus einem C-Bogen und überstehend angesetztem, geschwungenem Blatt. Gewölbter Aufsatzdeckel mit Profilrand und zwiebelförmigem Knauf. Auf der Seite kleines, dicht arrangiertes Blumenbukett aus lila Rose, grau-roter Tulpe, rot-blauer Strohblume sowie dunkle Streublumen. Krauses, dunkelgrünes Blattwerk.
295: Milchkanne auf glattem Standring, becherförmige Wandung, nach oben leicht eingezogen, umlaufend auskragender, doppelter Profilrand, der in den Rand der spitzen Schnaupe übergeht. Rechtwinklig zur Schnaupe angesetzter Henkel. Flacher Einsatzdeckel mit rundem Pilzknauf. Bemalung mit grau-rot gestreifter Tulpe und lila Rose sowie Streublumen wie oben.
294: Absplitterungen am Standring.
295: Henkel fehlt.

295   294

Beide Kannenmodelle sind bisher nicht weiter nachweisbar und waren vermutlich nicht lange in der Produktion. Bei den kräftigen Farben dominiert eine relativ dunkle Palette.

298

296–301
Sechs flache Teller
um 1755–60

H. 2,5 cm, Ø 21,3 cm
PM: RS 2; bei **298–299**: RM: „4";
bei **300–301**: PM: „D"
Inv.Nr. B 342a-f (Prof. Seidler, 1923/24)

Rund, flacher Spiegel mit sehr niedrigem Steigebord, leicht ansteigender Rand. Die Fahne auf der Unterseite wölbt sich glatt vom sehr niedrigen Standring zum scharfkantigen Rand auf. Im Spiegel kleine, bunte Buketts aus Rosen, Malven, Winden, Mohn, Tulpen und Blütenrispen in Grau-Eisenrot, Purpur und mattem Gelb, Streublümchen. Bestoßen, berieben.

302
Bouillonschale mit Deckel
um 1760

H. 8,2 cm, Ø m. Henkeln 17 cm
PM: RS 8
Inv.Nr. B 403 (Einstein, München, 1932)

Rund, glatter Standring, ausladende Schalenform mit steiler Wandung und Profilrand. Zwei reliefierte Ohrhenkel, in der Mitte nach innen einschwingend, mit Muschel als plastischer Daumenruhe. Am Rand mehrfach getreppter, leicht gewölbter Aufsatzdeckel mit dreieckigem Pilzknauf. Auf Wandung und Deckel kleine Buketts aus Rosen, Tulpen, Winden u.a. Blumen in Eisenrot, Purpur, Mattgelb und Blau mit krausen, dunkelgrünen Blättern sowie Streublumen. Goldstaffage. Zwei Haarrisse.

Da das Inventar von 1755 bereits „Suppenschalen ohne Deckel" nennt, müssen solche Bouillonschalen mit Deckel bereits vorhanden gewesen sein. Der Knauf folgt dem Modell der ebenfalls 1755 nachweisbaren Zuckerdose mit Großem Laubrelief (Kat. **689**). Generell liegt ein Meissener Vorbild zugrunde, dem besonders die Gestaltung der Henkel folgt. Gedeckelte Bouillonschalen mit zwei Henkeln wurden auch Wöchnerinnenterrinen genannt, da sie als Geschenk für junge Mütter eine lange Tradition hatten. Diese Art der Malerei auch auf einer eiförmigen Teedose ohne Deckel mit Hexagramm-Marke im MMA, New York, Inv.Nr. 42.205.274, und ebensolcher in der LGA im GNM, Nürnberg, Inv.Nr. 504.

302

Durch die Signatur auf der Innenseite eines Dosendeckels können wir dem Maler Joseph Zächenberger eine Gruppe mit üppigster Blumenmalerei zuschreiben, die in Nymphenburg ausgeführt wurde. Joseph Zächenberger (München 1732–1802) wurde von seinem Vater Anton und J. Ruffini ausgebildet und war von 1760 bis 1770 in der Manufaktur als Blumenmaler tätig. Auch Historien- und Landschaftsmalerei soll er ausgeführt haben. 1772/79 schuf er eine Wand- und Deckendekoration für das ehem. Palais Tattenbach (heute im BNM, München).

Auf den von seiner Hand bemalten Geschirren findet man, bereichert um naturalistisch dargestellte Schmetterlinge, Insekten, Käfer und sogar Raupen, leicht aus der Mitte versetzte Buketts, wobei kleinere Streublumen und größere Einzelblumen den Spiegel und die Fahne schmücken. Eine starke Abschattierung verleiht den Blumen große Plastizität. Die Blüten sind in kraftvollen Tönen ausgeführt (Purpur, Eisenrot, Gelb, Blau) und werden von zweierlei Grün für die Blätter begleitet. Die Schmetterlinge sind überwiegend in Blau, Schwarz und Gelb naturalistisch wiedergegeben.

Es lassen sich zwei Arten der Malerei unterscheiden: Eher dunkeltonig sind die großen, dichten Blumenbuketts, die den Malgrund größtenteils bedecken, während die lockerer aufgefaßten Arrangements von Einzelblumen begleitet werden und in einer helleren Palette ausgeführt sind. Besonders den größeren Einzelblumen auf der Fahne hat der Maler solchen Wert beigemessen, daß dem Goldstaffierer teilweise kaum Raum für seine Bemusterung blieb.

Die Platten und Teller der Slg. Bäuml weisen am äußeren Rand der Fahne, die durch Rippen in kurze und lange Abschnitte gegliedert wird, unterschiedliche Goldbordüren auf, die vermutlich auf Nachbestellungen oder die Ausführung durch verschiedene Goldstaffierer zurückzuführen sind. Sie sind nach ihrem Aufbau zu unterscheiden:

Typ A In den kurzen Abschnitten aufeinander zulaufende Rankenbögen, die innen und zur Mitte hin kleine Blüten füllen, üppige Rocaillezungen in den eingetieften Zügen, in den langen Abschnitten parallele flache C-Bögen mit symmetrischen Überkreuzungen, die zur Mitte hin von Punktreihen aufgelockert werden (Kat. 303–311).

Typ B In den kurzen Abschnitten wirbelförmige Rankenbögen mit kleinen Blumen gefüllt, in den langen Abschnitten schwingt das obige Randmuster mit unterschiedlichen Rocaillemotiven zur Mitte hin ein (Kat. 313–317).

On the basis of a signature on the inside of a jar lid, we can attribute a Nymphenburg group of tableware with extremely lush flower painting to the painter Joseph Zächenberger. Joseph Zächenberger (Munich 1732–1802) was trained by his father Anton and J. Ruffini and worked at the factory as flower painter from 1760 to 1770. He is also supposed to have carried out history and landscape painting. In 1772/79 he created a mural and ceiling decoration for the former Tattenbach palace (today BNM, Munich).

On tableware painted by Zärchenberger one finds slightly off-center bouquets enriched by naturalistically depicted butterflies, insects, beetles, and even caterpillars, smaller strewn flowers and large individual flowers decorating the center and the border. Strong shading lends the flowers great plasticity. The flowers are carried out in strong hues (Tyrian purple, Jean Cousin, yellow, blue) and are accompanied by two types of green for the leaves. The butterflies are predominantly depicted naturalistically in blue, black, and yellow.

Two types of painting can be differentiated: The large, dense bouquets of flowers are rather dark in tone, covering most of the background, while the looser arrangements are accompanied by individual flowers and are carried out in a lighter palette. The painter placed such an emphasis on the individual flowers on the rim that sometimes hardly any space was left for the patterning by the gilder.

The platters and plates of the Bäuml collection show on the outer edge of the rim, which has been structured by ribs into shorter and longer segments, various gold borders, which are probably due to repeat orders or the execution by various gilders. They can be differentiated in the way they have been built up:

Type A In the short segments, arcs of vines coming together, filled on the inside and towards the center with small flowers, lavish tongues of rocaille in the deeper grooves; in the long segments, flat parallel C-shaped arcs crossing one another symmetrically, which are loosened up towards the center with rows of dots (cat. nos. 303–311).

Type B In the short segments, whirl-shaped vines filled with small flowers; in the long segments, the border pattern described above swings with various rocaille motifs inwards towards the center (cat. nos. 313–317).

Typ C In den kurzen Abschnitten liegend muschelförmige Rocaillen, umlaufend ein Bandmuster mit Längsstricheln und unterschiedlichen Rocaillemotiven zur Mitte hin (Kat. 318–322).

Typ D In den kurzen Abschnitten muschelförmige Rocaillen, das umlaufende Randmuster ist wie bei Typ A symmetrisch aufgebaut und mit Punktreihen versehen (Kat. 323–326).

Das Service mit der Goldbordüre A wurde von Hofmann als „churfürstliches Hofservice" bezeichnet, ohne dafür eine Archivalie vorzulegen (Hofmann, Bildunterschrift zu einem Teller auf Taf. 16). Gestützt wird diese Behauptung jedoch durch eine identisch dekorierte Sauciere mit Unterplatte im BNM, Inv.Nr. Ker 4312 + 4313, die aus der Residenz an das Museum gegeben wurde, sowie durch ein Gegenstück und eine Huiliere mit zwei Kännchen derselben Provenienz, die sich ehemals in der Slg. Sayn-Wittgenstein befanden (VK Sayn- Wittgenstein 1907, Nr. 149 m. Abb., Nr. 150). Die gehenkelte Unterplatte zu einer großen runden Terrine im MKH, Frankfurt, Inv.Nr. 12133/RF 69 (MK Frankfurt 1983, Nr. 364). Weitere Teile siehe unten. Nicht genau einzuteilen ist ein Teller Ø 25 cm im Rijksmuseum, Amsterdam, Inv.Nr. 1976-1. Vielleicht ein weiterer Teil des Hofservices könnte „a whole service of about one hundred pieces with flowers and insects" gewesen sein, das 1907 aus der Norman Court Collection bei Christie's, London, für £ 336 versteigert wurde (Hannover 1925, S. 198).
Vermutlich gehört der prunkvolle, 5-tlg. Vasensatz mit plastischen Blütengirlanden über der Wandung, fein bossierten und delikat staffierten Blumenbuschen als Bekrönung und naturalistischer Insektenmalerei als Krönung der fürstlichen Tafel zu diesem Service (Residenzmuseum, München, Inv.Nr. K III/Ny 1-5; Hofmann, Abb. 377).
Die Verbindung von Blumen und Insekten findet sich auch auf einem anderen Service des Hauses Wittelsbach wieder, das für Clemens August von Köln um 1741 in Meissen ausgeführt wurde. Die Motive wiederholen sich bei dem Warschauer Hofservice für August den Starken, das in blauer Unterglasurmalerei um 1750 in Meissen gefertigt wurde.

Type C In the short segments, these are shell-shaped rocailles, all around a band pattern with lengthwise strokes and various rocaille motifs towards the center (cat. no. 318–322).

Type D In the short segments conch-shaped rocailles, the surrounding edge pattern like in type A symmetrically built up with rows of dots (cat. nos. 323–326).

The service with the gold edging A was described by Hofmann as "electoral court service," without supporting this with a document (Hofmann, legend on plate 16, illustration of a plate). This claim is supported however by an identically decorated sauce boat with platter at the BNM, inv. no. Ker 4312 + 4313, which were given from the royal residence to the museum, as well as by a counterpart and cruet stand with two pitchers of the same provenance, which were originally in the Sayn-Wittgenstein collection (VK Sayn-Wittgenstein 1907, no. 149 with ill., no. 150). The platter with handles belonging to a large round tureen at the MKH, Frankfurt, inv. no. 12133/RF 69 (MK Frankfurt 1983, no. 364). Other pieces see below. A plate, dia. 25 cm, at the Rijksmuseum, Amsterdam, inv. no. 1976-1, cannot be precisely categorized.

The splendid, five-part set of vases with garlands of flowers in relief on the surface, delicately shaped and painted bunches of flowers as crowning elements and naturalistic insect painting presumably belongs to this service as the highlight of the royal table (Residenzmuseum, Munich, inv. no. K III/Ny 1-5; Hofmann, fig. 377).

The combination of flowers and insects can also be found on another service of the House of Wittelsbach, which was made for Clemens August of Cologne in Meissen around 1741 as well as the Warsaw court service for Augustus the Strong, which was carried out in underglaze painting around 1750.

303

304
Runde Platte
um 1760–65, Bemalung wohl
J. Zächenberger

H. 5 cm, Ø 31 cm
PM: RS 2, „B" und „M"; RM: „V"
Inv.Nr. B 688 (Weinberg, London, 1962,
ehemals Slg. Lady West)

Runde Platte mit festonierter Fahne,
bemalt mit bunten Nelken, purpurner
Tulpe und gelber Rose in dichtem Bukett, großen Einzelblumen, verschiedenen Schmetterlingen sowie einer Rau-
pe. Goldbordüre Typ A. Festons blau-
gold staffiert.
Blaue und schwarze Farbe minimal
abgeblättert.

Publ.: Christie's, London, 16.7.1962, Nr. 160;
Miller 1986, Abb. S. 3022

303
Ovale Terrine
um 1760–65, Bemalung wohl
J. Zächenberger

24,5 x 35 x 24,5 cm
PM: RS 5; RM: Striche am Boden und an
einem Füßchen
Inv.Nr. 94a (J. Drey jun. München, 9.7.1913)

Oval, auf vier Rocaillefüßchen, der Korpus am unteren Rand umlaufend mit
plastischen Rocaillen verziert, die in die
seitlich ausladenden Rocaillehenkel
übergehen. Wandung nach oben ausgebaucht und achtfach godroniert, unter
dem Rand senkrecht geriefte Hohlkeh-
le. Abgetreppter Deckel entsprechend
achtfach godroniert mit Wulstrand, die
Züge auf der Oberseite flach verlau-
fend, naturalistisch staffierte, ange-
schnittene Zitrone mit Blattwerk als
Knauf. Bunte Buketts mit verschiedenfarbenen Rosen, Päonien, Winden,
Tulpen, Astern und Schmetterlingen,
Käferchen und Insekten in ihren natürlichen Farben. Goldbordüre Typ A.
Hellblau-goldene Staffage an Kanten,
Henkeln und auf den Rocaillereliefs.
Zwei Blätter des Knaufs defekt, Brandrisse.

Eine gleich große Terrine mit etwas re-
duzierterer Blumenmalerei und Gold-

bordüre Typ B im MKG, Hamburg,
Inv.Nr. 1908.30 ab (Jedding 1974,
Abb. 479).
Der Typus der Terrine, unbemalt im
MKH, Frankfurt, Inv.Nr. 4382/RF 268
(MK Frankfurt 1983, Nr. 363), kommt
in sehr ähnlichem Aufbau und Rocaille-
verzierungen auch in der 1764 gegrün-
deten Manufaktur Fulda vor (AK Fulda
1994, Nr. 117).

305
Runde Platte (Abb. s. S. 136)
um 1760–65, Bemalung wohl
J. Zächenberger

H. 4,8 cm, Ø 31 cm
PM: RS 2, „B" und „M"; RM: „+"
Inv.Nr. B 712 (Weinberg, London, 1964)

Form wie vorige Nr., bemalt mit verschiedenen Rosen, lila Nelke und eisen-

305

306

roter Tulpe in lockerem Bukett, zahl-
reichen großen Einzelblumen und je
einem schwarzen, blauen und gelben
Schmetterling. Goldbordüre Typ A.
Festons blau-gold staffiert.
Standring minimal bestoßen, leichte
Kratzspuren im Spiegel.

Publ.: Sotheby's, London, 7.7.1964, Nr. 99a

307

306
Runde Platte
um 1760–65, Bemalung wohl
J. Zächenberger

H. 5,6 cm, Ø 33,6 cm
PM: RS 2 und „2"; RM: „V"
Inv.Nr. B 94x (Bruno Levi, München, 1925)

Form wie vorige Nr., nur größer, be-
malt mit verschiedenen Nelken, einer
Rose und einer gelb-lila Tulpe im losen
Bukett, zahlreichen großen Einzelblu-

men und schwarz-blauen Schmetterlingen. Goldbordüre Typ A. Festons blau-
gold staffiert.
Farben leicht abgeblättert.

Die in Größe und Bemalung vergleichbare Platte aus der Slg. Sayn-Wittgenstein wurde im damaligen Versteige-
rungskatalog als „aus der Königlichen
Residenz in München stammend" bezeichnet (VK Sayn-Wittgenstein 1907,
Nr. 155 m. Abb.)

307
Runde Platte
um 1760–65, Bemalung wohl
J. Zächenberger

H. 6,2 cm, Ø 36 cm
PM: RS 2 und „3"
Inv.Nr. B 94z (Auktion Ruf, 24.10.1940, ehe-
mals Slg. S. Lämmle)

Form wie vorige Nr., nur größer, bemalt mit gelber Tulpe, purpurnen Nelken und blauen Astern in losem Bukett,
einigen großen Einzelblumen und einem blauen und gelben Schmetterling.
Goldbordüre Typ A. Festons blau-gold
staffiert.
Grüne Farbe leicht abgeblättert, Kratzspuren.

Eine vergleichbare Platte mit Ø 35,2 cm
im MKG, Hamburg, Inv.Nr. 1908.311

308

309

(Jedding 1974, Abb. 478) sowie mit
∅ 35,6 cm im KGM, Berlin, Inv.Nr.
61.17 (MK Berlin 1970, Taf. VIII) und
zwei weitere im MKH, Frankfurt,
Inv.Nr. 6217/RF 71 und 12134
(MK Frankfurt 1983, Nr. 365).

308
Runde Platte
um 1760–65, Bemalung wohl
J. Zächenberger

H. 7,1 cm, ∅ 38 cm
PM: RS 2 und „3"
Inv.Nr. B 94y (Bruno Levi, München, 1925)

Form wie vorige Nr., nur größer, bemalt mit braun-gelber Tulpe, eisenroter
Rose, lila Federmohn und blauen
Astern in lockerem Bukett, einigen
großen Einzelblumen sowie einem
schwarz-braunen und gelben Schmetterling. Goldbordüre Typ A. Festons
blau-gold staffiert.
Farben leicht abgeblättert. Kratzspuren,
Brandrisse.

Eine vergleichbare Platte ehemals Slg.
Schöller (AK Berlin 1904, Nr. 960), die
eventuell identisch ist zu einer Platte
mit eisenroter Tulpe im lockeren Bukett und schwarzem sowie gelb-rotem
Schmetterling in norddeutschem Privatbesitz.

309
Kompottschale
um 1760–65, Bemalung wohl
J. Zächenberger

H. 4,6 cm, ∅ 23,5 cm
PM: RS 13; RM: „W", „B" und „↕"
Inv.Nr. 94i (A. S. Drey, München, 9.7.1913)

Rund, aus dem flachen Spiegel aufgewölbte, passig geschwungene Wandung
mit festoniertem Rand, bemalt mit Rosen und gelber Dahlie im Bukett, Einzelblumen und blau-gelbem Schmetterling. Goldbordüre Typ A. Festons
blau-gold staffiert.
Am Rand und Standring minimal bestoßen.

Ein Vergleichsstück im BNM, Inv.Nr.
63/45.

310
Ovale Platte (o. Abb.)
um 1760–65, Bemalung wohl
J. Zächenberger

5,4 x 35,1 x 26 cm
PM: RS 4; RM: „79"
Inv.Nr. B 94w (Schäfer, München, 1.3.1918)

Oval, glatter Spiegel mit festonierter
Fahne, bemalt mit eisenroter Rose,
gelb-brauner Tulpe, rosa Nelke und
Astern in lockerem Bukett, Einzelblu-

men und Insekten. Goldbordüre wie
Typ A, nur schwächer in der Aus-
führung. Festons blau-gold staffiert.
Schlechte Glasur mit Kratzspuren,
Goldrand berieben.

Eine ovale Platte der größten Sorte mit
L. 38,5 cm, Federmohnblüten und Rose sowie sehr gut ausgeführter Goldbordüre in Slg. Böhler, München. Eine
kleinere Sorte (3,5 x 30,5 x 22,5 cm)
im WLM, Stuttgart, Inv.Nr. 8.154,
eventuell identisch mit der Platte ehemals Slg. Sayn-Wittgenstein (VK Sayn-
Wittgenstein 1907, Nr. 154). Die
nächst kleineren Platten des Services
haben die Maße 4 x 20,5 x 16 cm (VK
Sayn-Wittgenstein 1907, Nr. 154a).

311
Tiefer Teller (o. Abb.)
um 1765–70, Bemalung wohl
J. Zächenberger

H. 4,7 cm, ∅ 25,2 cm
RM: „A" und „8"
Inv.Nr. B 657d (Prov. unbekannt, 15.1.1960)

Rund, festonierte Fahne, bemalt mit
verschiedenfarbigen Rosen und Päonien in lockerem Bukett, Einzelblumen
und blauem Schmetterling. Einfarbiges
Blattwerk. Goldbordüre wie Typ A, nur
schwächer in der Ausführung. Festons
blau-gold staffiert.

314

319

312
Tiefer Teller (o. Abb.)
um 1760–65, Bemalung wohl
J. Zächenberger

H. 4,5 cm, Ø 25,2 cm
PM: „3" und „A"
Inv.Nr. B 94p (A. S. Drey, München,
9.7.1913)

Rund, festonierte Fahne, bemalt mit
eisenroten Rosen, lila Nelke und gelber
Narzisse in lockerem Bukett, Einzelblumen, gelbem und blauem Schmetterling. Goldbordüre ist Mischung aus Typ
A und B. Festons blau-gold staffiert.
Sprung, Goldrand und Glasur leicht
berieben.

Ein Teller dieser Größe, Bemalung und
Marken im KGM, Berlin, Inv.Nr. 61.19
(MK Berlin 1970, Nr. 102)

313–316
Vier tiefe Teller
um 1760–65, Bemalung wohl
J. Zächenberger

H. 4,0–4,3 cm, Ø 25,2–25,6 cm
PM: „2" und „PL". 316: „3L"
Inv.Nr. B 657a-b, e-f (Prov. unbekannt,
15.1.1960)

Rund, festonierte Fahne, bemalt mit
bunten, dichten Blumenbuketts in dun-

klen Farben, mittelgroßen Einzelblumen und zahlreichen, besonders fein
ausgeführten Schmetterlingen. Goldbordüre Typ B. Festons blau-gold staffiert.
316: am Rand bestoßen.

Ein Vergleichsstück in der SGM, Halle,
Inv.Nr. Po 738.

317
Flacher Teller (o. Abb.)
um 1760–65, Bemalung wohl
J. Zächenberger

H. 3,6 cm, Ø 25,5 cm
PM: „3"
Inv.Nr. B 94s (A. S. Drey, München,
9.7.1913)

Rund, festonierte Fahne, bemalt mit
Rosen, lila Nelken und gelber Tulpe in
dichtem Bukett, großen Einzelblumen,
schwarz-braunem Schmetterling und
Insekt. Goldbordüre Typ B. Festons
blau-gold staffiert.
Glasur und Farben berieben.

Sechs Teller mit Ø 25–25,5 cm und
Goldbordüre Typ B in der LGA im
GNM, Nürnberg, Inv.Nr. 8305/1-6,
wurden ebenfalls bei A. S. Drey in
München 1898 erworben (MK Nürnberg 1989, Nr. 146). Ebenfalls mit dieser Bordüre ein Teller mit Ø 25,7 cm

im Grassi-Museum, Leipzig, Inv.Nr.
16.51 (MK Leipzig 1983, Nr. 130) und
in der SGM, Halle, Inv.Nr. Po 739.

318–320
Drei tiefe Teller
um 1760–65, Bemalung wohl
J. Zächenberger

H. 4–4,4 cm, Ø 24,5–25,7 cm
PM: „↕", „3" und „2"
Inv.Nr. B 94q-r (A. S. Drey, München,
9.7.1913), B 657c (Prov. unbekannt, 1960)

Rund, festonierte Fahne, bemalt mit
bunten Blumenbuketts, Einzelblumen
sowie Insekten und Schmetterlingen.
Goldbordüre Typ C. Festons blau-gold
staffiert.
Kratzspuren.

Vergleichsstück im KGM, Berlin,
Inv.Nr. 61.18, und unbekanntem
Besitz (Newman 1977/II, Abb. 3).

321–322
Zwei flache Teller (o. Abb.)
um 1760–65, Bemalung wohl
J. Zächenberger

H. 3,5 cm, Ø 25 cm
PM: „2" und „+"
Inv.Nr. B 94t-u (A. S. Drey, München,
9.7.1913)

325

Rund, festonierte Fahne, bemalt mit
bunten Blumenbuketts, Einzelblumen
und schwarz-lila sowie blauem Schmetterling. Goldbordüre Typ C. Festons
blau-gold staffiert.
Grün und Blau leicht abgeblättert.

Vergleichsstück in unbekanntem
Besitz (Metz, Heidelberg, 27.6.1992,
Nr. 577).

323
Runde Platte (o. Abb.)
um 1760–65, Bemalung wohl
J. Zächenberger

H. 6 cm, ⌀ 35,5 cm
PM: RS 2, „3", im Standring 4 Punkte eingestochen
Inv.Nr. B 94h (A. S. Drey, München,
9.7.1913)

Rund, festonierte Fahne, bemalt mit
Rosen, eisenroter Tulpe und grau-lila
Päonie in lockerem Bukett, Einzelblumen und gelb-rot-blauem Schmetterling. Goldbordüre Typ D. Festons blau-
gold staffiert.

Eine vergleichbare Platte in unbekanntem Besitz (Ducret 1977, Abb. 53),
zwei kleinere Platten im BNM, Inv.
Nr. 78/162-163.

324
Kompottschale (o. Abb.)
um 1760–65, Bemalung wohl
J. Zächenberger

H. 5,6 cm, ⌀ 26,9 cm
PM: „PL" und „2"
Inv.Nr. B 94k (A. S. Drey, München,
9.7.1913)

Rund, Form wie **309**, nur größer, bemalt mit Rosen, lila Nelke und eisenroter Tulpe im Bukett, großen Einzelblumen und blauem Schmetterling.
Goldbordüre Typ D. Festons blau-gold
staffiert.
Grün und Blau leicht abgeblättert.

Mit denselben Marken und Goldbordüre versehene, gleich große Schale in unbekanntem Besitz (zuletzt Christie's,
Genf, 10.11.1986, Nr. 52).

325
Tiefer Teller
um 1760–65, Bemalung wohl
J. Zächenberger

H. 4,2 cm, ⌀ 25,3 cm
PM: „w"; RM: „8"
Inv.Nr. B 94o (A. S. Drey, München,
9.7.1913)

Rund, festonierte Fahne, bemalt mit lila
Nelke und bunten Rosen im Bukett,
großen Einzelblumen, grauem und lila
Schmetterling. Goldbordüre Typ D.
Festons blau-gold staffiert.
Absplitterung am Rand.

Ein tiefer und ein flacher Teller mit
⌀ 25 cm und gleicher Goldbordüre im
BNM, Inv.Nr. Ker 2548+2549 (Hof
mann, Taf. 16) wurden 1892 im Anti-
quitätenhandel erworben. Die Bildunterschrift „aus einem für den churfürstlichen Hof angefertigten Service"
wird von Hofmann im Text nicht belegt, siehe oben.

326
Flacher Teller (o. Abb.)
um 1760–65, Bemalung wohl
J. Zächenberger

H. 3,9 cm, ⌀ 25 cm
PM: „3"
Inv.Nr. B 94v (A. S. Drey, München,
9.7.1913)

Rund, festonierte Fahne, bemalt mit
verschiedenen Rosen und Narzissen in
lockerem Bukett, Einzelblumen und lila
Schmetterling. Goldbordüre Typ D.
Festons blau-gold staffiert.

Ein Vergleichsstück im GGMCA,
Toronto, Inv.Nr. G83.1.701.

327   353   328

327
Spülkumme
um 1760–65, Bemalung wohl
J. Zächenberger

H. 8,7 cm, Ø 17,8 cm
PM: RS 9, „S PL" und „2"
Inv.Nr. B 278 (Richard Schulz, Berlin,
20.10.1919)

Rund, zweifach profilierter Standring,
konisch ausladende Wandung mit ausgestelltem Rand. Dunkeltoniges Bukett
aus lila Rose, Tulpe und Päonie, gegenüber Bukett aus eisenroten Päonien
und gelb-grauer Rose, bunte Schmetterlinge und Marienkäfer, Streublumen.
Am Rand bestoßen, Glasur teilweise
blasig.

328
Kaffeekanne
um 1760–65, Bemalung wohl
J. Zächenberger

H. o. Deckel 17,8 cm
PM: „I" und „PL"
Inv.Nr. B 82 (Prov. unbekannt, um 1912)

Birnform mit profiliertem Rand auf gekehltem Standring, Henkel aus zwei
gegenläufigen C-Bögen und wie die
geschwungene Tülle zart reliefiert.

Großes Bukett aus verschiedenfarbenen
Rosen und eisenroter Tulpe, gegenüber
etwas kleineres Bukett aus lila Rose
und Nelke, bunte Schmetterlinge und
Marienkäfer, Streublumen.
Deckel fehlt.

Eine kleine Gruppe früher Geschirre ist mit ähnlich dichten Blumenbuketts bemalt, wie sie schon Zächenberger eingeführt hat, allerdings sind viele und sehr unterschiedliche Blüten zu einem natürlichen wirkenden Strauß zusammengefaßt. Die Stiele laufen parallel aus. Einzelne Blüten trennen sich vom Gebinde und überragen es. Die Farben der mehrheitlich einfachen Gartenblumen sind hell, unter Verwendung von Zitronengelb, Kornblumenblau, Eisenrot und Purpur.

A small group of early pieces of tableware is painted with dense bouquets of flowers similar to those Zächenberger had already introduced. Here, however, many different flowers are combined in a bouquet having a very natural effect. The stems are laid parallel to one another. Individual flowers separate from the flower arrangement and protrude above it. The colors of the mostly simple garden flowers are light, including lemon yellow, cornflower blue, Jean Cousin, and Tyrian purple.

329

Die Goldspitzenbordüre auf einer walzenförmigen Milchkanne mit Asthenkel und Blumenmalerei ehemals in Slg. Czermak (VK Czermak 1917, Nr. 285, Taf. XI). Das Formstück mit bunter Landschaft in unbekanntem Besitz (Christie's, London, 3.3.1986, Nr. 142).

330

329
Unterteller einer Sauciere
um 1760–65

2,5 x 21,7 x 15,8 cm
PM: 4, „I" und Strich
Inv.Nr. B 733 (Galerie Almas, München, 25.5.1967)

Oval, gerundet rautenförmiger Spiegel mit vertieftem Stand, aufgewölbte Fahne mit acht Rippen, konkav-konvex schwingender Umriß mit abgesetztem Profilrand, Goldstaffage. Im Spiegel hellfarbenes Blumenbukett aus blau-weißer Iris, lila Rose, bunten Sommerblumen; Streublumen auf der Fahne. Goldspitzenbordüre aus Rapportranken und gegitterten Medaillons mit Rankenrand. Vergoldung und Glasur leicht berieben.

330
Teetasse mit Untertasse
um 1760–65

Tasse H. 4,5 cm, Ø 7,5 cm.
Untertasse: Dm. 13,1
PM: RS 12 und „⚊"
Inv.Nr. B 684 (Weinmüller, München, 1963)

Auf geradem Standring, halbkugelige Wandung mit ausschwingendem Rand, innen abgeflachter Wulsthenkel in Ohrform. Tief gemuldeter Unterteller mit ausgeschwungenem Rand. Hellfarbenes Blumenbukett mit Schwertlilie, gefüllten Glockenblumen und Sommerblumen auf Wandung und Spiegel. Goldspitzenbordüre aus C-Bögen mit Punktreihen, Lambrequins und Gitterfeldern. Vergoldung minimal berieben.

Eine hierzu passend staffierte Kaffeekanne in schlanker Birnform auf hohem konischem Standring mit einfachem C-Henkel, H. 22,5 cm, ehemals in Slg. Sayn-Wittgenstein (VK Sayn-Wittgenstein 1907, Nr. 144) und sehr ähnlich bemalt in Slg. Czermak (VK Czermak 197, Nr. 284). Ein mehrteiliges Service im MAK, Wien, Inv.Nr. 4501. Die Goldbordüre auch auf einer Tasse, Inv.Nr. K II/Ny 1568,

und einem dreipassigen Tellerchen mit Blumenbukett im Residenzmuseum, München, Inv.Nr. K II/Ny 1567 (Hofmann, Abb. 49).

Publ.: Weinmüller, München, 6.12.1963, Nr. 99

331
Teedose (Abb. s. S. 142)
um 1760–65

12,1 x 7,2 x 5,1 cm
PM: RS 12 und „⚊"
Inv.Nr. B 358 (Wirschinger, Ludwigshafen, Juni 1925)

Rechteckig mit gerundeter, leicht überstehender Schulter, die um den kurzen geraden Hals herum abgeflacht ist. Gekehlter Stülpdeckel mit gewölbter Oberseite, wohl Apfel als Knauf. Hellfarbene Blumenbuketts aus lila Rose, gelben Ranunkeln, rotem Federmohn und blauen Anemonen, Streublumen. Rotbraune Randstaffage.

331

Dose seitlich bestoßen, Farbe berieben, Deckelknauf fehlt.

Eine vergleichbare Teedose mit Goldbordüre wie vorige Nr. im Residenzmuseum, München, Inv.Nr. K II/ Ny 1579.

332
Rechaud
um 1760–65

H. des Unterteils 15 cm, ∅ unten 15 cm
PM: RS 5
Inv.Nr. B 556 (L. Steinhauser, München, 16.5.1951)

Rund, mehrfach profilierter Standring, konische zulaufende Wandung, am Rand breites Wulstprofil. Darunter auf der Vorder- und Rückseite zwei spitze Nasen mit Rocaillerelief für die Luftzufuhr, auf den Seiten in halber Höhe glockenförmige Handhaben mit gekanteter Oberfläche und gewelltem Rand. In der Mitte vorne breite, oben dreifach geschwungene Öffnung für die Spiritusschale. Flach gewölbter Aufsatzdeckel mit naturalistisch staffiertem Birnzweig als Knauf für die (fehlende) Einsatzschale. Auf der Wandung und dem Deckel große, hellfarbene Blumenbuketts aus Rosen, Tulpen, Federmohn, Anemonen, Strohblumen sowie Streublumen. Ränder rotbraun staffiert.

Einsatzschale fehlt, ein Henkel restauriert.

Das vollständige Modell erschließt sich aus einem 23 cm hohen Vergleichsstück ehemals in der Slg. Hirth mit Landschaftsmalerei (VK Hirth 1898, Nr. 384), einem Stück der Slg. v. Gasser, das vermutlich eine zu eben genanntem Modell vergleichbare Blumenmalerei trug (VK Gasser 1912, Nr. 599, Taf. XIX) sowie Rechauds mit bayerischem Wappen und Landschaftsmalerei im BNM, Inv.Nr. Ker 2539 (Hofmann, Abb. 65) und im Historischen Museum, Bern, Inv.Nr. 28061 (Newman 1977/II, Abb. 5). Bei diesem Rechaudmodell mit niedrigem Unterteil besaß die Einsatzschale einen breiten Rand als Auflage, gefolgt von einer kurzen zylindrischen Wandung, an deren Rand die muschelförmigen Handhaben ansetzten. Bemalt mit einer französischen Parklandschaft im BNM, Inv.Nr. Ker 2208 (AK Hohenberg 1995, Abb. 50), mit einer Landschaft in der Nachfolge Lindemanns mit reichen Goldbordüren und bayerischem Wappen in unbekanntem Besitz (zuletzt Sotheby's, London, 13.6.1995, Nr. 315) und mit einer Abfolge von Rocaillespalieren mit Vögeln im V&A, London, Inv.Nr. C.1572-1919 (Honey 1947, Abb. 38). Eine Formvariante besitzt eine ein- und ausschwingende Wandung des Unterteils, sonst gleichen Aufbau sowie umlaufend Landschaftsmalerei (Inv.Nr. Ker 2539, Hofmann, Abb. 50), bzw. eine Parkszene mit Spaliergängen (Inv.Nr. 2208, Hofmann, Abb. 66 rechts), ein ähnliches Ex. im MAK, Wien.

332

Die beliebteste Blumenmalerei in Nymphenburg zeichnet sich durch eine weit das Arrangement überragende Einzelblüte aus, wobei die Stiele der Blumen nun fest zusammengebunden wirken, diese Stelle jedoch von kleinen Blüten kaschiert wird. Um den eleganten Schwung der Einzelblume wirken zu lassen, sind die Sträuße schräg auf die Gefäße gemalt und füllen eine größere Malfläche. Bei den Größenverhältnissen der einzelnen Blumen kommt es im Lauf der Entwicklung zu stark vergrößerten Betonungen der Mittelblume oder der überlängten Blume. Die Größe der Streublumen nimmt gleichzeitig ab, so daß ihr betont filigraner Charakter durch die ausgezeichnete Malerei hervorgehoben wird.

Das Kolorit wechselt von eher dunklen, natürlichen Tönen nach einer Phase, in der besonders Lila – begleitet von fahlem Blau- und zartem Gelbgrün – dominiert, zu hellen, lieblich wirkenden Pastellfarben, die für das Rokoko als typisch gelten, jedoch weit länger verwendet wurden. Je feiner die Ausführung der Malerei und der Goldbordüren, desto lichter scheint in dieser Zeit die Farbgebung gewählt. Eine große, runde Terrine mit typischem Nymphenburger Bukett in Pastellfarben und gehenkelter Unterplatte, aber ohne Goldbordüre, besitzt das Kunstindustrimuseet, Kopenhagen, Inv.Nr. 161a-c/1984. Das wohl umfangreichste Speiseservice mit einfachem Goldrand und großer, ovaler Terrine sowie zahlreichen Zubehörteilen mit dieser Bemalung ehemals bei Ars Antiqua, Mailand (2a mostra nazionale dell' antiquariato, Milano, Palazzo Reale, 20.10.–10.11.1962, Taf. LXXXVII).

The most popular flower painting in Nymphenburg is characterized by a single flower protruding far above the arrangement. The stems of the flowers now appear to be tied together tightly, with this section being hidden, though, by small flowers. In order to maximize the effect of the single flower's elegant curve, the bouquets are painted onto the vessels obliquely and cover a larger surface. In the size relationships of the individual flowers, the scale of the central or protruding flower comes to be, in the course of development, strongly emphasized. At the same time the size of the strewn flowers is reduced, so that their filigree character is accentuated by the excellent painting.

After a phase in which particularly purple – accompanied by pale blue-green and a delicate yellowish green – dominates, the coloration changes from rather darker natural hues to light pastel colors having a pretty effect. These are considered typical for rococo, but were used over a much longer period of time. The finer the execution of the painting and the gold edging, the lighter the colors apparently chosen at this time. A large, round tureen with a typical Nymphenburg bouquet in pastel colors and with a plateau with handles, but without gold edging, is owned by the Kunstindustrimuseet, Copenhagen, inv. no. 161a-c/1984. The probably most extensive table service with a simple gold edge and large oval tureen as well as numerous accessory pieces, with this decoration, formerly at Ars Antiqua, Milan (2a mostra nazionale dell'antiquariato, Milano, Palazzo Reale, 20.10.–10.11.1962, plate LXXXVII).

333–350
18-tlg. Kaffee- und Teeservice
um 1765
Inv.Nr. B 146a-s (A. S. Drey, München, 24.8.1916)

333
Kaffeekanne (Abb. s. S. 145)
H. 19,5 cm
PM: RS 13, „PL", „V" und „2"
Inv.Nr. B 146a
Birnform, Henkel und Reliefdekor wie Kat. 328, nur kleiner. Auf der Seite Bukett aus lila Rose, gelber Päonie und überlängter, eisenroter Tulpe, gegenüber mit eisenroter Rose und lila Tulpe, Streublumen. Goldbogenkanten. Rotgoldener Rankendekor unterhalb des Randes, auf dem Deckel zusätzlich mit goldenem Blattwerk.
Am Rand bestoßen.

334
Milchkanne (Abb. s. S. 145)
H. 13 cm
PM: RS 13, „PL", „I" und „↕".
Inv.Nr. B 146b
Form und Staffage wie vorige Nr., nur kleiner und auf ausgestelltem Standring. Bukett aus lila Rose und gelber Tulpe, gegenüber mit eisenroter Rose, Streublumen.
Deckelknauf abgebrochen.

335
Teekanne (Abb. s. S. 144)
H. 9,7 cm
PM: RS 13, „PL", „f" und „↕"
Inv.Nr. B 146c
Gedrückte Ballonform auf nach innen abgesetztem Standring, geschwungene Röhrentülle mit reliefiertem Drachen-

kopf, formgleicher Henkel wie oben, flacher Einsatzdeckel mit Pinienzapfenknauf. Goldstaffagen. Bukett aus gelber Tulpe und lila Rose ähnlich der Milchkanne, gegenüber lila Tulpe und eisenrote Rose, Streublumen. Staffage wie vorige Nr.

336
Teedose (Abb. s. S. 144)
13 x 8 x 5 cm
PM: „PL", „J" und „↕"
Inv.Nr. B 146d
Form wie Kat. 331 und Staffage wie vorige Nr., Bukett aus lila und gelber Rose mit überlängter Nelke, gegenüber lila Leberblümchen mit eisenroter Rose, Streublumen. Goldlinie am Stand.
Deckelknauf abgebrochen.

336 341 335

337
Spülkumme (o. Abb.)
H. 8,6 cm, Ø 17,8 cm
PM: RS 13, „PL", „f" und „ 1 "
Inv.Nr. B 146e
Form wie Kat. 327, Bukett aus lila
Tulpe und eisenroter Rose, gegenüber
aus blauer Winde und lila Rose,
Streublumen, unterhalb des Randes
innen rot-goldener Rankendekor.
Stark restauriert.

338
Ovales Schälchen („Brodtasse")
3,2 x 20 x 15,2 cm
PM: RS 2, „PL M 4"
Inv.Nr. B 146f
Oval, glatter Spiegel mit ausladendem
Rand, achtfach konkav-konvex ge-
schweift, ähnlich wie Kat. 329. Bukett
mit gelb-blauer Anemone und lila Rose,
Streublumen. Staffage wie vorige Nr.

339–340
**Zwei Kaffeetassen mit
Volutenhenkel**
H. 6,5 cm, Ø 6,5 cm
PM: „PL", „S" und „o".
340: RS 9, „PL" und „I"
Inv.Nr. B 146g+h
Obertasse auf glattem Standring, hohe
becherförmige Wandung, ohrförmiger
Volutenhenkel.
339: eisenrote Rose und Glockenblume
im Bukett, rot-goldene Rocaillebordüre
mit goldenem Blattwerk (Inv.Nr. 146g).

340: lila Tulpe und eisenrote Rose im
Bukett, rot-goldene Rocaillebordüre
(Inv.Nr. 146h)

341–350
Zehn Teetassen mit Untertassen
Obertassen: H. 4 cm, Ø 7,5 cm
Untertassen: Ø 12,7 cm
PM: RS 13, „PL", „3" und „ 1 "
Inv.Nr. B 146i-s
Obertasse wie Kat. 330, nur kleiner.
Untertasse mit flachem Spiegel und
steil aufgebogenem Rand.
341: Obertasse mit eisenroter Rose im
Bukett, rot-goldene Rocaillebordüre mit
goldenem Blattwerk. Untertasse mit lila
Rose im Bukett, rot-goldene Rocaillebordüre (Inv.Nr. 146i).
342: Obertasse mit lila Tulpe im Bukett, zarte rot-goldene Rankenbordüre
mit kleinem goldenen Blattwerk. Untertasse mit lila Rose im Bukett, rosa-goldene Rocaillebordüre (Inv.Nr. 146k).
343: Obertasse mit lila Rose im Bukett,
rosa-goldene Rocaillebordüre mit goldenem Blattwerk. Untertasse mit lila
Tulpe im Bukett, rot-goldene Rocaillebordüre mit goldenem Blattwerk
(Inv.Nr. 146l).
344: Obertasse mit lila Tulpe im Bukett, zarte rot-goldene Rankenbordüre
mit kleinem goldenem Blattwerk. Untertasse mit lila Tulpe im Bukett, rot-
goldene Rocaillebordüre mit goldenem
Blattwerk (Inv.Nr. 146m).
345: Obertasse mit lila Rose im Bukett,
zarte rosa-goldene Rankenbordüre.

Untertasse ebenfalls mit lila Rose im
Bukett, rosa-goldene Rocaillebordüre
(Inv.Nr. 146n).
346: Obertasse mit eisenroter Rose im
Bukett, rot-goldene Rocaillebordüre mit
goldenem Blattwerk. Untertasse mit lila
Tulpe im Bukett, rot-goldene Rankenbordüre (Inv.Nr. 146o).
347: Obertasse mit eisenroter Rose im
Bukett, rot-goldene Rocaillebordüre mit
goldenem Blattwerk. Untertasse mit lila
Rose, rot-goldene Rocaillebordüre mit
goldenem Blattwerk (Inv.Nr. 146p).
348: Obertasse mit lila Rose im Bukett,
zarte rosa-goldene Rankenbordüre.
Untertasse mit lila Rose im Bukett, rot-
goldene Rocaillebordüre mit goldenem
Blattwerk (Inv.Nr. 146qu).
349: Obertasse mit lila Tulpe im Bukett, zarte rosa-goldene Rankenbordüre. Untertasse mit lila Rose im Bukett,
rot-goldene Rankenbordüre (Inv.Nr.
146r).
350: Obertasse mit lila Rose im Bukett,
zarte rosa-goldene Rankenbordüre.
Untertasse mit lila Tulpe im Bukett, rot-
goldene Rocaillebordüre mit goldenem
Blattwerk (Inv.Nr. 146s).

Das Service scheint aus mehreren Beständen zusammengestellt worden zu
sein. Gemeinsam ist allen Teilen eine
Goldbogenkante an den Rändern. Die
Hohlkörper zeigen alle die reiche rot-
goldene Rocaillebordüre mit goldenem
Blattwerk, die sich auch auf die Obertassen g, i, l, o, p, und den Untertassen

338   334   333   340   350

i, l, p, qu, s finden. Einfachere rot-goldene Ranken besitzen die Untertassen
o und r, zarte rot-goldene Rocaillebor-
düren auf den Obertassen k, m, und r,
während eine rosa-goldene Rocaillebordüre auf den Obertassen n, qu und s
sowie auf den Untertassen k und n gemalt wurde.
Auffällig ist die mehrfache Verwendung
gleicher Vorlagen, so das Bukett mit eisenroter Rose und sechsblättriger, lila
Blume auf den Obertassen i, o, p, und
in vertauschten Farben auf l. Das Bukett mit lila Tulpe findet sich auf den
Obertassen k, m, r und den Untertassen
l, m, s. Das dritte Motiv ist das Bukett
mit lila Rose, das auf der Obertasse n,
qu, s und den Untertassen i, k, n, p, qu
zu finden ist.
Die Obertassen i, p und o haben auf
dem Boden ein lila Leberblümchen, die
Obertassen k, m, r ein großes, während
n, qu und s mit einem kleinen Vergißmeinnicht bemalt sind.
Mit der jeweils unterschiedlichen Variation dieser einzelnen Dekormotive ergibt sich ein wiederum geschlossenes
Bild, obwohl – basierend auf den Randbordüren – einzelne Komplexe zu
unterscheiden sind.

Publ.: Braun-Ronsdorf 1953, Abb. 1

351–352
Zwei tiefe Teller (Abb. s. S. 146)
um 1765

H. 4,0 cm, Ø 25 cm
351: PM: RS 2, „2 PL M". 352: PM: RS 4,
„3 PL J" und Hexagramm-Marke in Sternform
Nr. 14
Inv.Nr. B 438a-b (Prov. unbekannt, 1938)

Rund, aus dem glatten Spiegel über das
Steigebord hinweg zartes Muschelrelief
mit zur Mitte geschwungenen Spitzen,
das an der Kante zur Fahne durchbrochen ist und diese mit geschwungenen
Zügen viermal in einen breiten und
drei kurze Abschnitte unterteilt, denen
der abgesetzte Profilrand mit Goldstaffage ein- und ausschwingend folgt. Auf
Spiegel und Fahne locker gemalte,
große Blumen und Streublumen.
Ränder bestoßen, Malerei berieben.

In den Quellen von 1755 finden sich
„gefalbelte Teller", die 1763 als neue
Modelle wiederum Erwähnung finden
(Hofmann, S. 570, 572). Dieser Relief-
dekor findet sich eigenartigerweise auf
Waschgeschirr und Barbierschalen aus
Höchst, die um 1755–1765 datiert
werden (AK Frankfurt 1994, Nr. 5.6.2
und 5,6,8). Mit gleicher Malerei und
Marken wie Kat. 352 drei tiefe Teller
im BNM, Inv.Nr. Ker 2210–2212
(Hofmann, Abb. 47) und einer im
Nationalmuseum, Stockholm, Inv.Nr.
NM 56/1916.

353
Kaffeekanne (Abb. s. S. 140)
um 1760–65

H. 27 cm
PM: RS 13; RM: „43", vier Striche
Inv.Nr. 726 (Weinmüller, München 1965)

Behäbige Birnform mit profiliertem
Rand auf abgesetztem Standring, großer
Henkel in J-Form und geschwungene
Tülle zart reliefiert. Hoher gewölbter
Aufsatzdeckel mit naturalistisch staffierter Rose als Knauf. Großes, schräg gestelltes Bukett aus lila Rose, eisenrotem
Federmohn und roter Kapuzinerkresse
mit überlängter, gelb-lila Nelke, gegenüber Bukett aus lila Chrysantheme und
eisenrot-gelber Tulpe, kleine Buketts
auf dem Deckel, unterhalb des Henkelansatzes und der Tülle. Streublumen.
Leicht bestoßen, Blatt am Knauf abgebrochen.

Dieses größte der Nymphenburger
Kaffeekannen-Modelle besitzt als einzi-
ges den Meissener J-Henkel. Eine ver-
gleichbar bemalte Kanne war ehemals
in der Slg. Hering (VK Hering 1917,
Nr. 62) und in unbek. Privatbesitz
(Weinmüller, München, 14.6.1978,
Nr. 56).

Publ.: Weinmüller, München, 8.12.1965,
Nr. 170

352

196 – 199   357 – 362   355   356

354
Kleine Terrine mit Deckel
um 1760–65

11,6 x 17,4 x 14,4 cm
PM: RS 9 und „H"; RM: „41"
Inv.Nr. B 436 (Slg. Dr. Remé, Hamburg, 1938)

Oval, profilierter und gekehlter Stand-ring, der wie die ausladende Wandung durch Züge passig in breite und schma-le Felder unterteilt ist, geschwungenes, auskragendes Randprofil. Formentspre-chender, gewölbter Einsatzdeckel mit Ausschnitt, auf der glatten Oberseite mit naturalistisch staffierter Birne als

354

Knauf. Schräggestellte Blumenbuketts mit mehreren lila Rosen und Tulpen, Streublumen.
Unterteil am Rand und Blattwerk be-stoßen.

Eine genaue Identifizierung der kleinen Terrine ist nicht möglich. Schon 1758 erwähnt die Jahresrechnung „Reindlen mit Füßen und Deckeln in zwei Grö-ßen", 1764 und 1765 folgen „bossierte Reindl mit Fiessl et Deckl" (Hofmann, S. 571). Nicht erwähnt wird eine Un-terschale, die ein Vergleichsstück mit Grüner Landschaft im WLM, Stuttgart, Inv.Nr. 8,441, besitzt. Der Einschnitt deutet darauf hin, daß ein Löffel bei ei-ner Verwendung als Saucenterrine im Gefäß verbleiben konnte.

Publ.: VK Dr. Remé 1938, Nr. 903a

355–356
Zwei Likörtässchen
um 1760–65

H. 3,5 cm, Ø 3,4 cm
PM: RS 13; RM: „12" und „13"
Inv.Nr. B 151a-b (L. Steinhauser, München, Sept. 1916)

Form wie Kat. 196, aber kleinerer Ohr-henkel, mit lichten Blumenbuketts und Streublumen bemalt.
Brandrisse, Glasur verfärbt.

Zwei Tässchen mit Holzmaserfond und purpurnen Landschaften im BNM, Inv.Nr. Ker 2574, 2576.

357–362
Sechs Likörtässchen
um 1760–65

H. 3 cm, Ø 3 cm
PM: RS 13 und jeweils „34", „20", „13", „34", „60"
Inv.Nr. B 324a-f (L. Steinhauser, München, 1921)

Becherform auf Standring mit nur leicht ausgestelltem Rand, geflochtene Ohrhenkel, bemalt mit unterschiedli-chen Blumenbuketts in lichten Farben, Goldstaffage am Rand und auf dem Henkel; der Ansatz bei 358, 361 und 362 lila, bei 357, 359, 360 gold staf-fiert.
362: Henkel fehlt.

363
Milchkännchen
um 1760–65, Ausformung Ende 18. Jh.

H. 8,4 cm
PM: RS 20, „O"; MM: fünf lila Punkte
Inv.Nr. B 108 (Auktion Lang, 16.3.1914, Nr. 68)

363   364   366   367

Glatter Standring, kugeliger Korpus mit dünnen, schräg geschwungenen Rippen und diesem Schwung folgende spitze Schnaupe, oben reliefierter Bandhenkel in Ohrform, gewölbter Aufsatzdeckel mit spiralförmigen Rippen und naturalistisch staffiertem Apfel als Knauf, Goldbogenkante. Bemalt mit bunten Blumenbuketts und Streublumen. Standring ausgeschlagen, Malerei und Goldstaffage berieben.

364
Milchkännchen
um 1760–65

H. o. Deckel 7 cm
PM: RS 9
Inv.Nr. B 154 (Antiquar Fischer, München, Okt. 1916)

Form wie vorige Nr., aber größer und der im rechten Winkel zur Schnaupe angesetzte Henkel glatt. Schräggestell-

365

tes Blumenbukett in kühlen, lichten Farben, Streublumen.
Leicht bestoßen, Deckel fehlt.

Beide fein gerippten Kännchen könnten zur Kaffeekanne gehören, die 1760 als „Kaffeekandln, geript" erwähnt werden (Hofmann, S. 571). Besonders reizvoll und ausgefallen sind die formal der Rippung angeglichene Schnaupenform und der seitlich versetzte Henkel des größeren Kännchens.

365
Dessertteller mit Korbrelief
um 1760–65

H. 3 cm, Ø 22 cm
PM: RS 2
Inv.Nr. B 773 (Prov. unbekannt)

Form wie Kat. 208, jedoch mit geschlossener Fahne. Im Spiegel Bukett mit lila Rose und überlängter eisenroter Tulpe, Streublumen. Goldstaffage. Glasur und Malerei berieben.

Die Verwendung dieser Art von Desserttellern bei Hofe wird durch einen Teller der Slg. v. Gasser mit Blumendekor wie oben, der in eisenrot „C. H. Conditorey 1771 N.Z." bezeichnet war (VK Gasser 1912, Nr. 594), und einen zweiten Teller, bez. „C.H. Conditorey. 1771. 14", im MNC, Sèvres, Inv.Nr. 14302, belegt. Weitere Teller mit Bukett und Insekt im BNM, Inv.Nr. Ker 4069 (Hofmann, Abb. 46), ohne Insekten in unbekanntem Besitz (Ruef,

München, 21.3.1990, Nr. 294) und unbemalt in der LGA im GNM, Nürnberg, Inv.Nr. 7216. Eine Variante der Staffage zeigt ein Teller, bei dem die Reliefkante zwischen Steigebord und Fahne dem Geflecht entsprechend farbig staffiert ist, im Art Institute of Chicago, Inv.Nr. 1958.508. Das Modell wurde zu zahlreichen Servicen als Dessertteller benutzt und ist deshalb mit verschiedenen Bemalungen nachweisbar, siehe Kat. 443–448 mit Früchten, sechs Teller mit Grüner Landschaft ehemals in Slg. Steinharter (VK Steinharter 1918, Nr. 113-118).

366–368
Drei Kompottschalen
um 1760–65

H. 5 cm, Ø 26,5 cm
PM: RS 8
Inv.Nr. B 482a+b (Prov. unbekannt, 1948).
368: Inv.Nr. CB 22 (Christie's, London, 1977)

Runde Schale auf Standring mit festoniertem Rand. Buketts aus lila Tulpe und eisenrotem Türkenbund, lila Aurikel und gelb-rotem Federmohn, lila Rose und gelb-roter Papageientulpe in lichten Farben, Streublumen. Goldstaffage am Rand.
Vergoldung leicht berieben.

Publ.: Christie's, London, 28.3.1977, Nr. 154 (Kat. 368)

Ohne Insekten, dafür mit dem typischen Nymphenburger Blumenbukett in lichten, pastellartigen Farben und überwiegend blaugrünem Blattwerk hat sich eine Reihe von Geschirrteilen erhalten, die eine kunstvolle Goldbordüre umgibt. Vergleichbar zur Staffage der ersten Lieferung an den kurfürstlichen Hof wechseln bei dieser Bordüre – Typ E – in den kurzen Abschnitten ovale, mit Blumen gefüllte Rankenfelder mit einem symmetrischen Bandstreifen, der von gegenständigen Punkten mit Behang und gegenläufigen Rankenfeldern mit einer vierblättrigen Blüte rhythmisch unterbrochen werden.
Aus diesem Service ein Weinkühler im V&A, London, Inv.Nr. C.3447-1853 (Honey 1947, Farbtaf. C).

A series of tableware pieces, surrounded by elaborate gold edging, without insects, but instead with the typical Nymphenburg flower bouquet in light pastellish colors and mostly blue-green foliage, has survived. Comparable to the staffage of the first service delivered to the electoral court, oval fields of vines in the short segments of this type of border – type E – alternate with a symmetrical band, which is rhythmically punctuated by mirror-image hangings of dots and counter-rotating fields of vines with a four-leaved flower.
From this service a wine cooler at the V&A, London, inv. no. C.3447-1853 (Honey 1947, color plate C).

369

369
Ovale Unterplatte zu einer Terrine
um 1765

4,7 x 45,2 x 32 cm
PM: RS 5, „W", darunter „3", drei Punkte eingestochen
Inv.Nr. B 94b (J. Drey jun., München, 9.7.1913)

Oval, festonierte Fahne, an den Schmalseiten angesetzte Henkel aus doppelläufigen, durchbrochenen Rocaillebögen,

wie der Rand gold-blau staffiert. Bukett in lichten Farben aus rotbraunen Aurikeln, lila Rose, lila Rittersporn und gelbroter Tulpe, Streublumen. Goldbordüre Typ E. Festons blau-gold staffiert. Brandrisse, Henkel leicht bestoßen.

Eine passende, ovale Terrine in unbekanntem Besitz (Christie's, Genf, 14.11.1983, Nr. 76).

370–371
Zwei ovale Platten
um 1765

6,7 x 46 x 35,5 cm
370: ohne Marke. 371: PM: RS 10, „H" und 6 Punkte eingestochen.
370: Inv.Nr. B 689 (Weinberg, London, 1962)
371: Inv.Nr. B 663 (Prov. unbekannt, 1948)

Oval, festonierte Fahne, Buketts in lichten Farben aus roten Aurikeln, rosa Rittersporn, gelber, gefüllter Narzissen und blau-gelbem Mohn sowie lila Rose, roter Tulpe, blau-gelbem Mohn und gelber, gefüllter Narzisse, umgeben von Streublumen. Goldbordüre Typ E. Festons blau-gold staffiert.
Haarrisse, Vergoldung und Malerei leicht berieben.

Eine vergleichbare Platte aus einem Paar (Lempertz, Köln, 13.12.1991, Nr. 939) in unbekanntem Besitz (zuletzt Christie's, London, 14.6.1994, Nr. 267). Ein kleineres Modell (38 x 29,5 cm) in unbekanntem Besitz (Dorotheum, Wien, 8.11.1909, Nr. 27).

370

371

372

372
Runde Platte
um 1765

H. 7,2 cm, Ø 41 cm
PM: RS 2 und „3"; RM: „W"
Inv.Nr. B 393 (C. Korner, München,
10.12.1930)

Rund, festonierte Fahne, Bukett in
lichten Farben aus großer lila Rose, lila-
gelben sowie eisenroten Aurikeln und
gelb-roter Tulpe, kleinere Streublümchen. Goldbordüre Typ E. Festons blau-
gold staffiert.
Geklebter Bruch, Vergoldung berieben.

381   382

373–374
Zwei ovale Platten (o. Abb.)
um 1765

4 x 31 x 23,6 cm
PM: RS 9 und „H"; RM: Strich; Hexagramm-
Marke in Sternform Nr. 14
Inv.Nr. B 94f-g (A. S. Drey, München,
9.7.1913)

Oval, festonierte Fahne, Buketts in lich-
ten Farben mit jeweils überlängter lila
Tulpe, gelb-lila Federmohn und eisen-
roter Tulpe, kleine Streublumen. 373:
Goldbordüre Typ E. 374: Goldbordüre
Typ A. Festons blau-gold staffiert.

Vergleichsstück mit Hexagramm-Marke
in Schloß Fasanerie, Eichenzell, Inv.Nr.
PE 1884.

Publ.: AK München 1909, Nr. 29-38

375–376
Zwei ovale Platten (o. Abb.)
um 1765

3,6–4,5 x 28,1–28,5 x 21,0–21,7 cm
PM: RS 9, „H", ein Punkt eingestochen, Hexagramm-Marke in Sternform Nr. 14
Inv.Nr. 94c-d (A. S. Drey, München,
9.7.1913)

Wie vorige Nr., nur kleiner. Buketts in
lichten Farben mit überlängtem Vergißmeinnicht und Federmohn, kleine

Streublumen. Festons blau-gold staffiert.
Malerei leicht berieben.

Publ.: AK München 1909, Nr. 29-38

377
Viereckige Kompottschale
(o. Abb.)
um 1765

4,9 x 25 x 25 cm
PM: RS 10, „V", ein Punkt eingestochen,
Hexagramm-Marke in Sternform Nr. 14
Inv.Nr. B 94n (A. S. Drey, München,
9.7.1913)

Viereckig mit ausgezogenen Ecken,
glatter Standring, flacher Spiegel mit geschwungenem, hohem Rand, an den
Seiten zweimal eingekerbt und am
Rand festoniert. Bukett in lichten Farben mit lila Päonie, gelben Aurikeln
und eisenroter Tulpe, kleine Streublumen. Goldbordüre Typ E. Festons blau-
gold staffiert.
Zwei Ecken repariert.

Das Modell ergänzte seit 1765 die gängigen Services und hieß im Preiscourant von 1767 „Schüssel en quarré" in
zwei Größen.

Publ.: AK München 1909, Nr. 29-38

378–379
Zwei dreieckige Kompott-
schalen (o. Abb.)
um 1765

H. 4,0 cm, Seitenlänge 25,5 cm
PM: RS 10; RM: „L" und „7"; Hexagramm-
Marke in Sternform Nr. 14
Inv.Nr. 94 l-m (A. S. Drey, München,
9.7.1913)

Dreieckig mit gerundeten Ecken, glatter Standring, flacher Spiegel mit geschwungenem Rand, an den Seiten
zweimal eingekerbt und am Rand festoniert. Buketts in lichten Farben mit
Federmohn, gelb-roter Tulpe und lila-
gelber Tulpe mit lila Aster, kleine Streublumen. 378: Goldbordüre Typ E, bei
379 etwas reicher und schwungvoller
ausgeführt. Festons blau-gold staffiert.
Goldrand leicht berieben.

„Drey- und viereggichte Schallen zur
Speisstafel" führt die Jahresrechnung
1765 erstmals auf (Hofmann, S. 571).
In zwei Größen bietet der Preiscourant
von 1767 dann „Schüssel-Triangle" an.
Vergleichsstücke im WLM, Stuttgart,
Inv.Nr. G 7,406, und im BNM, Inv.Nr.
Ker 4316.

380–382
Drei Dessertteller mit
durchbrochenem Rand
um 1765

H. 3 cm, ⌀ 25 cm
PM: RS 10 und „o"; Hexagramm-Marke in
Sternform Nr. 14
Inv.Nr. B 57 a-c (Prov. unbekannt)

Rund, ausgezogener Standring, aus
dem flachen Spiegel zum geschwungenen Steigebord hin acht zartplastische
Rippen, die sich in der Fahne als Stege
zwischen lockerem Flechtwerk fortsetzen und den geschwungenen, festonierten Wulstrand in vier schmale und vier
breite Felder unterteilen. Buketts in
lichten Farben mit überlängtem, blau-
lila Federmohn, blauer Kornblume und
gelb-roter Tulpe, kleine Streublumen.
Über dem Steigebord Goldbordüre vom
Typ E, bei Kat. 380 vom Typ D.
Blau-goldene Randstaffage.

383

384

Vergoldung bei Kat. **381–382** stark berieben.

Das Tellermodell mit geschlossener Fahne und Blumenmalerei im National-museum, Stockholm, Inv.Nr. NMX 307, und im MAD, Paris, Inv.Nr. 8986.

383
Dessertteller mit
durchbrochenem Rand
um 1765

H. 2,7 cm, Ø 25,7 cm
PM: RS 9 und „I", drei Punkte eingestochen
Inv.Nr. B 363 (Prov. unbekannt, 1926)

Form wie vorige Nr., nur etwas größer. Bukett in lichten Farben aus gelber Rose, lila Päonien und rot-gelber Tulpe, kleine Streublumen. Goldbordüre mit

wirbelförmigen Rankenbögen zwischen Bandmuster mit symmetrischem Punkt-behang in feiner Ausführung.

Zwei Vergleichsstücke im BNM, Inv.Nr. 71/1-2.

384
Dessertteller mit reichem
Korbrelief
um 1765

Ø 23,9 cm
PM: RS 13
Inv.Nr. B 416 (C. Korner, München, August 1934)

Rund, flacher Spiegel mit gekehltem Steigebord, schräge Fahne mit sog. Alt-Brandensteinrelief und mehrfach ge-schweiftem Rand. Im Spiegel üppiges, kleinteiliges Blumenbukett in lichten

Farben, Streublumen. Reliefdekor grün-gold staffiert, in den glatten Reserven bunte Vögel auf Ästen vor Landschaft. Goldränder ganz leicht berieben.

Ob diese Tellerform, die sich dem Meissener „Alt-Brandensteinrelief" von 1741 anschließt, zu den frühesten Nymphenburger Erzeugnissen zählt, wie bisher vermutet (Hofmann, S. 575), sei zur Diskussion gestellt. Das Relief wurde sowohl in Wien seit 1744/49 (z.B. auf einer Terrine, siehe Falke 1887, Taf. V, oder anderes Mo-dell, siehe MK Wien 1971, Nr. 206, Taf. 36), wie auch seit 1760/65 in Höchst kopiert (AK Frankfurt 1994, Nr. 5.2.2.-5.2.5).
Erhaltene Nymphenburger Teller tra-gen alle Dekore und Marken aus der Mitte der 60er Jahre, z. B. mit Vogel-spalier und Hexagramm-Marke im BLM, Karlsruhe, Inv.Nr. V/6063 und V/1519a.

Blumenmalerei des späten Rokoko bis Klassizismus

In der zweiten Hälfte der 1760er Jahre beginnt sich die Farbigkeit der Blumen immer mehr in eine pastellfarbene, fast süßliche Tonigkeit zu verändern, die trotz graphischer Naturnähe den Anschein des Künstlichen erweckt. Dabei dominiert eine schwungvolle Eleganz in den großen, viel Fläche in Anspruch nehmenden Arrangements. Während diese Art der Malerei sich in einer fast unwirklichen Zartheit aufzulösen beginnt, taucht ein dichtgedrängtes Bukett aus strahlenden Sommerblumen in kräftigen, emailartigen Farben auf. Gleichzeitig entwickelt sich eine neue Dekorauffassung, bei der alle Teile eines Services mit gleichen Arrangements bemalt werden, um einen geschlossenen Ausdruck zu erzielen. Übereinstimmung herrscht in der Anordnung und Farbigkeit des Buketts sowie der Auswahl der Streublumen.

Flower Painting from the Late Rococo Period to Classicism

In the second half of the 1760s, the colorfulness of the flowers begins to change more and more to a pastel-colored almost sweet hue, which fosters an impression of artificiality in spite of the graphic proximity to nature. At the same time a lively elegance dominates in the arrangements covering much of the surface. While this type of painting begins to dissolve into an almost unreal delicacy, a densely-packed bouquet of radiating sunflowers in strong enamel-like colors begins to emerge. At the same time a new approach to decoration develops, in which all parts of a service are painted with the same arrangements, creating a unified impression. There is a correspondence in the arrangement and the coloration of the bouqets as well as in the selection of strewn flowers.

385
Quadratische Schüssel
um 1765–70

11,2 x 22,9 x 22,9 cm
PM: RS 9, „L"; RM: „79", daneben zwei
Punkte eingestochen
Inv.Nr. B 506 (Prov. unbekannt, um 1950)

Auf profiliertem Standring mit Kehle steilwandige Schale, an den gerundeten Ecken mit senkrechten Zügen gegliedert, Rand mit Festons reliefiert. Auf den Seiten große, schräggestellte Buketts aus Tulpen, Rosen und Federmohn in Pastellfarben, Streublumen, Goldstaffage.
Glasurfehler am oberen Rand.

385

386
Blattschale
um 1770

3,8 x 22,7 x 21,7 cm
PM: RS 7 und „5", zwei eingeritzte Striche
Inv.Nr. B 229c (L. Steinhauser, München,
März 1919

Form eines Weinblatts auf ebensolchem, ausgezogenem Standring, Innenseite mit zart reliefierten Blattrippen und aufgewölbtem, natürlich gezacktem Rand, naturalistisch staffierter Asthenkel mit plastischen Weinblättern am Ansatz. Pastellfarbenes Bukett mit lila Tulpe, Chrysanthemen und eisenroter Tulpe, Blattwerk in grün-lila, Streublumen.
Glasur berieben.

„Fruchtschalen als Weinblatt" bietet erst der Preiscourant von 1792 als Einzelstück „zum Nachtisch" an. Die Schalenform ist jedoch schon 1750–55 in Höchst als „Confektblätter façon Weinlaub" bekannt (MK Frankfurt 1983, Nr. 305). Das Meissener Vorbild einer „Confekt Schaale in Gestalt eines Blattes", seit 1746/47 nachweisbar, bildet zunächst den Zackenrand nur als Relief vor dem konturierten, aber sonst glatten Blattrand aus (AK München 1966, Nr. 701) und ist erst gegen 1770 mit gezacktem Rand ausgeführt worden (AK München 1966, Nr. 702).

386

Ein Paar unbemalte Schalen mit Hexagramm-Marke ehemals in Slg. A.B., Berlin (Lepke, Berlin, 16.10.1929, Nr. 548-549), mit Grüner Landschaft in der SGM, Halle, Inv.Nr. Po 747

387
Salatschale
um 1770

H. 8,3 cm, ⌀ 20,5 cm
PM: RS 13, „S" und „8"
Inv.Nr. B 316 (L. Steinhauser, München,
1.6.1922)

Form wie Kat. 236, jedoch kleiner und
alle Rippen der Kohlblätter in Relief
wiedergegeben. Fast liegende Buketts
aus lila Rosen und rot-gelb gefiederter
Tulpe in Pastellfarben, Streublumen,
Goldrand.
Vergoldung stark berieben. Glasur teils
verfärbt.

Unbemalte Ex. im BNM, Inv.Nr. Ker
4024, und KGM, Berlin (AK Berlin
1904, S. 193, Fig. 147).

388
Flacher Teller
um 1770–80

H. ca. 3 cm, ⌀ 24 cm
PM: RS 8 und „J"
Inv.Nr. B 437 (Prov. unbekannt, 1938)

Rund, gerader Standring, flacher Spiegel mit knappem Steigebord, schräg ansteigende, glatte Fahne mit sechsfach
eingekerbtem Rand. Mehrteiliges Bukett in Pastellfarben aus rosa Rose und
eisenrot-schwarzer Papageientulpe,
Streublumen. Goldstaffage am Rand.
Formstück stark verzogen, Vergoldung
berieben, Glasurfehler.

387

389

Das Tellermodell mit Kupferstich auf
Holzmaserfond im Musée Ariana, Genf,
Inv.Nr. AR 5.

389
Sauciere mit Delphinhenkel
um 1780

14,5 x 21 x 9,5 cm
PM: RS 18; RM: „7"
Inv.Nr. B 15 (Prov. unbekannt)

Ovaler, eingezogener Fuß mit gewell-
tem Reliefdekor; aus einer eingerollten
Volute sich entwickelnde, längliche
Muschelschale mit ausgezogenem
Gießer und plastischem, seegrün staf-
fiertem Delphin als Handhabe. Auf den
Seiten schräggestellte Buketts mit lila
Rose und Heckenrose in Pastellfarben,
Streublumen, Goldränder.
Zwei Brandrisse im Fuß, teils alt über-
dekoriert, graustichige Glasur.

Eventuell ist das Formstück mit der
schon 1762 erwähnten „gemuschelten
Sauciere mit Handhäbel" (Hofmann,
S. 572) identisch, doch taucht später
keine entsprechende Beschreibung
mehr auf, und Scherben sowie Glasur
sprechen für eine späte Datierung.

Der Delphin als Henkel schon um 1765
bei Ziervaschen, siehe Kat. 195.
Hofmann hielt eine unbemalte Sauciere
mit grau gefärbter Glasur, heute im
BNM, Inv.Nr. 55/163, und auf das
4. Viertel des 18. Jhs. datiert, für ein
eher frühes Erzeugnis der Manufaktur
(Hofmann, Abb. 55 links).

388

390

391
Kaffeekanne
um 1790

H. 21,8 cm
PM: RS; RM: zwei Striche
Inv.Nr. B 341 (Prof. Seidler, München)

Form wie Kat. **243** mit Relief unterhalb
des Randes, jedoch ohne hängende Girlanden. Bemalung mit dichtem Bukett
aus rosa Rose, eisenroten und blauen
Astern, gegenüber bunte Astern, kleine
Streublümchen in leuchtenden, emailartigen Farben.
Deckel ergänzt.

390
Bouillonschüssel mit Deckel, sog. Ecuelle
um 1780, Ausformung und Bemalung
um 1800

H. 12 cm, Ø 14,5 cm
PM: RS 36 und „⬥"; RM: „L"
Inv.Nr. B 629 (Lempertz, Köln, 1957)

Rund, zweifach profilierter Standring,
becherförmige Wandung mit verdick-
tem Rand. Waagerecht angesetzte,
polygonale Henkel mit gegenläufigen
Akanthusblättern in der Mitte. Gewölbter Deckel mit flacher Oberseite und
dreigeteiltem Ast als Knauf. Besonders
zartfarbene Blumenbuketts und
Streublumen mit hellgrünen Blättern.
Linierte und gestrichelte Goldstaffage
auf Henkeln, Knauf und Rändern.
Vergoldung berieben, Knauf minimal
bestoßen.

Das Modell, zu dem ein Unterteller wie
Kat. **388** gehört, ebenfalls mit Blumen-
malerei in den StKS, Augsburg, Inv.Nr.
4243, und in unbekanntem Besitz
(Weinmüller, München, 29.6.1977,
Nr. 89), mit Holzmaserfond und Kup-
ferstich im Musée Ariana, Genf, Inv.Nr.
AR 7, ebenso mit einer Landschaft in
Blaucamaieu in den SKS, Schwerin,
Inv.Nr. KG 2956, und in unbekann-
tem Besitz (Weinmüller, München,
7.5.1958, Nr. 98) sowie mit kleinerer
Unterschale in unbekanntem Besitz
(Christie's, London, 3.12.1979, Nr. 33).
Szenen aus Ovids Metamorphosen auf
einer Ecuelle mit Unterteller ehemals
in Slg. Frl. Adam, München (Hofmann,
Abb. 53). Eine Bemalung im Stil von
Sèvres mit silbergestreiftem Blaufond,
rotem Wellenband und grauer Schup-
penkante auf einem Stück der Slg. Jourdan (VK Jourdan 1920, Nr. 27, Taf. 4).

Publ.: Lempertz, Köln, 22.11.1957, Nr. 1021

392–393
Kaffee- und Milchkanne
um 1790, Ausführung und Bemalung
um 1800

H. 11,9, bzw. 10,3 cm
PM: RS 31; RM: „4" und „8"
Inv.Nr. B 102a-b (C. Korner, München,
3.12.1913)

Leicht ausgebauchte Walzenform mit
nach innen abgesetztem Standring, geschwungene, oben offene Schnaupe
über kleinem, plastischem Knopf. Flache, außen leicht gekantete Bandhenkel in Ohrform. Kaum gewölbte Aufsatzdeckel mit Pinienzapfen als Knauf.
Bemalt mit jeweils einem dichten Bu-

391

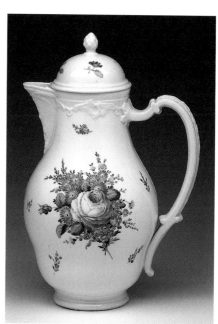

393 392

396   395   394

kett aus rosa Rosen, eisenroten und blauen Astern sowie Glockenblumen, gegenüber rosa Aster mit eisenroter Tulpe, Streublumen in leuchtenden, emailartigen Farben.
Schnaupen bestoßen.

Das einfache Kannenmodell wurde noch vor der Jahrhundertwende entwickelt und war bis weit ins 19. Jahrhundert als Form „ordinaire" in mehreren Größen äußerst beliebt.

394–396
3-tlg. Kaffeeservice
um 1790–95
Inv.Nr. B 409 a-c (Max Rossmann, 29.11.1933)

394
Kaffeekanne
H. ohne ergänzten Deckel 14,8 cm
PM: RS 11 und „O"
Inv.Nr. B 409a
Glatte, konische Walzenform mit Rille oberhalb des Standringes und spitzer, nach oben offener Schnaupe mit kleinem plastischen Knopf darunter. Eckig umbrochener und nach unten eingeschwungener Vierkanthenkel, der sich nach unten konisch verjüngt. Gewölbter Aufsatzdeckel mit zwiebelförmigem Knauf. Bukett aus rosa Rose, orangeroter Anemone und blauen Astern sowie Glockenblumen, gegenüber Bukett aus rosa Rose, orangeroten und blauen

Astern, bunte Streublumen, am Rand purpurnes Moireeband, Goldstaffagen an Henkel und Rändern.
Deckel ergänzt.

395
Milchkanne
H. 13,1 cm
PM: RS 4 und „O"
Inv.Nr. B 409b
Form und Bemalung wie vorige Nr., nur kleinere Größe. Deckel mit Kugelknauf.

396
Zuckerdose
H. 10 cm, Ø 11,4 cm
PM: RS 11 und „O"
Inv.Nr. B 409c
Zylindrische Dose mit Rille oberhalb des glatten Standrings. Deckel und Bemalung wie vorige Nr.

Aufgrund von Preisvergleichen im Courant von 1792 und den Kannenmodellen Kat. 391–392 handelt es sich bei diesem Service vermutlich um die „façon antique", die im Preiscourant von 1792 erstmals genannt wird. Wiederum verbindet eine gleichartige Malerei die einzelnen Bestandteile des Services.

397
Teekanne
um 1790–95, Ausformung und Bemalung um 1800

H. 9 cm
PM: RS 34; RM: „A", zwei Striche im Standring
Inv.Nr. B 295b (Prov. unbekannt)

Glatte, konische Walzenform mit nach innen abgesetztem Standring, geschwungene Röhrentülle mit gekanteter Reliefauflage am Ansatz, eckig umbrochener und nach unten eingeschwungener Vierkanthenkel, der sich nach unten konisch verjüngt. Kleiner Einsatzdeckel mit Knauf, am Rand mit plastischer Punktreihe. Auf der Wandung und als Streublumen blaue Kornblumen, Randstaffage in Grün, Purpur und Gold. Tüllenspitze bestoßen.

Publ.: Hantschmann 1996, Mod. 235

397

Die gesamte Oberfläche eines Geschirres mit Farbe oder Gold zu überziehen, wofür man einen kleinen Schwamm benutzte und damit Tupfen neben Tupfen setzte, ist in Nymphenburg nur recht selten ausgeführt worden. Neben einem seegrünen Fond (z. B. Tasse mit Reserve, darin sign. Landschaft von Lindemann, BNM, Inv.Nr. Ker 2592–93) überwiegen Stücke mit sog. Gelbfond, der sich in den Jahren um 1760 mehrfach nachweisen läßt und vierpassige Reserven ausspart, die auf weißem Grund unterschiedliche Bemalungen tragen.

The technique of covering the whole surface of a piece of tableware with color or gold, using a small sponge and placing stroke next to stroke, was utilized at Nymphenburg only rarely. Aside from a sea-green background (e. g. cup with reserve, within a signed landscape by Lindemann, BNM, inv. no. Ker 2592-93), pieces with a so-called yellow background are in the majority. They can be documented repeatedly in the years around 1760 and have quatrefoil reserves with various types of painted decoration on a white background.

399   398

398–413
6-tlg. Kaffeeservice mit Gelbfond
um 1760
Inv.Nr. B 86a-f (Jacobi, Freiburg, 15.3.1913)

398
Kaffeekanne
um 1780
H. 12,8 cm
PM: RS 7, „HB (ligiert)", im Deckel in schwarz bez. „D J / M 40"
Inv.Nr. B 86a
Ausgebauchte Walzenform mit nach innen abgesetztem Standring, kleine spitze Tülle, J-Henkel mit Bandprofil, flach

gewölbter Aufsatzdeckel mit naturalistisch staffiertem Apfel als Knauf. Mit weißem Vorstoß unten und goldener Bordüre aus C-Bögen mit bunten Blumen oben, in gelbem Fond auf den Seiten und unterhalb der Schnaupe vierpassige Medaillons mit lockerer Blumenmalerei. Deckelbemalung entsprechend.
Schnaupenspitze abgeschlagen.

Das schlichte Formstück in zwei Größen mit bunter Früchtemalerei und seitlich angesetztem J-Henkel befindet sich in den StKS, Augsburg, Inv.Nr. 4231-2.

399–413
Fünf Kaffeetassen mit Untertassen
um 1760
Obertassen: H. 6,5 cm, Ø 6,5 cm.
Untertassen: Ø 12,8 cm
Obertassen: PM: RS 12, „PL" und „↕".
Untertassen: RS 9, „PL", „3" und „↕"
Inv.Nr. B 86b-f
Obertassen wie Kat. 339. In drei vierpassigen Reserven kleinteilige Blumenbuketts in eher dunklen Farben. Innen unterhalb des Randes rot-goldene, unregelmäßige Rankenbordüre mit kleinen, bunten Blümchen als Behang. Untertassen wie Kat. 341, auf der Unterseite im Gelbfond drei vierpassige Reserven mit Blumenbuketts, im Spiegel ein größeres, jedoch kleinteiliges Bukett in dunklen Tönen, Streublumen und Insekten; umlaufend goldene Bordüre aus C-Bögen und umrankten Medaillons in unterschiedlicher Qualität der Ausführung. Vergoldung berieben, teils bestoßen.

Die Malerei ist vergleichbar mit Kat. 302. Eine Bestellung des Hofes war wohl ein vielteiliges Kaffee-Tee-Service mit vergleichbarer Blumenmalerei, das als Geschenk von König Max I. in süddeutschen Adelsbesitz überging und sich heute im Residenzmuseum, München, Inv.Nr. K II/Ny 1917-1941, befindet. Eine eiförmige Teedose in unbekanntem Besitz (Weinmüller, München, 27.4.1950, Nr. 71). Eine Ausnahme durch die Form einer blütenförmigen Reserve mit pastellfarbenem Blumenbukett auf einer Kaffeetasse mit Volutenhenkel im BNM, Inv.Nr. 11/145.

Reliefstaffagen und Muster mit Blumen

Die alleinige Wirkung der Blumenmalerei wird bei Geschirren Mitte der 1760er Jahre zunehmend durch die farbige Staffierung der damals beliebten Reliefdekore zurückgestuft. Bevorzugt wurden dabei die gleichen Pastellfarben, die schon die Blumenmalerei im Nymphenburger Bukett dominieren.

Schuppenmuster auf farbigen Fondbordüren, die Blumenmalerei umgeben oder flankieren, sind in Nymphenburg eher selten. Dem allgemeinen Zeitgeschmack folgen dagegen feingemalte Girlanden aus Blumen, die in allen europäischen Manufakturen gepflegt wurden.

Muster mit Blumen bestehen aus Randbordüren, Kartuschen mit bunten und goldenen Buketts.

Painted Reliefs and Patterns with Flowers

The singular effect of the flower painting is increasingly reduced in the tableware of the mid-1760s by the coloration of the then popular relief decors. The same pastel colors that already dominate the flower painting in the Nymphenburg bouquet were preferred.

Scalloped patterns on borders with a colored background that surround or flank the flower painting are rather rare in Nymphenburg. In accordance with the general tastes of the times, however, finely painted flower garlands, which were cultivated at all European factories, follow.

Patterns with flowers are seen in edging borders or in cartouches with colorful and golden bouquets.

414 415

416

414–415
Zwei Löffel
um 1765

L. 20 und 21 cm
ohne Marken
Inv.Nr. B 625a-b (L. Steinhauser, München, 18.1.1957)

Ovale Laffe, zum Stiel hin auf der Oberseite mit Muschel-, auf der Unterseite mit Rocaillereliefs, gerader reliefierter Stiel mit gegenläufigen Rocaillen in der Mitte und schwungvollem Rocailleabschluß, darin geripptes Feld. Auf der Laffe Schnecken zwischen Blattwerk, bzw. buntes Blumenmedaillon, Reliefs purpur-blau-gold, bzw. rosa-blau-gold staffiert.
416: Stiel geklebt.

Mit Blumenmalerei auch im BNM, Inv.Nr. Ker 2118 (Hofmann, Abb. 356, wohl nicht zur dort gezeigten Sauciere gehörig).

416
Barbierschüssel
um 1765, J. Häringer zugeschrieben

PM: RS 13; RM: „V" und „6"; blauschwarze Hexagramm-Marke in Sternform Nr. 14
Inv.Nr. B 372 (Slg. v. Ostermann, 1928)

Oval, gerader Standring, gemuldeter Spiegel mit hohem Steigebord, schräg ansteigende, glatte Fahne mit länglichem Einschnitt und züngelnden Rocaillen in blau-gold staffiertem Relief innerhalb des festonierten Randes. Im

Spiegel runder Kranz kleinteiliger Blüten als Vogelschaukel mit Papagei, Streublumen auf der Fahne. Vergoldung berieben, auf der Unterseite Brandfehler.

Erst der Preiscourant von 1767 nennt „Barbierschüssel Oval, pousirt, in 2 Sorten". Es gab dieses Formstück auch ohne Reliefdekor, bemalt mit pastellfarbenen Buketts in unbekanntem Besitz (Lempertz, Köln, 27.5.1989, Nr. 1077).

Publ.: VK Ostermann 1928, Nr. 653

417

Koppchen auf ausgezogenem Standring, glockenförmig geschwungene Wandung mit leicht ausgestelltem Rand. Untertasse flach gemuldet mit leicht ausgestelltem Rand. Radialer Dekor aus einem stilisierten Weidenkorb in Gelb mit Purpur, über dessen Rand pastellfarbene Sommerblumen herauswachsen. Goldränder und goldenes Blümchen im Boden.
Vergoldung berieben.

Vergleichsstück im BNM, Inv.Nr. 27/1201, dort „nach venezianischem Porzellanvorbild" bezeichnet.

417
Koppchen
um 1760–65

H. 4,4 cm, Ø 6,5 cm
PM: RS 12
Inv.Nr. B 665 (Ruef, München, 6.7.1960)

Auf glattem Standring, halbkugelige Wandung. Unterhalb des Randes außen von goldenen Ranken begrenztes Feld mit grünem Fond, gerautetem Gitterfeld und kleinen Sternblüten in Purpur, darunter lockere kleine Buketts in bunten Farben, ähnlich zu Kat. 302.
Kleine Fehlstelle im Grün.

418
Koppchen mit Untertasse
um 1760–65

H. 4,1 cm, Ø 7,8 cm. Untertasse: Ø 13,1 cm
PM: RS 9. Untertasse: PM: RS 8; RM: „61"
Inv.Nr. B 375 (Prov. unbekannt, 1928)

419–420
Paar Teetassen mit Untertassen
um 1765–70

H. 4,0 cm, Ø 7,5 cm. Untertasse Ø 12,5 cm
PM: RS 9, „PL" und „⚲"; RM: „K".
Untertasse von 419: RS 13, „D" und „P"
Inv.Nr. B 637a-b (L. Steinhauser, München, 6.8.1958)

Modell wie Kat. 341, umlaufend unterhalb des Randes zarte, goldene Rankenbordüre, daran hängend bunte Blütengirlande, darunter kleine Blütenbuketts, z. T. mit Früchten. Goldstaffage.
Vergoldung berieben.

Eine ballonförmige Teekanne mit Tierkopftülle zu diesen Tassen in unbekanntem Besitz (Christie's, London, 12.3.1990, Nr. 53).

421

421
Teetasse
um 1765–70, Bemalung wohl J. Reis

H. 4,5 cm, Ø 7,3 cm
PM: RS 9 und „ᵇₒ"
Inv.Nr. B 166 (Dr. Burger, Bernried, 24.12.1916)

Konischer Standring, hohe konische Wandung, Bandhenkel in Ohrform mit aufgelegtem Blättchen. Am Rand umlaufend feine Goldbordüre aus Gitterfeldern und Rankenbögen mit Behang, daran hängend drei kleinteilige, nahezu symmetrisch aufgebaute Blumengirlanden, dazwischen kleine Schmetterlinge, Insekten und Marienkäfer. Feinste Ausführung der Malerei. Henkel blau-gold staffiert. Goldenes Blümchen im Boden.

422
Spülkumme
um 1765–70

H. 8,2 cm, Ø 16,9 cm
PM: RS 13 und „D"; unterglasurblaue Hexagramm-Marke in Sternform Nr. 14
Inv.Nr. B 595 (L. Steinhauser, München, 1.5.1954)

Rund, auf profiliertem Standring mit Kehle, geschwungene Wandung mit ausgestelltem Rand, bemalt mit vier hellgrün abschattierten Reserven in Form der Silhouetten von Kohlblättern, darin und dazwischen große Buketts sehr unterschiedlicher Blumen in lichten Pastelltönen, Goldband am Standring und Goldbogenkante am Rand.
Vergoldung leicht berieben.

418   419

422

423

Die Bemalung imitiert den um 1760 eingeführten Reliefdekor „feuilles de choux" von Sèvres (vgl. Tasse in VK Ostermann 1928, Nr. 908, oder das umfangreiche Speiseservice ehemals Anita O'Keeffe Young, Sotheby's, New York, 10.10.1985, Nr. 114-115). Eine passende Nymphenburger Kaffeekanne mit Hexagramm-Marke in unbekanntem Besitz (Sotheby's London, 4.3.1986, Nr. 121), zwei große und eine kleinere Kaffeetasse im BNM, Inv.Nr. 19/11-12; 71/3a-b; 71/4a-b (Hofmann, Abb. 357 rechts) und eine Tasse im MAD, Paris, Inv.Nr. 5008A.B. Eine Sauciere im BNM, Inv.Nr. 13/15, deutet darauf hin, daß es auch ein Speiseservice mit diesem Dekor gab.

423
Senfkännchen
um 1765, Bemalung um 1775/80

H. o. Deckel 10,8 cm
PM: RS 9 und „O"
Inv.Nr. B 168 (L. Steinhauser, München, 26.1.1917)

Auf hohlem Trompetenfuß umgekehrte Birnform, Fuß und Korpus senkrecht durch passige Züge gegliedert, der eingezogene Rand mit Ausschnitt für Löffelchen. Dreiteiliger steiler Henkel aus C-Bögen mit Blütenrelief. Pastellfarbene Blumenbuketts zwischen Streublümchen, unterhalb des Randes breites Band aus rosa Rosen mit grünem Blattwerk auf goldgetupftem Grund. Goldstaffagen. Deckel fehlt.

Aus diesem Service eine große Platte im MStm, zwei Teller mit der Angabe „freie Ergänzung eines Meissner Marcolini-Services (um 1775) nach Sèvres-Vorbild" im BNM, Inv.Nr. 78/381-382; in unbekanntem Besitz befinden sich ein Teller mit Ø 22,5 cm (Fischer, Heilbronn, 23.3.1985, Nr. 123), fünf Teller mit Ø 23 cm (Ruef, München, 8.7.1987, Nr. 310) und eine Teekanne (Neumeister, München, 25.4.1979, Nr. 97). Schon 1762 kennt man „bossierte Senfft- oder Milch-Väslen" (Hofmann, S. 571) und im Preiscourant von 1767 taucht erstmals das „Senfkäntel (d. h. Kännchen), pousiert, mit Deckel und Unter-Tasse" auf. Die Henkelform orientiert sich an den Essig- und Ölkännchen der Huilière (Hofmann, Abb. 70) und wiederholt sich bei den Kannen mit Girlanden-Relief, Kat. 242–243.

424
Große Kompottschale
um 1775

H. 6,5, Ø 30,6 cm
PM: RS 10; RM: Strich, drei Punkte eingestochen
Inv.Nr. B 392 (C. Korner, München, 10.12.1930)

Rund, festonierter Rand. Die einzelnen Felder auf Innen- und Außenseite waagerecht über hellbraunem Grund goldliniert und mit Goldlinien und Zungenband in ovale Reserven unterteilt. In den breiten Abschnitten farbenfrohe Buketts aus Sommerblumen, in den schmalen Abschnitten goldradierte Blumenbuketts über Hellbraun. Vergoldung berieben, zwei Ausbrüche am Rand.

Dr. Bäuml bemerkte dazu: „stammt von Graf Mons aus Schloß Haimhausen und dürfte der Rest des dort befindlichen für den Grafen von Haimhausen gefertigten Services sein."

424

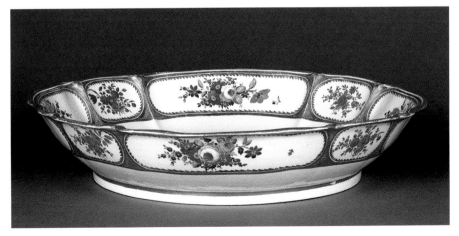

425

425
Bouillonschale mit Deckel und Unterteller
um 1780

H. 10 cm, Ø 20 cm. Unterteller: Ø 23,4 cm
Terrine: PM: RS 10, „↕".
Unterteller: PM: RS 7, „70"; RM: zwei Striche
Inv.Nr. B 528 (L. Steinhauser, München,
14.5.1951, ehemals Slg. v. Ostermann)

Auf gekehlt abgesetztem Standring
steilwandiger Korpus mit zwei Henkeln
wie Kat. **302**. Flach gewölbter Deckel
mit drei beerenförmigen Knöpfchen als
Füße. Unterteller mit flachem Spiegel,
glatter Fahne und gewelltem Rand.
Umlaufend locker um einen goldenen
Stab gewickeltes, blaues Band, dazwischen dichte kleine Blumenbuketts,
ebensolche im Spiegel und auf dem
Deckel. Goldstaffagen.
Ränder bestoßen, Vergoldung berieben.

Das Bandmotiv, jedoch in grün mit Pur-
purstab sowie Blumen, auch auf acht
Tellern mit Vogelmalerei im Spiegel in
unbekanntem Besitz (Christie's, Genf,
9.5.1988, Nr. 104-107; sechs Teller
zuletzt bei Koller, Zürich, 22.11.1990,
Nr. 1881). Als Maldekor taucht das
Motiv des umwickelten Stabes in Meissen bereits auf dem Service für Herzog
Karl Christian Joseph von Kurland
1774 (Reinheckel 1989, Abb. 112)

sowie im Relief des Service für Kurfürst
Friedrich August III. von Sachsen 1777
auf (Reinheckel 1989, Abb. 109).

Publ.: VK Ostermann 1928/II, Nr. 412

426

426
Terrine
um 1790, D. Auliczek

H. 21,6 cm, Ø 21 cm, m. Henkel 28,3 cm
PM: RS 11, „4" und ein Punkt eingestochen
Inv.Nr. B 3 (C. Korner, München, 22.5.1911)

Rund, auf vier Astfüßchen, leicht konische Wandung, unterhalb des zwölffach gewellten Randes eingezogen und
mit blau-goldenem Wellenmäander reliefiert. Geschwungene Asthenkel mit
Trauben und Blattwerk am Ansatz. Gewölbter Deckel mit geradem, von plastischen Dreikantstäben reliefiertem
Rand, geschwungener Asthenkel mit
Trauben und Blattwerk als Knauf.
Füßchen, Henkel und Knauf naturalistisch staffiert, auf der Wandung und
dem Deckel Blumenbuketts in lichten
Farben, Streublumen.
Henkel und Füßchen bestoßen.

Formgleiche Terrinen mit Blumenmalerei im BNM, Inv.Nr. Ker 3840
(Hofmann, Abb. 226 rechts), unbemalt
im Schlesischen Landesmuseum,
Opava/Troppau, Inv.Nr. U 47P.

427

428

427
Mokkatasse mit Untertasse
um 1790

H. 4,4 cm, Ø 5 cm
Untertasse: Ø 10,7 cm
Untertasse: PM: RS 11 und „P"
Inv.Nr. B 261 (Antiquar Peter, München,
26.7.1919)

Tasse in leicht konischer Walzenform
mit oben eingerolltem C-Henkel und
gerade auslaufendem Ansatz. Untertasse mit steilem, schrägem Rand. Randbordüre mit weißem Vorstoß aus blau-
goldener Bogenkante mit Goldbehang,
purpur-eisenrote Streublumen. Henkel
purpur-gold staffiert.
Standring repariert.

428
Likörtässchen mit Untertasse
um 1790

H. 3,3 cm, Ø 3,6 cm. Untertasse: Ø 8 cm
PM: RS 11; RM: „B" und Strich
Inv.Nr. B 468 (L. Steinhauser, München,
30.6.1941)

Zylindrische, außen zwölfeckige Walzenform mit eckig umbrochenem Vierkanthenkel und geschwungenem Ansatz. Randmuster mit Goldkante aus
blau-goldenem Eierstab und kleinsten
bunten Streublumen. Untertasse mit
nach innen abgesetztem Standring mit
zwölfeckiger, schräger Fahne, Kanten
goldliniert und im Wechsel blau-gold
längsgestrichelt.

Haarriß in der Tasse, am Rand bestoßen. Malerei berieben.

Das Formstück ist Teil des Perlservices
für den kurfürstlichen Hof, siehe
Kat. 545–553.

429
Milchkännchen
um 1792–95, D. Auliczek

H. 10,8 cm
PM: RS 21, „O" und ein Punkt eingestochen
Inv.Nr. B 41 (Prov. unbekannt, um 1914)

Zwölfeckig, glatt abgesetzter Standring
mit Kehle, konische eingezogene Wan-

dung mit stehenden Akanthusblättern
in Relief über jeder zweiten Kante, tief
angesetzte Schnaupe mit Akanthusblatt, eckig umbrochener Vierkanthenkel
kel mit geschwungenem Ansatz über
fünfteiligem Akanthusblatt. Zwölfeckiger, gewölbter Aufsatzdeckel mit Per-
lenrelief am Rand und Zapfenknauf
über doppelter Akanthusrosette. Einfache, bunte Blumenbuketts und Streublumen auf der Wandung, Henkel und
Reliefs blau staffiert.
An Standring und Deckelrand bestoßen.

Das Formstück ist Teil des Perlservices
für den kurfürstlichen Hof, siehe
Kat. 545–553.

429

430 – 432

Das gestreifte Wellenband auch auf Wiener Geschirrteilen in anderen Farben, um 1790–95 nachweisbar, vgl. eine Stielkasserole in unbekanntem Besitz (Lempertz, Köln, 13.11.1995, Nr. 152).

430–432
Drei Kaffeetassen mit Untertassen
um 1790–95

Obertassen: H. 5,8 cm, Ø 6,7 cm.
Untertassen: Ø 12,5 cm
Obertassen: PM: RS 23.
Untertassen 430: RM: „Z P"; 431: RS 22, „P";
432: PM: RS 24, „2"
Inv.Nr. B 561a-c (Frau Mussgnug, Neuwittelsbach, 29.10.1951)

Obertassen mit konisch ausgestellter Wandung, Henkel wie vorige Nr., Untertassen auf innen abgesetztem Standring mit flachem Spiegel und hohem, schräg ausgestelltem Rand. Randmuster mit Goldkante und einem in Wellen gelegten, purpurgestreiften weißen Band, darunter Goldbogenkante. Auf der Wandung und im Spiegel blaue Kornblumen und Goldähren, ebensolche Streublumen.

Blumen in Camaieu

Über mehrere Jahrzehnte hinweg war in Nymphenburg die Camaieu-Malerei, d.h. Ton in Ton-Malerei, beliebt. Parallel zur Buntmalerei der Zeit wurden sowohl Einzelblumen wie große Bukettmalereien, dem Zeitstil entsprechend, bevorzugt in verschiedenen Grün- oder Purpurtönen ausgeführt.

Flowers in Camaïeu

Camaïeu painting, i.e. tone in tone painting, was very popular at Nymphenburg over several decades. Parallel to the colorful painting of the period, various tones of green or Tyrian purple were favored for individual flowers as well as for large bouquet paintings, in accordance with the style of the period.

433–434
Zwei flache Teller (o. Abb.)
um 1755–60

H. 3,5 cm, Ø 22,5 cm
PM: RS 2 und „3"
Inv.Nr. B 122a-b (Auer Dult, München, 2.8.1915)

Teller mit gewelltem Wulstrand wie Kat. **258**, auf Spiegel und Fahne mit großen Einzelblumen und Streublumen in bläulichem Grüncamaieu mit starker dunkler Binnenzeichnung bemalt, Goldrand.

Am Rand bestoßen, Vergoldung berieben.

435
Tiefer Teller
um 1760

H. 4,0 cm, Ø 23 cm
PM: RS 5, „2" und „8"
Inv.Nr. B 122c (Auer Dult, München,
2.8.1915)

Teller mit gewelltem Wulstrand wie
Kat. 258, Bemalung wie vorige Nr.
in gelb- und blauabgetöntem Grüncamaieu ohne hervortretende Binnenzeichnung. Goldrand.
Vergoldung und Malerei berieben.

436–437
Milch- und Teekännchen
um 1755–60

436: H. 10,4 cm. 437: H. 9,4 cm
436: PM: RS 3. 437: PM: RS 2
Inv.Nr. B 260b-a (Antiquar Peter, München,
26.7.1919)

436: Milchkännchen auf ausgezogenem
Standring, gedrungen birnförmiger Korpus mit reliefiertem Akanthusblatt unterhalb der Schnaupe und Henkel der
Form wie Kat. 302.
437: Teekännchen auf innen abgesetztem Standring in stark ausgebauchter
und oben abgeflachter Ballonform, geschwungene neunkantige Tülle, mehr-
teiliger Henkel aus S- und zwei C-
Bögen, flacher Einsatzdeckel mit Apfel
als Knauf. Lockere Blumenbuketts und
kleine Streublumen in Grüncamaieu.
Braune Randstaffage.
Deckel des Milchkännchens fehlt.

436   437

Beide Kannenformen sind selten nachweisbar. Das Milchkännchen beruht
auf einem Meissener Vorbild der Zeit
um 1735–40 (MK Frankfurt 1983,
Nr. 43). Ein vergleichbares Teekännchen in unbekanntem Besitz wurde
ehemals von einer schlanken, birnförmigen Kaffeekanne auf hohem Fuß mit
einfachem Ohrhenkel (vgl. Anmerkung
zu Kat. 330) und einer Zuckerdose wie
Kat. 291 sowie acht Teetassen mit Untertassen begleitet (Neumeister, München, 21.10.1987, Nr. 66). Die Malerei
im Stil des lockeren Arrangements und
der kleinen gekräuselten Blättchen vergleichbar mit Kat. 302. Den gleichen
Henkel wie die Teekanne besitzt eine
Kanne auf drei Hufenfüßchen mit ge-
drücktem Korpus, kurzer Tülle und
hochgewölbtem Deckel, das mit Blumenmalerei im Wiener Stil in den StKS,
Augsburg, Inv. Nr. 4202,und mit Blu-
men-Früchte-Malerei ehem. Slg. Thurn

und Taxis nachweisbar ist (VK Thurn
und Taxis 1993, Nr. 1911). Das Modell
der Teekanne wurde auch mit einem
Korbrelief, einer Tülle mit Tierkopfausguß und einem vergleichbaren Volutenhenkel ausgeführt (Weinmüller,
München, 5.12.1962, Nr. 184c).

438
Bouillonschale mit Deckel
(sog. Écuelle)
um 1760

H. 13 cm, Ø 18 cm
PM: „PL" und „2"
Inv.Nr. B 433 (Auktion Ströfer, München,
20.10.1937, Nr. 45)

Unterteil wie Kat. 425, nur größer; gewölbter Aufsatzdeckel mit Birnenzweig
als Knauf. Große, locker arrangierte

435

438

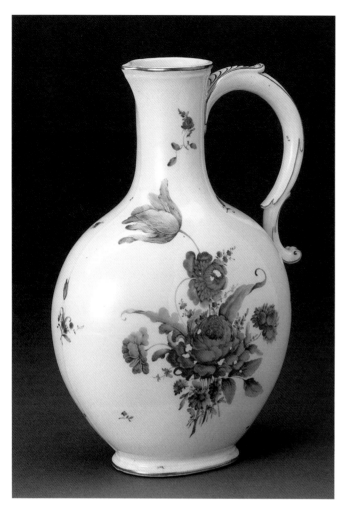

440

Ehemals mit Kat. 442 ein Paar bildend, unbemalt siehe Kat. 206. Vergleichs-
stück mit buntem Blumenbukett, von Tulpe überragt, im Palaço da Ajuda, Lissabon (AK Lissabon 1987, Nr. 62)

440
Weinflasche
um 1765–70

H. 22,5 cm
PM: RS 13; RM: „A"; unterglasurblaue Hexagramm-Marke in Sternform Nr. 14
Inv.Nr. B 442 (Slg. Blohm, Hamburg, 1938)

Oval, auf gekehltem Standring seitlich abgeplatteter, bauchiger Korpus mit hohem schlankem Hals und profiliertem Rand. Geschwungener Volutenhenkel mit Schuppenrelief vor der Daumenruhe. Bukett aus Rose, Päonie und überlängter Tulpe in Grüncamaieu. Goldstaffage.
Farbe mehrfach abgeplatzt.

„Weinflaschen" werden erstmals im Preiscourant von 1767 angeboten. Grüne Blumenbuketts dieser Art und grüne Schuppenkanten sind Dekor eines umfangreichen Kaffee- und Teeservices im BNM, Inv.Nr. 4303–4311.

Publ.: Lange, Berlin, 19.11.1938, Nr. 690

Blumenbuketts und kleine Streublumen in mattem Purpurcamaieu. Goldstaffage. Kleiner Brandriß im Deckel, Glasur teils verfärbt.

Zwei etwas kleinere Bouillonschalen mit Deckel wie Kat. 302, jedoch mit einem Birne als Knauf und Blumen in Purpurcamaieu im KGM, Köln, Inv.Nr. E 4359a-f (MK Köln 1980, Nr. 282-283).

439
Muschelschale
um 1760

5,7 x 21,5 x 18,8 cm
PM: RS 7 und „I"
Inv.Nr. B 325b (Graf Arco, Tegernsee, 1922)

Form wie Kat. 206, bemalt mit lockerem Bukett aus Tulpe und Rosen sowie kleinen Streublumen in Purpurcamaieu. Goldrand.
Am Rand bestoßen.

442 206 439

Früchtemalerei

Fruit Painting

Vermutlich zählt die Verbindung von Blumenbuketts mit Früchten zu den frühesten Geschirrbemalungen. Meist mit exotischem Obst und Gemüse vermischt, verdrängen einheimische, naturalistisch gemalte Viktualien im Lauf der Zeit die Blumen und werden zum selbstständigen Dekor. Wie bei der Blumenmalerei ändert sich die Farbpalette von dunkeltonigen zu pastellfarbenen Arrangements.

The combination of flower bouquets with fruits is probably one of the earliest types of decoration for tableware. With time the flowers are gradually replaced by regional naturalistically painted edibles, usually combined with exotic fruit and vegetables, and become an independent type of decor. As in flower painting, the color palette changes from dark tones to pastel-colored arrangements.

441

441
Servierplatte
um 1755–60

37 x 29,5 cm
ohne Marke; in Schwarz bezeichnet:
„aa / H he / 7223"
Inv.Nr. B 97 (Slg. v. Quadt, 1913)

Ovale Grundform mit flachem Spiegel, zweifach getrepptem Steigebord, der aufgewölbte Rand unten und seitlich dreimal geschwungen und oben viermal konvex geschweift. im Spiegel feinteiliges Arrangement aus Früchten und Blumen, daneben und auf der Fahne kleine Streublumen und naturalistisch gemalte Insekten in kräftigen Farben.

Das Formstück mit Blumenmalerei in unbekanntem Besitz (Christie's, London, 2.10.1989, Nr. 117).

Publ.: VK Quadt 1913, Nr. 125; Hofmann, Abb. 26

442
Muschelschale
um 1760

5,5 x 21,5 x 19,2 cm
PM: RS 7 und „I"
Inv.Nr. B 325a (Graf Arco, Tegernsee, 1922)

Form wie Kat. 206, bemalt in Purpurcamaieu mit nebeneinander gelegten Früchten, umgeben von Insekten. Goldrand.
Am Rand bestoßen.

Ehemals mit Kat. 439 ein Paar bildend. Ein formgleiches Paar mit obiger Bemalung ehemals in Slg. A.B., Berlin (Lepke, Berlin, 16.10.1929, Nr. 550).

449   450   451

443–448
Sechs Dessertteller mit Korbrelief
um 1760

Ø 22,4–23 cm
PM: RS 3 und „3"
Inv.Nr. B 187a-f (Slg. Stegmann, 1917)

Teller mit Korbrelief wie Kat. 365, bemalt mit bunten, stets unterschiedlichen Stilleben aus einheimischen und exotischen Früchten sowie Blumen, über Spiegel und Fahne verteilt kleine Früchte, Streublumen und verschiedene Insekten in kräftigen Farben.
Goldrand.
Vergoldung leicht berieben.

Die Farbgebung des Dekors erinnert an die Blumenmalerei der Kat. 329–332,

444

bei der auch viele unterschiedliche Blüten in einer leuchtenden Farbpalette dargestellt werden.

Publ.: VK Stegmann 1917, Nr. 165

449–450
Kaffee- und Milchkanne
um 1765–70

449: H. 24 cm. 450: H. o. Deckel 11,8 cm
449: PM: RS 13, „PL", „O" und „⚹".
450: PM: RS 13, vier eingestochene Punkte, unterglasurblaue Hexagramm-Marke in Sternform Nr. 14
Inv.Nr. B 471a-b (Kunsthaus Heinrich Hahn, Frankfurt a. Main, 28.7.1941)

449: Kaffeekanne wie Kat. 328, nur größer und mit großem Henkel. Auf der Seite großes Stilleben aus Trauben, Pfirsichen, Birnen und Pflaumen, nach unten von Blattwerk umgeben, gegenüber kleines Arrangement aus Rosen und Birnen, unterhalb der Schnaupe Johannisbeerrispe in dunklen Farben.
450: Milchkanne wie Kat. 334, nur etwas größer und glatter Standring. Bemalung wie oben unter Verwendung von mehr und hellerem Purpur.
An den Rändern gestrichelte Bogenkanten, begleitet von einer Rankenbordüre in grün-schwarz.
Deckel der Milchkanne fehlt, oberer Rand und Schnaupe bestoßen.

Eine Tasse mit Früchtestilleben und vergleichbarer, goldener Randbordüre in der SGM, Halle, Inv.Nr. Po 743.

451
Kaffeekanne
um 1765, Bemalung wohl J. Zächenberger

H. o. Deckel 19,4 cm
PM: „PL"; RM: „A" und drei Striche
Inv.Nr. B 573 (L. Steinhauser, München, 11.7.1952)

Form wie Kat. 449, Deckel fehlt. Auf der Seite großes Stilleben mit bunten Trauben, lila Rosen, eisenrot gestreifter Tulpe und gelben Winden, gegenüber aufgeplatzter Granatapfel, Birnen, Johannisbeeren und lila-gelbe Tulpe, unter der Schnaupe naturalistischer Schmetterling. Unterhalb des Randes blaugrüne Schuppenkante mit geschwungenen Goldranken, Reliefs goldstaffiert.
Deckel fehlt. Standring mehrfach bestoßen.

Die Art der Malerei und die Darstellung des Schmetterlings erinnern an den Stil Joseph Zächenbergers.

452
Spülkumme
um 1765, Bemalung wohl J. Zächenberger

H. 8,7 cm, Ø 17,3 cm
PM: RS 9, „2", „S" und „PL"
Inv.Nr. B 579 (Auktion Schrettenbrunner, 27.11.1952)

Form wie Kat. 327, auf der Wandung zwei Früchtearrangements nebeneinander auf braun-rotem Rasensockel, von rot-goldenen Ranken nach unten begrenzt, dazwischen fein gemalte Insekten. Innen unterhalb des Randes goldene Rankenbordüre.
Standring und Rand bestoßen, Vergoldung berieben.

Mit diesem Dekor eine Kaffee-, Tee- und Milchkanne ehemals in Slg. Dr. G.M., München (Helbing, München, 1932, 5.7.1932, Nr. 87), eine Kaffeekanne (H. 22 cm) und Milchkanne ohne Deckel im Musée Ariana, Genf,

453

454

Inv.Nr. AR 3-4, eine Kaffeetasse mit
Untertasse ehemals in Slg. v. Ostermann (VK Ostermann 1928/II, Nr.
421), die Unterplatte zu einer Ecuelle
im BNM, Inv.Nr. NN1836, und zwei
ovale Platten mit festoniertem Rand
(L. 28,5 cm) in unbekanntem Besitz
(Christie's, London, 4.7.1988, Nr. 134,
135).

Publ.: AK München 1909, Nr. 151 (damals
Slg. A. Ebenböck, München)

453
Kaffeetasse mit Untertasse
um 1765–70

Obertasse: H. 6,5 cm, Ø 6,5 cm.
Untertasse: Ø 13,7 cm
Obertasse: PM: „S", „y" und „+". Unter-
tasse: PM: RS 13, „I" und „W"; unterglasur-
blaue Hexagramm-Marke in Sternform Nr. 14
Inv.Nr. B 172 (Slg. Rittershausen, 1917)

Obertasse wie Kat. 339, flach gemuldete Untertasse auf Standring. Lockeres
Arrangement aus Früchten und Blumen
in hellen, aber leuchtenden Farben.
Ränder leicht bestoßen, Farben etwas
abgeblättert.

Publ.: VK Rittershausen 1917, Nr. 112

454
Butterdose
um 1755–60, Bemalung gegen 1770

10,2 x 20,2 x 14 cm
PM: RS 9 und „F"; RM: „4 D"
Inv.Nr. B 601 (Ruef, München, 30.3.1955)

Oval, gerade passig geschwungener
Korpus auf nach innen abgesetztem
Standring, am Rand festoniert, seitlich
zwei steile Handhaben in Rocailleform,
passig geschwungener Aufsatzdeckel
mit Aussparungen für die Griffe und
naturalistisch staffierter Birnenzweig als
Knauf. Auf beiden Seiten die gleichen
kleinen Buketts in hellen und leuchtenden Farben aus Pfirsich, Trauben und
Rose, sehr kleine Streublumen in den
übrigen Feldern.
Haarriß im Unterteil, Deckel bestoßen.

Die Form kann durch Vergleichsstücke,
auf deren Deckel eine liegende Kuh
den Knauf bildet, als Butterdose identifiziert werden. Unbemalt im BNM,
Inv.Nr. Ker 3666, und in den StKS,
Augsburg, Inv.Nr. 4248; mit Blumenmalerei und festem Unterteller im Residenzmuseum, München, Inv.Nr. Ker
II/Ny 1794-1795. Das Inventar nennt
schon 1755 „Butterschäffln und Wänd-
len in vier Sorten" (Hofmann, S. 570).

452

457 456 455 463

455–470
16-tlg. Kaffee- und Teeservice
um 1765–70

Inv.Nr. B 101a-q (Prov. unbekannt, um 1913)

455
Kaffeekanne

H. 22 cm

PM: RS 13; RM: „2", zwei Punkte eingestochen

Inv.Nr. B 101a

Leicht tropfenförmige Birnform auf
großem, gekehltem Standring. Ge-
schwungene Schnaupe und Henkel aus
C-Bögen mit Rocaillerelief. Gewölbter
Aufsatzdeckel mit Profilrand, Pinien-
zapfen als Knauf. Auf beiden Seiten
Stilleben aus Blumen, Früchten und
Gemüse sowie kleine Streublumen und
Früchte in lichten Farben. Das Blatt-
werk überwiegend in abschattiertem
Blaugrün. Goldstaffage auf Rändern
und Relief.
Bruchstellen gekittet.

456
Milchkanne

H. 15,3 cm

PM: RS 13 und „70", drei Punkte eingestochen

Inv.Nr. B 101b

Birnform wie Kat. 334, nur etwas
größer. Bemalung und Staffage wie
vorige Nr.
Deckelknauf fehlt.

457
Zuckerdose

H. 11,5 cm, Ø 12 cm

PM: RS 13 und „70", drei Punkte eingestochen

Inv.Nr. B 101c

Rund, profilierter Standring mit Kehle,
steilwandiger Korpus mit Wulstrand,
gewölbter Aufsatzdeckel mit zweifach
gekehltem Randprofil und Pinienzapfen
als Knauf. Bemalung und Staffage wie
vorige Nr.

458
Teekanne (Abb. s. S. 169)

H. 11,5 cm

PM: RS 13 und „70", drei Punkte eingestochen

Inv.Nr. B 101d

Auf nach innen abgesetztem Standring
stark ausgebauchte Ballonform mit flachem Rand um die leicht erhöhte Öffnung, steil aufsteigende Röhrentülle
mit Tierkopf, im offenen Maul die runde Tüllenspitze, Henkel aus zwei C-
Bögen mit Reliefdekor, flacher Aufsatzdeckel mit Pinienzapfen als Knauf.
Bemalung und Staffage wie vorige Nr.

459
Spülkumme (o. Abb.)

H. 8 cm, Ø 17,3 cm

PM: RS 13 und „70", drei Punkte eingestochen

Inv.Nr. B 101e

Form wie Kat. 422, Bemalung und
Staffage wie vorige Nr.
Am Standring bestoßen.

460–463
Vier Kaffeetassen mit Untertassen

Obertassen: H. 7,4 cm, Ø 6,7 cm.
Untertassen: Ø 13,6 cm
Obertassen: PM: RS 9 und „⇕".
Untertassen: PM: RS 13; RM: „x" und
eingestochene Punkte
Inv.Nr. B 101f-i
Form wie Kat. 339–341, Bemalung
und Staffage wie vorige Nr.
Goldrand berieben.

464–470
Sieben Teetassen mit Untertassen

Obertassen: H. 4,2 cm, Ø 7,7–8,0 cm.
Untertassen: Ø 13,8 cm
Obertassen: PM: RS 5 und „70".
Untertassen: PM: RS 13; RM: „x" u. einge-
stochene Punkte
Inv.Nr. B 101k-q
Form wie Kat. 330, nur mit etwas
größerem Durchmesser, starker Wan-
dung und Bandhenkel in Ohrform, Un-
tertasse tief gemuldet. Bemalung und
Staffage wie vorige Nr.
Goldrand berieben.

Entsprechend der pastellfarbenen Blumenmalerei dieser Jahre sind auch die
Stilleben in hellen, lichten Farben eher

471

kühlen Charakters gehalten. Jedes
Motiv ist unterschiedlich und stellt
abwechselnd ein einheimisches oder
exotisches Gemüse in den Vordergrund.

471
Tiefer Teller mit Ozierrand
um 1770

H. 4,0 cm, Ø 24 cm
PM: RS 9, „O"; rechteckiges Händleretikett
Inv.Nr. B 619 (Antique Porcelain, London,
ehemals Slg. Levi, 1956)

Form wie Kat. 241, nur größer und mit
aufgebogener Fahne. Im Spiegel dichtes
Stilleben mit aufgeschnittenem Apfel,
weiteren Früchten, Gemüse und Blumen in dunklen Farben, von kleinen
Streublümchen und lila-grünem Blattwerk umgeben. Gliederung der Fahne
mit Goldlinien betont.

Publ.: Christie's, London, 2.7.1956, Nr. 201

458, 464 – 470

472

473

472
Milchkännchen
um 1765–70, Bemalung um 1790

H. 14 cm
PM: RS 13, „o", ein Punkt eingestochen
Inv.Nr. B 388 (Slg. v. Ostermann, 1928)

Birnform wie Kat. 334, aber die
Schnaupe unterhalb des durchgehenden Wulstrandes angesetzt. Auf beiden
Seiten Stilleben mit aufgeschnittenem
Apfel und Birne sowie Blumen mit
bläulich-grünem Blattwerk, Streublumen. Unterhalb des Randes und auf
dem Deckel rotbraunes Band mit
liegenden Blattmotiven in Silber.
Silber oxydiert.

Publ.: VK Ostermann 1928/II, Nr. 427

473
Flacher Teller
um 1790

H. 3,5, ⌀ 24,4 cm
PM: RS 11 und „c"
Inv.Nr. B 526 (ehemals Maximiliansmuseum,
Augsburg)

Rund, festonierter Rand. Im Spiegel
buntes Früchtestilleben mit aufgeschnittenem Apfel, Nuß, Erdbeere und
Blumen mit bläulich-grünem Blattwerk.
Über dem Steigebord zwischen den
Rippen acht Blumengirlanden mit jeweils größeren Blüten in der Mitte, auf
der Fahne ein purpurnes Wickelband
um goldenen Stab, gefolgt von
einem rotbraunen Streifen mit Silber-
punkten und Goldlinie am Rand, über

den Rippen kleine, bunte Blumenbuketts.
Silber teils oxydiert, teils abgeblättert,
Malerei berieben, an Rand und Standring bestoßen.

Die dunkle, matt deckende Farbigkeit
der braunen Randstreifen auf obigen
Serviceteilen zeigt den Wandel der
Mode vom lichtfrohen Rokoko zum
strengen Stil des frühen Louis XVI.

Publ.: AK München 1909, Nr. 377; Hofmann,
Abb. 155

Tiermotive

Den Übergang zwischen der Blumenmalerei und einer Dekoration mit Tiermotiven nimmt eine Platte mit großen Schmetterlingen ein, bei der die Blumen nur noch Randstaffage sind (Kat. 474). Seit den ersten Jahren der Geschirrdekoration gehören Vögel in allen Varianten zu den Bemalungen. 1759 werden „Blumenkrüge mit Deckeln, mit Vogeln und Gold gemalen" erwähnt (Hofmann, S. 580). Stets in ihrem natürlichen Umfeld, auf oder unter Bäumen sitzend, prägte sich in Nymphenburg ab 1764 ein fein pointillistischer Malstil heraus, der dem Maler Josef Lerch (geb. 1740) und seinen Schülern zugeschrieben werden kann. Lerch hatte Miniaturmalerei bei Franz Anton Winter in Immenstadt gelernt und war dann in Augsburg tätig. Schon ein Jahr nach seiner Einstellung in Nymphenburg am 15.6.1764 wurde er „Lehrer der Zeichnungs- und Malerkunst" (Hofmann, S. 346) und blieb bis 1770 in der Manufaktur. Für die teilweise mehrfigurigen Darstellungen wurde das Stichwerk von Gottlieb Friedrich Riedel „Sammlung von Feder-Vieh, besonders Haus-Geflügel, nuzlich Fabriquen", um 1770 im Verlag von Johannes Gradmann zu Augsburg erschienen, als Vorlage verwendet (Kat.479–483).

Zu den typischen Nymphenburger Dekoren zählt die Malerei „en treillage", d.h. das Motiv wird von zwei halbrund gebogenen Spaliergittern seitlich gerahmt. Im Zentrum steht ein Baum, auf welchem der Vogel sitzt, während das Spalier aus drei parallelen Leisten, die durch Querstege verbunden sind, aus Blattwerk erwächst, am oberen Ende von bunten Blumen bekrönt sowie von Rispen seitlich begleitet wird (Kat. 485–492). Der Preiscourant von 1767 unterscheidet deutlich Service mit „mit Vögel auf Bäume" oder „mit Vögel en Trilage". Um 1760–70 ist ein ähnlicher Spalierdekor auch in Meissen beliebt (MK Frankfurt 1983, Nr. 161).

Einer Mischung aus Bildungsbewußtsein und Unterhaltung dürften die Serviceteile mit Darstellungen verschiedener Tiere ihren Ursprung verdanken, die überwiegend Affen unterschiedlicher Gattungen widergeben und unter dem Boden jeweils betitelt sind (Kat. 495–499).

Animal Motifs

The transition from flower painting to a decoration with animal motifs is represented by a platter with large butterflies, on which the flowers only remain as border staffage (cat. no. 474). Since the first years of tableware decoration, birds belong to all variations of the painted motifs. In 1759 "flower jugs with lids, painted with birds and gold" are mentioned (Hofmann, p. 580). The birds are always depicted in their natural environment, sitting on or under trees, in a fine pointillist painting style developed at Nymphenburg as of 1764. The style can be attributed to the painter Josef Lerch (1740 to probably after 1810) and his students. Lerch learned miniature painting under Franz Anton Winter in Immenstadt and then worked in Augsburg. One year after being hired at Nymphenburg on June 15, 1764, he was already made "teacher of the art of drawing and painting" (Hofmann, p. 346) and stayed at the factory until 1770. The depictions with sometimes several figures were made after engravings by Gottlieb Friedrich Riedel: *Collection of Feathered Animals, Particularly Domestic Poultry, Useful for Factories,* published by Johannes Gradmann around 1770 (cat. nos. 479–483).

One of the typical Nymphenburg decors is painting "en treillage," i.e. the motif is framed on the sides by two semi-circular curved trellises. A tree, on which a bird sits, stands in the middle. The trellis consists of three parallel strips of wood, connected by crossbars, which emerge out of the foliage, crowned at the top by colorful flowers as well as being accompanied on the sides by panicles (cat. nos. 485–492). The price list of 1767 differentiated clearly between the service with "birds on trees" and "with birds 'en Trilage.'" Around 1760–70 a similar trellis decor is also popular at Meissen (MK Frankfurt 1983, no. 161).

A combination of an awareness for educational value as well as entertainment probably gave rise to the pieces rendering different animals, primarily monkeys of various genuses. The title is always given on the base (cat. nos. 495–499).

474

474
Unterplatte einer Terrine
um 1760

6,5 x 38 x 26 cm
PM: RS 5 und „4"; RM: Strich, ein Punkt
eingestochen
Inv.Nr. B 133 (L. Steinhauser, München,
Dez. 1915)

Oval, mit Henkeln und festonierter
Fahne wie Kat. 36, nur kleiner. Im
Spiegel und auf der Fahne naturalistisch gemalte Falter, Insekten und
Käferchen, dazwischen vier große
Einzelblumen und kleine Streublümchen. Goldstaffage.
Kleiner Brandriß am Standring.

475
Teekanne
um 1760

H. 9,6 cm
PM: RS 9 und „2"
Inv.Nr. B 387 (Slg. v. Ostermann, 1928)

Auf nach innen abgesetztem Standring
ballonförmiger Korpus mit abgeflachter
Oberseite, in der Mitte der Wandung in
breitem Streifen ein Relief aus schmalen, senkrechten Wabenfeldern; leicht
gewölbter Einsatzdeckel mit Relief und

naturalistisch staffierter Apfelzweig als
Knauf. Hoch angesetzte, polygonale
Tülle und naturalistisch geformter
Asthenkel. Auf beiden Seiten über einem Rasensockel ein Baum, darin einheimische und exotische Vögel, auf
dem Deckel kleine Schmetterlinge.
Malerei leicht berieben.

Der Reliefdekor „Gebrochener Stab"
war in Meissen seit 1736 bekannt,
wurde gegen Ende des Jahrhunderts
immer beliebter und von zahlreichen
thüringischen Manufakturen übernommen. Der Dekor überzog üblicherweise, in mehrere Streifen gegliedert, den
gesamten Gefäßkörper, während in
Nymphenburg nur ein breiter Streifen
in der Mitte der Kanne angebracht

wurde. Eine Kaffeekanne mit Früchtestilleben und Insekten und passend bemalter, aber später ausgeführter Teetasse im BNM, Inv.Nr. 33/110-112.
Eine zylindrische Teedose mit glatter
Kehle am Rand der Schulter und früher
Blumenmalerei im BNM, Inv.Nr. Ker
2188. Eine Kaffeetasse mit diesem
Reliefdekor und Unterglasurbemalung
im BNM, Inv.Nr. 4326.

Publ.: VK Ostermann 1928/II, Nr. 427

476
Zuckerdose
um 1760

H. 10,2 cm, Ø 9,8 cm
PM: RS 9, „PL" und „I"; RM: drei Striche
Inv.Nr. B 620 (Slg. Levi, 1956)

Form wie Kat. 457, nur etwas kleiner.
Auf Rasensockel exotische Vögel zwischen Blumenstauden, auf dem Deckel
naturalistisch gemalte Schmetterlinge.
Goldbogenkante auf den Rändern, abgesetzte Goldbordüre aus Doppel-C-Bögen mit Gittermuster im Wechsel
mit Behang.
Standring bestoßen.

Vergleichbare exotische Vögel mit
betont schlanken Hälsen vom selben
Maler auf einer Kaffeekanne mit Goldbogenkante und Insekten auf dem
Deckel in unbekanntem Besitz (Christie's, London, 2.10.1989, Nr. 116).

Publ.: Christie's London, 3.7.1956, Nr. 173

475

476 477

477
Teekanne
um 1760, Bemalung wohl J. Lerch

H. 11,4 cm
Pm: RS 13, „PL" und „⚡", zwei Punkte
eingestochen
Inv.Nr. B 683 (Krebs jun. Kassel, 11.12.1961)

Form wie Kat. 335, nur größer. Auf der
Seite zwischen dicht belaubten Bäumen
zwei bunte Vögel, gegenüber vor Bäumen Vogelmutter mit Jungem, am Rand
und am Deckel Goldbogenkante und
Goldrankenbordüre, verwoben mit vier
fein gemalten, bunten Blumenbuketts,
Goldstaffage an Henkel und Tülle.
Kleine Brandrisse.

Die gepunkteten Blattbüschel an den
Ästen, siehe auch Kat. 475, auch auf
einem Unterteller im MKG, Hamburg,
Inv.Nr. 1882.364 (Jedding 1974,
Abb. 476) und einer Teekanne mit

478

Hexagramm-Marke im MMA, New
York, Inv.Nr. 42.205.283ab.

478
Teetasse mit Untertasse
um 1765, Bemalung J. Lerch

Obertasse: H. 4,1 cm, Ø 7,6 cm.
Untertasse: Ø 13,3 cm
PM: RS 13. Obertasse zusätzl. „D" und
Hexagramm-Marke in Sternform Nr. 14.
Untertasse: RM: „R."
Inv.Nr. B 516 (Lempertz, Köln, 1950)

Obertasse wie Kat. 341, nur mit nach
oben eingerolltem Henkel aus C-Bogen
und Volute. Untertasse auf eingezogenem Standring mit flachem Spiegel und
ausgeschwungenem Rand. Auf Rasensockel ein Perlhuhnpaar, bzw. ein rad-
schlagender Pfau. Goldene symmetri-

sche Rankenbordüre mit kleinen Blumenbuketts dazwischen. Henkel gekittet.

Ein komplettes Kaffee- und Teeservice
für sechs Personen mit gleichen Tassen-
henkeln, Goldrankenbordüre mit Blumen und Hexagramm-Marken erwarb
Prinzessin Maria Pia von Portugal im
Jahr 1888 bei Gebrüder Heilbronner,
München, zusammen mit einem eigens
dafür gefertigten Koffer (AK Lissabon
1987, Nr. 63). Eine Kaffeekanne der
Form wie Kat. 456 mit ausgezeichneter
Malerei und Goldbordüre wie obige
Tasse im MKG, Hamburg, Inv.Nr.
1886.58 (Jedding 1974, Abb. 482).

Publ.: Lempertz, Köln, 6.12.1950, Nr. 205

479–483
5-tlg. Solitaire (Abb. s. S. 174)
um 1765–70, Bemalung J. Lerch
Inv.Nr. B 420a-e (L. Steinhauser, 1936,
ehemals Maximiliansmuseum, Augsburg)

479
Kaffeekanne
H. 15,4 cm
PM: RS 13, zwei Punkte eingestochen
Inv.Nr. B 420a
Form wie Kat. 456, nur kleiner. Vor
einer Landschaft mit Parkmauer und
Vase, neben einem Baum, zwei Pfaue
und ein Huhn, gegenüber Landschaft
mit Hahn und Henne bei der Paarung.
Goldstaffage auf Reliefs, Henkel und
goldenes Zungenband auf den Rändern.
Deckel ergänzt.

480
Milchkanne
H. 13 cm
Pm: RS 8, „L 8", ein Punkt eingestochen
Inv.Nr. B 420b
Form wie vorige Nr., mit gleichgroßem
Standring, aber kleiner. Vor einer Fluß-
landschaft zwei Perlhühner und zwei
Enten, gegenüber Huhn mit fünf
Kücken. Staffage wie vorige Nr.
Deckel ergänzt.

481
Teekanne
H. 7,7 cm
PM: RS 9; RM: Strich
Inv.Nr. 420c

479 – 483

Form wie Kat. **458**, nur kleiner. Flußlandschaft mit drei Hühnern, gegenüber Landschaft mit Enten vor Schale
mit Maiskörnern. Staffage wie vorige
Nr.
Deckel ergänzt.

482
Teetasse mit Untertasse

H. 3,9 cm, Ø 7,6 cm
Untertasse: Ø 12,6 cm
Pm: RS 13, „70" und „O"
Inv.Nr. B 420d

Obertasse wie Kat. **341** aber mit Bandhenkel, Untertasse tief gemuldet. Auf
der Tasse Landschaft mit drei Enten.
Auf der Untertasse Landschaft mit
Kirche, im Vordergrund Bach und vier
grasende Gänse. Staffage wie vorige Nr.

484

483
Plateau

32,2 x 23 cm
PM: RS 7 und „7"
Inv.Nr. B 420e

Ovale Vierpaßform mit begradigter
Längsseite, glatter Spiegel mit abgesetztem, aufgebogenem Rand. Im Spiegel
eine weite Landschaft mit zartrosa
Schloß im Hintergrund, im Vordergrund zwischen zwei verwitterten Bäumen Truthähne, verschiedene Hühner,
Reiher und Hahn. Goldene Streublumen, Randstaffage wie vorige Nr.

Publ.: AK München 1909, Nr. 94-98, Taf. 2;
Hofmann, Abb. 148; Braun-Ronsdorf 1953,
Abb. 2

484
Untertasse
um 1765

Ø 13 cm
PM: RS 13 und „64"
Inv.Nr. B 592b (Ruef, München, 10.11.1954)

Flach gemuldete Schale auf eingezogenem Standring. Im Spiegel vereinfach-
tes „en treillage"-Motiv aus vier verschieden großen C-Bögen in Hellgrün,
darin Landschaft mit Haus, davor Vogel
auf Baum, in den Zwickeln bunte Blumenbuketts, Streublumen, Goldbogenkante.

Mit diesem Dekor eine Kaffeekanne,
H. 20,5 cm, und vier Kaffeetassen in
unbekanntem Besitz (Christie's, London, 3.12.1979, Nr. 29-31), ebenso
eine einzelne Kaffeetasse (Neumeister,
München, 17.3.1982, Nr. 110) und
eine Kaffeekanne (Metz, Heidelberg,
8.3.1989, Nr. 63). Die C-Bögen durch
Blattwedel ersetzt auf einer Teekanne
in unbekanntem Besitz (Nagel, Stuttgart, 3.12.1991, Nr. 349).

485–488
Vier Dessertteller mit Korbrand
um 1765–70

H. 3,2 cm, Ø 23,2–23,5 cm
PM: RS 8. 485: RM: „68". 486: RM: „W".
487: RM: „31". 488: RM: „N 9„
Inv.Nr. B 479a-d (Weinmüller, München,
1942)

Teller wie Kat. **384**, im Spiegel zwei
symmetrische, dreiläufige Spalierbögen
(„en treillage") mit grünem Blattwerk
an beiden Enden, flankiert von geschwungenen Blütenranken, darin
jeweils Vögel auf einem Baum vor
Landschaft. Goldrand.
Vergoldung und Glasur leicht berieben.

Die Teller Kat. **485–486** in dunkleren
Farben und in der Komposition stärker
schematisiert. Formgleiche Dessertteller mit fein ausgeführter Malerei ge-

485 486

13,5 x 39,5 x 27,8 cm
PM: RS 4, „W" und „2"
Inv.Nr. B 496 (Weinmüller, München,
7.12.1949)

Oval, auf einem gewellten Standring
mit Kehle, gebuckelt ausgebauchte
Wandung mit einem in wellige Falten
gelegten Rand, seitlich zwei ausgebo-
gene Akanthusblätter als Handhaben.
Auf den Längsseiten breiter Dekor „en
treillage" mit jeweils drei Vögeln auf
Ästen vor Landschaft mit Häusern.
Goldstaffagen.
Vergoldung berieben, Glasur fehlerhaft,
Brandrisse.

In das mit zerstoßenem Eis gefüllte Gefäß hing man die Stielgläser mit dem
Kelch nach unten in den dafür so weit
ausladenden Wellenrand zur Kühlung
vor dem Servieren. Schon das Formenverzeichnis von 1764 nennt zweierlei „Wein-Küelgeschirr" (Hofmann,
S. 571), die im Preiscourant von 1767
fälschlich „sceaux" statt „seau" (franz.
Eimer, Kübel) „oval zu Liquers Gläser"
bezeichnet wurden. Ein unbemaltes
Modell in der Slg. Bäuml, Inv.Nr.
B 245 (Hofmann, Abb. 362). Sehr ähnliche Modelle in Meissen schon nach
1750, in Frankenthal um 1775 (Metz,
Heidelberg, 16.10.1993, Nr. 166, 458)
und in Wien (VK Thurn und Taxis
1993, Nr. 2455).

hören zu einem Teilservice mit zwei
Flaschen-, zwei Gläserkühlern, einer
Huiliere, drei Blattschalen, acht Körbchen, elf Cremetassen mit Löffelchen
und 38 Tellern im Residenzmuseum,
München, Inv.Nr. Ker II/Ny 1816-
1893 (AK Hohenberg 1995, Abb. 51);
drei Teller ehemals in Slg. A.B., Berlin
(Lepke, Berlin, 16.10.1929, Nr. 602-
604). Der Dekor auf einer Teekanne
wie Kat. **458** im BNM, Inv.Nr. Ker
4288, ebenso in unbekanntem Besitz
(Christie's, London, 3.10.1988, Nr.
106) und einer Kaffeetasse im V&A,
London, Inv.Nr. C.410-1928.

Publ.: Weinmüller, München, 3.12.1941,
Nr. 33 und 34

489
Henkeltopf
um 1765–70

H. 14 cm
PM: RS 13; RM: „y", ein Punkt
eingestochen
Inv.Nr. B 135 (C. Korner, München,
Sept. 1915)

Profilierter Standring mit Kehle, birnförmiger Korpus mit profiliertem Rand,
auf der Schulter zwei waagerecht angesetzte Vierkanthenkel. Auf den Schauseiten Vögel auf Ast „en treillage", bunte Streublumen, Goldstaffage.
Deckel fehlt.

489

490

493

Wandung mit fünfach eingekerbtem
Rand, aus zwei geteilten Stäben gewundener Henkel. Unterhalb des Randes
Girlandenrelief wie Kat. 242–243.
Untertasse auf geradem Standring, tief
gemuldet mit vertieftem Tassenspiegel,
am Rand fünfach eingekerbt, zum Spiegel hin ein Girlandenrelief. Locker verteilt naturalistische Insekten in gelb-
blaugrüner Camaieu-Malerei.
Goldränder.
Malerei und Vergoldung leicht berieben.

Eine weitere Tasse beim WAF. Eine
Zuckerdose zu dieser Serviceform mit
gleicher Malerei im BNM, Inv.Nr.
88/431a,b.

491–492
Zwei Besteckgriffe
um 1770–75

L. 8,2 cm
ohne Marken
491: Inv.Nr. CB 24a (Prov. unbekannt).
492: Inv.Nr. B 751 (Prov. unbekannt)

Fassonierter, leicht abgeplatteter Schaft
mit vertieften, goldstaffierten Feldern,
darin auf jeder Seite Vögel auf Ast „en
treillage", bunte Streublümchen darüber und in den seitlichen Feldern.
491 mit einer zweizinkigen Gabel,
492 mit einer Stahlkinge montiert.
Malerei berieben, Bruchstellen gekittet.

Die Griffe bildeten ursprünglich kein
Paar. Der Unterschied in der Aus-
führung desselben Dekors zeigt seine
Veränderung binnen weniger Jahre,

wobei die graphisch klare Darstellung
in natürlichen Farben des Messergriffes
vor die pastellfarbenen Ausführung der
summarischen Malerei des Gabelschaf-
tes zu datieren ist. Ein Messer- und ein
Gabelgriff mit gleicher Bemalung im
MAD, Paris, Inv.Nr. 4274A.B.

493
Kaffeetasse mit Untertasse
um 1780

Obertasse: H. 5,1 cm, Ø 6,9 cm
Untertasse: Ø 13,6 cm
PM: RS 13; Untertasse: RM: „79"
oder „19"
Inv.Nr. B 805 (Elfriede Lechner, München,
1993)

Obertasse auf gekehltem Standring,
nach oben sich weitende, birnförmige

494
Flacher Teller (o. Abb.)
um 1780

H. 3 cm, Ø 24,2 cm
PM: RS 2 und „2"
Inv.Nr. B 651 (L. Steinhauser, München,
11.8.1959)

Rund, ausgezogener Standring, flacher
Spiegel, flacher Steigebord, Fahne mit
den Konturen von sechs übereinander-
liegenden, stilisierten Kohlblättern reliefiert, im Wechsel blau und purpur
mit gelbem Rand staffiert. Im Spiegel
zwei Vögel vor Baum auf Rasensockel.
Farbe berieben.

Während bei der Spülkumme Kat. 422
und anderen nachweisbaren Teilen der
Dekor „feuilles de choux" nur aufge-
malt war, wurde der Teller vermutlich
einem vorhandenen Original aus Sèvres
abgeformt. Sogar die gestrichelte Staffage des zarten Reliefs wurde direkt übernommen, vgl. einen Teller aus Sèvres
mit Puttenmalerei im Spiegel um 1756
im V&A, London (Eriksen and De
Bellaigue 1987, Nr. 114). Eine gleich-
zeitige Übernahme in Meissen wird
durch das Verzeichnis der reliefierten
Teller von 1790 unter No. 82 belegt
(Reinheckel 1968, Abb. 84; Hofmann
1937, Abb. 518).

491   492

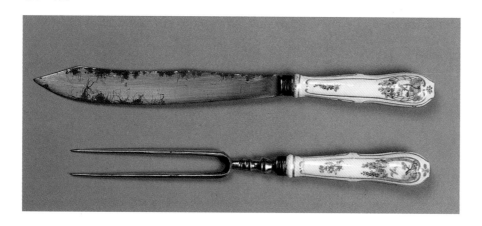

495 – 498   499

495–498
Vier Untertassen
um 1790, Ausformung um 1800

H. 3 cm, Ø 14,3cm
PM: RS 32; RM: „L" und „I", Striche und „x"
Inv.Nr. B 484a-d (Erika Böhm, München,
1949)

Nach innen abgesetzter Standring, glatter Spiegel, leicht geschwungene, steile
Fahne. Auf grün-lila Rasensockel sitzend verschiedene Affen, auf der Unterseite in schwarz betitelt: 495:„Simia
fatuellus", 496:„Simia argentata",
497:„Simia nazica" und 498:„Simia
Capucina".
Goldränder berieben und mehrfach
bestoßen.

Die Vorlagen ähneln den Zeichnungen
in George L. Buffons Naturgeschichte,
die in Paris ab 1749 in 24 Bänden veröffentlicht wurde.

499
Tasse mit Untertasse
um 1790, Ausformung um 1800

Obertasse: H. 5,8 cm, Ø 6,0 cm
Untertasse: Ø 13,8 cm
Obertasse: PM: RS 31, RM: „f" und „R".
Untertasse: PM: RS 32; RM: „L" und „I".
Auf der Unterseite jeweils betitelt.
Obertasse: Inv.Nr. B 614 (Frau Prof. Bamann,
28.4.1965). Untertasse: Inv.Nr. B 692 (Frau
Prof. Bamann, 14.11.1962)

Zylindrische Walzenform auf innen abgesetztem Stand, eckiger nach unten
einschwingender Vierkanthenkel. Auf
der Vorderseite auf Rasenstück „Der
angorische Bock". Untertasse wie
Kat. 498 mit gerader Fahne, im Spiegel
auf ansteigendem Rasensockel „Felis
Catus/der wilde Katter." Purpurlinie
vor Goldrand.
Vergoldung berieben.

Das Motiv „Der angorische Bock" ist
„Herrn von Büffons Naturgeschichte
der vierfüßigen Tiere. Mit Anmerkun-
gen und Vermehrung aus dem Franz.
übersetzt. Zweiter Band, Berlin 1773",
Taf. XV entnommen. Eine Obertasse
mit „Der Mouflon" auf Untertasse mit
„Das Wallachische Schaf" in unbekanntem Privatbesitz (Newman 1977/II,
Abb. 10), ebenso eine Tasse mit „Die
Tiger Katze" und Untertasse „Der Wallachische Wider" (Weinmüller, München, 14.6.1978, Nr. 62), eine Tasse
mit „Canis aureus. Der Schakal oder
Goldwolf" und Untertasse mit Jagd-
hund (Ruef, München, 21.3.1993,
Nr. 416) sowie eine Tasse mit „Gemse"
und Untertasse mit „Schweißhund"
(Neumeister, 22.5.1996, Nr. 184).

500

Landschaften

Die bunte Landschaft

Mit dem Eintritt von Georg Christoph Lindemann in die Malstube der Neudecker Manufaktur erfährt die bunte Landschaftsmalerei einen ersten Höhepunkt. Der angeblich aus Sachsen stammende Künstler war von Januar 1758 bis Mai 1760 tätig und wohl kein Sohn des Meissener Porzellanmalers Christian Philipp Lindemann, wie bisher angenommen (Rückert 1990, S. 170). Seine Ausbildung liegt also im dunkeln. Er beherrschte meisterhaft die Darstellung von Landschaften, die mit stark fluchtenden, sehr aufwendig gestalteten Architekturen im Stil italienischer Palazzi oder Ruinen tiefenräumlich erschlossen werden. Den Horizont begrenzen Hügelketten oder Berge, während im Vordergrund Personen in Kauffahrteiszenen eingebunden sind. Bäume mit dünnen, hohen Stämmen und schirmartigen Kronen sind mehrfach nachweisbar. Die Personenstaffage ist meist in Rückansicht dargestellt. So verbindet den Betrachter und die Bewohner dieser Welt im Kleinen der Blick in die ideale Landschaft. Mit diesem Kunstgriff verdeckte der Maler seine Schwäche bei der Darstellung dieser kleinen Figürchen, die in der Tat etwas steif und wenig detailliert wirken (Kat. 500–504).

Landscapes

The Colorful Landscape

With Georg Christoph Lindemann entering the painting workshop of the Neudeck factory, colorful landscape painting reaches a first and formative peak. The artist purportedly coming from Saxony, was active between January 1758 and May 1760, but was probably not the son of the Meissen porcelain painter Christian Philipp Lindemann as has previously been assumed. Thus it remains unknown where he received his training, but he had a masterly command of the depiction of landscapes, the depth of which is disclosed by the strongly converging lines of very lavish architecture designed in the style of Italian palazzi or ruins. The horizon is defined by a range of hills or mountains, while in the foreground, on the shore of a river, merchant figures are involved in trading. Trees with thin high stems and umbrella-like crowns are found repeatedly. The figural staffage is mostly depicted from the back. Thus the viewer and the inhabitants of this world in small are linked in their common view of the ideal landscape. With this artistic trick the painter hid his weakness in depicting these small figures, which do in-deed appear somewhat stiff and not very detailed (cat. nos. 500–504).

500

Eine weitere Art der bunten Landschaftsmalerei folgt dem sog. Inselstil, d.h. die Bildfläche der Prospekte werden nach unten durch einen waagrecht gestuften Rasenstreifen begrenzt, der die Malerei wie eine Insel auf dem Untergrund schweben läßt (Kat. 505–508).

Another type of colorful landscape painting follows the so-called island style, i.e. the boundary of the picture plane of the vedutas is formed by a horizontally terraced strip of lawn, which has the effect of the painting floating like an island on the background (cat. nos. 505–508).

500
Rechaud
1758–60, Bemalung G. Ch. Lindemann

H. 26 cm
PM: RS 17; RM: „B" und „I"; Mm: in Gold „L". Einsatz: PM: RS 33, „+" und „Ø" (um 1800)
Inv.Nr. B 503 (Rasmussen und Bielenberg, Berlin, 27.1.1950)

Form wie Kat. 268, der Standring über einem Wulst etwas stärker gekehlt und der Knauf des abgeplatteten Deckels in Knopfform. Auf der Wandung umlaufend eine bunte Landschaft mit Palastarchitektur, Flußlauf mit Booten, Ruinenarchitektur mit Wandersleuten, Kauffahrteiszene mit Reitern am Ufer. Auf dem Deckel zwei gebirgige Flußlandschaften mit Häusern und Spazier-

gängern. Standring, Umrahmung des Schürlochs, Ring der Einsatzschale und geschwungener Randfond am Deckelrand mit blütengefülltem Zick-Zack-Band in Blau und Gold. Über dem Schürloch das churbayerische Wappen. Ränder und Reliefs goldstaffiert, seitlich der Luftnasen Goldranken.
Minimal bestoßen.

Das Monogramm „L" in Gold kennt man von einer außerdem mit „G.C.L." bezeichneten Tasse mit seegrünem Fond und Landschaftsmalerei im BNM, Inv.Nr. Ker 2592. Üblicherweise würde ein Buntmaler allerdings nicht mit Gold, sondern einer der Farben aus der Malerei signieren. Ähnlich der Randbordüre des Rechauds ist der Rand einer Untertasse gemustert, die in der Landschaft „G.C.L." bez. und 1759 dat. ist, im BNM, Inv.Nr. 12/147.

„Oefferlen mit Landschaften und Gold" nennen schon die Rechnungsbelege des Jahres 1759 (Hofmann, S. 580). Ein unbemaltes Rechaud im Residenzmuseum, München, Inv.Nr. K II/Ny 634. Weitere Ex. mit vergleichbarer Malerei, aber mit unterschiedlichen Randbordüren im Art Institute of Chicago, Inv.Nr. 1941.492 (Ware, Abb. 98), mit später Blumenmalerei auf einem Stück in unbekanntem Besitz (Neumeister, München, 12.5.1982, Nr. 35), ebenso auch mit zitronengelbem Fond und Silberrändern (Metz, Heidelberg, 17.10.1992, Nr. 77). Ein Formstück wie Kat. 332 mit reicher Goldbordüre und Blumen oberhalb der Lindemann zugeschriebenen Landschaft zuletzt bei Ars Domi, Zürich (Weltkunst, 1.1.1986, Abb. S. 39; Rückseite in: Keramos, Heft 63, Januar 1974, Abb. 41). Einen Gartenprospekt mit Laubengang, Spalie-

501

504

ren, Wasserbecken und Personen zeigt das Ex. mit obigen Preßmarken, aber geschweiftem Knauf wie Kat. 268, im KGM, Köln, Inv.Nr. E 4083a-c (MK Köln 1980, Nr. 280, Taf. IV). Eine bunte Landschaft in symmetrischer Goldkartusche auf glockenfömigem Rechaud im MKG, Hamburg, Inv.Nr. 1911.42 a-c (Jedding 1974, Abb. 480). Eine bezeichnete Kaffeekanne mit umlaufender Landschaft und reicher Goldbordüre, ehem. in Slg. Hohenner in Wunsiedel, die von Lindemann bemalt sein soll, war wohl nicht 1757, sondern 1759 datiert (Pazaurek 1925/II, Abb. 357).

Publ.: Bäuml 1966, Abb. 3

501
Kaffeetasse mit Untertasse
um 1760, Bemalung G. Ch. Lindemann zugeschrieben

Obertasse: H. 6,9 cm, Ø 7,0 cm.
Untertasse: Ø 13,5 cm
PM: RS 12; RM: „I"
Inv.Nr. B 714 (Galerie Almas, München, 23.7.1964)

Auf ausgezogenem Standring hohe Becherform mit gerader, im oberen Drittel bandartig verdickter Wandung, zierlicher Henkel aus zwei gegenläufigen C-Bögen. Tief gemuldete Untertasse. Umlaufend bunte Flußlandschaft mit Ladebaum und Schiffen, gegenüber eine Kirche mit Personenstaffage. Auf der Untertasse phantastische Insellandschaft mit Schiffen hinter einer Turmbrücke und Bergen im Hintergrund.

Innen am Tassenrand und auf der Untertasse Goldbordüre aus verschiedenen dreieckigen Rankenfeldern mit Gitter- und Blumenfüllungen.

502–503
Paar Teetassen mit Untertassen
(o. Abb.)
um 1760, Bemalung G. Ch. Lindemann zugeschrieben

Obertasse: H. 4,5 cm, Ø 7,7 cm.
Untertasse: Ø 13,1 cm
PM: RS 12, „I" und „⚓"
Inv.Nr. B 73a-b (L. Perron, Frankenthal, 23.10.1911)

Obertasse wie Kat. 256, Untertasse wie Kat. 330, Randdekor und liegende Vierpaßreserven aus rosa-goldenen Spitzenbordüren mit Gitterwerk und Punktbehang, darin bunte Landschaften mit hohem Baum, flankiert von Figuren vor niedrigem Horizont in hellen Farben. Malerei und Goldstaffage berieben.

Publ.: Bäuml 1966, Abb. 4 (Kat. 502)

504
Teetasse mit Untertasse
um 1760

Obertasse: H. 4,2 cm, Ø 7,8 cm.
Untertasse: Ø 13,2 cm
PM: „NB" und „S". Untertasse: RM: „⚓"
Inv.Nr. B 575a (L. Steinhauser, München, 2.9.1952)

Obertasse wie Kat. 478, aber mit einfachem Henkel, Untertasse wie Kat. 482. Der Randdekor und die Reserven wie vorige Nr., jedoch feiner, darin bunte, kleinteilige Landschaften mit Baum und Personenstaffage in kräftigen Farben, Malerei in Punktmanier.
Rand bestoßen.

Im Stil von Lindemann beeinflußt, aber sicher nicht von seiner Hand ausgeführt. Die liegenden Vierpaßreserven in dünner, glatter Umrandung mit Landschaften auf einem Paar Teller, deren Fahne große Früchte und Schmetterlinge schmückten, in unbekanntem Besitz (Sotheby's, London, 21.10.1980, Nr. 23).

505
Teekanne
um 1760

H. 12,2 cm
PM: RS 4, „2" und „P"
Inv.Nr. B 808 (Christie's, London, 1996)

506

505

Flachgedrücke Kreiselform auf leicht abgesetztem Standring mit hochgezogenem Hals; polygonale, geschwungene Tülle, Henkel in Ohrform mit goldstaffierten Reliefauflagen und Blattansatz, gewölbter Aufsatzdeckel mit abgetrepptem Rand und naturalistisch staffiertem Apfel als Knauf. Wandung und Tülle in Gelbfond mit unbemaltem, gebogtem Randstreifen, darin bunte Blumen zwischen Goldranken. In vierpassigen, goldlinierten Reserven auf den Seiten bunte Flußlandschaften mit Personenstaffage.
Am Rand minimal bestoßen. Vergoldung berieben.

Die bislang einzig bekannte Ausformung dieses frühen Kannenmodells, deren Henkelrelief Ähnlichkeiten zu jenem der Kaffeekanne Kat. 294 aufweist.

Publ.: Christie's, London, 5.6.1996, Nr. 382

506
Teetasse mit Untertasse
um 1760/1790

Obertasse: H. 4,5 cm, Ø 7,7 cm.
Untertasse: Ø 13,2 cm
Obertasse: PM: RS 20, „P" und „⚊"
Untertasse: PM: RS 12
Inv.Nr. B 694 (Antique Porcelain, London, 1962)

Obertasse wie Kat. 330, Untertasse tief gemuldet. Gelbfond mit geschwunge-

nen Vierpaßreserven, darin und im Spiegel kleinteilige Landschaften mit Architekturstaffage im Inselstil in kräftigen Farben, auf der Unterseite der Untertasse Insekten und Käfer. Umlaufend symmetrische Goldranken mit bunten Blumen durchsetzt. Goldstaffage.

Passend zur Teekanne Kat. 505. Die Obertasse aufgrund ihrer Preßmarke wohl eine spätere Ergänzung für ein zerbrochenes Stück der Jahre um 1760. Tassen mit diesem Dekor in unbekanntem Besitz (Helbing, München, 17.12.1929, Nr. 126; identisch mit Ex. bei Koller, Zürich, 2.6.1983, Nr. 2447; Newman 1977/II, Abb. 7) und in der PSZ, Dresden, Inv.Nr. P.E. 4308.

Publ.: Sotheby's, London, 13.11.1962, Nr. 140

507–508
Paar Salzschälchen
um 1765

5 x 9 x 7,5 cm
507: PM: RS 10 und „L"; RM: „41".
508: PM: RS 13 und „C"
Inv.Nr. B 804a-b (Elfriede Lechner, München, 1992)

Form wie Kat. 200 und 201. Auf den Längsseiten über Rasensockel bunte Landschaften mit Bauwerken im Inselstil, auf den Schmalseiten Streublumen. Reliefdekor goldstaffiert.
Deckel fehlen.

Große bunte Landschaften im Inselstil auf einer unpublizierten, großen runden Terrine (H. 26 cm) auf einer Unterplatte mit Griffen (Ø 35,5 cm) im Besitz der BSV, Nymphenburg, Zug Nr. 1555. Eine zugehörige Huliere mit zwei Kännchen in der LGA im GNM, Nürnberg, Inv.Nr. 344/1-3 (Hofmann, Abb. 70 mit falscher Ortsangabe). Zwei reliefierte Salatieren, zwei Butterdosen, zwei Saucieren und 18 Teller im Residenzmuseum, München, Inv.Nr. KII/Ny 1792-1815. Bunte Landschaften befinden sich in den Rocaillereserven einer kleinen ovalen Terrine mit Gemüseknauf in unbekanntem Besitz (Weinmüller, München, 27.11.1974, Nr. 143). Der Dekor auch auf einem Déjeuner wie Kat. 509–515 im Nationalmuseum Stockholm, Inv.Nr. NM 119-123/1984 (AK Stockholm 1984, Nr. 103).

Publ.: Christie's, London, 3.12.1984, Nr. 86; Ziffer 1994, S. 118

507   508

Veduten

Eine Ausnahme in der Landschaftsdarstellung des 18. Jahrhunderts, die überwiegend idyllische und pastorale Szenen aus freier Erfindung wiedergibt, bilden die Veduten bayerischer Schlösser aus München und seiner Umgebung dar, die auf verschiedenen Vorlagen beruhen (Kat. 509–515). Es liegt nahe, daß die wittelsbachischen Besitzungen zu Geschenkzwecken für den kurfürstlichen Hof auf Porzellan abgebildet wurden. Der Dekor hat sich auf zwei Déjeuners und diversen Einzelteilen erhalten, die in die Jahre um 1765–70 und später zu datieren sind.

Vedutas

An exception in the landscape painting of the 18th century, which primarily depicted idyllic and pastoral scenes, are the renditions of Bavarian palaces in Munich and the surrounding region, based on various sources (cat. nos. 509–515). It suggests itself that the Wittelsbach properties be illustrated on porcelain made for the purpose of being given as presents by the electoral court. The decor has survived on two breakfast services and diverse single pieces, which can be dated to around 1765–70 and later.

509   510

509–515
7-tlg. Déjeuner
um 1765–70

Inv.Nr. B 508a-g (Frau Maison, München, um 1950)

509
Kaffeekanne
H. 16,5 cm

ohne Marke

Inv.Nr. B 508a

Birnform mit Profilrand auf kleinem, gekehltem Standring, steil geschwungene Tülle mit gewelltem Ausguß, seitlich angesetzter Griff mit Rocaillerelief, gewölbter Aufsatzdeckel mit Profilrand.

Gegenüber dem Griff Blick auf Schloß Berg am Starnberger See mit einer Hirschhatz mit Hunden von links, während auf dem See in Ruderbooten die Jäger auf den schwimmenden Hirsch ansitzen. Ränder mit breiter und dünner Goldlinie, Reliefs goldstaffiert. Haarriß am oberen Rand, Griff angenutet.

Die Darstellung auf der Kanne folgt einem Stich nach dem 1722/23 entstandenen Gemälde von Franz Joachim Beich (1655–1748) in der nördlichen Galerie von Schloß Nymphenburg (Bürklin 1971, WV 86).

510
Milchkanne
H. 14 cm

PM: „PL" und „I"

Inv.Nr. B 508b

Form und Staffage wie vorige Nr., nur kleiner und mit reliefierter Schnaupe. Zwischen Henkel und Schnaupe Blick auf den Starnberger See, rechts der Ort und auf der Anhöhe das Schloß, im See das kurfürstliche Lustschiff „Bucintoro" und mehrere Ruderboote mit Personen. Gegenüber und auf dem Deckel Baumgruppen.

Siehe die Bemerkung zu obiger Nr., dargestellt ist Schloß Starnberg mit der kurfürstlichen Flotte, allen voran das Prunkschiff „Bucintoro", das Kurfürst Ferdinand Maria (1636–1679) von dem italienischen Baumeister Santurini 1662/63 nach der Prunkgaleere des Dogen von Venedig bauen ließ (Bürklin 1971, WV 81).

511 513 514

511
Zuckerdose

H. 8,5 cm, ∅ 9 cm
ohne Marke
Inv.Nr. B 508c

Form wie Kat. 457, nur kleiner und auf glattem Standring. Auf der Wandung linker Wasserfall der Großen Kaskade im Nymphenburger Park mit liegenden Flußgöttern und Baumstaffage dahinter, Ausschnitt eines Stiches von Matthias Diesel (Zweite Lieferung, Blatt 18). Im Unterteil Haarriß, am Rand und Standring leicht bestoßen.

Im Vergleich zu den übrigen Teilen sehr reduzierte Bemalung und wohl spätere Ergänzung für ein zerbrochenes Stück.

512
Ovales Schälchen („Brodttasse")

3,5 x 21,8 x 17 cm
PM: RS 7, RM: „44"
Inv.Nr. B 508d

512

Oval, auf glattem Standring, flacher Spiegel. Davon abgesetzt, sechsfach passig geschwungene Wandung mit profiliertem Wulstrand. Im Spiegel, von einer sechspassigen Goldlinie gerahmt, Ansicht von Schloß Schleißheim mit dem großen Gartenparterre und Personenstaffage nach einem Stich von M. Diesel (Zweite Lieferung, Blatt 9). Restaurierte Bruchstellen, Glasurfehler.

513–514
Zwei Teetassen mit Untertassen

Obertasse: H. 4,2 cm, ∅ 7,8 cm
Untertassen: ∅ 12,8 cm
513: Obertasse: PM: RS 8 und „↨"; in Rot bez. „BAGOTENBVRG". Untertasse: PM: RS 13, RM: „48"; in Rot bez. „BADENBVRG". 514: Obertasse: PM: RS 13 und Strich; in Rot bez. „CLAVSSEN". Untertasse: PM: RS 9; RM: „26" (?); in Rot bez. „AMALIENBVRG"
Inv.Nr. B 508e-f

Obertasse wie Kat. 464, nur etwas feiner am Rand ausgezogen. Gemuldete Untertasse wie Kat. 504, Staffage wie oben.
513: Auf der Tasse Ansicht der Pagodenburg von Süden nach M. Diesel (Zweite Lieferung, Blatt 16). Auf der Untertasse Ansicht der Badenburg von Norden nach M. Diesel (Zweite Lieferung, Blatt 14).
514: Auf der Tasse Ansicht der Magdalenenklause von Osten nach einer unbekannten Vorlage. Auf der Untertasse Ansicht der Amalienburg von Osten mit Beginn der Fontänenallee nach einem Stich von F. X. Mayr.

515
Tablett (Abb. s. S. 184)

4,5 x 43 x 34 cm
PM: RS 10 und „L"; RM: „44", in Rot bez. „NYMPHENBVRG"
Inv.Nr. B 508 g

Oval, auf konischem Standring, flacher Spiegel. Davon abgesetzt ein achtfach passig geschwungener, einmal abgetreppter Rand mit Wulstprofil. Links von einem Postament mit Blumenvase und rechts von einem Baum begrenzter Blick auf Schloß Nymphenburg von Osten mit den Kavaliershäusern des südlichen Rondells und Beginn der Auffahrtsallee nach der Darstellung auf dem Nymphenburger Gartenplan von Pertoldzheim, dat. 1755 (BSV Gartenabtl., Plan AI/4, frdl. Hinweis Herr N. Nordmann).

Zu diesem Service gibt es einen alten Lederkoffer mit Aussparungen für die einzelnen Teile. Ein ovales Tablett mit der Ansicht von Nymphenburg in getreuer Kopie des Gartenplans von 1755, wobei sogar das Paar im Vordergrund in die Porzellanmalerei übernommen wurde, in unbekanntem Besitz (Dorotheum, Wien, 8.11.1909, Nr. 24). Der Maler unseres Tabletts folgte diesem Gartenplan zwar bei der Architektur, gestaltete aber den Vordergrund jenem Blickwinkel entsprechend, den Bernardo Bellotto, gen. Canaletto (1720–1780), bei seinem 1761 geschaffenen Gemälde (Residenzmuseum, München, Inv.Nr. G-35) gewählt hatte. Da Canaletto seitlich des Kanals auf einem Gerüst saß, verschob sich die Kanalachse zur Diagonale und deren nördliche Baumreihen verdecken durch die optische Verkürzung fast völlig die vordere Hälfte des Wasserbeckens. Während die Kupferstiche nach den Beich-Gemälden bislang unbekannt sind, kennt man das in Augsburg erschienene Stichwerk „Erlustierende Augenweide in Vorstellung Herrlicher Garten und Lustgebäude" des kurfürstlichen Garteningenieurs Matthias Diesel (1675–1752), das dieser in drei Folgen zwischen 1717 und 1723 den bayerischen Kurfürsten widmete (Nachdruck, Diesel 1989). Neben den Schloßgärten um Paris und Salzburg sind die Darstellungen der wittelsbachischen Lustgärten mit den Parkburgen heute die wichtigste Quelle ihres barocken Zustandes. Ein ovales Schälchen mit

515

Vorlage zu 515

fast gleicher Darstellung von Schloß Schleißheim im BNM, Inv.Nr. Ker 2545 (Hofmann, Abb. 160). Auf einem formgleichen Déjeuner im MStm sind die Motive anders verteilt: Kaffeekanne mit Starnberger Schloß ohne das Schiff; Milchkanne mit Schloß Berg und Hirschhatz; Teekanne mit Schloß Dachau; Zuckerdose mit Schloß Isareck; ovales Schälchen, die Tassen und das Tablett identisch (Inv.Nr. 38/1526; AK München 1972, Nr. 1037). Die Veduten sind größer wiedergegeben und nehmen fast die gesamten Malflächen ein, die ein rot-goldenes Ringband und goldene Streublumen am Rand zieren. Eine golden-bunte Blumenbordüre über der Ansicht einer Palastanlage ziert ein walzenförmiges Kännchen mit J-Henkel im Schlesischen Landesmuseum, Opava/Troppau, Inv.Nr. U 156 P.

Publ.: AK München 1909, Nr. 361–367

Landschaft in Camaïeu

Noch wesentlich bedeutender als im Fall der Blumenmale-rei wurde die Ausführung von Landschaftsdarstellungen in Camaieu-Malerei. Neben einer kleinen und seltenen Grup-pe in den Farben Purpur (Kat. 516) oder Blau entwickelte sich neben Malereien in Graucamaieu (Kat. 517–518) die sog. „Grüne Landschaft" zu einem festen Bestandteil der Geschirrdekoration bis Ende des 18. Jahrhunderts. Entwe-der im Inselstil, d.h. über einem gestuften Rasenstreifen (Kat. 519–522), oder noch wesentlich häufiger in einer bandartigen Rankenkartusche gehört dieser Dekor zu den bekanntesten der Manufaktur. Dabei stellt man fest, daß die „Farbigkeit" der grünen Camaieu-Malerei durchaus differiert und sich in Technik und Auffassung unterscheidet. Die Vorlagen entstammen graphischen Umsetzungen der süddeutsch-italienischen und der niederländischen Land-schaftsmalerei der Zeit, sind aber bisher nicht benennbar.

Landscape in Camaïeu

Of much greater significance than in the case of flower painting, were the landscapes painted in camaïeu. Aside from a small and rare group held in the color Tyrian purple (cat. no. 516) or blue, and aside from paintings in gray camaïeu (cat. nos. 517–518), the so-called "Green Landscape" came to be a permanent part of the tableware decoration until the end of the 18th century. Either in the island style, i.e. above a terraced strip of grass (cat. nos. 519–522) or much more often in a band-like vine car-touche, this decor belongs to the best known by the factory. It is obvious in these that the "colorfulness" of the green camaïeu painting is in fact varied and is differen-tiated in technique and approach. The sources are derived from graphic translations of South German-Italian and Dutch landscape painting of the time, but have until now not been identified more closely.

516

516
Teetasse mit Untertasse
um 1755–60

Obertasse: H. 3,7 cm, Ø 7,4 cm
Untertasse: Ø 11,9 cm
Obertasse: PM: „PL", „s" und „I"
Untertasse: PM: RS 4 und „⚓"
Inv.Nr. B 809 (Rudigier, München 3.7.1985)

Niedrige, schalenförmige Tasse auf leicht ausgezogenem Standring, glatter Schlaufenhenkel. Untertasse flach ge-muldet mit leicht ausgestelltem Rand auf niedrigem Standring. Nach unten von goldenen Rankenbögen begrenzte Landschaften in Purpurcamaieu; auf der Tasse ein Fischer im Fluß, gegen-über Landschaft mit Baum; auf der Untertasse Burganlage an breitem Fluß. Goldbogenkanten.
Henkel restauriert.

Landschaften in Purpurcamaieu zählen zu den frühesten und seltensten Bema-lungen der Manufaktur. Das wohl be-eindruckendste Beispiel hierfür ist ein Rechaud ohne Einsatz und Deckel mit einer weiten Flußlandschaft in Purpur-camaieu, gerahmt von einer goldenen, nach oben offenen Bandkartusche im MKG, Hamburg, Inv.Nr. 1878.686 (Hofmann, Abb. 66). Ähnlich die Land-schaft auf einer Balustervase im BNM, Inv.Nr. 70/146; im Inselstil die Land-schaft auf einem Plateau mit zweifach getrepptem Rand im BNM, Inv.Nr. 67/19.

Publ.: Helbing, München, 28.9.1917, Nr. 150

517–518
Paar Teetassen mit Untertassen
um 1765

Obertassen: H. 4,1 cm, Ø 7,5 cm
Untertassen: Ø 13,4 cm
Obertassen: PM: RS 6 und „⚓"
Untertassen: PM: RS 13 und Strich
Inv.Nr. B 206a-b (Fürst Hohenlohe, 1917)

Obertasse wie Kat. 504, tief gemuldete Untertasse wie Kat. 464. Dem Henkel gegenüber und im Spiegel Flußland-schaften im niederländischen Stil in Graubraun-Camaieu in einer dreitei-ligen Kartusche aus C-Bögen mit Blatt-girlanden in Gold, Goldzungenkante.

517   518

522

519–522
Vier tiefe Teller
um 1755–60

H. 3,5 cm, Ø 22,5–23,1 cm
PM: RS 2 und „3"
Inv.Nr. B 319a-d (Frl. Zaubzer, München, 1.6.1921 und 20.3.1922)

Modell mit gewelltem Rand wie Kat. 258. Quer über den ganzen Spiegel niederländische Landschaften mit Personenstaffage im Inselstil, auf der Fahne Insekten, Einzel- und Streublumen in Grün-Camaieu. Goldrand.
Vergoldung und Malerei berieben. Am Rand teilweise bestoßen.

Grüne Landschaften im Inselstil zieren eine seltene Terrine mit Artischockenknauf und Unterplatte wie Kat. 211 in der Slg. Ducret (Ducret 1977, Abb. 52, Andreas Oettner zugeschrieben). Mit dieser Bemalung sind außerdem nachweisbar: eine ovale Terrine mit Zitronenknauf im Rijksmuseum, Amsterdam, Inv.Nr. R.B.K. 14559 (AK Amsterdam 1952, Nr. 41), eine runde Platte Ø 36,6 cm im Nationalmuseum, Stockholm, Inv.Nr. NM114/1984 (AK Stockholm 1984, Nr. 99), in unbekanntem Besitz eine ovale Platte L. 24 cm (Christie's, London, 3.12.1979, Nr. 27), eine viereckige Schüssel (zuletzt Christie's, London, 2.7.1984, Nr. 60), zwei flache Teller im BNM, Inv.Nr. Ker 2214-15, verschiedene Teller mit Ø 23,5 cm in unbekanntem Besitz (Christie's, London, 2.10.1979, Nr. 119; Christie's, Genf, 11.5.1987, Nr. 46; Lempertz, Köln, 20.11.1987, Nr. 883). Eine Kaffeekanne H. 19 cm im Musée Ariana, Genf, Inv.Nr. AR 653, und eine seltene Teetasse der Form wie Kat. 421, aber mit Volutenhenkel wie Kat. 478 ehemals in Slg. Otto Blohm (Schmidt 1953, Nr. 283), eine Teedose in unbekanntem Besitz (Weinmüller, München, 28.10.1970, Nr. 57).

Die Grüne Landschaft

Wie bereits erwähnt, unterscheidet sich die Malerei der Grünen Landschaft in Details, die wohl eine chronologische Reihenfolge bezeichnen. In den ersten Jahren der Ausführung dieses Dekors dominieren warme, gelb-grüne Töne für die Landschaft mit hellem Purpur für den Hintergrund; den Rand zieren gleichmäßige, symmetrisch aufgehängte Girlanden, die Blattranken liegen beim Spalier in der Mitte, über die Rippen auf der Fahne wird ein großes herzförmiges Rankenmotiv mit Punktbehang gelegt (Kat. 523–533, 545).
Die späte Phase charakterisieren kühle, blau-grüne Töne mit dunklem Purpur stark durchmischt, so daß die Farben insgesamt dunkler wirken; die Girlanden sind sehr flüchtig gemalt, die Blattranken schwingen im Spalier beliebig hin und her. Über den Rippen findet sich nur ein kleines, herzförmiges Rankenmotiv (Kat. 534–544, 546–547).

The Green Landscape

As described above, Green Landscape painting differs in details, probably indicating a chronological development. In the first years that this decor was carried out, warm, yellow-green hues for the landscape with light Tyrian purple for the background dominated; the edge is decorated with regular, symmetrically hanging garlands, the leaf tendrils lie in the middle of the trellis, over the ribs of the rim lies a large heart-shaped vine motif with dots (cat. nos. 523–533, 545).
The late phase is characterized by cool blue-green hues heavily mixed with dark Tyrian purple, so that the colors appear darker in total; the garlands are painted very sketchily, the leaf tendrils swing freely back and forth in the trellis. Over the ribs is just a small heart-shaped vine motif (cat. nos. 534–544, 546–547).

523

523
Ovale Terrine
um 1770

20 x 30,5 x 21,5 cm
PM: RS 9 und „2", zwei Punkte eingestochen
Inv.Nr. B 602a (Kurt Sauke, Hamburg, 1955)

Form wie Kat. 303, auf den Längsseiten von Unterteil und Deckel Landschaften in dreiteiliger, nach links oben offener Kartusche aus drei geschweiften, goldenen Bandstreifen mit grün-goldenen Blattgirlanden in der Mitte, bunte Blumenbuketts am Richtungswechsel. Auf dem Unterteil Blick auf Stadtbefestigung, gegenüber weite Landschaft mit Baum zwischen Fahrwegen, auf dem Deckel Wanderer hinter einem Felsentor, gegenüber Wanderer über Steg vor Flußmündung in hellem Grüncamaieu mit etwas Purpur. Rocaillen und Henkel grün-gold staffiert.
Haarriß im Unterteil, Rand bestoßen, Blattwerk am Knauf teils abgebrochen, Glasur leicht gelblich verfärbt.

Zum Motiv des „Wanderers auf dem Steg" siehe Kat. 528, zum „Wanderer hinter einem Felsentor" siehe Kat. 526. Weitere Teile dieses Services sind eine ovale Terrine mit gehenkelter Unterplatte im BNM, Inv.Nr. Ker 2577-78, eine große runde Terrine im Besitz des WAF, München, Inv.Nr. KIc 216 (Sotheby's, New York, 8.3.1979, Nr. 88; AK Hohenberg 1995, Abb. 47), eine gehenkelte Unterplatte ehemals in Slg. A.B., Berlin (Lepke, Berlin, 16.10.1929, Nr. 479), wohl aus der Slg. Mühsam (VK Mühsam 1925, Nr. 358) stammen eine Huiliere mit zwei Kännchen (zuletzt Christie's, Genf, 10.11.1986, Nr. 53) und zwei Salzgefäße im BNM, Inv.Nr. Ker 2583-84. Eine Senfkanne mit Unterteller im BNM, Inv.Nr. 2579-2580, eine Sauciere mit zwei Henkeln ehemals in Slg. Girtanner (VK Girtanner 1926, Nr. 203), eine Weinblattschale in der SGM, Halle, Inv.Nr. Po 747; in unbekanntem Besitz eine ovale Platte mit L. 32 cm (Christie's, Genf, 14.11.1983, Nr. 75), eine ovale Schale mit L. 27 cm (Metz,

Heidelberg, 7.10.1989, Nr. 157), Dessertteller mit Korbrelief wie Kat. 365 (VK Steinharter 1918, Nr. 113, 114; Koller, Zürich, 2.6.1983, Nr. 2446).

524
Ovale Platte (o. Abb.)
um 1770

4 x 29,3 x 21 cm
PM: RS 13; RM: „69" und „F", ein Punkt eingestochen
Inv.Nr. B 602n (Sauke, Hamburg, 1955)

Oval, mit festonierter Fahne wie Kat. 376. Landschaft mit Ruinen eines Aquädukts in hellem Grüncamaieu mit etwas Purpur.
Bestoßen, berieben, leicht gelblich verfärbte Glasur.

528

525
Ovale Platte (o. Abb.)
um 1770

4,8 x 34,6 x 26,4 cm
PM: RS 8 und „o", drei Punkte eingestochen
Inv.Nr. B 602o (Sauke, Hamburg, 1955)

Oval, mit festonierter Fahne wie
Kat. 310. Rechts gestufte Landschaft
mit Bäumen, in der linken Hälfte ein
Gutshof in hellem Grüncamaieu mit
zartem Purpur.
Bestoßen, berieben, leicht gelblich verfärbte Glasur.

526–527
Zwei runde Platten (o. Abb.)
um 1770

H. 5,3 cm, Ø 33,7 cm
526: PM: RS 13, drei Punkte eingestochen
527: PM: RS 10; RM: „3", drei Punkte eingestochen
Inv.Nr. B 602h, l (Sauke, Hamburg, 1955)

Rund, mit festonierter Fahne wie
Kat. 323. 526: Landschaft mit Wanderer hinter einem Felsentor rechts.
527: Landschaft mit Wanderern auf
dem Weg zu einer Burganlage in hellem Grüncamaieu mit bläulichem Purpur.
Brandrisse, Malerei und Vergoldung
berieben.

Das Motiv von Kat. 526 auch auf dem
Deckel der Terrine Kat 523.

528
Runde Platte
um 1770

H. 6,6 cm, Ø 37 cm
PM: RS 13; RM: „T", vier Punkte einge-
stochen
Inv.Nr. B 602m (Sauke, Hamburg, 1955)

Rund, mit festonierter Fahne wie
Kat. 308. Wanderer auf einem Steg vor
der Mündung zweier Flüsse, links im
Hintergrund eine Stadt in purpurgedun-
keltem Grüncamaieu mit Zartlila.
Gold im Spiegel leicht berieben.

Das Motiv auch auf dem Deckel der
Terrine sowie auf einer Platte mit Holzmaserfond und Kupferstich, dieser links
unten bez. „Invente par F. de Cuvillies"
im Besitz der BSV, Zug. Nr. 324.

529
Kompottschale (o. Abb.)
um 1770

H. 5,4 cm, Ø 27,5 cm
PM: RS 8 und „o"; RM: Strich
Inv.Nr. 742 (Frau Steger, Friedrichshafen,
19.3.1970)

Rund, mit festoniertem Rand wie
Kat. 324, nur größer. Wanderer vor
einer verfallenen Burganlage in mattem
Grüncamaieu mit Braun-Lila.
Malerei und Vergoldung berieben.

530
Viereckige Schale (o. Abb.)
um 1770

4,2 x 25 x 25 cm
PM: RS 7 und „4", ein Punkt eingestochen
Inv.Nr. B 602c (Sauke, Hamburg, 1955)

Form wie Kat. 377. Wanderer vor felsi-
gem Flußufer, im Hintergrund Burg
vor einem Steilhang in hellem Grüncamaieu mit Purpur.
Vergoldung berieben.

Die Bildvorlage auch auf einem flachen
Teller, Ø 25 cm, und einer runden
Platte, Ø 30,2 cm, bez. „E. P. Will
ex.", mit Holzmaserfond im Besitz der
BSV, Zug.Nr. 324. Der Fels hier jedoch
durch Ruinen ersetzt.

531
Flacher Teller (o. Abb.)
um 1770

H. 3,7 cm, Ø 25 cm
PM: RS 13; RM: „ᵇₒ"
Inv.Nr. B 602y (Sauke, Hamburg, 1955)

Rund, Fahne festoniert wie Kat. 269.
Unter einem Baum am Ufer sitzender
Fischer, am Ufer gegenüber Häuser ei-
ner Ansiedlung in hellem Grüncamaieu
mit Purpur.
Vergoldung berieben.

532

536   540   537

532–533
Zwei tiefe Teller
um 1770

H. 4,5 cm, Ø 25,2 cm
PM: RS 9; RM: „46"
Inv.Nr. B 655e (Sauke, Hamburg, 1955)
und B 580 (Auktion Schrettenbrunner,
27.10.1952)

Rund, Fahne festoniert wie Kat. 273.
532: Steg über einem Fluß, am rechten
Ufer Häuser. 533: Breiter Fluß mit Ru-
derer, rechts im Hintergrund die Häuser einer großen Stadt vor Bergen in
Grüncamaieu mit kräftigem Purpur.

Sieben Teller ehemals in Slg. v. Ostermann, (VK Ostermann 1928/II, Nr.
409), weitere Vergleichsstücke im Art
Institute of Chicago, Inv.Nr. 1963.238,
im MAD, Paris, Inv.Nr. 2705-2708, im
BNM, Inv.Nr. Ker 2216, und in unbekanntem Besitz (Christie's, London,
3.12.1979, Nr. 28; Fischer, Heilbronn,
23.3.1985, Nr. 121; Sotheby's, London, 25.6.1985, Nr. 166-167).

534
Gläserkühler
um 1770–80

9,3 x 30,5 x 16,5 cm
PM: RS 9 und „W"; RM: „R."
Inv.Nr. B 602b (Sauke, Hamburg, 1955)

Modell wie Kat. 490, nur kleiner. Auf
der Längsseite Fischer am Meeresufer,
rechts eine befestigte Anlage, gegenüber Boote vor einer Felsinsel im Meer,
rechts am Ufer eine Stadt, in Grüncamaieu mit lila Purpur.

Ein Kühler in dieser Größe war für
Likörgläser zum Digestif bestimmt.

535
Runde Platte (o. Abb.)
um 1770–80

H. 5,2 cm, Ø 28,8 cm
PM: RS 13; RM: „6", Hexagramm-
Marke in Sternform Nr. 14
Inv.Nr. B 602g (Sauke, Hamburg, 1955)

Rund, mit festonierter Fahne wie
Kat. 304, nur kleiner. Bizzare Waldlichtung mit Gehöft, davor Wanderer in
blaßem Grüncamaieu mit lila Purpur.
Brandrisse, am Rand bestoßen, Vergoldung berieben.

534

536–537
Zwei ovale Schalen
um 1770–80

3-3,8 x 20,5 x 16,7 cm
536: ohne Marke. 537: PM: „3"
Inv.Nr. B 655a (Sauke, Hamburg,
30.10.1959); Inv.Nr. B 602e (Sauke,
Hamburg, 1955)

Oval, gekehlter Standring, flacher Spiegel mit aufgebogenem, festoniertem
Rand. 536: Rechts oberhalb eines We-
ges am Flußufer burgähnliches Gehöft
in Grüncamaieu mit etwas Lila.
537: Einsame Burgruine am Meeres-
strand in dunklem Grüncamaieu mit
Lila.
Vergoldung berieben.

538
Ovale Schale (o. Abb.)
um 1770–80

3,9 x 24 x 20,5 cm
PM: RS 10 und „H"
Inv.Nr. B 655b (Sauke, Hamburg,
30.10.1959)

Form wie vorige Nr., nur größer. Am
Ufer des Meeres ein Wachturm mit
vier Erkern neben dem Stadttor, Grüncamaieu mit Lila.
Vergoldung berieben.

Eine größere Schale (27,5 x 23,5 cm)
mit akkurat gemalter Blattgirlande als
Rahmung der Kartusche in unbekanntem Besitz (Neumeister, München,
1.7.1981, Nr. 58).

546   545

539
Ovale Schale (o. Abb.)
um 1770–80

4,9 x 31,5 x 27,2 cm
PM: RS 8 und „B"; RM: „58", zwei Punkte
eingestochen
Inv.Nr. 602f (Sauke, Hamburg, 1955)

Form wie vorige Nr., nur größer. Blick
über Landschaft mit bizarren Bäumen
auf eine felsige Insel im Fluß mit einer
Burg, zu der eine Brücke führt, darauf
ein Wanderer, Grüncamaieu mit Lila.
Bruchstelle gekittet.

540
Dreieckige Schale (Abb. s. S. 189)
um 1770–80

H. 3,7cm, L. 27 cm
PM: RS 10 und „H"
Inv.Nr. B 655c (Sauke, Hamburg,
30.10.1959)

Form wie Kat. 378. Dorfkirche am
Flußufer in blaßem Grüncamaieu mit
lila Purpur.
Vergoldung berieben.

541–544
Vier tiefe Teller (o. Abb.)
um 1765–75

H. 3,8–4,4 cm, Ø 25–25,8 cm
541: PM: RS 4 und „4", Hexagramm-Marke
in Sternform Nr. 14.
542: PM: RS 4 und „↕"; RM: „W"
543: PM: RS 4; RM: „3", Hexagramm-Marke
in Sternform Nr. 14.
544: PM: RS 9, „IO" und „I"
Inv.Nr. B 602t, B 602u (Sauke, Hamburg,
1955), B 743a, B 743b (Frau Steger,
Friedrichshafen, 19.3.1970)

Rund, mit festonierter Fahne wie
Kat. 273.
541: Zwei hohe Getreidespeicher am
Flußufer.
542: Haus eines Schiffers am Flußufer,
von rechts ein Reiter.
543: Gehöft am Steilufer oberhalb des
Flusses.
544: Zwei große Bauernhäuser am
Waldrand. Kühles Grüncamaieu mit
Purpur.

Ein Vergleichsstück in unbekanntem
Besitz (Zeller, Lindau, 9.10.1990,
Nr. 1012).

545
Kaffeekanne
um 1770

H. 23 cm
PM: RS 13; RM: „70", zwei Punkte einge-
stochen
Inv.Nr. B 628 (Lempertz, Köln, 1957)

Birnform wie Kat. 328, nur größer.
Baum in einer Wegbiegung mit Wanderern, dahinter ein Haus, rechts Blick
auf eine Stadt, gegenüber Brücke neben
Taubenschlag, rastende Wanderer und
eine Burg rechts oben. Helles, kühles
Grüncamaieu mit wenig Lila. Goldspalier mit Girlanden in der Mitte, bunten
Blumen. Goldstaffage.
Haarriß, an Rand und Schnaupe bestoßen.

Publ.: Lempertz, Köln, 22.11.1957, Nr. 1017

546–547
Zwei Tassen mit einer
Untertasse
um 1770

Obertassen: H. 4,3 cm, Ø 8,0 cm
Untertasse: Ø 13 cm
PM: RS 13 und „+"
Inv.Nr. B 581a-b (Auktion Schrettenbrunner,
27.11.1952)

Modell wie Kat. 504.
546: auf der Obertasse eine überwach-
sene Burganlage, auf der Untertasse
Wanderer vor Burganlage.
547: Rastende Wanderer auf einer
Waldlichtung. Grüncamaieu mit Lila.
Goldspalier mit flüchtig gemalten
Girlanden.
Vergoldung berieben.

Im BNM befinden sich eine Teetasse,
Inv.Nr. 59/289a,b, und eine Kaffeetasse, Inv.Nr. Ker 2581-82 (Wellensieck 1983, Abb. S. 81). Eine Kaffeetasse in unbekanntem Besitz (Neumeister, München, 22.9.1993, Nr. 49).

548
Runde Terrine
um 1790–95, D. Auliczek

H. 25 cm, Ø 26,5 cm
PM: RS 10 und „4"; RM: „x"
Inv.Nr. B 460 (Antiquar Reidel, München,
Februar 1941)

Auf vier gedrückten Kugelfüßchen run-
der Korpus, zylindrische Wandung mit
senkrechtem Flachstabrelief, in der
Mitte darüberlaufend ein glatter Strei-
fen mit quadratischem Feld in der Mitte und plastischen Lorbeergehängen.
Dazwischen rundes Medaillon mit
Wanderer neben Säulenresten vor einer
Stadt am Fluß, gegenüber Fischer am
Ufer vor Gestreidespeicher in kräftigem
Grüncamaieu. Senkrecht angesetzte
Volutenhenkel mit gerolltem Akanthusblatt als Griffleiste. Flach gewölbter
Deckel mit steilem Rand und sechsfach
eingekerbter, profilierter Kante, darauf
goldstaffierte Reliefblüten, auf der
Oberseite Häuser und Kirche am Fluß
in gold-grüner Rankenkartusche mit
bunten Blumen. Naturalistisch staffier-
ter, sitzender Putto mit einem Korb
voller Gemüse als Knauf. Goldstaffage.
Brandrisse, Blattwerk am Knauf beschädigt.

Da der Deckelrand im Gegensatz zum
Unterteil sechsfach gekerbt ist, scheint
die Zugehörigkeit fraglich, siehe
Kat. 252. Ein unbemaltes Ex. in der

548

Slg. Bäuml, Inv.Nr. B 2 (Hoffmann,
Abb. 224) und eine Ausformung des
19. Jhs. im MKG, Hamburg, Inv.Nr.
1913.77. Eine Terrine mit pastellfarbenem Blumenbukett in unbekanntem

Besitz (Fischer, Heilbronn, 14.5.1983,
Nr. 540), ebenso eine Terrine mit
Blumenbuketts, von Schleifen gehalten
(Metz, Heidelberg, 13.3.1993,
Nr. 167).

Landschaften auf Holzmaserfond

Eine weitere Spielart der Landschaftsdarstellung war ihre Wiedergabe als Kupferstich. Die Sinne mit einem Trompe-l'œil optisch zu täuschen, hat in der Malerei eine lange Tradition. Dabei war es in den Manufakturen tägliche Routine, bei der Vorlagenmalerei die Kupferstiche mit Heftzwecken oder kleinen Nägelchen auf einem Steckbrett vor dem Arbeitsplatz anzuheften. Eben dieser Moment wurde in dem 1792 im Preiscourant angebotenen Dekor „Holzfaçon mit Landschaften und Goldrand" erfaßt. Bei der Bemalung der Geschirre wurde die Oberfläche mit einem bräunlichen Fond überzogen, der den Sägeschnitt der Bretter durch Jahresringe und Astlöcher wiedergab. Die graphischen Blätter sind teilweise am Rand eingerissen, wie wohl die Vorlagen durch ihre häufige Benutzung in der Malstube auch. Die Namen, die mehrfach am unteren Bildrand der Graphiken zu lesen sind, beziehen sich nicht auf Nymphenburger Porzellanmaler, sondern sollen die Kupferstecher der Vorlagen bezeichnen, wobei viele Namen verballhornt oder einfach erfunden sind. Zahlreiche Beispiele finden sich auf einem umfangreichen Service mit ovaler Terrine, festonierten ovalen und runden Platten, runden Schalen und Tellern im Besitz der BSV, Nymphenburg, Zug.Nr. 324, sowie auf 80 Teilen eines Speiseservices mit etwas matterer Malerei in unbekanntem Besitz (Ruef, München, 16.11.1977, Nr. 788), zwei runde Platten und eine Kompottschale im BNM, Inv.Nr. 79/273-275. Weniger häufig anzutreffen sind Landschaften in Purpurcamaieu auf Holzmaserfond, so zwei ovale Platten in unbekanntem Besitz (Ruef, München, 11.11.1992, Nr. 440–441). Selten scheint die Wiedergabe figürlicher Kupferstiche, wie auf einem Kännchen in unbekanntem Besitz (Christie's, London, 1.7.1985, Nr. 101). Der Dekor erfreute sich noch bis in das 19. Jahrhundert großer Beliebtheit, obwohl 1795 ein Erlaß erging, die „sog. geflammten und holzartigen Dessins auf den Servicen" einzustellen (Hofmann, S. 604). Auch ovale Medaillons mit Blumenmalerei wurden auf Holzmaserfond ausgeführt, so eine Milchkanne im MNC, Sèvres, Inv.Nr. 14104.

Landscapes on a Woodgrain Background

Another variation of the landscape depiction was its rendering as a copper engraving. Optically deceiving the senses with a trompe l'oeil has a long tradition in painting. In painting from other sources, it was a daily routine at the factories to attach the copper engravings with tacks or small nails to a pinboard in front of the worktable. It is exactly this moment which has been documented in the decor "Wood Look with Landscapes and Gold Edging" offered for sale in the price list of 1792. In painting the pieces of tableware, the surface was covered with a brownish base, which rendered the cross-section of sawn boards with annual rings and knotholes. The sheets of graphics are partially torn on the edge, as the sheets from which one copied in the workshop were probably also torn due to their repeated use. The names that can often be read on the lower edges of the graphic images do not refer to the Nymphenburg painters, but purport to name the copper engravers of the sources, whereby many names were parodied or simply invented. Numerous examples can be found on the comprehensive service with the oval tureen, festooned oval and round platters, round bowls and plates belonging to the BSV, Nymphenburg, acc. no. 324, as well as 80 pieces of a dinner service with a somewhat more matt painting, collection unknown (Ruef, Munich, 16 November 1977, no. 788), two round platters and a compote dish at the BNM, inv. no. 79/273-275. Found less often are landscapes in Tyrian purple camaïeu on woodgrain background, such as two oval platters, collection unknown (Ruef, Munich, 11 November 1992, no. 440–441). The rendition of figurative copper engravings seems to be rare, such as on a small pitcher, collection unknown (Christie's, London, 1 July 1985, no. 101). The decor enjoyed great popularity right into the 19th century, although in 1795 the decree was pronounced to stop the "so-called wavy-grained and wood-like designs on the services" (Hofmann, p. 604). Oval medallions with flower paintings were also carried out on woodgrain backgrounds, such as a milk pitcher at the MNC, Sèvres, inv. no. 14104.

549   550

549–550
Zwei Tassen mit Untertassen
um 1780–90, Ausformung um 1800

Obertasse: H. 6,6 cm, Ø 6,8 cm
Untertasse: Ø 13,3 cm
PM: RS 23; RM: Strich;
Obertasse **549**: PM: RS 26
Inv.Nr. B 659c-d (Weinmüller, München,
1960)

Obertasse wie Kat. **501**, jedoch gleich-
mäßg starke, glatte Wandung und einfacher Volutenhenkel. Tief gemuldete
Untertasse. Auf hellem Holzmaserfond
in zartem Rot- und Graubraun angehef-
tete, zerrissene Kupferstiche mit Landschaftsdarstellungen in grauer Camaieu-
malerei. Goldränder.

Eine Teedose im Nationalmuseum,
Stockholm, Inv.Nr. NM 9/1911
(Hofmann 1937, Abb. 528). Ohne die
Heftzwecken liegen eingerissene Kup-
ferstiche auf einem Kaffeeservice mit
klassischen Birnkannen im Besitz des
WAF, München (AK Hohenberg 1995,
Abb. 49).

Publ.: Weinmüller, München, 16.3.1960,
Nr. 56

551
Flacher Teller
um 1800

H. 3,4 cm, Ø 23 cm
PM: RS, „5" und „XVII"(?)
Inv.Nr. B 90a (C. Korner, München,
27.4.1915)

Rund, flacher Spiegel, glatte, schräg
ansteigende Fahne. Auf dunkel-hell-
braunem Holzmaserfond rechteckiger
Kupferstich mit burgartigem Gehöft an
Flußufer in lila-blauer Camaieumalerei.

Am Rand zwei Goldlinien.
Brandrisse auf der Unterseite.

In Blaucamaieu ist auch der Kupferstich
einer Bouillonschale mit Deckel, Form
wie Kat. 390, in den SKS, Schwerin,
Inv.Nr. KG 2956. Eine konische Tasse
mit Ohrhenkel auf gemuldeter Untertasse in der W. Franks Collection im
British Museum, London (Pazaurek
1925/II, Abb. 358). Das obige Tellermodell mit ähnlichem Dekor und buntem Blumenmuster am Rand im MMA,
New York, Inv.Nr. 42.205.280.

551

Das Perlservice

Erstmals bei der Gestaltung eines Porzellanservices wurde bei diesem Auftrag des kurfürstlichen Hofes, den Dominikus Auliczek zwischen 1792 und 1795 ausführte, vom bisher üblichen Rund oder Oval der Grundform abgewichen und das Zwölfeck allen Teilen zugrunde gelegt. Die Ränder dieser klassizistischen Geschirre zieren plastische Halbperlen, die der Form ihren Namen verlieh. Bei bestimmten Teilen wie der Terrine, dem Eiskühler oder den Desserttellern treten zudem ein teils durchbrochener Ornamentfries sowie reliefierte Akanthusblätter hinzu. Die Bemalung folgt dem kühlen Sentiment der Zeit: das Zentrum bildet ein rundes Medaillon mit einer idyllischen Landschaft in Graucamaieu, das von einem goldgestrichelten Streifen sowie einem blauen Band mit Goldkanten gerahmt wird, das oben zu einer Schleife gebunden und von goldenen Blättchen umgeben ist. Oberhalb des Steigebords umzieht eine gemalte, blauschattierte Perlschnur die Innenkante der Fahne. Breite goldgestrichelt-blau-goldene Bänder betonen, leicht voneinander abgesetzt, die Randzone der Fahne, deren zwölffache Brechung jeweils durch radiale Linien hervorgehoben ist. Im Jahr 1794 bemalte Dominikus Auliczek d. Jüngere „25 Schalen" aus dem neuen Service für den Kurfürsten, dessen „Modelle von seinem Vater herrührten" (Hofmann, S. 605). Später führte der, 1796 aus Niderweiler nach Nymphenburg übersiedelte Paul Boenghen ähnliche Landschaftsmalereien aus. Im Residenzmuseum, München, befinden sich heute noch 350 Inventarnummern dieses Services; zwei Terrinen, eine Sauciere und zwei runde Platten im BNM, Inv.Nr. Ker 2223-2227. Eine runde Platte ∅ 32 cm im WLM, Stuttgart, Inv.Nr. 14,118.

The Pearl Service

In this commission from the electoral court, which was carried out by Dominikus Auliczek between 1792 and 1795, the design of a porcelain service deviated for the first time from the until then common basic round or oval shape and all pieces were based on a twelve-sided form. The edges of this classicistic tableware are decorated with half-pearls in relief, which gave the form its name. On certain pieces, such as the tureen, the ice bucket, or the dessert plates, an ornamental partially openwork frieze as well as acanthus leaves in relief are added. The painted decoration reflects the cool sentiments of the times: a round medallion with an idyllic landscape in gray camaïeu is in the center, framed by a golden hatched band as well as a blue band with gold edges, which is tied into a bow and is surrounded by small golden leaves. At the inside edge of the border a painted string of pearls shaded blue surrounds the inner edge of the rim. Broad blue and golden bands hatched in gold emphasize, set slightly apart from one another, the border zone of the rim; each of its twelve-fold breaks being underscored by the radial lines. In the year 1794 Dominikus Auliczek the Younger painted "25 bowls" of the new service for the elector: "the models stemmed from his father" (Hofmann, p. 605). Later on, Paul Boenghen, who had moved in 1796 from Niderweiler to Nymphenburg, carried out similar landscape paintings. At the Residenzmuseum, Munich, there is still a total of 350 inventory numbers of this service today; two tureens, a sauce boat, and two round platters at the BNM, inv. no. Ker 2223-2227. A round platter, 32 cm in dia., at the WLM, Stuttgart, inv. no. 14,118.

552
Runde Platte (o. Abb.)
1792–95, D. Auliczek

H. 5,0 cm, ∅ 30,2 cm
PM: RS 8; RM: „4" und zwei Stiche
Inv.Nr. B 607a (Sophie Völlinger, Olching, 23.9.1955)

Zwölfeckig, ausgezogener Standring, schräg ansteigende, gekantete Fahne mit plastischen Perlen am Rand. Rundes Medaillon mit Fischern am Fluß unter hohen Bäumen in Graucamaieu. Bruchstelle alt restauriert.

553
Ovale Schale
1792–95, D. Auliczek

3,8 x 25 x 21 cm
PM: RS 20, „0" und „L"
Inv.Nr. B 607c (Sophie Völlinger, Olching, 23.9.1955)

Zwölfeckig, ausgezogener Standring, aufgebogener Rand mit flacher Kante, darauf plastische Perlen. Ovales Medaillon mit Tanne am Flußufer in Graucamaieu.
Malerei und Vergoldung berieben.

554
Tiefer Teller
1792–95, D. Auliczek

H. ca. 4,2 cm, ∅ 25 cm
PM: RS 11
Inv.Nr. B 419b (Sophie Völlinger, Olching, 28.8.1935)

Rund, zwölfeckig, wie Kat. 545, nur kleiner. Rundes Medaillon mit Blick auf Gehöft am Fluß, links ein hoher Baum in Graucamaieu.
Malerei und Vergoldung berieben. Im Brand verzogen.

553   554

555–558
Vier flache Teller (o. Abb.)
1792–95, D. Auliczek

H. 3,5 cm, Ø 24,5–25,0 cm
PM: RS 11
Inv.Nr. B 419a,c,d,e, (Sophie Völlinger,
Olching, 28.8.1935)

Rund, zwölfeckig wie Kat. 554, nur
flach und mit kleineren Perlen am
Rand. Runde Medaillons mit Flußlandschaften in Graucamaieu.

559

559
Dessertteller
1792–95, D. Auliczek, Ausformung
um 1800

H. 3,5 cm, Ø 24 cm
PM: RS 19 und „4"
Inv.Nr. B 670 (L. Steinhauser, München,
4.10.1960, ehemals Slg. Levi)

Zwölfeckig, Form wie vorige Nr., die
Fahne mit rundem Wellenmäander
durchbrochen und nur goldstaffiert,
große Perlen mit blauer Staffage am
Rand. Großes rundes Medaillon mit
Bauernhäusern und Personenstaffage
vor einem hohen Baum in sepiabrauner
Camaieumalerei.

Malerei und Vergoldung stark berieben.
558: am Rand bestoßen, Haarriß.

Ein flacher Teller im WLM, Stuttgart,
Inv.Nr. 17,10.

Eine zweite, etwas einfachere Variante
besaß nur einen gemalten Wellenmäander.

Publ.: VK Levi 1956, Nr. 208; Miller 1986,
Abb. S. 3022; Ziffer 1993, Abb. S. 123

560
Runde Kompottschale (o. Abb.)
1792–95, D. Auliczek, Ausformung
Mitte 19. Jh.

H. 6 cm, Ø 28,8 cm
PM: RS 40; RM: „IV", „2" und „Gf"
Inv.Nr. B 678 (Ruef, München, 11.7.1961,
ehemals Slg. Levi)

Zwölfeckig, glatter Spiegel, aufgebogener Rand mit flacher Kante, darauf
plastische Perlen. Im runden Medaillon
unter einem Baum Wanderer vor ver-
fallenem Stadttor in Graucamaieu.
Vergoldung leicht berieben, am Fuß
bestoßen.

Publ.: VK Levi 1956, Nr. 207

Figürliche Szenen

Wie in allen europäischen Manufakturen liegen den figürlichen Szenen auf Geschirren graphische Vorlagen zugrunde. Dabei übernahm der Maler meist nur einzelne Motive einer Gesamtkomposition und verlegte die Szene auf einen Rasensockel, der in Nymphenburg durchwegs unten mit einer dunkelbraunen Strichelung begrenzt wurde. Diese Art der Malerei datierte Hofmann in die Frühzeit der Manufaktur und hielt die Einrahmungen in Form von Goldranken für eine spätere Zutat (Hofmann, S. 590). Bis 1759 sind nur Figuren in Purpur und Gold, sowie Blumen und Landschaften archivalisch erwähnt. Binnen weniger Jahre folgte eine Vielzahl unterschiedlicher Themen, von denen der Preiscourant von 1767 „holländische Bauern, Battaglien, Thierhatzen und Watteaufiguren" für Kaffee- und Teeservice offeriert. Manche dieser Bemalungen blieben länger im Angebot der Manufaktur, denn „holländische Bauern, Masquen und dergleichen" werden noch im Preiscourant 1792 als teuerste Bemalung, diesmal für Speiseservice, angeboten (vollständiges Tafelservice für 12 Personen: 1000–1200 fl; mit Blumenmalerei und braunem Rand dagegen nur 200 fl). Soweit möglich, wurden die Dekore chronologisch geordnet und in Gruppen zusammengefaßt:

Chinoiserien (Kat. 561–565)
Battaglien (Schlachtenszenen) (Kat. 566–580)
Galante Szenen (Kat. 581–583)
Höfische Jagd (Kat. 584–585)
Ländliche Idylle (Kat. 586–594)
Mythologie nach Ovid (Kat. 595–598)
Niederländische Bauern nach Tenier (Kat. 599–613)
Maskeraden (Kat. 614–626)
Historisches Ereignis (Kat. 627)
Putten nach Boucher (Kat. 628–631)
Monogramme und Wappen (Kat. 632–638)
Silhouetten (Kat. 639–640)

Chinoiserien

Eine besonders reizvolle Technik der Bemalung in Purpur oder Blau mit Gold, die schon 1759 erwähnt wird, ließ sich bisher nur auf Geschirren mit chinesischen Figuren nachweisen. Dr. Bäuml schrieb den Entwurf dieser Malereien Ambros Hermansdorffer (1699–1781) zu, der in Nymphenburg zwischen 21.9.1761 und 1.3.1764 als Vorstand der Malerei, Obermaler und Lehrer für die Lehrjungen tätig war (Bäuml 1966, S. 24). Der Künstler entstammte einer alten Stukkatorenfamilie, war sieben Jahre am Hof des Kölner Kurfürsten Clemens August und wurde um 1750 von F. Cuvilliés zur Ausschmückung des Residenztheaters nach

Figural Scenes

As at all European factories, the figural scenes on tableware were based on graphic sources. The painter usually extracted only individual motifs from a total composition and transferred the scene to a pedestal of grass; its boundary was always marked in Nymphenburg with dark brown hatching at the base. Hofmann dated this type of painting into the factory's early period and considered the enframing gold vines to be a later addition (Hofmann, p. 590). Until 1759, only figures in Tyrian purple and gold as well as flowers and landscapes are recorded. Within a few years, a large number of varying themes followed, of which the price list of 1767 itemized "Dutch peasants, battle scenes, animal hunts, and Watteau figures" for coffee and tea services. Some of this painted decoration remained longer in the factory's sales catalog, for "Dutch peasants, masquerades, etc." are still listed in the price list of 1792 as the most expensive decoration, this time for a dinner service (complete table service for 12 persons: 1000–1200 fl; in comparison: with flower painting and brown edging only 200 fl).

In the following the decors are listed chronologically and summarized in groups as far as possible:

Chinoiseries (cat. nos. 561–565)
Battle Scenes (cat. nos. 566–580)
Scenes of Gallantry (cat. nos. 581–583)
Royal Hunts (cat. nos. 584–585)
Pastoral Idylls (cat. nos. 586–594)
Mythology based on Ovid (cat. nos. 595–598)
Dutch Peasants based on Tenier (cat. nos. 599–613)
Masquerades (cat. nos. 614–626)
Historical Event (cat. no. 627)
Cherubs based on Boucher (cat. nos. 628–631)
Monograms and Coats of Arms (cat. nos. 632–638)
Silhouettes (cat. nos. 639–640)

Chinoiseries

A particularly appealing technique of painting in Tyrian purple or blue with gold, which was already mentioned in 1759, could until now be documented only for tableware with Chinese figures. Dr. Bäuml attributed the conception of these paintings to Ambros Hermansdorffer (1699–1781), who worked at Nymphenburg between 21 September 1761 and 1 March 1764 as director of the department of painting, head painter, and teacher of the apprentices (Bäuml 1966, p. 24). The artist came from an old family of stucco workers, was seven years at the court of the Cologne elector Clemens August, and was called to

für Kardinal Theodor Johann, Bischof von Regensburg, Freising und Lüttich, einem Bruder von Clemens August, tätig. Da er kein Porzellanfachmann gewesen ist, dürfte er wohl nur für die Entwürfe der Malvorlagen verantwortlich sein. Trotzdem bezeichnete er sich als in der „chiynesischen Manier" erfahren (Hager 1955, S. 64), als er 1769 Restaurierungen in den blau-weiß gehaltenen, chinesischen Kabinetten der Pagodenburg und der Küche der Amalienburg durchführte, wobei letztere um 1735 von Pasqualin Moretti in freier Übernahme älterer Kupferstiche ausgeführt wurde (Kirby 1985, S. 68ff). Auf ähnliche Bildvorlagen, die von Augsburger oder Nürnberger Verlagen herausgegeben wurden, gehen auch die Chinesen auf Nymphenburger Porzellan zurück, deren individuelle Manier sich in den stets fröhlichen Gesichtszügen ausdrückt, wie sie auch bei anderen Nymphenburger Figurentypen zu finden sind.

Munich by F. Cuvilliés around 1750 in order to carry out the interior decoration of the Residenztheater. In addition he worked for Cardinal Theodor Johann, bishop of Regensburg, Freising, and Liège, a brother of Clemens August, as gallery inspector. Since he was not a specialist in porcelain, he was probably just responsible for conceiving the prototypes for the paintings. In spite of this he described himself as being experienced in the "Chinese manner" (Hager 1955, p. 64) at the time that he was restoring the blue and white Chinese cabinets of the Pagodenburg and the kitchen of the Amalienburg in 1769, the latter having been freely adopted by Pasqualin Moretti from older copper engravings (Kirby 1985, p. 68ff.). The Chinese on the Nymphenburg porcelain are based on similar pictorial sources, which might be found in the Augsburg or Nuremberg publishing companies. The figures have, however, quite individual and always cheerful expressions, as they are known from other figural types as well.

561–563
3-tlg. Kaffee- und Teeservice
um 1760–67
Inv.Nr. B 69a-c (A. S. Drey, München, 1914)

561
Kaffeekanne
H. 18 cm
PM: RS 13; RM: „B" und Strich, in brauner Tusche bez. „1595"
Inv.Nr. B 69a
Form wie Kat. 333, nur etwas kleiner. Auf der Seite im Inselstil vor einer rauchenden Opferschale auf Ständer ein

561 (verso)

chinesischer Priester, der mit der rechten Hand einen trompetenförmigen Stab hält, über dessen Öffnung auf einer Rauchwolke ein kleiner Götze thront. Rechts vor einer Palme ein Chinese im Kotau, dahinter steht ein kleiner Junge. Gegenüber ein chinesischer Gelehrter mit zweispitzigem Hut und seinem Schüler zwischen einem Architekturmodell und einer exotischen Pflanze. Unterhalb der Schnaupe kleiner Chinese mit spitzem Hut im Schneidersitz. Malerei in Rot- und Zitronengold mit Purpur abschattiert. Henkel und Relief goldstaffiert, Goldspitzenkante auf den Rändern.
Riß am Hals geklebt, Deckel am Rand bestoßen.

Eine größere Kaffeekanne mit mehrfigurigem Motiv im BNM, Inv.Nr. 62/3 (Bäuml 1966, Abb. 17). Die gleiche Vorlage der Opferszene für eine bunte Chinesenmalerei auf einer Kanne im Museum Ferdinandeum, Innsbruck (Hofmann, Abb. 71). Eine Teekanne mit Chinoiserie in Purpur-Camaieu in der SGM, Halle, Inv.Nr. Po 740.

562
Teekanne (Abb. s. S. 198)
H. 13,2 cm
PM: RS 13 und „Kreis mit 3 Querstrichen", drei Punkte eingestochen
Inv.Nr. B 69b

Form ähnlich zu Kat. 477, jedoch größer, der Henkel höher angesetzt und die Tülle steiler sowie um die Öffnung ein gekehltes Profilband, leicht gewölbter Aufsatzdeckel mit Zapfenknauf. Auf Rasensockel tanzender Chinese, in beiden Händen Schellenbäumchen, links am Boden sitzender Zuschauer, rechts eine exotische Pflanze. Gegenüber chinesischer Fürst mit Federkrone, neben ihm ein Gelehrter mit hohem, spitzem Hut, daran flatternde Bänder, vor beiden ein unterwürfig sich niederbeugender Bittsteller. Malerei und Staffage wie vorige Nr. Goldstaffage berieben, am Deckelrand bestoßen.

Das Kannenunterteil mit einem aufgewölbten Deckel und zwiebelförmigem Knauf mit Vogelmalerei im MMA, New York, Inv.Nr. 42.205.283ab.

563
Teetasse mit Untertasse
(Abb. s. S. 198)
Obertasse: H. 4 cm, ∅ 7,6 cm
Untertasse: ∅ 13,8 cm
Obertasse: PM: RS 13; RM: „N 3" und „x", Hexagramm-Marke in Sternform Nr. 14.
Untertasse: PM: RS 10; RM: „47"
Inv.Nr. B 69c
Obertasse wie Kat. 478 mit größerem Standring, tief gemuldete Untertasse wie Kat. 464 mit kleinerem Standring.

562   563   561

Gegenüber dem Volutenhenkel zwei
auf dem Boden sitzende Chinesen, einer
mit Vogel auf der Hand. Im Boden Blütenzweig. Auf der Untertasse zwei Chinesen im Gespräch, rechts eine Palme.
Malerei und Staffage wie vorige Nr.
Untertasse restauriert.

Eine zugehörige Obertasse im MKH,
Frankfurt, Inv.Nr. 4928/RF 278 (MK
Frankfurt 1983, Nr. 366). Eine nur in
Purpur-Camaieu ausgeführte Malerei
auf einer Kaffeetasse mit reicher Goldbordüre, heute im GGMCA, Toronto,
Inv.Nr. G83.1.704 (Sotheby's, London,
24.2.1981, Nr. 111), hat auf der Untertasse die Initialen „IZ" und „CP", die
mit Joseph Zächenberger und Cajetan
Purtscher aufgelöst wurden. Doch
bleibt der Anteil eines Blumenmalers
an diesem Stück unklar.

Publ.: Hofmann, Abb. 354

562 (verso)

564
Fragment einer Teekanne
(o. Abb.)
um 1760–67

H. 8,2 cm
PM: RS 13; RM: „☿ "
Inv.Nr. B 408 (Brüschwiler, Dezember 1932)

Korpus einer Teekanne wie Kat. **335**,
nur größer und mit Profilrand oben.
Tülle und Henkel fehlen, Fehlstellen
ergänzt und mit Blumen übermalt. Einander gegenüber dieselben Motive wie
auf Teekanne Kat. **562**, nur in Blau-
Camaieu mit Gold.
Goldlinien am Stand und Rand unsauber.

Trotz des kleinen Maßstabs feinste Malerei in dieser ausgefallenen Technik.
Im BNM aus diesem Service: eine Tasse
mit Untertasse, Inv.Nr. 18/69-70, und
das Unterteil einer Zuckerdose, Inv.Nr.
18/71.

565
Teetasse
um 1770, Bemalung wohl J. Klein

H. 4,2 cm, Ø 7,7 cm
PM: RS 8, zwei Schleifstriche
Inv.Nr. B 301a (L. Steinhauser, München,
24.8.1920)

Form wie Kat. **419**, auf Rasensockel
nach links laufendes Chinesenkind in
roter Hose und blauer Jacke.
Am Rand bestoßen.

Bunte Chinesenmalerei hat sich in
mehreren Beispielen erhalten, so das
Motiv mit Götzenbild und anbetenden
Chinesen auf einer Kaffeekanne in Birnform in unbekanntem Besitz (Christie's,
Genf, 14.11.1983, Nr. 67) und Teetassen ehemals in der Slg. Baer, Mannheim (Hofmann, Abb. 72) und unbekanntem Besitz (Sotheby's, London,
25.3.1969, Nr. 88). Alle Teile ziert nur
eine einfache Goldbogenkante an den
Rändern. Für eine allgemeine Datierung des Sujets ist ein 1757 mit einer
Vermeilmontierung versehener Walzenkrug mit spielenden Chinesenkindern
im MKH, Frankfurt, Inv.Nr. 12068/RF
392, von Bedeutung, der früher mit
dem „Wiener Stil" von Andreas Oettner in Verbindung gebracht (Jedding
1974, Abb. 477), jedoch wohl zu Recht
wieder davon abgerückt wurde (MK
Frankfurt 1983, Nr. 361). Mit Hexagramm-Marke ein dreipassiges Tellerchen mit zwei kleinen Chinesen und
Goldbordüre im MKG, Hamburg,
Inv.Nr. 1889.356 (Jedding 1974,
Abb. 475). Über einem breiten, grün-
gestrichelten Streifen mit gelben Punkten bunte Chinesen auf einem Rechaud
in den StKS, Augsburg, Inv.Nr. 4215.
Die Malerei obiger Tasse läßt sich mit
bezeichneten Arbeiten von J. Klein vergleichen (Kat. **707–711**).

565

In fast allen europäischen Manufakturen wurden Schlachtenszenen auf Porzellan übertragen, die überwiegend Vorlagen nach Georg Philipp Rugendas entnommen wurden (vgl. Stillfried 1879). Blutrünstige Kampfhandlungen und das Elend des Krieges stehen in bewußtem Kontrast zum friedvollen Kaffeezeremoniell des Hofes. Sehr lange war das Sujet nicht im Angebot der Manufaktur, denn es fehlt bereits im Preiscourant von 1767. Dr. Bäuml schrieb die Bemalung des folgenden Kaffee- und Teeservices dem Regensburger Miniaturmaler Karl v. Rauffer (1727–1802) zu, da sich auf der Kruppe des linken Pferdes in der Szene auf der Kaffeekanne das Monogramm „R" befindet. Rauffer hatte schon 1755 in Neudeck „allerlei Proben mit Einbrennen" gemacht, die sich jedoch als unbrauchbar erwiesen, und war deshalb nicht angestellt worden (Hofmann, S. 340). 1757 und 1758 werden in den Archivalien Tabatieren und Chinesenfiguren erwähnt, die er zur Bemalung erhielt. Als „Schreib- und Zeichnungsmeister" schuf er 1760 ein Gebetbuch für Kurfürst Max III. Joseph, das sich heute im BNM befindet. Noch 1778/79 wird gegen seine Hausmalerei behördlich eingeschritten (Pazaurek 1925/II, S. 381). Der Malstil des Battaglien-Services folgt den durchschnittlichen Vorgaben der Manufaktur, wie sie auch für Bauernszenen oder Maskeraden galten: Ein Rasensockel wird von kurzer, brauner Strichelung nach unten begrenzt, und die Farben lassen sich mit anderen Bemalungen im Kolorit durchaus vergleichen. Da die Marken der Geschirre auf eine Ausformung um 1760–65 hindeuten, ist der Dekor wohl sicher in der Manufaktur selbst ausgeführt worden – eventuell von Rauffer.

At almost all European factories battle scenes, which were primarily taken from sources based on works by Georg Philipp Rugendas (cf. Stillfried 1879), were transferred onto porcelain. Blood-curdling battle scenes and the afflictions of war stand in conscious contrast to the peaceful coffee ceremony of the court. The factory did not list the subject for long; it is already missing on the price list of 1767. Dr. Bäuml attributed the painted decoration of the following coffee and tea services to the Regensburg miniature painter Karl v. Rauffer (1727–1802), as the rump of the left horse in the scene on the coffee pot carries the monogram "R." Rauffer had already done "all sorts of experiments with enameling," which turned out, however, to be unsuited for use, and thus he was not hired (Hofmann, p. 340). Snuff boxes and Chinese figures that he received for decorating are mentioned in the records in 1757 and 1758. As "writing and drawing master" he created in 1760 a prayer book for Elector Max III Joseph, which is still at the BNM today. Still in 1778/79 official steps were taken against his independent decorating (Pazaurek 1925/II, p.381). The painting style of the services with battle scenes fulfills the usual requirements of the factory, as they also applied to the peasant scenes or masquarades: the boundary of the pedestal of grass is marked at the bottom with brown hatching, and the coloration is certainly comparable to other painted decoration. Since the marks on the pieces of tableware point to them having been made around 1760–65, the decoration was almost certainly carried out at the factory itself – but perhaps by Rauffer after all.

566–580
15-tlg. Kaffee- und Teeservice
um 1760–65, Bemalung Karl
v. Rauffer zugeschrieben
Inv.Nr. B 344 (Gebr. Sandor, München,
31.3.1924)

566
Kaffeekanne (Abb. s. S. 200)
H. 21,8 cm
PM: „PL I"; MM: auf der Kruppe des linken
Pferdes Monogramm „R"
Inv.Nr. B 344a
Form wie Kat. 328. Goldene Spitzenbordüre aus liegenden, gezahnten C-Bögen mit ein- und ausschwingenden Rankenfeldern und Punktbehang über dem Stand, unterhalb des Randes und auf dem Deckel. Flache Bogenkante an den Rändern. Vor aufziehenden Heeres-

truppen drei Reiter im Kampf nach G. P. Rugendas (Stillfried 1879, Nr. 76, aus einer Folge von acht Blättern, ohne Titel), auf der Gegenseite Türke zu Pferd mit gezücktem Säbel in Rückansicht.
Schnaupe leicht bestoßen.

567
Milchkanne (Abb. s. S. 200)
H. 15 cm
PM: „PL V"
Inv.Nr. B 344b
Form wie vorige Nr., nur kleiner. Staffage wie oben, Begegnung von zwei Reitern rechts, dahinter Mann mit Baumstamm nach G. P. Rugendas (Stillfried 1879, Nr. 10, aus einer Folge von sechs Blättern, ohne Titel), auf der

Gegenseite Soldat auf einem mit Heu beladenen Pferd.
Schnaupe und Rand leicht bestoßen.

568
Teekanne (Abb. s. S. 201)
H. 10,8 cm
PM: RS 13, „PL f", darunter „⁎";
RM: „V"
Inv.Nr. B 344c
Form wie Kat. 335, nur etwas größer. Staffage wie oben, Soldaten beim Kartenspiel vor dem Zelt, nach G. P. Rugendas (Stillfried 1879, Nr. 72, aus einer Folge von acht Blättern, ohne Titel), auf der Gegenseite zwei Marketenderinnen am offenen Feuer nach G. P. Rugendas (Stillfried 1879, Nr. 540, 1696 dat.).
Deckel neu. Brandrisse.

567 569 566

569
Zuckerdose mit Deckel

H. 10 cm
PM: „PL I"
Inv.Nr. B 344d

Standring mit Profilband, Beutelform mit profiliertem Rand, leicht gewölbter Aufsatzdeckel mit abgesetztem Rand, reliefierter Pinienzapfen als Knauf. Staffage wie oben, Soldat schlägt auf ein mit Heu beladenes Pferd ein, nach G. P.

Rugendas (Stillfried 1879, Nr. 62, aus einer Folge von acht Blättern, ohne Titel), auf der Gegenseite Bettler neben Reiter vor einem Zelt (Stillfried 1879, Nr. 64, wie Nr. 62).
Standring bestoßen.

Das Formstück mit Drehermarke „PL" und Blumendekor in den StKS, Augsburg, Inv.Nr. 4246. Das Modell folgt einem Meissener Vorbild der Zeit um 1745, das sich mit Blumen auf Goldfond im Residenzmuseum, München, befindet (AK München 1966, Nr. 392).

570
Teedose mit Deckel

H. 12 cm
PM: „PL"
Inv.Nr. B 344e

Eiförmiger Korpus auf nach innen abgesetztem Standring, kurzer gerader Hals, hoher Stülpdeckel mit leicht gekehltem Rand und Pinienzapfen als Knauf. Staffage wie oben. Kampf zwischen Säbel schwingendem Soldaten mit zwei Türken zu Pferd, nach G. P. Rugendas (Stillfried 1879, Nr. 71, aus einer Folge von acht Blättern, ohne Titel), auf der Gegenseite Bauer mit aufbäumendem Pferd am Zügel (Stillfried 1879, Nr. 149, „Agressus belli. Der Ausmarsch.").

Stichvorlage zu 567

Stichvorlage zu 569

Stichvorlage zu 566

570   571   568

571
Ovales Schälchen („Brodt-Tasse")
3 x 19,8 x 15 cm
PM: RS 2 und „PL M 4"
Inv.Nr. B 344f
Form wie Kat. 338. Staffage wie oben.
Im Spiegel Soldat zu Pferd mit Muskete
im Angriff auf einen Türken, rechts ein
Türke zur Flucht gewendet, nach G. P.
Rugendas (Stillfried 1879, Nr. 542, aus
einer Folge von zwei Blättern, 1694
dat. und Rom bez.).

572
Spülkumme
H. 8,5 cm, Ø 17,4 cm
PM: RS 9, „PL S", im Standring „2"
Inv.Nr. B 344g
Form wie Kat. 327. Staffage wie oben.
Links zwei Soldaten zu Pferd vor fle-
henden Bauern, im Hintergrund eine
brennende Stadt, nach G. P. Rugendas
(Stillfried 1879, Nr. 63, aus einer Folge
von acht Blättern, ohne Titel), auf der
Gegenseite Reiter und Fußsoldat mit
Hellebarde (Stillfried 1879, Nr. 60,
siehe oben).
Rand zweimal leicht bestoßen.

573–580
Acht Teetassen mit Untertassen
(Abb. s.S. 202)
Obertassen H. 4 cm, Ø 7,6 cm
Untertasse Ø 12,3 cm
PM: RS 10, „PL", „2", „x" und „⚓"
Obertasse wie Kat. 341, Untertasse
flach gemuldet. Staffage wie oben. Be-
malungen gegenüber dem Henkel und
im Spiegel.
573: Auf der Tasse Soldat, der eine
arme Frau mit dem Gewehr bedroht
(B 344n), auf der Untertasse nach
rechts setzender Reiter mit gezücktem
Schwert, davor steht ein Bauer, der den
Weg weist. (B 344m).
574: Auf der Tasse zwei türkische Bau-
ern im Handgemenge (B 344l), auf der
Untertasse zwei türkische Reiter im
Gespräch (B 344o).

575: Auf der Tasse zwei geharnischte
Fahnenträger (B 344k), auf der Untertasse Reiterduell zwischen kaiserlichem
Soldat und einem Türken (B 344p).
576: Auf der Tasse Soldat, der seinen
Gegner am Boden mit Lanze niedersticht, nach G. P. Rugendas (Stillfried
1879, Nr. 539, aus einer Folge von
zwei Blättern, 1696 dat.) (B 344h), auf
der Untertasse zwei Offiziere zu Pferd,
nach G. P. Rugendas (Stillfried 1879,
Nr. 9, aus einer Folge von sechs Blättern, ohne Titel) (B 344k).
577: Auf der Tasse Bauernpaar mit
dem Rücken zum Betrachter (B 344o),
auf der Untertasse ein Soldat, der ein
Pferd am Zügel hält, dessen Reiter
gerade abstürzt, nach G. P. Rugendas
(Stillfried 1879, Nr. 74, aus einer Folge
von acht Blättern) (B 344h).

572

Stichvorlage zu 568

573 574 575 576

578: Auf der Tasse ein Türke, der seinen Gegner mit dem Säbel niedersticht (B 344m), auf der Untertasse nach rechts sprengender Reiter vor einer brennenden Stadt (B 344n).
579: Auf der Tasse zwei Marketenderinnen mit Soldat neben einem Faß, nach G. P. Rugendas (Stillfried 1879, Nr. 540, siehe oben), auf der Untertasse ein Reiter in Rückansicht (B 344i).
580: Auf der Tasse reicht eine Marketenderin einem Soldaten am Boden einen Krug (B 344p), auf der Untertasse Knecht zwischen zwei angebundenen Pferden nach G. P. Rugendas (Stillfried 1879, Nr. 80, aus einer Folge von acht Blättern, ohne Titel) (B 344l).
Vergoldung berieben, mehrfach leicht am Rand bestoßen.

Die Schlachtenszenen von Georg Philipp Rugendas gaben keine authentischen Ereignisse wieder, sondern spiegelten den Alltag von Soldaten und Volk in Kriegszeiten. Seine um 1700 geschaffenen Zeichnungen wurden von seinem Sohn und verschiedenen Stechern umgesetzt und in Augsburg verlegt. Sie gehörten in der 1. Hälfte des 18. Jahrhunderts zu den Vorbildsammlungen zahlreicher Manufakturen und wurden auf Porzellan (Meissen, Ludwigsburg) und auf Fayence (Straßburg)

übertragen. Vergleicht man die Vorlagen mit den Porzellanen, so ist es interessant festzustellen, welche Details der Maler für den Dekor einer größeren Szene entnommen hat, ohne auf den Zusammenhang zu achten. Die Goldbordüre des obigen Services gibt es auch in Verbindung mit Blumenmalerei, so auf einer Teetasse in unbekanntem Besitz (Christie's, London, 3.12.1979, Nr. 34).

Publ.: Bäuml 1966, S. 14, Abb. 5, 6

Galante Szenen nach Nilson

Im Gegensatz zu anderen Manufakturen spielen die galanten Szenen mit höfischen Schäferpaaren in Nymphenburg keine dominierende Rolle. Das eher liebliche Genre wird von Vorlagen des Augsburgers Johann Esaias Nilson übernommen, der seinen Entwürfen stets gewissen Witz und Humor verlieh. Die Bemalung nach diesen Blättern erforderte höchste Qualität der Porzellanmalerei, die in Nymphenburg besonders von Cajetan Purtscher (1740–1813) beherrscht wurde. Dieser wurde im Februar 1758 in Neudeck eingestellt und dem Maler Georg Christoph Lindemann zur Seite gegeben, dessen Stelle er 1760 übernahm. Seine Spezialität waren Genreszenen, Hirtenstücke und Landschaften. Als einer der wenigen Künstler des 18. Jhs. sichert sein Monogramm auf der Tasse Kat. 581 seine künstlerische Handschrift; ein weiteres Beispiel ist die Kaffeetasse mit J-Henkel, bemalt mit biblischen Szenen nach J. Amigoni und G. Zocchi, die monogrammiert und 1762 datiert ist, im BNM, Inv.Nr. 49/6 a b. Purtscher wurde 1794 beamtet und wirkte bis zu seiner Pensionierung am 1.1.1810 als Lehrer für Figurenmalerei. Aufgrund der mehr als 50-jährigen Tätigkeit in der Manufaktur darf er als einer der wichtigsten und prägendsten Künstler der Malabteilung angesprochen werden.

Scenes of Gallantry Based on Nilson

In contrast to other factories, scenes of gallantry with royal shepherd couples did not play a dominant role at Nymphenburg. The rather sentimental genre was based on works by the Augsburger artist Johann Esaias Nilson, whose engravings always had a certain sense of humor. Decoration based on these sources required the highest quality of porcelain painting, which was mastered at Nymphenburg particularly by Cajetan Purtscher (1740–1813). He was hired at Neudeck in February 1758 and placed at the side of the painter Georg Christoph Lindemann, whose position he took over in 1760. His specialties were genre scenes, works with shepherds, and landscapes. He is one of the few artists of the 18th century, whose hand is securely identified by his monogram on the cup cat. no. 581; a further example is the coffee cup with a J-shaped handle, painted with biblical scenes after J. Amigoni and G. Zocchi, which is monogrammed and dated 1762, at the BNM, inv. no. 49/6a,b. Purtscher was made a civil servant in 1794 and taught figural painting until he retired on 1 January 1810. On the basis of his more than 50 years of activity at the factory, he can be considered one of the most important and formative artists of the department of painting.

581   583   582

581
Tasse mit Untertasse
um 1760–70, Bemalung C. Purtscher

Obertasse: H. 4,5 cm, ∅ 7,8 cm
Untertasse: ∅ 13,3 cm
PM: RS 12 und „I"; auf der Untertasse rundes, rot-weißes Papieretikett „DL No. 267"
Inv.Nr. B 354 (Slg. Darmstädter, 1925)

Form wie Kat. 330, auf der Tasse mit vergoldetem Standring gegenüber dem Henkel Dame auf einer Rasenbank sitzend, der ein Kavalier mit Dreispitz in der Hand die Aufwartung macht, wohl nach einem Stich im Stil von J. E. Nilson. Auf der Untertasse ein elegantes Paar auf einer Rasenbank vor einem Baum mit Weingläsern in der Hand,

nach dem vorderen Motiv aus dem Stich „Militärischer Aufenthalt" von J. E. Nilson (Schuster 1936, Nr. 85). Rasensockel im Inselstil mit kleinen Wurzeln. Auf der Tasse innen unter dem Rand und auf der Untertasse umlaufend mit weißem Vorstoß eine blaugrün-grundige Rautenbordüre, zur Hälfte schraffiert, Goldlinie, daran jeweils vier, bzw. fünf bunte Blumenbuketts, Ränder und Standringe vergoldet. Vergoldung und Malerei etwas berieben.

Während die Dame in der Stichvorlage auf ein Weinfaß hinter sich deutet, geht ihre Geste auf der Untertasse ins Leere, da die Szene in die Natur verlegt wurde. Ergänzt wurde dagegen eine Weinflasche, die vor dem Paar im Gras steht. Das Motiv der obigen Untertasse (gegenüber ein Hirte; Schuster 1936. Nr. 97) auf einer Zuckerdose mit Goldbordüre aus C-Bögen in der SGM, Halle, Inv.Nr. Po 355. Zugehörig ist aufgrund der Goldbordüre eine Teedose mit Knaben beim Harfespiel (Schuster 1936, Nr. 62), gegenüber höfisches Paar in Unterhaltung (Schuster 1936, Nr. 41).

584   585

Weiter Teile dieses Services befanden sich um 1910 im KGM, Berlin, und Berliner Privatbesitz (laut Erwerbungsbericht von Max Sauerlandt aus dem Jahr 1910; frdl. Auskunft Frau R. Gründig, Halle).

Publ.: VK Darmstädter 1925, Nr. 267; Schuster 1936, S. 242

582
Tasse mit Untertasse (Abb. s. S. 203)
um 1760–70, Bemalung C. Purtscher

Obertasse: H. 4,4 cm, Ø 7,8 cm
Untertasse: Ø 13,1 cm
PM: RS 12 und „I"; beide Teile im Standring in Eisenrot bez. „CP"; auf der Untertasse rechteckiges Etikett „Julius Böhler, München, 994, Slg. Marg. Oppenheim"
Inv.Nr. B 424 (Slg. Oppenheim, 1936)

Form und Randstaffage wie vorige Nr., auf der Tasse gegenüber dem Henkel stehende Dame mit Blume in der Linken, der ein Kavalier mit Spazierstock seine Reverenz erweist, seitlich Ruinenfragmente, wohl nach Nilson. Auf der Untertasse neben einem Postament mit rocailleförmiger Blumenvase ein höfisches Paar bei der Betrachtung eines Medaillon mit Damenbildnis in der rechten Hand des Kavaliers. Erweiterte Wiedergabe des Stiches „Die Wirkung der Malerei" von J. E. Nilson (Schuster 1936, Nr. 49). Rasensockel im Inselstil mit kleinen Wurzeln.
Malerei und Vergoldung berieben.

Publ.: VK Oppenheim 1936, Nr. 994; Bäuml 1966, Abb. 8

583
Untertasse (Abb. s. S. 203)
um 1760–70, Bemalung wohl C. Purtscher

Ø 13,3 cm
PM: „2"; RM: zwei Striche
Inv.Nr. B 622 (Slg. Levi, 1956)

Auf konischem Standring, flacher Spiegel mit steil aufgebogenem und etwas ausgestelltem Rand. Im Spiegel vor einem Baum, einem rocailleförmigem Naturpostament und einem Rankengewächs rechts Knabe als Husar, ein Pfeifchen im Stiefelschaft, mit einem Bauernmädchen, links, im Gespräch, nach einem Stich aus Serie „Caffe The und Tobac-Zierathen" von J. E. Nilson (Schuster 1936, Nr. 54b). Goldbogenkante am Rand.

Die Stichvorlage ist recht genau wiederholt worden, jedoch hat man auf der Patronentasche des Knaben zusätzlich das bayerische Wappen angebracht.

Publ.: VK Levi 1956, Nr. 195/1

584–585
Zwei Teetassen mit Untertassen
um 1765–70

Obertassen: H. 4,2 cm, Ø 8,0 cm
Untertassen: Ø 13,2–13,4 cm
584: PM: RS 13; RM: auf Tasse „60", auf Untertasse „61". 585: PM: RS 8; RM: auf der Tasse „60", auf der Untertasse „62" oder „67"
Inv.Nr. B 406 (Morton Bernath, Stuttgart, durch Vermittlung von Geh. Rat Halm, Nationalmuseum, 14.8.1930); B 688 (Lucien Delplace, Brüssel, 21.8.1960)

Halbkugelige Tasse mit leicht ausgezogenem Rand auf konischem Standring mit einfachem Bandhenkel in Ohrform. Flach gemuldete Untertasse mit leicht ausgezogenem Rand auf niedrigem Standring. Zwei Goldlinien am Rand, darunter herabhängende bunte Girlanden mit Blumenbesatz.
584: Auf der Tasse vor dem Lattenzaun eines Wildgeheges hinter einem Busch ein Jäger neben einem goldenen Rocailleornament mit bunten Blumen. Auf der Untertasse vor einem goldenen Rocaillespalier mit bunten Blumen führt ein Jäger den Hund auf die Fährte, rechts im Hintergrund davonspringende Hirsche.
585: Auf der Tasse steht, von einem goldenen Rocailleornament gerahmt, ein Jäger und wartet, ob ein Lockvogel in einem Käfig auf einer Stange weitere Vögel in aufgestellte Käfigfallen lockt. Auf der Untertasse greift rechts ein Hund einen Hasen, links ein goldenes Rocailleornament mit bunten Blumen, durch das ein Jäger herausblickt.

Das Motiv der Tasse Kat. 584 auf einem kleinen Walzenkrug mit vergoldeter Silbermontierung, Bemalung J. Klein zugeschrieben, im BNM, Inv.Nr. 23/18. Eine Teekanne (Form wie Kat. 562, nur kleiner) mit passender Bemalung zu den Tassen im Rijksmuseum, Amsterdam, Inv.Nr. 1970-34a/b (Bulletin van het Rijksmuseum, 19. Jg., 1971, S. 80, Abb. 12). Die höfische Jagd zählte zu den klassischen Themen der fürstlichen Selbstdarstellung im 18. Jahrhundert, doch zeigt sich hier eine eher humorvolle Bearbeitung dieses Sujets. Ob man sich unter diesem Dekor die Bemalung „mit Thierhatzen" vorstellen darf, die der Preiscourant von 1767 aufführt, sei dahingestellt.

Ländliche Idylle

Motive des idyllischen Landlebens entsprachen dem höfischen Geschmack besonders. Wie auch an anderen Höfen Europas feierte man in München nachweislich Maskenfeste in Schäferkostümen, wie sie schon von A. Watteau in seinen „fêtes galantes" dargestellt worden waren. Die Vorlagen stammen wiederum von J. E. Nilson.

Pastoral Idylls

Motifs of the idyllic country life particularly appealed to the court tastes. As at other courts in Europe, masquerades in shepherd costumes were celebrated in Munich, as they had been depicted already by A. Watteau in his "fête galante." These pieces were again based on engravings by J. E. Nilson.

586

„Augustus" aus einer Monatsfolge, J. E. Nilson, 1766

586
Milchkanne
1766–70, Bemalung C. Purtscher

H. m. Deckel 16 cm
PM: RS 13 und „3", RM: drei Striche
Inv.Nr. B 722 (Frau Lipsky, Wiesbaden, 30.6.1965)

Kugelige Birnform mit engem Hals auf kleinem, wulstigen Standring, Henkel und Schnaupe wie Kat. 328. Auf der Seite zwei Burschen und ein Mädchen bei der Rast unter einem Baum rechts; links schreitet ein Mädchen, einen

Korb mit Birnen auf dem Kopf tragend, an der Gruppe vorbei, nach dem Stich „Augustus" aus einer Monatsfolge von J. E. Nilson, 1766 (Schuster 1936, Nr. 121). Gegenüber neben einem Strohhaufen stehende Bäuerin, die sich dem Betrachter zuwendet. Ränder mit Goldlinie und liegenden C-Bögen mit Behang in Blüten- und gezackter Sternform mit Punktspitzen.
Deckel erneuert, Vergoldung minimal berieben.

Das Motiv wurde partiell auch in anderen Manufakturen als Vorlage benutzt

(Ducret 1973, S. 29, Abb. 277, 278). Auf dem Original steht rechts hinter den Rastenden ein Denkmal, auf dessen Tafel die Datierung angebracht ist, ein seltener Fall im Werk Nilsons.

Publ.: Bäuml 1966, Abb. 14

588   590   592   589   587

587–592
6-tlg. Solitaire
um 1770, Bemalung C. Purtscher
Inv.Nr. B 167a-f (Slg. Seligmann, Köln, 1917)

587
Kaffeekanne
H. 15,4 cm
PM: RS 13; RM: „2", zwei Punkte einge-
stochen
Inv.Nr. B 167a
Form wie Kat. 456, nur kleiner und mit
größerem Standring. Goldene Kartu-
sche aus geschwungenen Band- und
Rankenmotiven, das an den Schlaufen,
an der Spitze und auf den Seiten mit
bunten Blumen verziert ist. Im Vorder-
grund rechts in Rückansicht zwei Män-
ner im Gespräch, die auf eine befestigte
Stadt im Hintergrund blicken, zu deren
Stadttor ein Fahrweg zwischen zwei
Bachläufen führt, auf dem eine Kutsche
fährt. Gegenüber Blumenbukett. Als
Randbordüre im Rapport herzförmige
Rankenmedaillons mit symmetrischen
Ranken gefüllt und gepunktetem Behang.

588
Milchkanne
H. 13,5 cm
PM: RS 13; RM: „x", unterglasurblaue Hexa-
gramm-Marke in Sternform Nr. 14
Inv.Nr. B 167b
Form wie Kat. 480, mit kleinerem
Standring. Kartusche, Goldbordüre und

Blumenbukett wie oben. In der Kartusche rechts ein Kahn mit zwei Fischern
im Schilf, auf der anderen Uferseite ein
Haus und Kirche.

589
Teekanne
H. 7,5 cm
PM: RS 13; RM: Strich
Inv.Nr. B 167c
Form wie Kat. 481. Kartusche, Gold-
bordüre und Blumenbukett wie oben.
In der Kartusche Schnitterinnen im
Getreidefeld bei der Arbeit, links bin-
den Männer die Ähren zu Bündeln.
Henkel gekittet.
Das Motiv der Teekanne auch auf
einem Plateau wie oben ehemals in
Slg. v. Ostermann (Hofmann, Abb. 77;
VK Ostermann 1928, Nr. 654,
Taf. XXXVII).

590
Zuckerschale
3 x 14 x 11,3 cm
PM: RS 8; RM: „79"
Inv.Nr. B 167d
Oval, auf niedrigem Standring, gemul-
deter Spiegel mit ausgeschwungener
Wandung, achtfach passig gewellt. Kar-
tusche und Goldbordüre wie oben.
Zwei neugierige Wanderer, ihr Bündel
neben sich, vor dem Eingang zu einer
Höhle rechts, im Hintergrund Fluß und
Landschaft.
Am Standring bestoßen.

591
Untertasse
Ø 13 cm
PM: RS 13; RM: „x", zwei Punkte einge-
stochen
Inv.Nr. B 167e
Form wie Kat. 504. Kartusche und
Goldbordüre wie oben. Wartendes Paar
auf einer Terrasse, die Frau im Sessel,
der Mann schirmt mit der Hand seine
Augen ab, im Hintergrund Palastarchi-
tektur im Stil von G. Ch. Lindemann.
Die ehemals zugehörige Teetasse muß
als Kriegsverlust abgeschrieben werden.

592
Tablett
33 x 23 cm
PM: RS 9; RM: „A", ein Punkt eingestochen
Inv.Nr. B 167f
Form wie Kat. 483. Kartusche und
Goldbordüre wie oben. Zwei Bäuerinnen bei der Rast am Feldrain oberhalb
eines breiten Flusses, über dessen Bie-
gung sich rechts ein hoher Felsen erhebt.
Glasur auf der Unterseite craqueliert.

Publ.: VK Seligmann 1917, Nr. 129, Taf. XIX;
Hofmann, Abb. 353; Bäuml 1966, Abb. 10
(Tablett); Miller 1986, Abb. S. 3022
(Kat. 587)

593
Kaffeetasse mit Untertasse
um 1770

Obertasse: H. 6,5 cm, Ø 7 cm
Untertasse: Ø 13,1 cm
Obertasse: PM: RS 9; RM: Strich
Untertasse: PM: RS 13 und „x", zwei Punkte
eingestochen
Inv.Nr. B 638 (Mehmel, München,
13.10.1958)

Tasse wie Kat. 549, nur mit leicht ausgestelltem Rand auf geradem Standring,
Untertasse wie Kat. 504, nur mit größerem Standring. Staffage wie vorige Nr.,
auf der Tasse bemalt mit der Szene von
Kat. 588, auf der Untertasse schaufelt
ein Bauer ein Loch, wobei ihn rechts
ein Greis mit Stock ermahnt, dahinter
ein Bauer bei der Feldarbeit.

591   593

594

594
Walzenkrug
um 1770–80

H. o. Deckel 13,5 cm, Ø 8,3 cm,
H. m. Deckel 15,7 cm
PM: RS 5 und „2". Montierung ohne Marke.
Inv.Nr. B 667 (L. Steinhauser, München,
16.8.1960)

Zylindrische Walzenform mit oben eingerolltem Bandhenkel in Ohrform. Auf
der Wandung Motiv wie Kat. 591. Fassung aus gezahntem Standring, flach
gewölbtem Klappdeckel in vergoldetem
Silber.
Glasur berieben.

Das Motiv des wartenden Eltern(?)-
Paares in Purpur-Camaieu sowohl auf
Kat. 591 als auch auf einem rechteckigen Plateau mit eingekerbten Ecken,
als Bildumrahmung und Randbordüre
einen breiten kobaltblauen Streifen,
von silbernen Perlschnüren und Goldlinie eingefaßt, ehemals als Teil eines
Solitairs zusammen mit zwei Birnkänn-
chen und einer Tasse mit geschwungenem Henkel in Slg. Oppenheim (VK
Oppenheim 1938, Nr. 996a-d; ein
zweites Mal angeboten bei Weinmüller,
München, 2.-3.12.1938, Nr. 16, Taf.
II). Die übrigen Szenen dieses um
1780–90 bemalten Solitairs scheinen
auch aus dem Umkreis der obigen Bildvorlagen zu stammen.

Mythologie

Das Werk „Die Verwandlungen des OVIDII In Zweyhundert und sechs= und zwanzig Kupffern, in Verlegung Johann Ulrich Krauß, Kupferstechern in Augspurg", um 1700 veröffentlicht, konnte als Vorlagenquelle der Darstellungen aus den Metamorphosen des Ovid auf Nymphenburger Porzellan bestimmt werden. Der Augsburger Zeichner und Kupferstecher Johann Ulrich Krauß (1655–1719) schuf mit diesem Werk eine der umfangreichsten Bildergeschichten dieses römischen Sagenepos über Leben und Liebe, Götter und Menschen. Die Vielzahl der in ganz Europa im 17. und 18. Jh. verlegten, teils bebilderten Buchausgaben ist auf die große Beliebtheit des Themas in allen gebildeten Kreisen zurückzuführen, das auch in der bildenden und angewandten Kunst aufgegriffen wurde. In der Nymphenburger Porzellanmalerei, deren beste Stücke wohl Cajetan Purtscher ausgeführt hat, wurde den Figuren stets eine heitere Mimik verliehen, die zu den teils tragischen Szenen in amüsantem Widerspruch steht, wie es für das süddeutsche Rokoko typisch ist.

Mythology

The work *Die Verwandlungen des OVIDII in Zweyhundert und sechs= und zwanzig Kupffern, in Verlegung Johann Ulrich Krauß, Kupferstechern in Augspurg,* published around 1700, could be determined as source for the depictions of the metamorphoses of Ovid on Nymphenburg porcelain. The Augsburg drawer and copper engraver Johann Ulrich Krauß (1655–1719) created with this work one of the most comprehensive pictorial narratives of this legendary Roman epos about life and love, gods and human beings. The large number of book editions, in part illustrated and published in all of Europe in the 17th and 18th century, can be led back to the great popularity of the theme in all educated circles. It was also taken up in the fine and applied arts. In the Nymphenburg porcelain painting, of which the best pieces were probably carried out by Cajetan Purtscher, the figures were always given a cheerful expression, standing in amusing contrast to the sometimes tragic scenes, as it is typical for South German rococo.

595–596
Zwei Untertassen
um 1765, Bemalung wohl C. Purtscher

Ø 12,2 cm
PM: RS 8 und „⊗○"
Inv.Nr. B 621a-b (Slg. Levi, 1956)

Form wie Kat. 419. In einer links offenen, goldenen Kartusche aus C-förmigem Bandmotiv, das unten in einem weiten, oben in zwei kurzen Rankenbögen ausschwingt und mit bunten Blumenbuketts besetzt ist, Szenen aus den Metamorphosen des Ovid.
595: Nachdem Cupido seinen Pfeil auf Apollo abgeschossen hat, verfolgt dieser die flüchtende Daphne, die von ihrem Vater Perseus in einen Baum verwandelt wird (Ovid I, 452–567).
596: Medea kocht in einem großen Kessel ein Wundermittel, um Aeson, den Vater von Jason, der als nackter Greis danebensitzt, seine Jugend zurückzugeben (Ovid VII, 164–294). Goldbordüre aus Bogenranken mit vorgesetzten, konkav-konvex geschwungenen Rankenfeldern mit Punktbehang, bei 595 enger und gleichmäßiger als bei 596.

Entgegen dem Text bei Ovid, hat Cupido seinen Pfeil noch nicht auf Apollo abgeschossen, der diesen erst in Liebe zu Daphne entbrennen läßt. Andererseits ist das Geschehen bereits weit fortgeschritten, da die Verwandlung des Mädchens in einen Baum fast abgeschlossen scheint. Der Widerspruch geht auf eine Zusammenfassung von zwei Krauß'schen Vorlagen zurück: No. 11 „Apollo und Cupido Streit" und No. 12 „Daphne in einen Lorbeer-Baum". Letzeres wurde auch für eine Bemalung einer Untertasse des Toerring-Kaffeeservices verwendet, BSV, Zug. Nr. 518, siehe Kat. 630–631. Für die Szene mit Medea wurde aus dem Stich von Krauß, No. 111 nur die Form des weiten Kessels auf hohen Beinen übernommen.

Publ.: Bäuml 1966, Abb. 16

597
Untertasse
um 1770, Bemalung wohl C. Purtscher

Ø 13,2 cm
PM: RS und „O"
Inv.Nr. B 621c (Slg. Levi, 1956)

Form wie Kat. 464, Kartusche und weitmaschige Randstaffage wie bei 596. Nach dem verlorenen Wettstreit am Webstuhl gegen Athene will sich Arachne erhängen, wird aber von der Göttin zuvor in eine Spinne verwandelt, die links oben in ihrem Netz sitzt (Ovid VI, 129–145). Links im Hintergrund eine Landschaft mit Haus. Die Szene folgt seitenverkehrt dem Stich von Krauß, No. 76 „Arachne in eine Spinne".

598
Teetasse (o. Abb.)
um 1770, Bemalung wohl C. Purtscher

H. 4,2 cm, Ø 7,6 cm
PM: RS 13; RM: „△", unterglasurblaue
Hexagramm-Marke Nr. 14
Inv.Nr. B 531 (C. Korner, München)

Form wie Kat. 556. Kartusche und Staffage wie oben. In der Kartusche die Verwandlung des Tiresias in eine Frau, weil er mit einer Keule auf zwei sich paarende Schlangen eingeschlagen hat (Ovid III, 322–331). Gegenüber buntes Blumenbukett.
Henkel fehlt, Tasse gekittet.

Weitere Teile verschiedener Service mit Szenen nach Ovids Metamorphosen sind eine Kaffeekanne aus der Slg. Adelsberger mit „Latona wird mit ihren neugeborenen Kindern und ihrer Gefährtin am Fluß mit Steinen beworfen" und gegenüber „Etliche Bauern werden auf Bitten Latonas in Frösche verwandelt" (vgl. Krauß 99) nach Ovid VI, 345 ff., BNM, Inv.Nr. 30/1753 (Ware 1951, Abb. 96), eine größere Teekanne mit der „Verwandlung der Mineiden durch Bacchus in Fledermäuse" nach Ovid IV, 405–415, BNM, Inv.Nr. 14/7, zwei Teekannen mit „die drei Parzen spinnen den Lebensfaden" (vgl. Krauß 110) und gegenüber „Dryope verwandelt sich in einen Baum" nach Ovid IX, 360 ff., Residenzmuseum, München, Inv.Nr. K II/Ny 1; BNM, Inv.Nr. 80/32, eine eiförmige Teedose H. 13 cm mit „Celmus wird zum Diamant" (Krauß 48) und gegenüber „Nymphe Clytie wird zur Sonnenblume" nach Ovid IV, 256-270, Residenzmuseum, München, Zug.Nr. 483, eine ähnliche Teedose H. 13,5 cm mit „Callirhoe und ihre Kinder" (Krauß 156) in unbekanntem Besitz (zuletzt Koller, Zürich, 9.12.1978, Nr. 3441). Zwei Teetassen mit Volutenhenkel und Untertassen aus der Slg. Adelsberger mit „Jupiter als Schwan bei Leda" (Krauß 83), bzw. „die Krone der Ariadne wird zum Gestirn" (Krauß 136) sowie „Zeus in Gestalt eines Adlers bei Asterie" (Krauß 82) und „Latonas Kinder, mit Steinen beworfen" im BNM, Inv.Nr. 30/1754-1757 (Ware 1951, Abb. 96). Ebenfalls aufwendige Volutenhenkel und reiche Goldbordüre besitzen drei Teetassen mit Untertassen, darauf „Am-

595   597   596

phion beim Lautespiel" (Krauß 98) und „Pygmalion mit der lebendig gewordenen Statue" (vgl. Krauß 171), „die Nymphe Mera wird ein Hund" und „Narziß verliebt sich in sein Spiegelbild", „die weinende Egeria wird zum Brunnen" (Krauß 220) und „Olenus und Lethäa werden zu Stein" (vgl. Krauß 164) im BNM, Inv.Nr. 80/33-35, eine Kaffeetasse mit vergleichbarer Goldbordüre und Volutenhenkel mit „Nymphe Salmacis stellt dem badenden Hermaphrodit nach" (vgl. Krauß 51) nach Ovid IV, 315–336, BNM, Inv.Nr. 65/32, auf Untertasse mit „Epaphus und Phaeton" (vgl. Krauß 15), BNM, Inv.Nr. 65/35. Einfache Henkel besitzen eine Teetasse mit „Hirtenknabe beim Flötenspiel" auf Untertasse mit „Löwin am Brunnen neben Thisbes Gewand" Ovid IV, 95 ff., BNM, Inv.Nr. 65/33, eine Teetasse mit „Zeus in Gestalt eines Adlers bei Asterie" (Krauß 82), BNM, Inv.Nr. 65/34, und eine Teetasse mit „Egeria wird zum Brunnen" (Krauß 220) nach Ovid XV, 547 ff., BNM, Inv.Nr. 65/37.
Eine Goldbordüre mit gezackten Sternmotiven haben die Kaffeetasse mit Un-

tertasse darauf „Nymphe und Triton" und „Arcas auf Wildschweinjagd" (Krauß 20) in unbekanntem Besitz (Weinmüller, München, 22.9.1971, Nr. 114), sowie eine Untertasse mit „Proserpina verwandelt Ascalaphus in eine Eule" nach Ovid V, 535 ff. (Sotheby's, London, 26.11.1985, Nr. 175). Die Kartusche in gegenläufiger Richtung auf einer Teetasse mit Untertasse, darauf „Polyphem beim Flötenspiel" und eine weitere Szene aus „Clytie wird Sonnenblume", siehe oben, in unbekanntem Besitz (Christie's, Genf, 14.11.1983, Nr. 70). Das wohl umfangreichste Service mit dieser Bemalung, bestehend aus Teekanne, walzenförmigem Milchkännchen, Spülkumme, Teedose, Zuckerschale und 14 Tassen ehemals im Nachlaß Erzherzog Ludwig Viktors v. Habsburg, Schloß Kleßheim (Dorotheum, Wien, 30.5.-3.6.1921, Nr. 306), die Teekanne mit einer Szene der Legende von „König Midas" und „Aglauros wird ein Felsen" befindet sich heute im Cooper-Hewitt NDM, New York, Inv.Nr. 1949-8-1a,b.

Bauernszenen

Die pastorale Landschaftsmalerei des 17. und 18. Jahrhunderts führte Hirten und Bauern als Repräsentanten einer ungestörten Idylle im Sinn einer metaphorischen Symbolik ein. Daneben entwickelte sich besonders in der niederländischen Malerei das Sujet des Dorflebens als Schilderung der harten Arbeit und der einfachen Vergnügungen, die meist derb-frivolen Charakter tragen. Der Dekor „mit holländischen Bauern" wurde im Preiscourant von 1767 gleichwertig zu den „Battaglien" angeboten, und die schlichte Darstellung der Szenen auf einem einfachen Rasensockel ohne Umrahmung macht dies verständlich. Die Motive sind Stichen nach Gemälden im Stile David Teniers entnommen und waren bis in die späten 70er Jahre sehr beliebt.

Peasant Scenes

The pastoral landscape painting of the 17th and 18th centuries introduced shepherds and peasants as representatives of an undisturbed idyll in the sense of a metaphoric symbolism. Aside from these, the subject of village life illustrating hard work and simple pleasures, mostly having a crude frivolous character, developed particularly in Dutch painting. The decor "with Dutch peasants" was listed at the same price as "battle scenes" in 1767, and the simple depiction of the scenes on the plain pedestal of grass without framing makes this understandable. The motifs were taken from engravings based on paintings in the style of David Teniers and were very popular up to the late seventies.

600   599

599
Teekanne
um 1760

H. 12,8 cm
PM: RS 9, „PL" und „1"
Inv.Nr. B 43 (Prov. unbekannt)

Form wie Kat. **477**, nur größer und mit einem angekitteten (originalen?) J-Henkel mit Schuppenrelief. Auf der Seite in Sepia-Camaieu Bauer hinter einem Lastesel stehend, rechts eine Kuh. Gegenüber in Rückansicht reitender Bauer und lagernde Kuh. Am Stand Goldbogenkante, am Rand und auf dem Deckel breite Gitterbordüre mit Blüten und Rankeneinfassung mit Punktbehang in Schwarz-Gold. Reliefs an Tülle und Henkel goldstaffiert.

Henkel angekittet. Glasurriß in der Kanne.

Publ.: AK München 1909, Nr. 131

600
Teetasse mit Untertasse
um 1760

Obertasse: H. 4,5 cm, Ø 7,5 cm
Untertasse: Ø 13 cm
Obertasse: PM: RS 9, „P" und „I"
Untertasse: PM: RS 6 und „↕"
Inv.Nr. B 314 (Franz Xaver Weizinger, 28.4.1921, Auktion 12, Nr. 303)

Halbkugelige Tasse auf glattem Standring mit ausgestelltem Rand, einfacher Schlaufenhenkel. Untertasse tief gemul-

det auf glattem Standring. Auf der Tasse gegenüber dem Henkel ruhendes Schaf und stehender Ziegenbock, auf der Untertasse beide Tiere lagernd auf einem Rasensockel in Sepia-Camaieu. Goldbordüre wie vorige Nr.

601
Teedose
um 1765–70

H. o. Deckel 10 cm, Ø 7,5 cm
PM: „PL"
Inv.Nr. B 716 (Ruef, München, 17.11.1964)

Eiförmiger, schlanker Korpus auf nach innen abgesetztem Standring, zylindrischer Hals, Stülpdeckel mit Zapfenknauf erneuert. Auf einem Rasensockel vor Buschwerk führt ein Knabe einen blinden, zerlumpten Greis an dessen Stock, rechts im Hintergrund eine Figur in Rückansicht. Gegenüber Reisigbinder mit Frau und Kind auf dem Heimweg. Auf der Schulter und am Deckelrand Goldbordüre wie bei Kat. **586**.

602
Teedose
um 1765–70

H. m. Deckel 13,9 cm, Ø 10,5 cm
PM: RS 13; RM: „A"
Inv.Nr. B 660a (L. Steinhauser, München, 18.5.1960)

603   604   601   605   606

Eiförmiger, bauchiger Korpus mit zylindrischem Hals. Hoher, leicht gewölbter Stülpdeckel mit Zapfenknauf, am Rand Goldbogenkante. Motive wie Kat. 601.

Die Motive mit einfacher Goldbordüre auf einer Teedose in unbekanntem Besitz (Christie's, London, 1.7.1985, Nr. 92), die wohl zu dem Kaffee- und Teeservice PSZ, Dresden, Inv.Nr. P.E. 4309-4316, gehört (Hofmann,

602

Abb. 358). Ein ähnliches Ex. mit nicht zugehörigem Deckel in unbekanntem Besitz (Lempertz, Köln, 12.12.1989, Nr. 896.

Publ.: Lempertz, Köln, 6.5.1960, Nr. 469

603–606
Vier Teetassen mit Untertassen
um 1765–70

Obertassen: H. 4 cm, Ø 7,6 cm
Untertassen: Ø 12 cm
PM: „PL", „D", „↨" und „3"
Inv.Nr. B 671a-b (L. Steinhauser, München, 2.1.1961), B 660b-c (L. Steinhauser, München, 18.5.1960)

Form wie Kat. 341. Ränder mit gepunkteter Goldbogenkante. Szenen auf grünem Rasensockel mit Buschwerk und braungestricheltem Abschluß.
603: Auf der Tasse alte Bäuerin, Bauer und Knabe bei der Rast, auf der Untertasse Bauernpaar am Weg, belauscht von einem Bauern hinter Büschen (Inv.Nr. 671a).
604: Auf der Tasse Bäuerin in Rückansicht schenkt aus einem Weinbeutel ein Glas voll, rechts ein Bauer mit Dudelsack, daneben ein schlafender Bauer. Auf der Untertasse drei Bauern beim Aufstellen eines Holzzaunes (Inv.Nr. 671b).

605: Auf der Tasse drei Bauern im Gespräch, auf der Untertasse Bauer mit Drehleier und ein tanzendes Paar (Inv.Nr. 660b).
606: Auf der Tasse drei Bauern am Ufer, der mittlere in Rückansicht. Auf der Untertasse Bauern mit Krug hinter einem Weinfaß, daneben steht eine Frau, rechts sitzt auf einer Holzbank ein weiterer Bauer (Inv.Nr. 660c).

607–608
Zwei Teetassen mit Untertassen
(Abb. s. S. 212)
um 1770–80

Obertasse: H. 4,5 cm, Ø 7,8 cm
Untertasse: Ø 13,5 cm
607: Obertasse: PM: RS 22, „P" und „↨"; MM: in Rot „i". Untertasse: PM: RS 13, „P" und „3"; RM: „C". 608: Obertasse: PM: „ϑ"; MM: in Rot „i". Untertasse: PM: RS 13; RM: „D Z oC"; unterglasurblaue Hexagramm-Marke in Sternform Nr. 14
Inv.Nr. B 636a-b (L. Steinhauser, München, 6.8.1958)

607: Obertasse wie Kat. 330 mit drei Bauern im Gespräch wie Kat. 605. Untertasse wie Kat. 464 mit Bauern auf Knien vor einer alten Frau, links hinter einem Busch ein feixender Bauer.
608: Obertasse wie Kat. 419 mit Schankszene wie Kat. 604. Untertasse

607 608

um 1770–75, Bemalung J. Kaltner

Ø 32 cm
PM: RS 8; 609: RM: „6". 610: RM: „4",
zwei Punkte eingestochen
Inv.Nr. B 639a-b (Weinmüller, München,
3.12.1958)

Rund, flacher Spiegel mit gewölbtem
Steigebord, leicht aufgebogene Fahne
mit Korbgeflecht und abgesetztem
Wulstrand, seitlich durchbrochene
Griffleisten mit eingerolltem Akanthusblatt.
609: Bauer und Bäuerin mit Pfeife im
Gespräch an einem Faß sitzend, davor
ein lachender Bauer auf einer Kiste,
links im Hintergrund ein Bauer beim
Essen.
610: Fünf trinkende und rauchende
Bauern im Kreis um ein Faß herum,
rechts an einem Holzgalgen ein
Buschenkranz. Fahne und Henkel
goldstaffiert.

Das Motiv der Platte Kat. 609 auf der
Spülkumme des Nockher-Services im
Residenzmuseum, München, Inv. Nr.
K II/Ny 1899. Der Maler Joseph Kaltner
kam als Lehrjunge 1765 in die Manufaktur und war bis etwa 1776 hier
tätig. Mit 18 Jahren durfte er an dem
Kupferstich-Werk von Cuvilliés „École
de l'architecture bavaroise" mitarbeiten

wie Kat. 584 mit rastendem Bauernpaar
und Kind vor einem Baum.
Dünne Goldränder.
Vergoldung berieben. Untertasse von
Kat. 608 leicht gelblich.

Ein umfangreiches Kaffee- und Teeservice mit einfachem Goldrand und
Bauernszenen aus dem Besitz der
Münchner Familie Nockher befindet
sich heute im Residenzmuseum, München, Inv.Nr. K II/Ny 1894-1915
(Weltkunst, 1.8.1976, S. 1393), ein
weiteres mit zwei Kannen, Zuckerdose
und vier Tassen ehemals in Slg. A.B.,
Berlin (Lepke, Berlin, 16.10.1929,

Nr. 494). Eine Kaffeekanne mit Bemalung wie beim Nockher-Service im
British Museum, London, Franks 186.
Eine Tasse wie Kat. 608 im V&A, London, Inv.Nr. C.1576-1919. Ein Wal-
zenkännchen und eine Tasse mit Bau-
ern- und Hirtenszenen im Nationalmuseum, Stockholm, Inv.Nr. NM 115-
116/1984 (AK Stockholm 1984,
Abb. 101, 102).

609

610

611

und hinterließ damit Zeugnisse seiner Arbeitsweise und seines Stils, die zur Bestimmung seiner höchst qualitätvollen Porzellanmalereien von Bedeutung sind. Nach einem Aufenthalt 1780 in Paris führte ihn sein Ruf als geschätzter Hof- und Miniaturmaler über München nach Wien, wo er wohl verstarb (siehe Bäuml 1966, S. 28).

Publ.: VK Sayn-Wittgenstein 1907, Nr. 156-157, Taf. IX; AK München 1909, Nr. 90-91, Taf. I; Hofmann, Abb. 75-76; Weinmüller, München, 3.12.1958, Nr. 78; Annuaire des ventes d'objets d'art 1958–1959, Vol. XIV, Paris 1959, S. 172; Bäuml 1966, Abb. 21 (Kat. 609)

Sauciere seitlich Bäuerin mit Muff und alter Mann, gegenüber schlafender Bauer und junges Mädchen, auf der Platte in der Mitte bunte Landschaft mit Zaun, seitlich drei Bäuerinnen bei der Getreideernte, gegenüber Schankszene wie Kat. 604. Relief und Henkel goldstaffiert.

Kat. 609–611 gehören zu einem ehemals umfangreichen Speiseservice, darunter eine ovale Platte mit Bauern beim Kegeln in der Slg. Bäuml, Inv.Nr. B 70 (Hofmann, Abb. 359), eine ähnliche im BNM, Inv.Nr. 17/232, ein runder Teller mit scherzendem Paar im MNC, Sèvres, Inv.Nr. 6728, in unbekanntem

Besitz befinden sich zwei Salzgefäße (Christie's, London, 1.12.1980, Nr. 98), eine ovale Schale L. 27,5 cm mit Bauernfamilie mit Schubkarren (Christie's, London, 11.4.1988, Nr. 112), eine gleich große und eine kleinere Schale L. 23,7 cm ehemals C. Schneider KG, Frankfurt a. M. (Weltkunst 20, 1981, S. 2890) und eine ovale Platte L. 35,5 cm mit Kindern beim Lernen und Spiel (Sotheby's, London, 25.3.1969, Nr. 91). Ein Kaffeeservice mit großformatigen Szenen im BNM, Inv.Nr. 66/204-210.

Publ.: AK München 1909, Nr. 118-119; Bäuml 1966, Abb. 22-23

612
Tablett
1778, Bemalung J. Kaltner zugeschrieben

32,8 x 23 cm
PM: RS 8; RM: „T", ein Punkt eingestochen; MM: auf der Brunnenplatte dat. „1778" Inv.Nr. B 632 (Prov. unbekannt)

Form wie Kat. 483. Im goldlinierten Spiegel über die gesamte Breite ländliche Szene: Links ein Brunnen, über dessen Wasserspeier sich auf einer Platte die Datierung „1778" befindet; rechts eine Bäuerin auf einem Pferd, das seine Notdurft verrichtet, davor ein

612

611
Sauciere auf Unterplatte mit Ozierrelief
um 1770–75, Bemalung J. Kaltner

Sauciere: 8 x 22 x 16,5 cm
Unterplatte: L. 30 cm
PM: RS 8 und „6"
Inv.Nr. B 71 (J. Drey, München, 7.1.1913)

Ovale Schiffchenform auf hohem Standring mit Kehle und Profil, gebogter Rand mit zwei Ausgießern an den Schmalseiten und umlaufend Korbrelief, an den Längsseiten zwei ausgezogene Volutenhenkel. Ovale Unterplatte auf nach innen abgesetzten Standring, profilierter Standring im Spiegel, Korbrelief am gebogten Rand und an den Schmalseiten zwei Griffleisten aus eingerollten Akanthusblättern. Auf der

Bauer, der aus seinem Hut trinkt, ferner ein Esel, Ziegen und Schafe, rechts im Hintergrund ein Dorf. Auf der Fahne Goldblümchen. Goldrand berieben.

Die Vorlage ist auch zur Bemalung einer Spülkumme im WLM, Stuttgart, Inv.Nr. G 29.29, herangezogen worden, die 1772 dat. und mit „Nigulas Mardtieli" bez. ist (LGA Stuttgart, Bericht über die Jahre 1928 und 1929, Abb. 26). Niclas Martinelli war 1765 als Lehrling in Nymphenburg eingetreten, es ist aber nicht sicher, wie lange er hier tätig war. Eine Tätigkeit als Hausmaler ist nicht auszuschließen. Die Malerei der Kumme ist deutlich schwächer als jene des Plateaus. Die Vorlage zu dieser Bemalung muß zu einer anderen Serie als die niederländischen Bauernszenen gehören, da hier überwiegend Hirten mit ihren Tieren bei der Rast oder auf der Weide dargestellt sind. Ein Teeservice mit Hexagramm-Marken und diesen Motiven in unbekanntem Besitz (Weinmüller, München, 3.10.1962, Nr. 124), eine Kaffeetasse in unbekanntem Besitz (Neumeister, München, 19.10.1983, Nr. 59), das Unterteil einer Zuckerdose in Privatbesitz, München. Eine vielleicht zugehörige Kaffeekanne in unbekanntem Besitz (Sotheby's, Amsterdam, 14.5.1982, Nr. 150). Ein etwas kleineres Teedosen-Modell mit Hexagramm-Marke und einer Hirtenszene mit Ziegenherde im MNC, Sèvres, Inv.Nr. 26199. Bemalungen nach dieser Vorlagengruppe auch auf zwei Desserttellern mit geschlossenem Flechtrand in unbekanntem Besitz (Ruef, München, 5.12.1984, Nr. 410).

613
Walzenkrug
um 1780–90

H. m. Montierung 25,4 cm,
o. Deckel 16,7 cm
PM: RS 21 und „o"; altes Etikett
bez. „52, lf. No. 1289"
Inv.Nr. B 748 (Familienbesitz)

Zylindrische, leicht ausgebauchte Form, Bandhenkel mit aufgerollten Enden. Gegenüber dem Henkel Szene auf Rasensockel mit Bauer, ein Kalb an der Leine führend, über der Schulter zwei Lämmer, die an den Beinen zusammengebunden sind, dahinter läuft ein Hund. Unter dem Rand umlaufendes Purpurband von gezackten Goldbändern gerahmt. Getreppter Fußring und Deckel mit senkrechten Kanneluren und gewölbten Rippen sowie Perlstäben aus Zinn. Auf dem Deckel graviertes Rundbild mit „Anbetung der Könige" und Initialen „GH". Im Deckel Engelsmarke mit Initialen „I. J." (wohl Johann Nepomuk Lippert, als Zinngießer tätig in München von 1792 bis 1824, vgl. Hintze 1965, Nr. 562). Sprung im Henkelbereich.

Drei Walzenkrüge in unbekanntem Besitz mit Nymphenburger Bukett haben vergleichbare Zinnmontierungen, darunter in einem Deckel die Jahreszahl „1756", die wohl als Erinnerungsdatierung zu verstehen ist (Christie's, Amsterdam, 20.11.1988, Nr. 141-143). Ebenso ein Walzenkrug der Form wie Kat. **1239** mit einem Hirten und einer Kuh, Bemalung J. Kaltner zugeschrieben, in unbekanntem Besitz (Ruef, München, 12.11.1986, Nr. 605).

613

Maskeraden

Das besonders reizvolle Sujet spricht für den eigenwilligen Humor, den Nymphenburger Bemalungen häufig ausstrahlen. Im Fall der Maskeraden, die 1767 im Preiscourant erwähnt sind, wurden z. T. Stiche von J. E. Nilson herangezogen und den Figuren Karnevalsmasken aufgesetzt. Eine Reihe von Tassenbemalungen scheint sich an anderen, bisher unbekannten Stichvorlagen orientiert zu haben, die den teilweise skurrilen Geschmack des ausgehenden Rokoko widerspiegeln.

Masquerades

The particularly appealing subject speaks for the original wit that the Nymphenburg painted decoration often radiates. In the case of the masquerades that are mentioned in the price list of 1767 one drew in part on the engravings by J. E. Nilson and gave the figures carneval masks. The painted decoration of a series of cups seems to have been based on other, until now unknown, engravings, which reflect the sometimes droll taste of the late rococo.

615   614   616

614
Teekessel
um 1766–70, Bemalung C. Purtscher

H. m. Henkel 20,5 cm
PM: RS 13; RM: „6" und „x"; unterglasurblaue Hexagramm-Marke in Sternform Nr. 14. Im Deckel unterglasurblaue Hexagramm-Marke in einer Zeile Nr. 15
Inv.Nr. B 633 (Weinmüller, München, 1958)

Gedrückter, bauchiger Korpus auf drei plastischen Blattfüßchen, flacher Einsatzdeckel mit naturalistisch staffierter Erdbeere als Knauf, geschwungene Röhrentülle mit Blattzweig in Relief, angenieteter Bandhenkel aus zisieltem Messing mit leicht gebogenem Walzengriff und reliefiertem, staffiertem Blattzweig. Auf der Seite vor unbelaubten Bäumen maskiertes Schäferpaar nach dem linken Motiv des Stiches „Meridies" von J. E. Nilson (Schuster 1936, Nr. 105), rechts im Hintergrund maskierte Schäferin mit Stab. Gegenüber links maskiertes Paar in Winterkleidung nach dem linken Motiv des Stiches „Januarius" aus einer Monatsfolge von Nilson (Schuster 1936, Nr. 114), rechts daneben Hirte und Mädchen nach dem Stich „Martius" aus

Stichvorlage „Meridies" für 614

dieser Folge (Schuster 1936, Nr. 116) Haarriß, Knauf bestoßen.

Die Folge der 12 Blatt auf die „Beschäftigung und Vergnügungen der 12 Monate" trägt erstmals in Nilsons Verlagswerk die Bezeichnung „Cum Gratia et Privilegio Sancti Caesari Majestatis", das Privileg der kaiserlich französischen Akademie in Augsburg, der er 1766 beigetreten war und dadurch ein kaiserliches Patent als Schutz gegen Herstellung und Vertrieb unerlaubter Kopien erhielt. Ein Teekessel mit Maskenmotiven im MAD, Paris, Inv.Nr. 2699, ein weiterer mit einem quer montierten Henkel und einer bacchantischen Szene im BNM, Inv.Nr. 84/235.

Publ.: Weinmüller, München, 7.5.1958, Nr. 97; Bäuml 1966, Abb. 13

615
Teedose
um 1765–70, Bemalung C. Purtscher

H. 13,5 cm
PM: RS 13; RM: „A"
Inv.Nr. B 681 (Galerie Almas, München, 22.11.1961)

Form wie Kat. 602. Um den Hals flache, goldlinierte Profile, darunter Goldspitzenbordüre aus geschwungenen Gitterfeldern und gezackten Sternmustern. Auf Rasensockel vor Buschwerk ein Botenläufer auf Krücken mit schwarz-weißer Maske, der Aufschlag seiner Kappe mit „N.N." bez. und schnauzbärtiger Bote mit Wanderstab und Gesichtsmaske, gegenüber maskierte Bäuerin mit Weidenkorb auf dem Rücken und Bauern mit Brillen. Deckel ergänzt.
Publ.: Bäuml 1966, Abb. 12

618 617   619 620 621

616
Kaffeekanne (Abb. s. S. 215)
um 1765, Bemalung C. Purtscher

H. 16 cm
PM: „PL" und „↑"
Inv.Nr. B 654 (Galerie Almas, München,
22.10.1959)

Form wie Kat. **586** mit größerer Öffnung. Goldspitzenbordüre wie vorige Nr., auf der Seite auf Rasensockel mit Buschwerk drei Figuren, verkleidet als „Pantalone", „Corine" und „Anselmo" aus der Italienischen Komödie. Gegenüber verfolgt ein Kaminkehrer mit Leiter und Rute ein davonlaufendes Mädchen.
Deckel ergänzt, Standring minimal bestoßen.

Publ.: Bäuml 1966, Abb. 11

„Die Lust sich zuverkleiden", Stich von
J. E. Nilson als Vorlage zu 617

617–624
8-tlg. Teeservice
um 1773
Inv.Nr. B 653a-h (Galerie Almas, München,
4.9.1959)

617
Teekanne
H. 11,8 cm
PM: RS 13; RM: „c:"; unterglasurblaue Hexagramm-Marke in Sternform Nr. 14
Inv.Nr. B 653a
Gedrückte Ballonform auf großem, nach innen abgesetztem Standring, leicht erhöhter Profilrand, steile Röhrentülle mit reliefiertem Drachenkopf, Henkel aus zwei gegenläufigen C-Bögen, flacher Aufsatzdeckel mit Zapfenknauf. Seitlich auf einem Rasensockel vor Buschwerk ein Paar, verkleidet als Tag und Nacht mit entsprechenden Glorinen als Kopfputz nach dem unteren Motiv des Stiches „Die Lust sich zuverkleiden" von J. E. Nilson (Schuster 1936, Nr. 48), links im Hintergrund ein Mann mit Laterne als Hut. Gegenüber Dame mit schwarzer Gesichtsmaske in langem Mantel und Kavalier mit großem schwarzen Hut neben einem Obelisken. Auf dem Deckel Streublumen. Goldränder.

618
Zuckerdose
H. 9,7 cm, ⌀ 9,8 cm
PM: RS 13; RM: „59"
Inv.Nr. B 653b
Rund, becherförmige Wandung auf konischem, gekehltem Standring, glatt gewölbter Aufsatzdeckel mit Zapfenknauf. Auf der Wandung „Scaramuz", „Dottore", „Anselmo" und „Pierrot" aus der Italienischen Komödie, u.a. nach dem

Stich „Il Dottore Scatolon" von M. Engelbrecht. Auf dem Deckel Streublumen, Goldrand.
Die Figuren haben z. T. die gleiche Haltung, wie die Komödienfiguren von Bustelli, siehe Kat. 101, 104, 106.

619–624
Sechs Teetassen mit Untertassen
H. 4 cm, ⌀ 7,5 cm
Untertassen: ⌀ 12 cm
PM: RS 13, „PL", „H", „NB" oder „↑"
RM: „A" und „87"
Obertasse wie Kat. 341, gemuldete Untertasse wie Kat. 464, nur kleiner. Goldränder.
619: Auf der Tasse Maskierter mit langer Perücke und Mann in Kostüm mit Halskrause und Herz auf der Brust, auf der Untertasse Mann mit Nasenmaske und Holzkasten auf dem Rücken, daraus schaut eine maskierte Frau, links zwei Zuschauer (Inv.Nr. B 653c).
620: Auf der Tasse verkleidetes Chinesenpaar, auf der Untertasse Dame als Jägerin und Mann mit hoher Perücke (Inv.Nr. B 653d).
621: Auf der Tasse nimmt eine sitzende Dame ihre Maske ab, rechts ein verkleideter Türke, auf der Untertasse verkleidetes Bauernpaar (Inv.Nr. B 653e).
622: Auf der Tasse maskiertes Paar, der Mann hat das Bein auf einen Stein gestellt, auf der Untertasse alter Schäfer mit jungem Mädchen (Inv.Nr. B 653f).
623: Auf der Tasse maskierte Dame auf einer Bank, der ein Kavalier Äpfel aus einem Korb zureicht, auf der Untertasse ein „Zuckerkegel auf Beinen" und ein Mann in einer Teekanne, auf dem Kopf die umgestülpte Untertasse und

eine Teetasse in der Linken (Inv.Nr.
B 653g).
624: Auf der Tasse mit Schönheitspfla-
stern maskiertes Paar, auf der Untertasse ein zweiteiliges „Postament auf Beinen", links das Postament mit Inschrift
„Reno: 1773" und einem umwickelten
Kopf nebst Reisigbündel, rechts der ba-
lusterförmige Aufsatz mit Augenlöchern
in der Bekrönung (Inv.Nr. B 653h).
Glasur der Untertassen von 622–624
im Brand vergilbt. Malereien teils berieben, Farbe abgeplatzt.

622   623   624

625–626
Kaffee- und Milchkanne
um 1770

625: H. 19,3 cm. **626:** H. 15,5 cm
PM: RS 13, „D" und „x"; unterglasurblaue
Hexagramm-Marke in Sternform Nr. 14
Inv.Nr. B 693a-b (Galerie Almas, München,
17.12.1962)

625: Form wie Kat. 328, nur schlanker,
mit aufgewölbtem Deckel und Zapfenknauf. Seitlich auf einen Rasensockel
vor einem Holzzaun und dürrem
Buschwerk kostümiertes Schäferpaar
wie auf Kat. 614, rechts ein gebückter
Mann in Rückansicht und der Oberkörper einer Schäferin mit Hirtenstab. Gegenüber vor einer Baumlandschaft neben einem Postament mit Vase Dame
als Schäferin verkleidet und Kavalier in
venezianischem Kostüm mit Gesichtsmaske und langem Mantel. Goldbogenkante mit Punkten an den Rändern.
626: Schlanke Birnform auf glattem
Standring, Schnaupe und Henkel wie
oben, steil gewölbter Aufsatzdeckel mit
Zapfenknauf. Staffage wie oben. Seitlich
ein Mann mit großem dreieckigem Hut
und ein Mann mit Spitzbart und Perücke, gegenüber tanzendes Schäferpaar
mit Gesichtsmasken, rechts im Hintergrund ein verkleideter Musikant mit
Blasinstrument.
Deckel geklebt.

Eine vergleichbare Milchkanne mit
identischer Bemalung im MAK, Wien,
Inv.Nr. Ke 4705. Ein umfangreiches
Kaffeeservice mit obigen Maskeraden
mit dem Buchstaben „K" (wohl für
Johannes Klein) auf der Kaffeekanne
ehemals im Kunsthandel, Brüssel, heu-
te in unbekanntem Besitz (Christie's,
Genf, 28.4.1978, Nr. 30–35). Eine
Teetasse mit verkleideten Chinesen im
V&A, London, Inv.Nr. C.1577&A-1919.
Eine Goldbogenkante ziert auch die
große Deckelvase (H. 24,3 cm) mit
maskierten Bauern und höfischem Paar
der Slg. Otto Blohm (Schmidt 1953,
Nr. 280).

626   625

Historisches Ereignis

Historical Event

Ein Einzelstück ist der Teller mit einer Darstellung, die vermutlich die Übergabe der Gründungsurkunde durch Kurfürst Karl Albrecht und seine Gattin Maria Amalie an die Vorsteherin des Klosters „Unserer Lieben Frau" in Nymphenburg zeigt.

A unique piece is the plate with an illustration that presumably shows Elector Karl Albrecht and his spouse Maria Amalie giving a charter to the headmistress of the convent "Unserer Lieben Frau" in Nymphenburg.

627

627
Flacher Teller
um 1770, Bemalung wohl 1780

Ø 24 cm
PM: RS 8 und „6"
Inv.Nr. B 386 (Slg. v. Ostermann, 1928)

Teller mit festonierter Fahne wie Kat. 269, im Spiegel auf einem Gartenparterre links eine Nonne des Ordens „Unserer Lieben Frau", die von dem fürstlichen Paar die Gründungsurkunde des Klosters überreicht bekommt, zu Füßen ein Hündchen. Im Hintergrund der nördliche Seitenflügel von Schloß Nymphenburg. Bunte Streublümchen und Goldrand.

Kurfürst Karl Albrecht (1697–1745), später Kaiser Karl VII., und seine Gattin Amalie Maria Josepha Anna (1701–1756) beriefen 1730 fünf sog. regulierte Chorfrauen des Ordens

„Unserer Lieben Frau" aus Luxemburg nach Nymphenburg, um im nördlichen Seitenflügel des Schlosses eine Ausbildungsstätte für Mädchen einzurichten. 1731 stiftete der Kurfürst 12 000 fl. und finanzierte auch die Ausstattung der Kapelle unter dem Patrozinium der Heiligsten Dreifaltigkeit, die am 16.5.1739 geweiht wurde. Das Kloster bestand bis 1803 und wurde von Ludwig I. im Jahr 1835 an die Englischen Fräulein vergeben, die bis heute ein eigenes Institut mit Schule nördlich des Schlosses betreiben. Die Bemalung des Tellers könnte anläßlich des 50jährigen Gründungsjubiläums erfolgt sein.

Publ.: Hofmann, Abb. 156; VK Ostermann 1928/II, Nr. 420

Putten nach Boucher

Putten im Spiel als Allegorien verschiedener Themen waren in den Jahren zwischen 1760 und 1770 nur selten Motive der Nymphenburger Bemalungen. Die französischen Vorbilder, besonders durch die Malerei von François Boucher geprägt und in zahlreichen Stichen verbreitet, sind erst in den 1790er Jahren in der Manufaktur als Vorlagen benutzt worden.

Cherubs Based on Boucher

Playing cherubs as allegories of various themes appear only rarely as a motif in Nymphenburg painted decoration of the years between 1760 and 1770. The French sources, characterized particularly by the painting of François Boucher and circulated in numerous engravings, were used at the factory only in the 1790s.

628

628
Teetasse mit Untertasse
um 1770

Obertasse: H. 4,2 cm, Ø 7,7 cm
Untertasse: Ø 13,8 cm
Obertasse: PM: RS 8 und „⚥"
Untertasse: PM: RS 11 und „o"
Inv.Nr. B 695 (Sotheby's, London, 1962)

Tasse wie Kat. 598, nur mit glatter Wandung und einfachem Henkel. Untertasse auf ausgezogenem Standring mit flachem Spiegel und steil aufgebogenem Rand. Auf der Tasse fliegender Putto mit einer Rosengirlande, auf der Untertasse zwei scherzende Putten unter einem Baum in Purpur-Camaieu, umgeben von goldenen Streublumen.

Am Rand zwischen zwei Goldlinien diagonal gestellter Eierstab mit Querstrichen.
Glasurfehler.

Der Randdekor aufrecht gestellt auch in Meissen (AK München 1966, Nr. 774–775, 778, 781).

Publ.: Sotheby's, London, 13.11.1962, Nr. 140

629
Schokoladentasse
um 1770

H. 6,2 cm, Ø 7,4 cm
PM: RS 13; RM: Strich
Inv.Nr. B 77 (Prov. unbekannt)

Auf gekehltem Standring sich nach oben öffnende Birnform, aus zwei geteilten Stäben gewundener Henkel. Gegenüber zwei Putten auf einer Wolkenbank im Spiel mit einem Vogel an einem Band. Unterhalb des Randes zwi-

629

schen zwei Goldlinien goldener Rankenfries auf purpurgestricheltem Grund.
Am Rand bestoßen. Auf der Innenseite unglasierter Randstreifen überglasiert.

Das Modell folgt französischen Vorbildern und wurde im Preiscourant von 1792 als „französische Schokolatbecher mit Blumendeckel" bezeichnet.

630
Runde Terrine aus dem „Toerring-Service"
um 1793–95, Blumenmalerei von J. Reis

H. 25 cm, Ø 29 cm
PM: RS 11 und „4", drei Punkte eingestochen
Inv.Nr. B 658 (Galerie Almas, München, 1960)

Größte Form der runden Terrine wie Kat. 303. In den breiten Feldern auf einer Wolkenbank sitzend zwei Putten

630

631

mit offenem Notenbuch und Musikinstrumenten als Allegorie der Musik
nach dem Stich „La Musique" von
F. Boucher, gegenüber zwei Putten mit
Fernrohr und Globus als Allegorie der
Astronomie nach dem Stich „L' Astro-
nomie" von F. Boucher (beide aus der
Serie von sechs Blättern „Livres des
Arts"), unterhalb der Henkel auf Wol-
kenbänken ein Putto mit Taube in der
Hand und ein Putto mit davonfliegen-
der Taube in Purpur-Camaieu. Darüber
und auf dem Deckelrand umlaufend
eine dichte bunte Blumenbordüre mit
blauem Grund zum vergoldeten Rand.
Auf dem Deckel bunte Streublümchen.
Naturalistisch staffierter Zitronenknauf,
Rocaillereliefs und Henkel goldstaffiert.
Vergoldung berieben, Teil der Malerei
im Brand gebräunt.

631
Flacher Teller aus dem
„Toerring-Service"
um 1793–95, Blumenmalerei von
J. Reis

Ø 23,5 cm
PM: RS 23, RM: Strich
Inv.Nr. B 17 (Slg. v. Gasser, 1912)

Teller mit flachem Steigebord und
schräg ansteigender Fahne und gewelltem Rand. Im Spiegel auf einer Wolkenbank stehender Putto mit Pfeil und Bogen, der auf einen sich aufstützenden
Putto rechts zielt, wohl nach einem
Stich von Boucher. Auf der Fahne Blumenbordüre mit blauem Grund und
abgesetztem Goldrand wie oben.
Vergoldung berieben.

Der Teller wurde zusammen mit zwei
weiteren und einer runden, gehenkelten Platte, die sich heute im BNM befinden, Inv.Nr. 12/20-22, erworben.
Dem erhaltenen Bestand und der Preßmarken nach ist das Service erst ab
1793 gefertigt worden, nachdem
Joseph August Reichsgraf von Toerring
und Gronsfeld zu Jettenbach die Direktion der Manufaktur übernommen
hatte. Offenbar standen zu diesem Zeitpunkt noch keine „modernen" Terrinen zur Verfügung, weshalb man auf
das Modell der Jahre um 1755 zurück-
griff. Graf Toerring förderte auch Dekore „nach französischem Gusto"
(Hofmann, S. 139). Dr. Bäuml schrieb
in seinem Inventar: „Etwa 60 Teller
noch im Besitz des Gf. H. Heribert
Toerring Seefeld, eine Platte rund mit
Henkel im Nationalmuseum, ein Service mit 101 St. wurde am 11.11.1931
bei H. Halm, Frankfurt, Nr. 358, Taf. 6,
versteigert. Dieselbe Terrine, aber mit
anderen Puttenszenen bei Baronin
Cetto. Serviceteile und Teller bei Auktion Lempertz 1964, nunmehr bei Graf
Toerring-Seefeld." Ein Kühlgefäß, ein
Flaschenkühler, ein Gläserkühler, zwei
runde Platten mit Henkeln und zwei
Teller im Bestand der Gräfl. Toerring'-
schen Oberverwaltung, Seefeld (AK
München 1972, Nr. 1531, Abb. 252).
Ein Teller, wohl aus der Versteigerung
bei Halm, heute im MKH, Frankfurt,
Inv.Nr. V158/RF 263 (MK Frankfurt
1983, Nr. 369). Ein Kaffee- und Teeservice mit heute nur noch 5 Teetassen,
bunter Blumenbordüre auf blauem
Grund und bunten Motiven aus den
Metamorphosen des Ovid befand sich
ebenfalls in Toerring'schem Besitz, bevor es als Geschenk in Privatbesitz
überging und sich heute in Vancouver,
Kanada, befindet. Eine einzelne Teetasse mit Untertasse im Besitz der BSV,
Zug.Nr. 518.

Publ.: VK Gasser 1912, Nr. 607

Monogramme und Wappen

Tassen mit Monogrammen wurden überwiegend zu Geschenkzwecken bestellt und nahmen auf den Besteller oder den Beschenkten Bezug. Man wählte sie als Verlobungs- und Hochzeitsgeschenke und bevorzugte dabei die dekorativen Deckeltassen, deren Knauf eine feinbossierte Blume ziert. Die Blumenbuchstaben bestehen aus Goldlinien, die von Blüten umrankt werden oder dicht aneinandergereihten Blütengirlanden. Dem sentimentalen Zeitgeschmack folgend, gab es in der Spätzeit auch Verbindungen aus geflochtenem Haar und Blumen. Der Preiscourant von 1792 führt in einer eigenen Abteilung die Tassenformen mit und ohne Deckel auf, die „mit Buchstaben oder Schiffern" (d. h. Zahlen) bestellt werden konnten.

Monograms and Coats of Arms

Cups with monograms were primarily commissioned as gifts and made reference to the commissioner or the person receiving the gift. They were chosen as engagement or wedding presents, the decorative cups with lids whose knob is decorated with a finely molded flower being preferred. The flower letters consist of gold lines and are surrounded by flowers or dense rows of flowering garlands. In accordance with the sentimental tastes of the times, one also had combinations of plaited hair and flowers in the late period. Under a separate category, the price list of 1767 itemizes the forms of cups with or without lids, which could be ordered "with letters or ciphers" (i.e. numerals).

632
Teetasse mit Untertasse
um 1770–75

Obertasse: H. 4,5 cm, Ø 7,9 cm
Untertasse: Ø 13,4 cm
Obertasse: PM: RS 10; RM: „o" und Strich
Untertasse: PM: RS 13; RM: „A"
Inv.Nr. B 459 (Herzogl. Museum Gotha, 10.5.1941)

Tasse wie Kat. 504, Untertasse auf ausgezogenem Standring, leicht vertiefter Spiegel und steil aufgebogener Rand. Im Spiegel und gegenüber dem Henkel Medaillons aus schräg gestricheltem Goldband mit Goldblümchen besetzt, darin auf der Tasse die ligierten Buchstaben „J" aus roten Blüten mit Goldpunkten, „F" in Gold und „B" aus blauen Blüten mit Goldpunkten, auf der Untertasse „M" aus roten und „B" aus blauen Blüten mit Goldpunkten. Goldene Randbordüre ähnlich dem Medaillon.

633 634 635

633–634
Zwei Schokoladentassen mit Deckel
um 1780–90

H. m. Deckel 8,5 cm, Ø 6,8 cm
PM: RS 21; RM: Strich, ein Punkt eingestochen. 633: MM: im Deckel in Rot „8".
634: MM: im Deckel und auf dem Boden der Tasse in Rot „E"
Inv.Nr. B 95a-b (Bayerisches Nationalmuseum, 16.7.1913)

Tassenform wie Kat. 629, nur kleiner, mit leicht gewölbtem Aufsatzdeckel und plastischer Blüte als Knauf. Am Rand und auf dem Deckel von Goldlinien eingefaßtes Flechtband. Gegenüber dem Henkel unter einem bunten Blütenkranz Monogramme „JR" (ligiert) und „B" aus blumenverzierten Gold-

ranken, daran hängend purpurne Blütengirlanden, kleine Streublümchen. Blütenknauf bei Kat. 634 blau staffiert. Knäufe bestoßen.

Zusammen mit den zwei Deckeltassen im BNM, Inv.Nr. 316–317 (Hofmann, Abb. 376) bei einer Versteigerung in München erworben. Eine Tasse mit Deckel und Buchstabe „F" auf der Untertasse in der PSZ, Dresden, Inv.Nr. P.E. 4319, eine Tasse ohne Deckel und Buchstabe „C" im Schlesischen Landesmuseum, Opava/Troppau, Inv.Nr. U 1017P. Das Modell wird im Preiscourant von 1797 als „französische [erg. Schokolatbecher, Anm. d. Verf.] mit Blumendeckel" geführt und war wohl in zwei Größen lieferbar.

Publ.: Helbing, München, 10.2.1913, Nr. 197

632

638

635
**Schokoladentasse mit Deckel
und Untertasse** (Abb. s. S. 221)
um 1780–90

H. m. Deckel 10, 2 cm, Ø 7,5 cm
Untertasse Ø 14 cm
Obertasse: PM: RS 21; RM: zwei Striche;
MM: im Deckel und im Boden der Tasse in
Rot „B.". Untertasse: PM: RS 13 und „o"
Inv.Nr. B 511 (Prov. unbekannt)

Form wie Kat. 629, Deckel und Randdekor wie vorige Nr., Blüte blau staffiert. Tief gemuldete Untertasse auf ausgezogenem Standring mit leicht
ausgestelltem Rand. Gegenüber dem
Henkel und im Spiegel der Untertasse
unter einen Blütenkranz „B" aus bunter Blütengirlande mit Goldranken, daran hängend purpurne Blattgirlanden.
Streublümchen.
Knauf bestoßen.

Auf einer Tasse und Untertasse dieses
Modells mit Goldbordüre, die Blumenbuchstaben „T" auf der Tasse und „JB"
auf der Untertasse, ehemals in Slg.
Brioli, Würzburg (Helbing, München,
10.12.1927, Nr. 99), eine Tasse ohne
Deckel mit Buchstabe „F" im MAD,
Paris, Inv.Nr. 1053, eine weitere mit
einer Goldbogenkante und den Buchstaben „C" und „V" auf einer Tasse mit
Untertasse im MNC, Sèvres, Inv.Nr. 14
114. Ebenfalls eine Goldbogenkante
ziert die Kaffeekanne mit einem bunten
Blumenbukett und gegenüber einem
Monogramm, dessen Buchstaben „F"
und „L" aus geflochtenen Haaren, „M"
aus einer Blumengirlande geformt sind,
im MKG, Hamburg, Inv.Nr. 1897.124
(Hofmann, Abb. 67-68). Eine Platte mit
goldstaffiertem Ozierrelief und den
Buchstaben „J.E.M." aus Blumen und
Gold im Spiegel im V&A, London, C.
30-1916.

636

636
Kaffeetasse mit Untertasse
um 1780–90

Obertasse: H. 6,2 cm, Ø 6,5 cm
Untertasse: Ø 13 cm
PM: RS 23. Obertasse: RM: „x"
Untertasse: RM: „o"
Inv.Nr. B 466 (L. Steinhauser, München,
30.6.1941)

Form wie Kat. 593, nur kleiner und mit
niedrigem Standring. Tief gemuldete
Untertasse. Gegenüber dem Henkel
und im Spiegel ligiertes Goldmonogramm „JMG", an den Rändern purpur-
gestreifte Lambrequinbordüre mit
Goldranken.
Vergoldung berieben.

Die Lambrequinbordüre nur in Gold
auf einem Service mit Früchtemalerei
in den StKS, Augsburg, Inv.Nr. 4231-
4240 (AK München 1909, Nr. 393-
402).

637
Becher
um 1790

H. 7,7 cm, Ø 6,7 cm
PM: RS 21, darunter „o"
Inv.Nr. B 454 (Fischer, München, 20.12.1939)

Auf kleinem Standring, blütenförmiger
Becher mit ausgestelltem Rand. In
Blau-Camaieu, Eisenrot und Sepia von
zwei geharnischten Rittern mit Standar-
ten (mit Adler, bzw. Löwe) gehaltener
Wappenschild der Freiherrn von Etz-
dorff (Geviert mit zwei einwendig
springenden Hirschen und zwei dreifach geteilten Streitkolben, in der Mitte
schwarzer Adler auf Gold), darüber drei
Harnische mit Hirsch, Adler und Streitkolben, gegenüber Blumenstrauß in
hellen, emailartigen Farben. Goldrand.
Vergoldung berieben.

Ein Zweig dieser sächsischen Familie
lebte in Bayern, wurde 1682 in den
Freiherrnstand und 1790 in den Gra-
fenstand erhoben. Da das Wappen noch
die Freiherrnkrone zeigt, ist die Bemalung vor 1790 zu datieren (frdl. Mittlg.
Dr. A. v. Württemberg). Das Modell
eventuell mit „englische Becher, kleinere Sorte" aus dem Preiscourant von
1792 identisch.

638
**Schokoladentasse mit
Untertasse**
um 1790

Obertasse: H. 6,5 cm, Ø 7,6 cm
Untertasse: Ø 14,2 cm
PM: RS 13. Obertasse: RM: Strich
Untertasse: PM: „5"
Inv.Nr. B 458 (Ruef, München, 24.10.1940,
ehemals Slg. Lämmle)

Form wie Kat. 635. Auf der Tasse und
im Spiegel das von Löwen als Schildhal-
ter flankierte Pfalzbayerische Wappen
Karl Theodors unter dem Kurhut, darunter die Orden des Hl. Georg, vom
Goldenen Vlies und der Rote Adler-
orden in bunter Malerei. Am Rand
zwei Goldlinien, die innere unterbrochen von geflammten Blättchen in
oxydiertem Silber.
Untertasse am Rand bestoßen.

Dieses Wappen führte Kurfürst Karl
Theodor seit 1777. Neben den pfalz-
bayerischen Abzeichen im Herzschild
die Sinnbilder der pfälzischen Neben-
länder, darunter das Wappen des Mar-
quisat Bergen op Zoom (drei Andreas-
kreuze über Dreiberg).

637

Silhouetten

Eine weitere Form des persönlichen Präsents war die Abbildung des eigenen Portraits oder des Beschenkten. In der damals sehr beliebten Scherenschnittmanier finden sich die Portraits in Seitenansicht als Silhouetten in Schwarz oder Gold noch bis in das frühe 19. Jahrhundert überwiegend auf Tassen oder Déjeuners für den Gebrauch in kleinem Kreis.

Silhouettes

Another form of personalized present was the depiction of one's own portrait or that of the receiver. Portraits in profile, as silhouettes in black or gold in the then popular manner of scissor cuts, can be found up to the early 19th century, primarily on cups or déjeuners for use in a small circle.

639   640   1300

639
Kaffeetasse mit Untertasse
um 1790

Obertasse: H. 5,7 cm, Ø 6,2 cm
Untertasse: Ø 12 cm
Obertasse: PM: RS 21; RM: Strich, ein Punkt eingestochen. Untertasse: PM: RS 23; RM: „i"
Inv.Nr. B 597 (Lempertz, Köln, 1954)

Obertasse wie Kat. **633**. Untertasse auf nach innen abgesetztem Standring, glatter Spiegel und konisch ausgestellte Fahne. In ovalem, bzw. rundem Medaillon aus Goldleisten mit Agraffen schwarze Silhouetten einer Dame mit Hut auf der Tasse und einem Herrn mit Perücke auf der Untertasse. Das Medaillon hängt unter der Rosettenschleife eines Bandes aus purpurnem Seidenmoirée, das zusammen mit einer grüngoldenen Blattgirlande um einen rotgoldenen Stab geschlungen ist. Am Rand einfache und rot schattierte Ornamentleisten.
Vergoldung berieben.

Publ.: VK Lempertz, Köln, 18.11.1954, Nr. 55

640
Untertasse
um 1790

Ø 12 cm
PM: RS 23; RM: Strich, ein Punkt eingestochen
Inv.Nr. B 401 (L. Steinhauser, München, 2.1.1932)

Form und Staffage wie vorige Nr., im Medaillon die schwarze Silhouette einer Dame mit Perücke nach links. Gold leicht abgerieben.

Ornamente

Abstrakte Dekore sind im 18. Jahrhundert in der Porzellan-malerei nur selten nachweisbar. Eine Ausnahme ist der dem süddeutschen Rokoko besonders verbundene Nym-phenburger Rocaillendekor, der Motive der Gartenarchitek-tur – Spaliere und Wasserfontänen – zu einem Muster ver-bindet, das in Gold und Purpur ausgeführt wurde.
Vermutlich stammt der Dekor von Ambros Hermansdorffer, der zwischen 1761 und 1764 Vorstand der Malerei, Ober-maler und Lehrer in Nymphenburg war. Seine um 1770 entworfene und selbst ausgeführte Ausmalung eines Kabi-netts im südlichen Pavillon des Nymphenburger Schlosses mit zarter Groteskendekoration bedient sich vergleichbarer Einzelelemente.

Ornaments

Abstract decors can be documented only rarely in the porcelain painting of the 18th century. An exception is the Nymphenburg rocaille decor, particularly allied with the South German rococo, which combines motifs of garden architecture – trellises and water fountains – in a pattern that was carried out in gold and Tyrian purple. Probably the decor stems from Ambros Hermansdorffer, who was director of the department of painting, head painter, and teacher at Nymphenburg between 1761 and 1764. In a cabinet in the south pavilion of the Nymphenburg palace, which he designed and painted with delicate grotesque decorations around 1770, comparable individual motifs can be found.

641   642   644

marke zum Qualitätssymbol und wurde deshalb auch von anderen Lieferanten, darunter Nymphenburg, kopiert, siehe Kat. 683–684, 685–686.

Publ.: VK Ostermann 1928, Nr. 644

641
Koppchen
um 1761, Bemalung, wohl nach
Entwurf von A. Hermansdorffer,
von J. Haslöder

H. 3,9 cm, Ø 6,5 cm
PM: RS 13 und „HLB"; unterglasurblaue
Marke „CB." Nr. 16
Inv.Nr. B 370 (Slg. v. Ostermann, 1928)

Auf kleinem, ausgezogenem Standring glatte, halbkugelige Becherform. Außen umlaufend ein Rapportmuster aus ge-genläufig aufschwingenden doppelläufi-gen Spalieren, bekrönt von Rocaillen im Wechsel mit kleinen Wasserfontänen in Purpur, durchflochten mit goldenen Blattgirlanden.
Goldrand berieben.

Dieselben Marken auf einem Koppchen mit Untertasse und diesem Dekor im V&A, London, Inv.Nr. C.56&A-1956, und einem Ex. im British Museum, London, Inv.Nr. MLA Franks Nr. 148. Die unterglasurblaue Marke „.CB." läßt sich wohl mit „Chur-Bayern" auflösen. Man fand sie bisher nur auf Koppchen, die für den türkischen Export bestimmt waren. Der dortige Markt bevorzugte diese henkellosen Tee- und Mokka-schälchen und bestellte nicht nur in Meissen, sondern auch bei anderen Manufakturen. Nachdem die Meissener Marke der gekreuzten Schwerter kurz-fristig aufgrund ihrer Ähnlichkeit mit dem christlichen Kreuzsymbol abge-lehnt wurde (wohl deshalb auch das bayerische „C.B."), entwickelte sich in der 2. Hälfte des 18. Jh. die Schwerter-

642
Teetasse mit Untertasse
um 1760–70

Obertasse: H. 4,2 cm, Ø 8 cm
Untertasse: Ø 12,5 cm
Obertasse: PM: „o" und „s"
Untertasse: PM: „↥"
Inv.Nr. B 371 (Slg. v. Ostermann, 1928)

Tasse wie Kat. 584, Untertasse wie Kat. 504, nur kleiner. Dekor wie vorige Nr., im Spiegel der Untertasse sternför-mig nach außen gerichtet, Goldbogen-kante.

Ein Vergleichsstück im KGM, Berlin, Inv.Nr. 61.52ab (MK Berlin 1970, Nr. 101).

Publ.: AK München 1909, Nr. 92; VK Oster-mann 1928, Nr. 647

643
Teetasse (o. Abb.)
um 1760–70

H. 4,4 cm, ⌀ 8,0 cm
PM: „i" und „o"
Inv.Nr. B 697a (Dr. Ritter, München,
28.2.1963)

Form wie Kat. 464, Dekor wie vorige
Nr.
Goldrand stark berieben.

646

644
Kaffeetasse
um 1760–70

H. 5,6 cm, ⌀ 6,8 cm
RM: „A"
Inv.Nr. B 697b (Dr. Ritter, München,
28.2.1963)

Form wie Kat. 593, nur niedriger.
Dekor wie vorige Nr.
Goldrand leicht berieben, Spitze des
Henkelansatzes abgebrochen.

Vergleichsstück im BNM, Inv.Nr.
63/17.

645
Koppchen (Abb. s. S. 231)
um 1760–70

H. 3,7 cm, ⌀ 6,1 cm
PM: RS 13; RM: „E"; unterglasurblaue Marke
„.CB." Nr. 14; in Eisenrot bez. „N 30"
Inv.Nr. B 369 (Slg v. Ostermann, 1928)

Glatter, ausgezogener Standring,
konisch sich weitende Schalenform.
Zwischen abgesetzten Goldlinien umlaufend dichtes Muster aus C-Bögen in
Purpur mit Gold, dazwischen zwei
vierpassige Reserven mit Stern zwischen Rankenfeldern in Gold.

646–649
**Vier Likörtassen mit
Untertassen**
um 1765

Obertasse: H. 3,6 cm, ⌀ 5,6 cm.
Untertasse: ⌀ 10,9–11,5 cm
PM: RS 13. Untertasse: unterglasurblaue
Hexagramm-Marke in Sternform Nr. 14
Inv.Nr. B 364a-d (Prov. unbekannt)

Ausgezogener Standring, becherförmige, steile Wandung, dünner Bandhenkel in Ohrform. Flach gemuldete Untertasse. Am Rand unterschiedliche Bordüren aus stilisierten Blumen auf der
Tasse innen und außen; auf der Untertasse Gitterfelder mit Blümchen und
Strichelmuster im Wechsel, in der
Mitte blütenförmige Rosette.
Vergoldung berieben.

Textile Muster

Eine Gruppe von Bemalungen, die besonders in Nymphenburg über längere Zeit beliebt waren, griff Textilmuster auf
und wurde als „Taffet oder Atlasmuster" bezeichnet. Vorbilder waren Tapetendekore oder die sanft schimmernden
Seiden und Brokate französischer Produktion, die an allen
Höfen Europas für kostbarste Toiletten Verwendung fanden.
Auch in der Raumausstattung stellten Stoffe in Form von
Vorhängen, Wandbespannungen und als Bezüge der Sitz-
möbel eine wichtige und kostbare Komponente dieser
innenarchitektonischen Gesamtkunstwerke vor. Rapportmuster mit zart gefärbten Blüten sind nach Vorbildern der

Textile Patterns

One type of painted decoration that was particularly
popular at Nymphenburg over a longer period of time was
based on textile patterns and was described as "taffeta or
satin pattern." Sources were tapestry decors or the softly
shimmering silks and brocades of French make, which
were used for the most luxurious dress at all European
courts. In the decoration of interiors, cloth in form of cur-
tains, wall coverings, and as covers for seating furniture
epresented an important component in these syntheses of
interior design. Pattern repeats with delicately colored
flowers were based on prototypes from the factory at Sèvres

Manufaktur in Sèvres (Ziffer 1993, S. 50–51) auch auf Frankenthalern (AK Heidelberg 1993, Nr. 11, 14, 24, 38) und Höchster Geschirren (AK Hohenberg 1995, Abb. 145) nachweisbar.

Am beliebtesten war der gestrichelte Atlasdekor, der im Preiscourant von 1792 als „en taffent geflammt" bezeichnet wurde, der ähnlich auch in Wien (Folnesics 1914, Nr. 113) und Frankenthal (Egge 1972, Kat. 234) nachweisbar ist. Kleine Strichelstreifen in Purpur, Grün und Gelb begleiten einen durchgehenden Mittelstreifen und füllen die Malfläche außerdem mit kleinen Grüppchen. In den Randstreifen läuft das Muster meist um Blau ergänzt und orientiert sich an einer durchgehenden, eisenroten Mittellinie.

(Ziffer 1993, p. 50–51) and can also be documented on tableware from Frankenthal (AK Heidelberg 1993, nos. 11, 14, 24, 38) and from Höchst (AK Hohenberg 1995, fig. 145).

Most popular was the hatched satin decor, which was described in the price list of 1792 as "watered en taffent," and which can also be similarly documented in Vienna (Folnesics 1914, no. 113) and Frankenthal (Egge 1972, cat. no. 234). Small stripes of hatching in Tyrian purple, green, and yellow accompany a continous central stripe and also fill in the background in small patches. In the edge stripe the pattern is usually supplemented with blue and is oriented on a continuous central Jean Cousin line.

652   650   653   654   651

650–657
8-tlg. Teeservice
um 1770
Inv.Nr. B 159a-h (Slg. Hirth, 1916)

650
Teekanne
H. 10,2 cm
PM: RS 14; RM: Strich, zwei Punkte eingestochen
Inv.Nr. B 158a
Ballonform wie Kat. 458, nur kleiner. Tülle und Henkel sowie Profilkehle am Rand und ein Streifen über dem Stand goldstaffiert. Über die Wandung und auf dem Deckel ein Dekor aus senkrecht leicht gewellten Purpurstreifen, von grün-goldenen Blattgirlanden mit kleinen und größeren Arrangements bunter Blumen lose umwunden. Tüllenspitze, Henkelende und Deckelrand bestoßen, Malerei und Vergoldung berieben.

651
Milchkanne
H. 13,5 cm
PM: RS 13 und „o", ein Punkt eingestochen
Inv.Nr. B 159c
Birnform wie Kat. 567, nur kleiner. Staffage und Dekor wie oben. Am Fuß ein Stück ausgeschlagen. Vergoldung berieben.

652
Teedose mit Deckel
H. 13 cm
PM: RS 13, „o" und „x"
Inv.Nr. B 159d
Rechteckiger Stand, im unteren Drittel allseitig ausgebaucht, geschwungene Schulter, zylindrischer Hals mit leicht gewölbtem Stülpdeckel, ein Apfelzweig als Knauf. Dekor wie oben. Vergoldung berieben.

653
Ovales Schälchen
20 x 15,3 cm
PM: RS 13 und „4"; in Tusche bez. „493", darunter „DO/E"
Inv.Nr. B 156e
Form wie Kat. 338. Dekor wie oben. Am Rand bestoßen, Vergoldung und Glasur berieben.

654–656
Drei Teetassen mit Untertassen
Obertassen: H. 4,4 cm, Ø 7,8 cm
Untertassen: Ø 14,0 cm
Obertassen: PM: RS 8 und „↕"
Untertassen: PM: RS 13 und „5"; in Tusche bez. „493", darunter „DH/O"
Tassenform wie Kat. 628, Untertasse tief gemuldet auf großem, glattem Standring. Dekor wie oben. Malerei und Vergoldung berieben. Obertasse Kat. 656 gekittet.

657
Plateau (o. Abb.)
41 x 32,5 cm
PM: RS 8 und „X", darüber zwei Punkte eingestochen
Inv.Nr. B 159a
Form wie Kat. 515, nur etwas kleiner. Dekor wie oben.
Große Reparaturstelle am Rand und Haarriß, Oberfläche stark berieben.

Ein Solitaire mit diesem Dekor im MKG, Hamburg, Inv.Nr. 1875.114a-f (Jedding 1974, Abb. 485).

Publ.: AK München 1909, Nr. 139-146; VK Hirth 1916, Nr. 158; Hofmann Abb. 69

658–662
5-tlg. Kaffee- und Teeservice
um 1780

Inv.Nr. B 488a-e (Prov. unbekannt)

658
Kaffeekanne

H. 19,5 cm

PM: RS 21; RM: Strich, ein Punkt eingestochen

Inv.Nr. B 488a

Standring auf Profil mit breiter Kehle, birnförmiger Korpus mit Rille unterhalb des Randes, Schnaupe und Henkel aus 2 gegenläufigen C-Bögen mit Rocaillerelief, oben leicht abgeflachter Aufsatzdeckel mit ausgestelltem Rand und Zapfenknauf. Auf der Wandung senkrechter Atlasdekor in Grün, Purpur und Zartgelb, auf Hals und Schnaupe umlaufender Streifen mit grauen Kanten und eisenroter Mittellinie sowie Atlasdekor in Blau, Purpur, Grün und Zartgelb; ebenso auf dem Deckel. Reliefs und Ränder dunkelbraun staffiert. Kanne am Henkelansatz gekittet.

659
Teekanne

H. 10,2 cm

PM: RS 21; RM: Strich, ein Punkt eingestochen

Inv.Nr. B 488b

Form wie Kat. 481, nur etwas größer. Dekor wie oben. Deckel mit Kettchen am Henkel befestigt.
Aussprengungen am Rand.

Ein etwas kleineres Modell mit diesem Dekor und Malermarke „A" in Gold in der LGA im GNM, Nürnberg, Inv. Nr. 9076.

660
Zuckerdose

H. 9,3 cm, Ø 9 cm

RM: Strich

Inv.Nr. B 488c

Rund, auf kleinem, zweifach gestuften Standring, schalenförmige Wandung, flacher gewölbter Aufsatzdeckel mit Zapfenknauf. Dekor wie oben.

661–662
Zwei Teetassen

H. 4,4 cm, Ø 7,9 cm

PM: RS 8 und „2"

Inv.Nr. B 488d-e

Form wie Kat. 632, Dekor wie oben.

659　660　658　661–662　663　664

663–664
Zwei Kannen
um 1790–1800

663: H. 9,4 cm, Ø 6 cm. 664: H. 9,3 cm, Ø 5 cm

663: PM: RS 22; RM: „x" und Strich, drei Punkte eingestochen. 644: PM: RS und zwei Punkte eingestochen; MM: in Rot „ST."

Inv.Nr. B 455a-b (Dorotheum, Wien, 4.5.1938)

Walzenform wie Kat. 392, mit J-förmigen Bandhenkeln. Bei Kat. 663 unter der Schnaupe Blattrelief. Atlasdekor in Purpur mit Grün, purpurgesäumter Streifen mit eisenroter Mittellinie. Am Stand mehrfach bestoßen.

Auf den zylindrischen Gefäßen des ausgehenden 18. und frühen 19. Jahrhunderts läßt sich der Dekor besser anbringen als an den obigen Birnkannen, deren Schnaupen eine klare Gliederung verhinderten. Ein Service mit streng zylindrischen Kannen und Tassen auf rechteckigem Tablett (vgl. Kat. 967) mit diesem Dekor in unbekanntem Besitz (Koller, Zürich, 18.11.1982, Nr. 1733B, Taf. 79). Bauchige Kannen dagegen in einem Solitaire auf Tablett im MKH, Frankfurt, Inv.Nr. 13137/ RF 286 (MK Frankfurt 1983, Nr. 370– 375), ebendort ein runder Dessertteller, mit durchbrochenem Wellenband am Rand, Inv.Nr. V 282/RF 263 (MK Frankfurt 1983, Nr. 376). Die Malermarke „ST." auf einer birnförmigen Kaffeekanne in Privatbesitz, München.

665
Kühlgefäß (Abb. s. S. 228)
um 1790

H. 21 cm, Ø 26,5 cm

PM: RS 8; RM: „x"

Inv.Nr. B 186 (Slg. Stegmann, 1917)

Zylindrischer Korpus auf vier Füßchen in Form von Löwenklauen auf gedrückten Kugeln, Wulstrand, seitlich zwei reliefierte Griffe aus einem eingerollten Akanthusblatt. Breitrandiger Deckel mit senkrechtem Kragen, in der Mitte auf profiliertem Sockel gerillter, zweiteiliger Schlaufengriff. Atlasdekor auf der Wandung in Grün und Purpur, im Streifen mit eisenroter Mittellinie mit Grün, Purpur und Blau. Ränder und Reliefs dunkelbraun staffiert. Unterteil gekittet, Brandrisse, Deckel am Rand bestoßen.

Die Form dieses Kühlgefäßes, das mit einfach gedrückten Kugelfüßchen und gekanteten Henkeln auch für das Toerring-Serivce gefertigt wurde (siehe Kat. 630–631; AK München 1972, Abb. 252), folgt einem Modell mit Einsatzschale aus Sèvres, das u.a. am Münchner Hof in Gebrauch war (ein Paar Kühlgefäße aus dem Vogelservice, 1759, Residenzmuseum, München, Inv.Nr. K II/Sev 3-4; Kühlgefäß ohne Einsatz, 1784, im Hetjens-Museum, Düsseldorf, Inv.Nr. 1941/96; MK Düsseldorf 1966, Nr. 261). Der Inhalt wurde durch zerstoßenes Eis im Deckel gekühlt, der deshalb den hohen Kragen besitzt. Ob die Nymphenburger

665

Der Entwurf dieses Tintenzeugs geht sicher in die 1770er Jahre zurück, da er sich stark an den damaligen Tabletts orientiert, siehe Kat. 483, 592. Ein formgleiches Tintenzeug mit Holzmaserfond und Landschaftsstichen im Besitz der BSV, Zug.Nr. 609.

Modelle eine Einsatzschale wie das oben zitierte Sèvres-Vorbild besaßen oder ob diese bei den erhaltenen Ausformungen heute alle zerbrochen sind, läßt sich nicht sicher klären, da sich auch die französischen Vorbilder hierin unterscheiden. Der Dekor war für Speiseservice sehr beliebt und taucht bis heute im Kunsthandel häufig auf. Aus Museumsbesitz eine große, ovale Terrine im BNM, Inv.Nr. 60/51, ein etwas kleineres Modell bei der BSV, Zug.Nr. 277, ein flacher Speiseteller Ø 23,8 cm im Nationalmuseum, Stockholm, Inv. Nr. NM 126/1984 (AK Stockholm 1984, Nr. 104), ein Teller im MMA, New York, Inv.Nr. 42.205.278, zwei flache Teller in der SGM, Halle, Inv.Nr. Po 735-736.

Publ.: AK München 1909, Nr. 406; VK Stegmann 1917, Nr. 154

666
Tintenzeug
um 1770, Bemalung um 1790

10 x 22 x 17 cm
PM: RS 13; RM: „i"; in Rot bez. „G 39.II.".
Auf der Streusalzbüchse: PM: RS 13; RM: „i"
Inv.Nr. B 807 (Kunsthandlung Fink, München, 1994)

Ovale, dreipassige Schale mit abgesetztem, aufgebogenem Rand. Zwei zylindrische Gefäße für Tinte mit Deckel (auf dem ergänzten Einsatz) und Streusalz mit perforierter Oberseite, dazwischen röhrenförmiger Halter für Federkiele. Atlasdekor in Grün und Purpur, grauer Randstreifen mit eisenroter Mittellinie und Atlasdekor in Grün, Purpur und Blau. Ränder vergoldet. Vergoldung stark berieben.

666

667
Schokoladentasse (o. Abb.)
um 1770

H. 6,4 cm, Ø 7,6 cm
PM: RS 13; RM: Strich
Inv.Nr. B 515 (Prov. unbekannt, 1950)

Form wie Kat. 629. Umlaufend gleichmäßig versetzte, senkrechte Strichelung in Blau, am Rand in einem goldlinierten Streifen waagrechter Verlauf. Goldränder.
Deckel fehlt. Übermalter Glasurfehler am Standring.

Seltene Variante des Atlasdekors durch Regelmäßigkeit und einfarbige Ausführung.

Blaumalerei

Hofmann zog den Schluß, daß das „blaugemalte" Geschirr in Nymphenburg niemals sehr beliebt gewesen ist, da ihm nur sehr wenige Stücke bekannt waren (Hofmann, S. 590–591). Neben einer Kanne, ehemals in der Slg. v. Ostermann mit Zwiebelmusterdekor, erwähnte er nur die Teetasse im BNM mit Strohblumendekor, siehe Kat. 671. Der Schluß, in Neudeck/Nymphenburg wäre diese Art der Malerei nur selten ausgeführt worden, weil es Schwierigkeiten in der Handhabung und Beschaffung des Kobalts gegeben hätte (Hofmann, S. 582), widerspricht deren Verwendung in praktisch allen kleinen und größeren Fayencemanufakturen Deutschlands um 1750, deren technische Standards deutlich unter dem einer Porzellanmanufaktur lagen.

Am Bestand der Slg. Bäuml lassen sich deutliche Unterschiede der unterglasurblauen Farben erkennen. Die Teller Kat. 668–669 und die Marke „CB." der Kat. 645 zeigen eine graublaue Farbe, die im Auftrag wolkig wirkt. Es dürfte sich hierbei um 1761–62 erwähnte Versuche des „Blaufarbenmalers" Joseph Haslöder handeln, der zwischen 1754 und 1757 in Neudeck als Bossierer arbeitete, dann nach Ludwigsburg wechselte, um im November 1761 wieder nach Nymphenburg zurückzukehren, aber 1765 nicht mehr in der Liste der Bossierer enthalten ist (Hofmann, S. 329). Die übrigen unterglasurbemalten Geschirre und die zahlreich in der Sammlung vorkommenden Hexagramm-Marken sind mit leuchtendem Blau in unterschiedlicher Intensität bemalt. Als deren Urheber und auch für die Datierung der Marken ursächlich verantwortlich gilt der Oberdreher Johann Kilber, der am 1. Juli 1763 von Höchst nach Nymphenburg kam und dem nachgerühmt wurde, „eine blaue Farbe ins große Feuer" eingeführt zu haben (Hofmann, S. 582). 1767 wurde er wegen „Nachlässigkeit und groben Fehlern" entlassen und ging wieder nach Höchst (Hofmann, S. 333–334).

Neben den ostasiatischen Dekoren und der Blumenmalerei gibt es, in bisher nur einem Fall nachweisbar, auch Landschaften in Unterglasurblau (Rechaud im MKG, Hamburg, Inv. Nr. 1905.271a-c). Besonders für die Produktion der Türkenkoppchen, der henkellosen Tee- und Mokkabecherchen für den türkischen Export, waren Dekor in Unterglasurblau mit goldener und eisenroter Überdekorierung bedeutend. Auch um die im Orient geschätzte Meissener Schwertermarke zu imitieren, mußte diese in Blau ausgeführt sein (siehe Kat. 641).

Blue Painting

Hofmann came to the conclusion that the "blue painted" tableware was never very popular at Nymphenburg, as only very few pieces were known to him (Hofmann, p. 590–591). Aside from a pot with onion pattern decor, formerly in the von Ostermann collection, he mentioned only the tea cup with strawflower decor at the BNM, see cat. no. 671. The conclusion that this type of painting was rarely carried out at Neudeck/Nymphenburg, because it would have been difficult to obtain and handle the cobalt (Hofmann, p. 582), stands in contradiction to the fact that it was used at practically all small and larger faîence factories in Germany around 1750, whose technical standards lay clearly under that of a porcelain factory.

In the holdings of the Bäuml collection distinct differences can be recognized in the blue underglaze colors. The plates cat. nos. 668–669 and the mark "CB." of cat. no. 645 show a gray-blue color, which has a cloudy effect in its application. These are probably experiments mentioned 1761–62 by the "blue color painter" Joseph Haslöder, who worked at Neudeck as repairer, then changed to Ludwigsburg, returning to Nymphenburg in November 1761, but is no longer on the list of repairers in 1765 (Hofmann, p. 329). The rest of the tableware painted with underglaze and the numerous hexagrams in the collection are painted with a luminous blue of various intensities. Responsible for the origin of these as well as for the dating of the marks is the head lathe operator Johann Kilpber, who came to Nymphenburg from Höchst on 1 July 1763 and was considered to have introduced "a blue color into the big fire" (Hofmann, p. 582). In 1767 he was fired because of "negligence and gross mistakes" and returned to Höchst again (Hofmann, p. 333–334).

Aside from the East Asian decors and the flower painting, there are, as has up till now been demonstrated in only one case, also landscapes painted in underglaze blue (food warmer at the MKG, Hamburg, inv. no. 1905.271a-c). Particularly for the production of the "Türkenkoppchen," the small tea or mocha cups without handles for the Turkish export, decors in underglaze blue with golden and Jean Cousin overglaze decoration were important. In order to imitate the Meissen factory mark of swords, which was highly regarded in the Orient, blue also had to be utilized (see cat. no. 641).

668   669   675   670

668
Tiefer Teller
um 1761–62, Bemalung wohl
J. Haslöder

H. 3,7 cm, Ø 25,5 cm
PM: RS 2, „PL M 4"
Inv.Nr. B 153 (Antiquar Peter, München,
Oktober 1916)

Rund, flacher Spiegel, über dem Steigebord und der ansteigenden Fahne
schwach ausgeprägte Rippen, die dem
Schwung des zwölffach eingekerbten
Randes mit Wulstprofil folgen. Nach
unbemalter Randzone blaugrauer Fond
in Unterglasurmalerei mit sechs vierpassigen Reserven über den Steigebord
hinweg, in der Mitte sternförmiges
Medaillon.
Wetzspuren auf der Glasur.

Offensichtlich fehlt in den Reserven eine bunte Aufglasurmalerei, wie sie in
Verbindung mit farbigen Fonds bekannt
ist (Kat. 398ff, 506). Zu beachten ist die
wolkige Wirkung des Unterglasurfonds
und seine grau-blaue Tönung, die in
Verbindung mit der Preßmarke auf ein
frühes Datum dieses Dekorversuches
schließen lassen. Die Form der Reserve
in unterglasurblauem Fond auf einem
Meissener Koppchen, um 1765–75
(AK Hamburg 1989, Nr. 158).

669
Flache Schale
um 1761–62, Bemalung wohl
J. Haslöder

Ø 19,5 cm
PM: RS 2, „PL M 4"; RM: „V"
Inv.Nr. B 509 (Hans Kratzer, Nymphenburg)

Rund, flach gemuldet mit geschwungenem, abgesetztem Rand. Seitlich im
Spiegel Arrangement mit zwei Rosen-
zweigen und Streublumen in wolkiger,
graublauer Unterglasurmalerei.
Am Rand bestoßen.

Unterglasurblaue Blumen, bereichert
mit Insekten, finden sich in Meissen
erst nach 1740, so auf dem Warschauer
Hofservice für August den Starken um
1750 (AK Hamburg 1989, Nr. 206).
Das Schalenmodell ist für Nymphenburg bisher nur in diesem Ex. nachweisbar.

670
Teedose
um 1765–70

14,4 x 7,8 x 4,6 cm
PM: RS 9, zwei Schleifstriche
Inv.Nr. B 136 (L. Steinhauser, München,
Januar 1916)

Form wie Kat. 331, nur etwas größer
und höher. Auf den Seiten, der Schulter und dem Deckel Bemalung mit
sog. „Strohblumenmuster" aus bizarr

geknicktem Ast mit Fiederblättern über
einer Chrysantheme, bzw. Päonie nach
Meissener Vorbild in hellem Unterglasurblau.
Am unteren Rand leicht bestoßen.

Eine Übernahme des „Strohblumen-
musters" von Meissen in Nymphenburg
war bislang nicht bekannt (Barsewisch
1988, S. 50).

671
Teetasse (o. Abb.)
um 1770

H. 4,4 cm, Ø 7,7 cm
PM: RS 8 und „↥"
Inv.Nr. B 91 (Prov. unbekannt, um 1915)

Form wie Kat. 464. Auf der Wandung
zwischen unbemaltem Standring und
Randstreifen umlaufend mit „Strohblumenmuster" nach Meissener Vorbild in
hellem Unterglasurblau bemalt.
Henkel angebrochen.

Eine reliefierte Kaffeetasse mit Untertasse und Strohblumenmuster im BNM,
Inv.Nr. 4326.

672–682
Zehn flache Teller
um 1770–90

H. 3,5 cm, Ø 23,3 cm
PM: RS 10 (?); RM: „L" und „I"
Inv.Nr. B 307a-k (C. Korner, München, 1921)

Rund, auf nach innen abgesetztem Stand, geschwungener Steigebord und glatte Fahne. Bemalung mit sog. „Zwiebelmuster" nach Meissener Vorbild in kräftigem Unterglasurblau.
Starke Gebrauchsspuren.

Diese bislang kaum bekannte Nymphenburger Kopie des Zwiebelmusters folgt der Meissener Malweise dieses Dekors im 3. Viertel des 18. Jahrhunderts (vgl. Barsewisch 1988, Abb. 33). Vermutlich stammen unsere Teller aus der Slg. Czermak, aus der 1920 „Elf Teller. Blaudekor: Zwiebelmuster nach Meißener Art" versteigert wurden (VK Czermak 1920, Nr. 120). Der Dekor auf Speisetellern widerspricht den Angaben in den Preiscourants von 1767 und 1792, die nur Kaffee- und Teeservice „blau gemahlen" offerierten.

683 645 684 685 686

683
Türkenkoppchen
um 1770

H. 4 cm, Ø 6 cm
PM: RS 13 und „⚓" mit unterglasurblauer Schwertermarke Nr. 17
Inv.Nr. B 380b (Slg. v. Ostermann, 1928)

Auf höherem Standring konisch sich weitende, glatte Wandung. Auf der Seite das sog. „Tischchenmuster" in hellem Unterglasurblau mit eingefügten eisenroten Päonien und Blättchen, teilweise mit Gold liniert, gegenüber unterglasurblaue Vase mit Goldkontur und eisenroten Blumenzweigen. Innen, unterhalb des Randes umlaufend Bordüre mit Schuppen- und Tupfenmuster in Eisenrot und Gold.

Publ.: VK Ostermann 1928/II, Nr. 414

684
Türkenkoppchen
um 1770

H. 3,8 cm, Ø 6,4 cm
Unterglasurblaue Schwertermarke Nr. 17
Inv.Nr. B 380c (Slg. v. Ostermann, 1928)

Auf Standring, geschwungene Wandung mit ausgestelltem Lippenrand. Umlaufend drei gerundete Medaillons mit zwei gegenläufig gebogenen, stilisierten Fiedernelken, dazwischen eine

stilisierte Fiedernelke mit waagerechten Blättern und zwei Blüten in Unterglasurblau, Eisenrot und Gold. Im Boden unterglasurblaues Dreiblatt im Kreis mit eisenroten und goldenen Blattrispen.
Vergoldung teils berieben. Riß in der Wandung.

Publ.: VK Ostermann 1928/II, Nr. 414

685
Türkenkoppchen
um 1770

H. 3,7 cm, Ø 6,3 cm
PM: RS mit unterglasurblauer Schwertermarke Nr. 17
Inv.Nr. B 380a (Slg. v. Ostermann, 1928)

Auf niedrigem Standring, halbkugelige Wandung mit Wulstrand. Unter einer Linie umlaufend von grünen und roten Blattgruppen gesäumtes Fondband mit vierpassigen Reserven wie Kat. 672, darin eisenrote Blümchen mit grünen Blättern. Im Boden eisenrotes Blümchen.
Reste einer Vergoldung erkennbar.

Publ.: VK Ostermann 1928/II, Nr. 414

686
Türkenkoppchen
um 1770

H. 4 cm, Ø 6,4 cm
PM: RS 13, unterglasurblaue Schwertermarke Nr. 17
Inv.Nr. 179 (L. Steinhauser, München, 1917)

Auf erhöhtem Standring, halbkugelige Wandung mit glattem Rand. Umlaufend in der Mitte ein Band aus spindel- und rautenförmigen Gliedern, unterhalb des Randes Linie mit Halbovalen und über dem Standring aufgebogene Spitzen in Unterglasurblau. Dazwischen nach oben und unten eisenrote Blüten und gelbe Blätter. Innen am Boden unterglasurblaues Dreiblatt mit Eisenrot.
Reste einer Vergoldung erkennbar.

Drei Koppchen mit unterschiedlichen Dekoren in Unterglasurblau, Eisenrot und Gold sowie der imitierenden Schwertermarke im BNM, Inv.Nr. 12/176, Ker 4289, 18/3, ein Koppchen im MKH, Frankfurt, Inv.Nr. 5311/RF (MK Frankfurt 1983, Nr. 367).

Hausmaler

Die Bemalung von Porzellan durch geschickte Email- oder Glasmaler außerhalb der Manufaktur ist in der 1. Hälfte des 18. Jhs. häufig nachweisbar. Da Bemalungen erst den Wert eines Geschirres bestimmten, versuchten die Manufakturen durch strikte Verkaufsverbote von unbemaltem Porzellan dagegen vorzugehen und ließen eine Zuwiderhandlung unter Strafe stellen. Trotzdem etablierten sich z. B. in Augsburg spezialisierte Werkstätten für solche Bemalungen, die sich im Stil, Motiv und Kolorit meist deutlich von den Manufakturdekoren unterscheiden.

Die Quellen berichten, daß man sich in Neudeck dieser geschulten Künstler in den Jahren 1754 und 1755 bediente, da die hauseigene Malstube noch keine brauchbaren Leistungen erbrachte. Darunter fallen Geschirre, die an den „Feuermaler und Amalier" (Emaillierer) Elias Haid nach Augsburg geschickt wurden (Hofmann, S. 339). Mit großer Sicherheit handelt es sich hier um eine Verwechslung, da Elias Haid (1739–1809) zu diesem Zeitpunkt gerade erst 16 Jahre alt war. In Frage käme eher sein Vater, Johann Jakob Haid (1704–1767), der die Emailmalerei beherrschte und darin sogar die Brüder Daniel Nikolaus und Gottfried Chodowiecki um 1745 unterrichtete. Bisher ohne Vergleich ist der Stil dieser Malereien, bei denen die Szene auf einer ausgeschnittenen Bodenplatte dargestellt wird. Leuchtende Farben werden bei Kolorierung der Umrisse in Schwarzlot bevorzugt. Charakteristisch sind die Gitterbordüren, die gleichermaßen Geschirre mit Bibelszenen und mit pastoralen Motiven zieren. Die Form der Bodenplatten und die Gitterfelder in den Bordüren finden sich ähnlich bei sächsischen Hausmalern, die bisher namentlich nicht identifiziert werden konnten (Pazaurek 1925, S. 313f., Abb. 263–265). Auch die Zuweisung der goldgravierten Chinoiserien, die sich besonders auf Meissener Porzellanen zwischen 1720–40 zahlreich erhalten haben, hat die Forschung lange widersprüchlich diskutiert. Man weist sie heute Augsburger Werkstätten zu, wobei die Bemalungen von Abraham Seuter im Stil unseren Geschirren am nächsten kommen. Das Ausschußzeichen auf der Teetasse Kat. 705, als Markierung für Geschirre mit kleinen Fehlern, stützt die Zuweisung der Bemalung an eine Werkstatt außerhalb der Manufaktur. Im Gegensatz zu frühen Stücken der Seuter-Werkstatt zeigen unsere Dekore alle dieselbe Ornamentkonsole unterhalb der Bildszene.

Ein weiterer Hausmaler, Johann Klein, kam 1765 als Malerjunge in die Manufaktur und blieb dem hier erlernten Stil treu, als er nach seiner Entlassung 1771 als freier Künstler arbeitete. Seine Motive wählte er überwiegend aus dem Stichwerk von J. E. Nilson. Aus Kostengründen kaufte auch er fast nur Geschirre zweiter Wahl mit Schleifstrichen auf der Unterseite. Geschickt setzte er über diese wertmindernde Markierung sein Monogramm „IK".

Independent Decorators

The painting of porcelain by skilful external enamel or glass painters is often documented for the first half of the 18th c. As only the decoration determined the value of tableware, factories countered this with strict prohibitions against the sale of unpainted porcelain and had violations made a punishable offence. In spite of this, specialized workshops were established for such decoration, as in Augsburg. It can usually be clearly differentiate from factory decors in terms of style, motifs, and coloration.

The sources report that such trained artists were used at Neudeck in the years 1754 and 1755, as the internal painting workshop had not yet achieved any useable results. In this category is tableware that was sent to the "fire painter and enameler" Elias Haid in Augsburg (Hofmann, p. 339). This is clearly a confusion, since Elias Haid (1739–1809) was just 16 years old at this time. More likely it was his father Johann Jakob Haid (1704–1767), who mastered enamel painting and had even taught the brothers Daniel Nikolaus and Gottfried Chodowiecke around 1745. The style of the paintings, in which the scene is depicted on a curved base, has until now no comparison. Luminous colors were preferred in the coloration of the black enamel contours. Characteristic are the lattice borders that decorate the tableware with bible scenes as well as with pastoral motifs. The curved bases and the use of fields of lattices in the edging borders can be found employed in a similar manner in the work of the independent Saxon decorators, who one has not yet been able to identify by name (Pazaurek 1925, p. 313f., figs. 263–265).

Researchers have long been discussing with contradictions the attribution of the gold engraved chinoiseries, of which particularly on Meissen porcelains of 1720–40 numerous examples have survived. They are today attributed, not to the factory, but to the Augsburg workshops, the painted decoration by Abraham Seuter coming closest to our tableware in terms of style. The cancellation mark on tea cup cat. no. 705, a marking for tableware with small defects, supports the attribution of the painted decoration to a workshop outside the factory. In contrast to the earlier pieces of the Seuter workshop, our decors show all the same ornament console below the pictorial scene.

Another independent decorator, Johann Klein, came to the factory as painting apprentice in 1765 and remained faithful to the style he learned here after his discharge in 1771, when he began working as a free-lance artist. He chose his motifs primarily from the engravings by J. E. Nilson. Out of financial considerations he, too, purchased almost always second grade tableware, which was marked since 1773 with engraved cuts on the under surface. He cleverly hid these value reducing markings by covering them with his monogram "IK."

688   689   687

687–695
14-tlg. Kaffee- und Teeservice mit Großem Laubrelief

um 1755, Bemalung in einer Augsburger Werkstatt, wohl J. J. Haid
Inv.Nr. B 669a-c, e-k (Lucien Delplace, Brüssel, 26.8.1960)

687
Kaffeekanne

H. 22,2 cm
PM: RS 5
Inv.Nr. B 669a

Ausgestellter Standring, birnförmiger Korpus mit schlankem Hals, Profilrand, spitze Schnaupe, aus drei Zweigen geflochtener Asthenkel in Ohrform, hochgewölbter Aufsatzdeckel mit Wulstrand und Zapfenknauf. Wandung, Schnaupe, Henkel und Deckel mit sechsblättrigen Blüten in Eisenrot, Gelb, Lila und Gold und dreilappigen, grünen Blättern an geschwungenen, grünen Stielen in Relief, dazwischen gemalte Goldblättchen. Auf einer glatten Fläche seitlich kryptisches Monogramm in Gold. Standring, Ränder, Schnaupe, Henkel und Knauf vergoldet.
Deckel gekittet, am Standring bestoßen, grüne Farbe teils abgeplatzt, Vergoldung berieben.

688
Teekanne

H. 11 cm
PM: RS 5
Inv.Nr. B 669b

Stark eingezogene und oben abgeflachte Ballonform auf nach innen abgesetztem Stand, kurze Tülle mit Astrelief, Henkel wie oben mit Blatt als Daumenruhe, flacher Einsatzdeckel mit Zapfenknauf. Auf Wandung und Deckel staffiertes Relief wie vorige Nr., Henkel nur teilvergoldet. Um die Deckelöffnung goldene Gitterbordüre aus halbrunden und eckigen Feldern.
Brandrisse, Vergoldung berieben.

689
Zuckerdose

9,8 x 13 x 10,8 cm
PM: RS 5
Inv.Nr. B 669c

Oval, vierpassig gebauchter Korpus auf Standprofil, auf der Schulter abgestuft, gekehlter Wulstrand. Leicht gewölbter Aufsatzdeckel mit abgestuftem Rand und dreieckig gerundetem Knauf mit Blattrelief. Auf Wandung und Deckel staffiertes Relief wie vorige Nr., Ränder vergoldet, auf dem Deckelrand und unterhalb der Öffnung des Unterteils goldene Gitterbordüre wie vorige Nr.

Kleine Brandrisse. Vergoldung berieben.

Vorbild war eine Meissener Zuckerdose um 1740, u.a. ehemals in Slg. v. Klemperer (Christie's, London, 30.9.1991, Nr. 151).

690–692
Drei Teetassen mit Untertassen

(Abb. s. S. 234)
Obertassen: H. 4 cm, ⌀ 7,7 cm
Untertassen: ⌀ 12 cm
PM: RS 12 und „I"
Inv.Nr. B 669e-g

Obertassen auf ausgezogenem Standring, weitgeöffnete Schalenform, Asthenkel in Ohrform. Flach gemuldete Untertasse auf ausgezogenem Standring mit aufgebogenen Rand. Außen drei goldene, geschwungene Zweige mit Blüten in Gelb, Rot, Lila und Gold mit grünen Blättern in Relief, dazwischen schwarzschattiert gemalte Goldblättchen. Innen unter dem Rand der Tasse und der Untertasse Lambrequinbordüre aus goldenen Gitterfeldern mit Akanthusblättern in Schwarzlot. Standring und Henkel vergoldet.
690: Im Boden der Tasse auf ausgeschnittener Platte ein Früchtestilleben mit Melonenscheibe auf einem Teller,

692　692　694　690　690　691　695

davor ein Messer, darunter großes Rocaillemotiv in Lila und Gold. Im Spiegel der Untertasse auf lila-gelber, ausgeschnittener Bodenplatte links ein Baldachinbett, darin Isaak, der den davor knienden Jakob segnet, rechts steht Rebekka mit erhobenem Finger vor einer Bogenarchitektur (Genesis 27: 27–28).

691: Im Boden der Tasse wie vorige Nr. links Früchtestilleben mit Trauben, rechts Blumen in Glasvase. Im Spiegel der Untertasse auf lila-gelber, ausgeschnittener Bodenplatte die Szene als Moses am Berg Sinai die Gesetzestafeln in Gegenwart von Josua zerbricht, weil rechts im Hintergrund das Volk um das Goldene Kalb tanzt (Exodus 32: 17–19). Die Szene ähnelt der Darstellung von Johann Ulrich Krauß, die u. a. in der Biblia Ectypa von Christoph

Stichvorlage zu 691

Weigel (fol. 13, Nr. 112) in Augsburg 1695 enthalten ist.

692: Im Boden der Tasse wie vorige Nr. zwei Traubenreben, Pfirsiche und Pflaumen. Im Spiegel der Untertasse auf lila-gelber, ausgeschnittener Bodenplatte vor architektonischen Versatzstücken und einem Tisch mit Weinkühler und Hocker die Magd Jaël, wie sie mit einem Hammer ausholt, um den Nagel noch tiefer in den Kopf des schlafenden Heerführers Sisera zu schlagen, dessen Waffen liegen verstreut auf dem Boden (Richter 4: 21).

Obertasse 692 geklebt.

693–695
Drei Kaffeetassen mit Untertassen

Obertassen: H. 7,5 cm, ⌀ 6,8 cm
Untertassen: ⌀ 12 cm
PM: RS 12 und „I"
Inv.Nr. B 669h-i

Auf kleinem, hohem Standring, sich leicht nach oben weitende Becherform mit ausgestelltem Lippenrand, Asthenkel in Ohrform. Außen in Relief drei goldene Zweige mit bunt staffierten Blüten, grünen Blättern und gemalten, schwarzschattierten Goldblättchen. Goldbordüre mit Schwarzlot wie vorige Nr., Standring, Rand und Henkel vergoldet.

693: Im Boden der Tasse lila Rispe und Insekt. Im Spiegel der Untertasse auf

einer grauen, ausgeschnittenen Bodenplatte mit Goldrocaillen sitzt unter einem von Säulen getragenen Baldachin Abraham und hält die Hand der ägyptischen Magd Hagar, dahinter steht seine Ehefrau Sarah (Genesis 16: 7–9).

694: Im Boden der Tasse lila Blütenzweig und Insekt. Im Spiegel der Untertasse aus lila-gelber, ausgeschnittener Bodenplatte mit Goldkanten vor einer Ruinenarchitektur steht Jakob mit Schäferstab, der Laban verlassen will; im Hintergrund Labans Töchter, Lea und Rachel, im Vordergrund Schafe und ein Hütehund (Genesis 31: 11–18).

695: Im Boden der Tasse Vogel auf Ast. Im Spiegel der Untertasse aus lila-gelber, ausgeschnittener Bodenplatte sitzt links neben dem offenen Herd Esau, dem Jakob eben das Linsengericht bringt, um ihm sein Erstgeburtsrecht damit abzukaufen; rechts im Hintergrund ein Holzhaus, aus dessen Fenster Rebekka die Szene betrachtet (Genesis 25: 29–34).

Zu diesen Serviceteilen gibt es ein seltenes Tellermodell mit schmaler, glatter Fahne und Goldbordüre wie oben und einer bislang nicht identifizierten Märtyrerszene an einem orientalischen Hof (BSV, Zug.Nr. 1569). Bis auf die Szene mit Moses und dem Tanz um das Goldene Kalb ließen sich bislang die Vorlagen der Bibelszenen nicht ermitteln. Auffällig ist die Verwendung des Motivs von Jakob und Laban einmal auf der Untertasse (Kat. 694) durch die Augsburger Werkstatt, ein zweites Mal durch B. Weiß auf der Innenseite eines Tabatierendeckels (Kat. 725).

693 693 691 697 698 697

696
Spülkumme

um 1760–65, Bemalung in einer Augsburger Werkstatt, wohl J. J. Haid

H. 8,8 cm, Ø 17,3 cm
PM: RS (undeutlich)
Inv.Nr. B 669d (Lucien Delplace, Brüssel, 26.8.1960)

Rund, aus dem Standring ausschwingende Wandung mit ausgestelltem Rand. Außen vier goldene Zweige mit grün-gelben Blättern und gelben, eisenroten, lila und goldenen Blüten in Relief, dazwischen einfache, gemalte Goldblättchen. Innen unter dem Rand Lambrequinbordüre aus goldenen Gitterfeldern mit Akanthusblättern in Schwarzlot. Im Boden Parkszene im Inselstil mit einer Trauben essenden Dame rechts und einem Flöte spielenden Knaben links unter Bäumen. In der Mitte Blick auf eine Fontäne und eine Palastarchitektur in Purpur-Camaieu dahinter.
Bestoßen, gekittet.

696

697
Kaffeetasse mit Untertasse

um 1760–65, Bemalung in einer Augsburger Werkstatt, wohl J. J. Haid

Obertasse: H. 7,5 cm, Ø 6,8 cm
Untertasse: Ø 12,3 cm
PM: RS 12; RM: „II"; Tasse in Schwarz bez. „3672"
Inv.Nr. B 669l (Lucien Delplace, Brüssel, 26.8.1960)

Form, staffiertes Relief und Bordüre wie Kat. 693. Im Boden der Tasse gelbe Blumen und Insekt. Im Spiegel der Untertasse in einer Waldlandschaft neben einem hohen Postament mit einer Büste des „Winters" eine Bäuerin mit einem Sack unter dem Arm, die durch eine Furt watet, daneben ein Rind und ein Schaf.

696 Innenseite

698
Untertasse

um 1760–65, Bemalung in einer Augsburger Werkstatt, wohl J. J. Haid

Ø 12 cm
PM: RS 12 und „I"
Inv.Nr. B 669m (Lucien Delplace, Brüssel, 26.8.1960)

Form, staffiertes Relief und Bordüre wie vorige Nr., im Spiegel auf einer Waldlichtung zwischen Ruinen ein Bauernpaar vor einer Wand, auf die der Bauer mit der Hand deutet, rechts ein lagerndes Rind, davor eine abgebrochene Säule.

699
Teetasse mit Untertasse

(Abb. s. S. 236)
um 1760–65, Bemalung wohl in einer Augsburger Werkstatt

Obertasse: H. 4 cm, Ø 7,5 cm
Untertasse: Ø 12 cm
PM: RS 12; RM: zwei Striche
Inv.Nr. B 713 (Sotheby's, London, 1974)

Form und Reliefdekor wie Kat. 690, die Zweige und Blätter in Grün, die Blüten in Eisenrot, Gelb, Lila und Gold, goldene Blättchen. Im Boden der innen vergoldeten Tasse in Schwarzlot-Malerei das Brustbild eines alten, bärtigen Mannes mit Pelzmütze und Pelerine, wohl als Allegorie des Winters, über einem bewegten Rocailleornament. Im vergoldeten Spiegel der Untertasse bunte Landschaft im Inselstil mit Mädchen

699 700

mit Pelzmütze und Mantel in Seitenansicht, darunter ein Rocailleornament mit Gitterfeld in Schwarzlot und Gold. Vergoldung berieben.

Eine Teetasse mit „König David und zwei Schafe" und Untertasse mit „Bathseba mit Dienerin im Bade" im Grassimuseum, Leipzig, Inv.Nr. 25.97ab (MK Leipzig 1983, Nr. 129), eine Teetasse mit Untertasse und allegorischer Szene der Slg. Adolph Beckhardt, Frankfurt a.M., in unbekanntem Besitz (Christie's, New York, 27.4.1984, Nr. 111), ebenso eine weitere (Helbing, München, 20.-22.12.1917, Nr. 202).

auf Mauerrest sitzend, in der Linken eine brennende Fackel, die sich im Wasser spiegelt; daneben ein Bauer mit Reisigbündel auf dem Rücken. Vergoldung der Untertasse teilweise stark berieben.

Ein 14-tlg. Kaffee- und Teeservice von gleicher Hand bemalt, befindet sich aus der Irwin Untermyr Collection im MMA, New York, Inv.Nr. 64.101. 299ab-320 (Hackenbroch 1956, S. 195-96, Abb. 185, Taf. 122-123) und wurde C. Purtscher zugeschrieben. Zu den bisher bekannten Kannen, der Zuckerdose und Teedose gehört hier ein Milchkännchen, das in der Grundform der Kat. 295 entspricht, aber ebenfalls mit Großem Laubrelief überzogen ist. Ein unbemaltes Kaffeeservice mit runder Zuckerdose in unbekanntem Besitz (Weinmüller, 2.12.1970, Nr. 114; Stahl, Hamburg, 4.10.1986, Nr. 250). Für die Bemalung einer Untertasse aus dem Untermyr-Service mit dem Thema „Rebekka empfängt Schmuck von Eliëzer" wurde ein Stich nach einem Entwurf von Jacopo Amigoni seitenverkehrt verwendet (Pluis 1994, Abb. 192), dem auch die Bemalung der Untertasse zu einer Kaffeetasse, von C. Purtscher sign. und 1762 dat., im BNM, Inv.Nr. 49/6ab (Wellensieck 1983, S. 77) folgt. Die Stichvorlage wurde auch in Meissen benutzt

(VK Slg. Weck, Fischer, Heilbronn, 14.11.1992, Nr. 125). Eine Teetasse mit Untertasse wie oben mit pastoraler Szene in unbekanntem Besitz (Ruef, München, Juni/Juli 1971, Nr. 2602/2). Eine wohl in der Manufaktur mit einer Bauernszene bemalte Teetasse dieses Modells in unbekanntem Besitz (Helbing, München, 20.-22.12.1917, Nr. 201).

Publ.: Sotheby's, London, 7.7.1974, Nr. 100

700
Teetasse
um 1760

H. 4,5 cm, Ø 7,7 cm
PM: RS 12; RM: „I"
Inv.Nr. B 407 (Dr. M. Bernath, Stuttgart, 14.8.1930)

Form wie Kat. 330. Gegenüber dem Henkel in einem waagerecht verlaufenden Rocailleornament wie auf einer Schaukel sitzender Putto mit einer Glocke in der Hand, gemalt in Schwarzlot und Gold. Goldene Streublumen. Innen unter dem Rand Lambrequinbordüre aus schwarzen Gitterfeldern mit goldenen Kanten und Akanthusblättern, ähnlich wie bei Kat. 330, nur einfacher. Im Boden Brustbild eines alten, bärtigen Mannes

701-706
6-tlg. Solitaire
um 1765-70, Goldmalerei einer Augsburger Werkstatt
Inv.Nr. B 525a-f (durch Vermittlung von L. Steinhauser, München, 12.2.1951)

701
Kaffeekanne
H. 14 cm
PM: RS 13; RM: „Kreis mit 3 Querstrichen" und zwei Striche; in Rot bez. „34 f"
Inv.Nr. B 525a
Form wie Kat. 586, nur kleiner und mit flach gewölbtem Deckel. Über einem konsolartigen Ranken- und Bandelwerk mit herabhängenden Kettengirlanden auf der Seite Knabe mit Vogel, Mann mit Schellenstange und Trompetenbläser, gegenüber auf einem Vogel reitender Knabe, Figuren unter einem Baum, Fahnenträger und Bittsteller. Breiter Goldrand mit gekerbter Innenkante, davor C-Bögen mit Punktrücken im Wechsel mit drei Blättchen.
Deckel geklebt.

702
Milchkanne
H. 13 cm
PM: RS 8 und „21", ein Punkt eingestochen
Inv.Nr. B 535b
Birnform wie vorige Nr., nur mit profiliertem Standring und breitem Randprofil. Auf der Seite über Rankenkonsole

701 703 706 705 702

wie oben vier singende und betende Chinesen zu beiden Seiten eines Götzenbildes auf durchbrochenem Postament über Rauchgefäß, eingerahmt von hohen Palmwedeln. Gegenüber Mann mit Schirm auf einem Hahn reitend, davor ein laufender Knabe mit Fackel. Goldrand wie oben.

703
Teekanne

H. 8,2 cm
PM: RS 9; RM: Strich
Inv.Nr. B 535c
Ballonform wie Kat. 481. Auf der Seite über Rankenkonsole Mutter mit Kind, Fahnenträger auf einer Baumwurzel sitzend, stehender Chinese und Chinese mit Windrad. Gegenüber Mann mit Vogelkäfigen an einer Stange über der Schulter, Mann mit Papagei auf der Hand vor einem Spalier, Paar bei einem Tisch. Goldrand wie oben.

704
Zuckerschale (o. Abb.)

3 x 14,3 x 11,2 cm
PM: RS 8 und „76"
Inv.Nr. B 535d
Form wie Kat. 590. Im Spiegel über Rankenkonsole zwischen Blumentopf, Baum und Gitterwerk Chinesen mit kniendem Bittsteller. Goldrand wie oben.

705
Teetasse mit Untertasse

Obertasse: H. 4,1 cm, Ø 7,6 cm
Untertasse: Ø 12,8 cm
Obertasse: PM: RS 9 und „70"; Ausschußzeichen. Untertasse: PM: RS 13 und „o"; Ausschußzeichen
Inv.Nr. B 535e
Tassenform wie Kat. 598, tief gemuldete Untertasse mit ausgestelltem Rand. Auf der Tasse über flacher Rankenkonsole Gaukler mit aufwartendem Hündchen und Musikanten, seitlich fliegende Phantasievögel. Im Spiegel der Untertasse auf einer Rankenkonsole Chinesen neben einem Wassertrog unter einem bewachsenen Felsen. Goldränder wie oben.

706
Tablett

32,4 x 22,5 cm
PM: RS 9 und „7", ein Punkt eingestochen
Inv.Nr. B 535f
Form wie Kat. 483. Im Spiegel über Rankenkonsole Chinesen bei der Fasanenjagd, im Steigebord fliegende Vögel. Goldrand wie oben.

Ein Teller in Coupeform mit geschwungenem Rand und derselben Szene wie auf der Untertasse wurde bisher als ein in Nymphenburg gefertigter Ersatz für einen zerbrochenen Teller aus einem Meissener Service angesehen (BNM,

Inv.Nr. Ker 1617), das auf jedem Teil ein unterschiedliches Ranken- und Bandelwerk in der Konsole, allerdings ein ähnliches Randmuster besitzt, das zum Augsburger Repertoire allgemein gehört (BNM, Inv.Nr. Ker 1611-1616, 1624). Ob die Teile, darunter ein Nachttopf, wirklich ein Service bildeten, bleibt fraglich. Die Bemalung wird der Werkstatt Abraham Seuters zugeschrieben und auf „um 1730–35" datiert (AK München 1966, Nr. 40-46). Stilistisch folgt die Darstellung der Szenen und Figuren den Arbeiten Abraham Seuters, der 1747 starb, und dessen Werkstatt von seinem gleichnamigen Sohn, der erst 1770 stirbt, weitergeführt wurde (allg. Ducret 1967).

707
Kaffeetasse mit Untertasse

(Abb. s. S. 238)
um 1775, Bemalung J. Klein

Obertasse: H. 6,4 cm, Ø 6,7 cm
Untertasse: Ø 12,8 cm
Obertasse: PM: RS 8, zwei Schleifstriche; MM: darüber in Grün „IK.".
Untertasse: PM: RS 13 und „64", zwei Schleifstriche; MM: darüber in Grün „IK."
Inv.Nr. B 195a-b (L. Steinhauser, München, 8.9.1917)

Form wie Kat. 636, nur mit ausgestelltem Lippenrand. Untertasse flach ge-

707 708

muldet mit Wulstrand. Seitlich auf einem Rasensockel mit braunem Strichelrand Fischer mit Netz über der Schulter vor einem Astzaun, gegenüber lila Blütenzweig. Im Spiegel der Untertasse auf Rasensockel wie oben stehende Hirtin im Dirndl mit Schäferstab.

Eine Kaffeetasse mit Untertasse und ähnlichen Genrefiguren aus Slg. Grauer im Schlesischen Landesmuseum, Opava/Troppau, Inv.Nr. U 219P (Hofmann, Abb. 164). Eine passende Kaffeekanne im MKH, Frankfurt, Inv.Nr. 5630/RF 289 (MK Frankfurt 1983, Nr. 368).

Publ.: Hofmann, Abb. 370; Pazaurek 1925/II, S. 377

708
Untertasse
um 1775, Bemalung J. Klein

⌀ 12,8 cm
PM: RS 13 und „64"; MM: über dem Schleifstrich in Grün „IK."
Inv.Nr. B 195c (L. Steinhauser, München, 8.9.1917)

Form und Rasensockel wie vorige Nr., darauf tanzender Bauer, auf dem schwarzen Hut eine lange Feder. Rand bestoßen.

709–710
Zwei Teetassen mit Untertassen
um 1775, Bemalung J. Klein

Obertassen: H. 4 cm, ⌀ 7,5 cm
Untertassen: ⌀ 12,8 cm
Obertassen: PM: RS 8 und „0"
Untertassen: PM: RS 13; RM: „x". MM: über den Schleifstrichen jeweils in Purpur „IK."
Inv.Nr. B 705a-b (Lucien Delplace, Brüssel, 9.12.1963)

Tasse 709 mit ausgezogenem Standring und glatter Wandung, Tasse 710 wie Kat. 598. Untertassen auf niedrigem, großem Standring mit glatt aufgebogenem Rand.
709: Auf der Tasse seitlich auf Rasensockel stehendes Mädchen in der Tracht einer Augsburger Handwerksfrau mit einem Blumensträußchen in der Hand als Allegorie des Sommers nach J. E. Nilson (Schuster 1936,

709 711 710

Nr. 247), gegenüber eine lila Blume. Auf der Untertasse Mädchen als Braut aus vornehmem Hause mit geflochtener Perücke nach J. E. Nilson (Schuster 1936, Nr. 243).
710: Auf der Tasse wie oben wiederum Mädchen als Braut aus vornehmem Hause, gegenüber eine lila Blume. Auf der Untertasse der zugehörige Bräutigam von höherem Stand nach J.E. Nilson (Schuster 1936, Nr. 243).

Die Serie „12 Kinderstücke in Augsburger Tracht" von J. E. Nilson, um 1756 entstanden, ist mit den drei Folgen „Cartouches Modernes" (Schuster 1936, Nr. 58-69) identisch, allerdings wurden die Darstellungen in figürlichen, teilweise auch in landschaftlichen Details wesentlich abgeändert. Eine Teetasse im Schlesischen Landesmuseum, Opava/Troppau, Inv.Nr. U 330P, eine weitere in unbekanntem Besitz (Christie's, London, 1.12.1980, Nr. 197; Wellensieck 1983, Abb. S. 85).

711
Teetasse
um 1775

H. 4 cm, ⌀ 7,5 cm
PM: RS 8 und „70"; MM: über dem Schleifstrich in Grün „JK."
Inv.Nr. B 642 (Ruef, München, 8.4.1959)

Form wie Kat. 710. Seitlich auf einer Rasenbank lagernder Kavalier mit lan-

ger Pfeife und Bierkrug in Rückansicht nach dem vorderen Motiv des Stiches „Julius" aus einer Monatsfolge von J. E. Nilson (Schuster 1936, Nr. 120), gegenüber eine lila Blume.
Am Rand bestoßen, Vergoldung kaum zu erkennen.

Bis heute befindet sich ein Abdruck dieses um 1766 entstandenen Blattes im Besitz der Nymphenburger Porzellanmanufaktur. Das nachfolgende Blatt „Augustus" war Vorlage für die Bemalung einer Milchkanne, siehe Kat. 586.

712   714   713

712–713
Zwei Kaffeetassen mit Untertassen
um 1770–80

Obertassen: 6,5 cm, Ø 6,8 cm
Untertassen: Ø 12,9 cm
Obertassen: PM: RS 8, zwei Schleifstriche
Untertassen: PM: RS 13 und „0"; RM: „x", zwei Schleifstriche
Inv.Nr. B 20a-b (Antiquar Schäfer, München, 9.6.1909)

Tassen wie Kat. 707, Untertassen tief gemuldet. Seitlich auf der Tasse und im Spiegel der Untertasse in einer nach links oben offenen Kartusche aus grünem Rankenspalier mit lila Blattgirlanden und lila-roten Blümchen bunte Theaterfigur auf Rasensockel, gegenüber kleinere Kartusche mit lila Ruinen-

landschaften. 712: Tasse mit Balletttänzer, Untertasse mit Tänzerin.
713: Tasse mit Tänzer als Kriegsheld, Untertasse mit Tänzer als Herold.
Malerei teils stark berieben. Mehrfach bestoßen.

714
Unterteil einer Zuckerdose
um 1770–80

H. 5,8 cm, Ø 9,5 cm
PM: RS 13 und „5", zwei Schleifstriche
Inv.Nr. B 608 (Lempertz, Köln, 1955)

Auf gekehltem Standring, becherförmiges Unterteil mit ausgestelltem Rand.

In einer hellgrünen Kartusche wie oben weiß-blau gekleideter Tänzer mit Federbusch, gegenüber Ruinenlandschaft in Purpur.
Am Rand bestoßen.

Eine entsprechende Spülkumme mit Tänzerin in unbekanntem Besitz (Koller, Zürich, 9.12.1978, Nr. 3439). Die weitausladenden, kurzen Reifröcke der Herren und zeittypischen Garderoben der Damen verweisen auf französische Balettkostüme der Zeit um 1750, die von zahlreichen Künstlern entworfen und in Stichen verbreitet wurden (vgl. Boehn 1921, S. 356).

Publ.: Lempertz, Köln, 24.11.1955, Nr. 244

Tabatieren und Etuis

Tabatieren waren sowohl für Herren wie Damen im 18. Jh. ein häufig genutztes Accessoire und beliebtes Geschenk. Auf der Innenseite der Deckel findet sich bei diesen kostspieligen Gaben das Portrait des Auftraggebers (Kat. 728, 729), das im Fall des Landesherren auch die äußere Seite des Deckels schmückte (Kat. 730–731). Die Formen dieser Dosen für Schnupftabak orientierten sich an deutschen und französischen Gold- und Silberarbeiten mit Emailmalereien, denen dieselben Vorlagen zugrunde lagen, wie man sie in der Porzellanmalerei benutzte (Kat. 726). Neben unterschiedlichen Rechteckformen, die zusätzlich Relieformamente tragen können (Kat. 719), ist auch die Nachbildung eines kleinen Körbchens bekannt (Kat. 715). Zur Aufbewahrung von Nähnadeln aus Stahl, im 18. Jh. teure Importe aus England, erhielten deren Etuis eine zweckmäßige, schlanke Form (Kat. 716–718).

Snuffboxes and Cases

Snuffboxes were a commonly used accessory for men as well as women and a popular gift in the 18th century. On the inside of the lid is the portrait of the commissioner of these expensive gifts (cat. nos. 728, 729). In the case of the sovereign, the portrait also decorated the outside of the lid (cat. nos. 730–731). The shapes of these boxes for snuff were derived from German and French gold and silver work with enamel painting, which in turn was based on the same sources that one used in porcelain painting (cat. no. 726). Aside from various rectangular forms, which could also have relief ornaments (cat. no. 719), the rendition of a small basket is also known (cat. no. 715). The cases for storing sewing needles of steel, expensive imports from England in the 18th century, were given a slim functional shape (cat. nos. 716–718).

715
Tabatiere
1765–70

4,5 x 7 x 4,6 cm
PM: RS 12 innen im Deckel; MM: innen unter dem Rand des Unterteils in Eisenrot „XO"
Inv.Nr. B 724 (Lipski, Wiesbaden, 8.11.1965)

Ovales Körbchen mit abgeflachter Seite, allseitig mit Flechtwerk in quadratischen Feldern, Fußrand und Stegen mit Kordelrelief, am Rand gestufter Klappdeckel in vergoldeter Kupfermontierung. Allseitig und im Deckel innen das Nymphenburger Blumenbukett mit überlängter Einzelblüte in pastellfarbenen Tönen.
Eisenflecken und zwei Brandrisse innen. Auf dem Unterteil vorne übermalter Glasurfehler.

715

Die Form folgt einer Dose mit Sulkowsky-Flechtrelief, die Kaendler um 1735 in Meissen schuf (Beaucamp-Markowsky 1985, Nr. 142). Es könnte sich um das „geflochtene Körbl-Dösl für 2 fl. 30 kr." handeln, das mit dem Bossierer Franz Joseph Eß im Jahr 1765 abgerechnet wurde (Hofmann, S. 593). Ein Vergleichsstück mit Blumenmalerei in Privatbesitz, Wien (Beaucamp-Markowsky 1985, Nr. 279; AK Wien 1990, Nr. 122), mit Putten und Streublumen in unbekanntem Besitz (Weinmüller, 8.11.1950, Nr. 141).

716
Nadeldose
um 1765–70

7,1 x 4,7 x 2,7 cm
PM: RS 10; innen unter dem Rand unterglasurblaue Hexagramm-Marke in einer Zeile Nr. 15
Inv.Nr. B 259 (L. Steinhauser, München, Juli 1919)

Hohe Dose auf querovalem Grundriß mit Klappdeckel aus vergoldetem Metall. Profilierter Stand, umlaufend aufrechtes Blattrelief, darüber ein Streifen aus purpur-gold staffierten Rocaillefeldern mit glatten Reserven auf den Breitseiten, darin bunte Früchtestill-

leben und seitlich reliefierte Gittermuster in Hellgrün-Gold staffiert. Vergoldung teils berieben, Sprung.

717
Nadeldose
um 1760, Bemalung um 1765–70

9,7 x 3,7 x 2,7 cm
MM: innen unter dem Rand in Eisenrot „OH"
Inv.Nr. B 237 (Slg. v. Franckenstein, 1912)

716

717   718

Ovaler, konisch sich nach oben verbrei-
ternder Korpus auf ausgestelltem Stand,
hochgewölbter Deckel in Silbermontierung (Marken verschlagen). Auf den
Breitseiten das typische Nymphenburger Blumenbukett mit überlängter Einzelblüte in Pastellfarben, dazwischen
und auf dem Deckel Streublumen.
Sprung im Deckel.

Vergleichsstück mit Blumenmalerei
im WLM, Stuttgart, Inv.Nr. 6047
(Hofmann, Abb. 364).

Publ.: VK Franckenstein 1912, Nr. 174

718
Nadeldose
um 1765

10,2 x 2,5 x 1,8 cm
Innen unterhalb der Montierung unterglasurblaue Hexagramm-Marke in einer Zeile Nr. 15
Inv.Nr. B 296 (L. Steinhauser, München,
28.4.1920)

Zylindrischer, querovaler Korpus mit
goldfarbener Metallmontierung zum
Zusammenschieben. Auf dem höheren
Unter- und dem kürzeren Oberteil jeweils typische Nymphenburger Buketts
mit überlängter Einzelblüte in Pastellfarben, dazwischen bunte Streublumen.
Eine Absplitterung am Unterteil.

Vergleichsstück im BNM, Inv.Nr.
24/52.

719
Tabatiere
um 1760

3,7 x 7,8 x 6,3 cm
PM: RS 6 innen im Boden
Inv.Nr. CB 16 (Christie's, Genf, 1978)

Rechteckig, mit einem Klappdeckel in
goldfarbener Metallfassung. Auf allen
Seiten am Rand Ranken- und Rocaillebögen in Relief, darin lockere Blumenmalerei mit eisenroten Rosen, lila
Tulpen, gelben und blauen Streublumen, mattgrünes Blattwerk.

Das Dosenmodell mit Landschaftsmalerei im Stile Lindemanns (vgl. Kat. 716)
sowohl ehemals in Slg. Levi (VK Levi
1956, Nr. 107) als auch in unbekanntem Besitz (zuletzt Neumeister, München, 23.6.1993, Nr. 277); ein einzelner Deckel mit späterer, bunter
Landschaftsmalerei im BNM, Inv.Nr.
Ker 2727.

Publ.: Christie's, Genf, 28.4.1978, Nr. 172

720
Tabatiere
um 1760, Bemalung wohl G. Ch.
Lindemann oder J. König

5,2 x 8,8 x 5,8 cm
PM: RS 6 innen im Boden
Inv.Nr. B 236 (Prov. unbekannt)

Rechteckig, mit einem leicht gewölbten
Klappdeckel in Silberfassung. Über Ra-

719

senstreifen im Inselstil auf dem Deckel
rechts Wanderer in Rückansicht unter
einem Baum, links über einem Fluß ein
Schloß mit Türmen; innen Wasserfall
zwischen baumbestandenen Ufern,
rechts ein Wanderer. Auf den Seiten
vorne Wanderer vor Kirche, rechts
Burgruine, rückwärts Rastende mit
Blick auf Kirche, links Rastende unter
Baum. Auf der Unterseite Ruine mit
Säulen und rastendem Wanderer.
Kleine Aussprengung am Deckel vorne,
Ecke links unten bestoßen, Wetzspuren
auf der Unterseite.

Der Stil der Landschaftsdarstellung entspricht G. Ch. Lindemann, könnte aber
auch von seinem Schüler Joseph König
stammen, den er 1758 aus Wien nach
Neudeck mitgebracht hatte und der
noch 1767 in den Listen der Manufaktur geführt wird (Hofmann, S. 350).

720

721
Tabatiere
um 1760–65, Bemalung
J. Zächenberger

4,9 x 7,7 x 5,7 cm
PM: RS 5 innen im Boden; im Deckel innen
rechts bez. „J. Zächenberger Pictor"
Inv.Nr. B 448 (Prov. unbekannt, 1938)

Rechteckig, mit gewölbtem Klappdeckel in vergoldeter Metallmontierung. Auf dem Deckel Blumenarrange-
ment mit eisenroter Tulpe, grau-rotem
Fiedermohn, gelb-purpurnen Päonien
und roten Fiedernelken mit Insekten,
innen, über einem graubraunen Rocail-
lewerk mit Fontäne links, ein üppiges
Blumenstilleben mit purpurner Nelke,
Rosen, eisenroter Tulpe, lila-gelben
Schneeballblüten und Schmetterling
rechts darüber. Außen und unter dem
Boden Blumenarrangements mit Rosen,
Tulpe, Mohn und Insekten. Blattwerk
in Grüntönen.
Haarrisse, Deckel rechts vorne bestoßen.

Dank der Signatur im Deckel kann diese Art der Blumenmalerei mit äußerst
fein gemalten, naturalistischen Blüten
in kräftigen Farben und Insekten, wie
man sie auf dem kurfürstlichen Service
findet, Joseph Zächenberger zugeschrieben werden.

Publ.: Hofmann, Abb. 369

722
Tabatiere
um 1760–65, Bemalung wohl
C. Purtscher

4,2 x 8,5 x 6,5 cm
PM: RS 5 innen im Boden
Inv.Nr. B 422 (L. Steinhauser, München,
27.4.1936)

Rechteckig, mit einem flachen Klappdeckel in neuzeitlicher Silberfassung
(Stempel „800"). Auf den Außenseiten
in rot-goldenem Rankenlineament bunte Sommerblumen wie Schwertlilie,
Tulpe, Rose und Nelke sowie kleine
Insekten. Über den Kanten grüne Palm-
wedel, von blauem Band umwickelt.
Innen im Deckel bildfüllend ein höfisch
gekleidetes Schäferpaar auf einer Rasenbank sitzend, die Dame mit Noten auf
dem Schoß, der Kavalier beim Flötenspiel; davor sitzendes Hündchen und
zwischen Wasserflächen und einem
Vasenpostament links im Vordergrund
ruhende Schafe.
Unterteil gekittet. Deckel links hinten
bestoßen. Malerei leicht berieben.

Die Blumenmalerei vergleichbar mit
Kat. 329–332. Zu Cajetan Purtscher
siehe Kat. 580.

722

723
Deckel für einen Maßkrug
um 1765, Bemalung wohl J. Weiß

Ø 11,3 cm
PM: RS 13, darüber in Braun-Gold „~ P ~"
Inv.Nr. B 596 (Prov. unbekannt)

Runde, leicht gewölbte Platte mit unglasiertem Rand. Darstellung des Hl.
Benno, Bischof von Meissen, in reicher
Pontifikaltracht mit purpurner, rot-
grün-gold gesäumter Pluviale über
ebensolcher Stola. Die Rechte weist auf
den Fisch mit Schlüssel im Maul, der

721

721 Deckel innen

722 Deckel innen

723

auf einem Buch liegt, das ein Engel in Händen hält, links ein Engel mit der Mitra, rechts ein Engel mit dem Krummstab, weitere Engel hinter Wolkenbänken. Feinste Ausführung der Malerei.

Als Anhänger Papst Gregors wurde der Hl. Benno von Kaiser Heinrich IV. als Bischof von Meissen abgesetzt und soll bei seinem Fortgang die Kirchenschlüssel in die Elbe geworfen haben, damit der Kaiser die Kirche nicht betreten könne. Als er 1088 wieder zurückkehrte, brachte ihm ein Fischer einen Fisch, an dessen Flossen die Schlüssel hingen. Die Heiligsprechung des Bischofs erfolgte erst 1525, seine Reliquien kamen 1580 nach München.

724
Tabatiere
um 1765, Bemalung B. Weiß

3,8 x 8,5 x 6,8 cm
PM: RS 3 innen im Boden
Inv.Nr. B 720 (Weinberg, London, 25.3.1965)

Rechteckig, mit eingeschwungenen Ecken und Klappdeckel in Metallfassung. Auf dem Deckel mit seitlich angeschnittenem Rasensockel ruhende Schäferin auf einer Rasenbank, einen Blumenkorb zur Seite; davor stehender Schäfer, der auf einem Dudelsack spielt, seitenverkehrt nach dem Stich „Frühling" von Jacopo Amigoni (Ducret 1973, Abb. 152). Auf der Innenseite links eine Schäferin beim Hackbrettspiel neben einer Rasenrocaille, rechts stehend ein Schäfer, der Flöte spielt nach dem unteren Motiv des Stiches „La Musique Pastorale" von J. E. Nilson (Schuster 1936, Nr. 46). Unter dem Boden auf einer Rasenbank sitzendes Hirtenpaar nach links unter einem Baum; der Knabe lehrt das Mädchen

724

Flöte spielen, indem er es umhalst und ihm die Flöte an die Lippen hält, im Vordergrund links fünf ruhende Schafe; nach dem Stich „L'agréable Leçon" von J. E. Nilson nach F. Boucher (Schuster 1936, Nr. 98). Auf den Außenseiten vorne eine Traubenrebe in Vase auf Postament zwischen einer Herbstlandschaft links und einem Früchtestilleben vor einem Hopfenfeld rechts, auf der rechten Seite eine Gartenlandschaft mit Spalier, rückwärts Landschaft mit abgelegten Kleidungsstücken und einer

724 Deckel

Vorlage zum Deckelmotiv von 724

Maske, auf der linken Seite dürrer Baum mit Rechen, Sichel und Krug neben einem Getreidefeld.
Deckel repariert.

Ein Abdruck von „La Musique Pastorale" von J. E. Nilson befindet sich bis heute im Besitz der Nymphenburger Porzellanmanufaktur und wurde auch für die Bemalung einer Teekanne mit gewölbtem Deckel, ehemals Schloßmuseum Berlin, herangezogen (Hannover 1925, Abb. 302). Der Stich „L'agréable Leçon" ist die seitenverkehrte Umsetzung eines gleichnamigen Gemäldes von F. Boucher, das bereits René Gaillard gestochen hat (Pierrette 1978,

Nr. 1027). Außer Nilson hat auch J.E. Riedinger einen seitenverkehrten Nachstich dieser Vorlage ausgeführt (Ducret 1973, Abb. 215). Deutlich schwächere Qualität in der Malerei zeigt die Dose im Museo Nazionale della Ceramica in Neapel, Inv.Nr. 3106, die z.T. nach identischen Stichvorlagen bemalt wurde (Beaucamp-Markowsky 1985, Nr. 275).

Publ.: Sotheby's, London, 9.3.1965, Nr. 108; Bäuml 1966, Abb. 19

725
Tabatiere
um 1765–70, Bemalung B. Weiß

4,5 x 7,8 x 5,8 cm
PM: RS 5 innen im Boden
Inv.Nr. B 449 (Prov. unbekannt, 1938)

Rechteckig, mit Klappdeckel in vergoldeter Metallmontierung. Auf dem Deckel in einer ovalen Reserve mit Rocaillen ein Schäferpaar neben ihren Tieren in hellem Braun-Camaieu. Innen im Deckel bildfüllend vor einer Ruinenarchitektur Jakob mit Schäferstab, der Laban verlassen will; im Hintergrund Labans Töchter, Lea und Rachel, im Vordergrund Schafe und ein Hütehund in feinster, pointilistischer Manier. Auf den Seiten und unter dem Boden in ovalen Reserven wie oben Landschaf-

724 Boden

725

725 Deckel innen

726 Deckel innen

ten und Hirtenszenen in Braun-Camaieu vor rosa Hintergrund.
Grüne Farbe im Deckel an einigen Stellen abgeplatzt, Unterteil am Stand berieben und minimal bestoßen.

Das Bibelmotiv nach derselben Vorlage wie auf der Untertasse Kat. 694. Zu dieser Tabatiere existiert ein undatierter Brief von Schnorr v. Carolsfeld an Dr. Bäuml: „Der Maler [...] ist unzweifelhaft der Münchener Miniatur-, Oel- und Pastellmaler Bartholomäus Weiss, Sohn des Nymphenburger Miniatur- und Porzellanmalers Joseph Weiss, [...] Schüler des Hofmalers Franz Ignaz Oefele an der Münchener Zeichenschule. Er stand in keinem Dienstverhältnis zur Manufaktur, bekam jedoch von ihr wiederholt, schon 1764 und in den folgenden Jahren, Aufträge für Geschirrbemalung, so unter anderem vier Tabatieren und ein ‚Urhäusl' mit Miniathur-

gemähl und Portraits' für die immerhin beträchtliche Summe von 44 fl. Die Uebereinstimmung Ihrer Dose mit dem „B.Weys" signierten Dosendeckel im Berliner Schloßmuseum, namentlich in den Grisaillen auf rosa Grund, ist so frappant, dass ich an der Eigenhändigkeit nicht zweifele, obwohl Pazaurek (Hausmaler, 1925, II, S. 378f) bei unserem Dosendeckel die Grisaillen aussen einer anderen Hand zuschreibt als die signierte Innenseite mit der farbigen Wiedergabe nach Watteaus ‚Kokette'." Der erwähnte Berliner Deckel ist seit Kriegsende verschollen. Dr. Bäuml bezog diesen und seine Dose auf jene Bestellung von vier Tabatieren 1764, und stellte ihnen jene im Berliner Schloßmuseum und eine Dose in unbek. Besitz zur Seite (Sotheby's, London, 28.6.1964, Nr. 70).

Publ.: Bäuml 1966, Abb. 18

726
Tabatiere
um 1770, Bemalung wohl B. Weiß

4,2 x 9 x 5,2 cm
PM: RS 5 innen im Boden; Beschauzeichen im Falz der Montierung rechts
Inv.Nr. B 600 (Lucien Delplace, Brüssel, 3.11.1954)

Rechteckig, mit gerundeten Ecken und Klappdeckel in vergoldeter Silberfassung aus Paris (Jahresbuchstabe „L" für 1774–75; Steuerstempel für Paris unter Jean-Baptiste Fouache 1775–1781; Meistermarke verschlagen). Auf dem Deckel in einer überwiegend grau-rosa Landschaft musizierende Putten mit Notenblatt, Flöte und Viola. Im Deckel innen wird Amor von Venus geküßt, die auf einem Lager vor einem gelb-purpurnen Vorhang zwischen Bäumen liegt; Innenseiten vergoldet. Auf den Außenseiten und unter dem Boden spielende Putten und Tiere vor überwiegend grau-rosa Landschaften. Das Inkarnat der Figuren in rosa-grauen Tönen, Malerei in feiner, pointillistischer Manier.
Deckel rechts oben gebrochen, kleine Farbabsplitterungen in der Malerei, Bodenvergoldung innen berieben.

Eine vergleichbar bemalte Dose in unbekanntem Besitz (Hofmann 1932, Abb. 486). Das Motiv der Unterseite – sich um einen Apfel balgende Putten – auch auf einer Golddose mit grau-rosa Emailmalereien im MMA, New York (Snowman 1990, Abb. 385).

726

727

727
Tabatiere
um 1770

4,3 x 7,6 x 6 cm
PM: RS 6 innen im Boden
Inv.Nr. B 318 (L. Steinhauser, München,
1.6.1921)

Rechteckig, mit flachem Klappdeckel in
goldfarbener Metallmontierung. Auf
dem Deckel in einem Strahlenkranz das
Gesicht der Sonne, umgeben von einem durchbrochenen, sternförmigen
Rocaillerahmen. Innen im Deckel Chronos mit einer Sanduhr auf dem Kopf
und einer Sense in der Hand, Cupido
mit Pfeil und Bogen sowie Fama mit
einem Rad und dem Schriftband
„LUDAMUS" im Spiel mit dem Reichs-
apfel als Weltkugel. Der Stiel der Sense
deutet auf die Darstellung des brennenden Trojas, davor das Trojanische
Pferd. Auf den Seiten und unter dem
Boden Rocailleornamente und einzelne
Blumen. Bemalung in Grün-Camaieu.
Deckel und Unterteil gebrochen und
gekittet.

Die Motive der Bemalung deuten auf
Freimaurersymbolik hin, wofür auch
die allegorische Verbrämung eines politischen Thema auf der Innenseite des
Deckels spricht.

728
Tabatiere
um 1765–70

3,3 x 8,4 x 6,6 cm
PM: RS 3 innen im Boden; ebendort in Rot
„40/120" (alte Sammlungsnummer des BNM)
Inv.Nr. CB 15 (Sotheby's, Zürich, 1971, ehemals Slg. Levi)

Rechteckig, mit eingeschwungenen
Ecken und einem flachen Klappdeckel
in vergoldeter Kupferfassung. Auf dem
Deckel über rot-goldenen Rocaillen mit
bunten Blumen lagert auf einer Wolkenbank Venus mit der Mondsichel,
von links eilt Merkur mit Flügelhut und
Kadukeion heran; zwischen drapierten
Tüchern und Wolken Cupido mit Hunden an der Leine und zwei weitere
Amoretten. Innen im Deckel in einem
rechteckigen, rot-goldenen Rocaillerahmen mit bunten Blümchen das Portrait
der Kurfürstin Maria Anna Sophie von
Bayern (1727–1777), in weißem Spit-
zenkleid mit Purpurrüschen und
schwarzem Spitzenumhang in feinster
pointillistischer Malerei. Auf den
Außenseiten und unter dem Boden
über rot-goldenen Rocaillestreifen
Putten beim Spiel.

Die Darstellung der bayerischen Kurfürstin Maria Anna Sophie, Tochter des
Königs Friedrich August III. von Polen
und seiner Frau Maria Josefa, Tochter
von Kaiser Josefs I., folgt einem Gemälde von Georg Demarées (1697–1776)
im Besitz der BStG (Hernmarck 1933,
B98), von dem mehrere Wiederholungen bekannt sind (frdl. Hinweis P. Laurentius Koch OSB,

728   Deckel innen

Ettal). Die sächsische Prinzessin, mit
den heimischen Porzellanen der Meissener Manufaktur vertraut, dürfte bei
der Etablierung der Manufaktur in Neudeck eine unterstützende Rolle gespielt
haben. Die Malerei der Außenseiten
wohl von demselben Maler wie auf
einer Dose im Museo Nazionale della
Ceramica in Neapel, Inv.Nr. 3110
(Beaucamp-Markowsky 1985,
Nr. 276).

Publ.: VK Drey 1936, Nr. 440, Taf. 72;
VK Levi 1956, Nr. 108; Sotheby's, Zürich,
26.6.1971, Nr. 48

729
Tabatiere
nach 1770

4,2 x 7,5 x 5,5 cm
PM: RS 5 innen im Boden
Inv.Nr. B 429 (Slg. Budge, 1937)

Oval, mit Klappdeckel in vergoldeter
Kupfermontierung. Auf dem Deckel in

729

730

Purpur-Camaieu Putto mit einer Eule auf dem Helm und lorbeerumflochtener Lanze und Lorbeerkranz in Händen, rechts ein Putto mit dem aufgerollten Stammbaum „SAXONIAE GENERAL:" als Allegorien für Weisheit und Ruhm. Innen im Deckel auf braunem Fond ein rundes, farbiges Medaillon mit dem Portrait von Clemens Wenzeslaus, Prinz von Sachsen, im Hermelinornat eines Fürstbischofs mit Brillantkreuz an rotem Seidenmoiréeband in feinster pointilistischer Malerei. Außen vorne in Purpur-Camaieu Putto mit Schreibrolle auf Wolkenbank, gegenüber Trompete blasender Putto, seitlich lockere Blumenarrangements. Unter dem Boden auf einer Wolkenbank sitzender Putto mit Bischofsstab und Fürstenkrone; er hält eine Bischofsmitra und einen ovalen Schild mit dem Wappen von Freising (Mohrenkopf, oben) und dem Wappen von Regensburg (gekreuzte

729 Deckel innen

Schlüssel, unten), worauf ein daneben sitzender Putto mit der Hand weist. Goldrand des Portraits an zwei Stellen berieben.

Clemens Wenzeslaus v. Sachsen (1738–1812), Sohn von August II. v. Sachsen, bzw. König August III. v. Polen, war der Bruder der bayerischen Kurfürstin Maria Anna Sophie. Als Nachfolger von Johann Theodor v. Bayern (1703–1763) war er zwischen 1763 und 1768 Fürstbischof von Regensburg und Freising. 1768 verzichtete er auf diese wenig ertragreichen Bistümer zugunsten einer Wahl zum Kurfürst und Erzbischof von Trier und Fürstbischof von Augsburg. Das Portrait folgt einem Gemälde Georg Demarées, das nach einem Brustbild der Zeit um 1761/62 im Jahr 1770 als ganzfigurige Fassung (sign. „Georg de Marée" und „Ao. 1770" dat.) vom sächsischen Hof bestellt wurde und sich heute in der Staatl. Kunstsammlung Dresden befindet. Ein Brustbild davon im Mittelrheinischen Museum in Koblenz (frdl. Mitteilung P. Laurentius Koch OSB, Ettal). Die Bistumswappen, die auf frühere Jahre in Bayern hinweisen, lassen vermuten, daß die Dose wohl als Geschenk den Empfänger an diese Zeit erinnern sollte.

Publ.: VK Budge 1937, Nr. 678

730
Tabatiere

um 1770, Modell von D. Auliczek

4,4 x 9,1 x 6,6 cm
PM: RS 8 innen im Boden
Inv.Nr. B 450 (Prov. unbekannt, 1938)

Oval, leicht konisch nach unten sich weitende Wandung, darauf über punktiertem Streifen mit Wellenband um Stab nach oben offene Pilaster mit Lorbeergehängen in Relief mit blau-purpurner Staffierung, dazwischen bunte Blumengirlanden in Relief. Auf dem Deckel am Rand blau-purpurnes Wellenband und ovales Medaillon mit Brustportrait von Max III. Joseph nach rechts in Relief, mit Brustpanzer, Orden des Goldenen Vlies und St. Georgsorden auf blauem Fond, gerahmt von symmetrischen Blütengirlanden unter einer Schleife in purpur-gelb staffiertem Relief, unter dem Boden am Rand blaupurpurnes Wellenband. Auf der Innenseite des Deckels vor einer Baumlandschaft ein höfisches Paar beim Betrachten einer Miniatur in der rechten Hand des Kavaliers nach dem Stich „Die Wirkung der Malerei" von J. E. Nilson (Schuster 1936, Nr. 49) in leuchtenden Farben.
Deckel gebrochen.

Das Reliefportrait des Kurfürsten folgt einer Medaille von Franz Andreas Schega (1711–1787), die anläßlich der Gründung der Akademie der Wissen-

731 Deckel innen

schaften 1759 entstand (Grotemeyer 1971, S. 46). Das Portrait läßt sich mit einer Umrahmung aus Ranken und Lorbeerzweigen auf formgleichen Dosen sowie mit dünnem Reliefrändchen auf glatten, runden Dosen nachweisen (Hofmann, Abb. 367, 384). Zum Motiv der Bemalung auf der Innenseite des Deckels, siehe Kat. 582. Eine Dose mit Blumenstilleben im Deckel aus der Slg. Baron Max von Goldschmidt-Rothschild, Frankfurt a.M., heute in der Forsyth Wickes Collection im MFA, Boston, Inv.Nr. 65.2104 (Beaucamp-Markowsky 1983, Nr. 281), mit zwei Putten und Fruchtkorb im Deckel im Museo Nazionale della Ceramica, Neapel, Inv.Nr. 2043, und unbekanntem Besitz (Sotheby's, London, 15.5.1979, Nr. 107; ebendort, 11.3.1980, Nr. 169, im Deckel Landschaft in Purpur-Camaieu). Ein buntes Früchtestilleben mit Papagei im Dosendeckel im British Museum, Inv.Nr. MLA Franks 192. Ein

bunt gemalter, trauernder Löwe neben den fürstlichen Insignien und dem Datum 1777 (Todesjahr Max III. Josephs) auf der Innenseite des Deckels der Dose ehemals in Slg. Levi (VK Levi 1956, Nr. 106). Nicht näher bestimmbar die Bemalung einer Dose ehemals bei Antique Porcelain Company, New York (Corbeiller 1966, Abb. 514), dort auch eine unbemalte Dose (Corbeiller 1966, Abb. 513). Weitere unbemalte Dosen im BNM, Inv.Nr. Ker 4930, und in unbekanntem Besitz (Sotheby's, London, 25.6.1985, Nr. 165), ein unbemalter Deckel im WLM, Stuttgart, Inv.Nr. 1968/744.

731
Deckel einer Tabatiere
um 1770, Modell D. Auliczek

7 x 9,3 cm mit Montierung
ohne Marke
Inv.Nr. B 322 (Baronin Ramberg, 1921)

Deckel der ovalen Dose wie vorige Nr. mit vergoldeter Metallmontierung, die Staffage des Reliefdekors in Blau und Gold. Auf der Innenseite eine Flußlandschaft mit einsamer Wandersfrau links unter einem Baum, die zu einer Burganlage am anderen Ufer blickt, in Purpur-Camaieu.

Eine komplette Dose mit einer Flußlandschaft in Purpur-Camaieu auf der

Innenseite des Deckels in der Staatlichen Eremitage, St. Petersburg, Inv. Nr. 13999, und mit anderem Motiv in Purpur-Camaieu aus Slg. Thurn und Taxis im BNM, Inv.Nr. 93/433. Ein unbemalter Dosendeckel im WLM, Stuttgart, Inv.Nr. 1968/744.

732
Tabatiere
um 1780–90

5,3 x 8 x 5,8 cm
PM: RS 20 innen im Boden
Inv.Nr. B 355 (Gräfin Almeida, München, 9.4.1925)

Rechteckig, mit einem abnehmbaren, leicht gewölbten Deckel in versilberter Metallfassung. Auf dem Deckel bildfüllend der Blick auf München von Haidhausen nach dem 1761 entstandenen Gemälde von Bernardo Belotto, gen. Canaletto, im Residenzmuseum, München, Inv.Nr. Res.Mü.L-G1. Auf der Innenseite bildfüllend eine Hirschjagd am Starnberger See, links Schloß Berg, rechts Schloß Starnberg, im See prunkvolle Gondeln mit der Jagdgesellschaft nach einem unbekannten Stich. Auf den Seiten und unter dem Boden bunte Flußlandschaften im Inselstil.
Deckel links gebrochen. Glasur am Boden stark berieben.

732

732 Deckel innen

Gerät

Unter der Rubrik „Diverse-Porcellaine, welche unter kein Assortiment gehörten" finden sich im Preiscourant von 1767 Objekte, deren kraftvolle plastische Gestaltung ihren Ziercharakter dem Gebrauchswert voranstellt. Für die frühen Stücke ist noch F. A. Bustelli als Modelleur zu benennen (Kat. 733, 734), während Entwürfe im üppigen Rokokostil Johann Häringer (Kat. 738, 739), strengere Arbeiten im Louis XVI.-Stil auch D. Auliczek (Kat. 742) zugeschrieben werden. Auch Übernahmen von Modellen der Manufaktur in Frankenthal sind nachweisbar (Kat. 735, 736).

Objects

Under the heading "diverse porcelains that do not belong to any category," the price list of 1767 itemizes objects that have such a powerful sculptural quality that their decorative character is placed ahead of their utilitarian value. For the early pieces one can still name F. A. Bustelli as modeler (cat. nos. 733, 734), while designs in the opulent rococo style can be attributed to Johann Häringer (cat. nos. 738, 739); more severe works in the Louis Seize style can also be attributed to D. Auliczek (cat. no. 742). The use of models from the factory in Frankenthal can also be documented (cat. nos. 735, 736).

733
Weihwasserkessel
um 1760, F. A. Bustelli

H. 22,5 cm
PM: RS 3 oben auf der Vorderseite
Inv.Nr. B 365 (Prov. unbekannt, um 1926)

Dreieckig gemuscheltes Becken und Rückwand vollständig aus plastischen Rocaillen gebildet, als Bekrönung ein geflügelter Puttenkopf. Unbemalt. Brandrisse, Puttenkopf ergänzt.

„1 Weyhbrunnkessel pousirt mit Figur" kostete laut Preiscourant von 1767 unbemalt zwischen 1fl. 40kr. und 5fl., je nach Qualität. Unbemalte Ex. im BNM, Inv.Nr. 20/56 (AK München 1963, Nr. 110) und ohne Puttenkopf im WAF, München, Inv.Nr. KIc13. Das bemalte Ex. der Slg. Hirth (VK Hirt 1898, Nr. 202) heute im MKG, Hamburg, Inv.Nr. 1940/35 (Jedding 1974, Abb. 484) ist zusätzlich mit plastischen Blümchen besetzt, der Puttenkopf fehlt bei einem, mit einer Fliege in der Mitte bemaltem Ex. ehemals in Slg. Hirth (VK Hirt 1898, Nr. 203). Das Ex. der Slg. Lanna, Prag, heute im MAK, Wien.

733

734

734
Uhrgehäuse
um 1760, F. A. Bustelli

H. 26,5 cm
PM: RS 9 blaustaffiert mit Goldrand vorne auf
dem oberen Rocaillebogen
Inv.Nr. A 200 (Lucien Delplace, Brüssel,
19.7.1957)

In der Mitte aufgewölbte Rahmung für
eine Taschenuhr zum Aufhängen an
der Wand aus zwei breiten, grün-pur-
purstaffierten und vergoldeten Rocaillebögen mit durchbrochenen Rippen und
plastischen C-Schwüngen mit bunten
Blumen am Rand. Über der runden
Öffnung eine plastische, blau-purpurne
Tuchdraperie mit goldenen Fransen,
links unterhalb scheint ein naturalistisch staffierter Putto mit grün-eisenro-
tem Lendentuch und einer gemalten
Fliege auf dem Knie die Rahmung zu
stützen, rechts daneben freiplastisch
ein krähender, bunter Hahn.
Eine Rocaillespitze hinter dem Putto
gekittet, linker Fuß des Putto bestoßen.

Die erste Erwähnung findet sich 1761
als „Uhrkastl zum Aufhenkhen" (Hofmann, S. 598), und im Preiscourant
von 1767 findet sich nach dem Eintrag
zu „1 Uhrkästel pousirt mit Figur nebst
Consol" in der nächsten Zeile „1 Detto
Scheiben mit Detto", womit das flache
Uhrgehäuse mit Figur gemeint ist. Ein
bemaltes Ex. ohne Hahn im BNM,
Inv.Nr. Ker 4031 (AK München 1963,

Nr. 240; Rückert 1963, Abb. 45), ein
unbemaltes Ex. mit Hahn in Slg.
Böhler, München, und ehemals in Slg.
Nelson Rockefeller (Sotheby's, New
York, 11.4.1980, Nr. 139)

Publ.: AK München 1963, Nr. 241

735
Potpourrivase
um 1765, nach einem Frankenthaler
Modell

H. 26,5 cm
PM: RS 5 blaustaffiert mit Goldrand am
rechten Henkel
Inv.Nr. B 451 (L. Steinhauser, München,
8.4.1939)

Auf drei hohen, in sich gedrehten
Rocaillefüßen gebauchter, birnförmiger

Korpus mit zwei Reserven und zwei
unterschiedlichen Henkeln aus Ranken-
und Rocaillemotiven, unregelmäßig gewellter Rand, formentsprechender Aufsatzdeckel mit aufsteigendem Blatt- und
Muschelwerk in Relief und Durchbruch. In den Reserven bunte Früchtestilleben mit Vogel, die Reliefs grün,
gelb, blau, purpur und goldgehöht, die
Durchbrüche in Gold eingefaßt.
Füße und Deckelspitze gekittet, kleine
Bestoßungen.

Das Modell wurde nur wenig verändert
einem Vorbild der Frankenthaler Manufaktur nachgebildet, das zwischen 1759
und 1762 entstanden sein dürfte (Hofmann 1911/II, Nr. 626, Taf. 158;
Nr. 641, Taf. 164). Der Nymphenburger Preiscourant von 1767 verzeichnet
„1 Vasen mit Deckel auf 3. Füsse pousirt", die, mit Blumen und Vögeln bemalt, 18 fl. kostete. Potpourris wurden

735

mit einer Mischung welkender Blüten und Salz gefüllt, die getrocknet über längere Zeit angenehmen Geruch verbreitete, der durch den durchbrochenen Deckel verströmen konnte.

736
Brûle de parfum
um 1765, nach einem Frankenthaler Modell

14,7 x 8,2 x 7,5 cm
PM: RS 8 ; RM: „76"; auf der Unterseite in Rot bez. „40/309" (alte Sammlungsnummer des BNM), in Schwarz bez. „2111a"
Inv.Nr. B 738 (Weinmüller, München, um 1963/64, ehemals Slg. Levi)

Über rechteckigem Sockel mit nach innen geschweiften Seiten und einem kuppelförmigen Spiritusbrenner, auf vier hohen, geschwungenen Spangenfüßen ein ovales, geripptes Henkelkörbchen auf hohem Fuß mit einer staffierten Blütengirlande auf der Schulter und einem durchlöcherten Deckel, darauf bunte, plastische Blüten. Bunte Blumenmalerei auf der Wandung, Unterteil und Korbränder goldstaffiert.

736

Das Nymphenburger Modell ist etwas größer als ein Frankenthaler Vorbild, das sowohl auf rechteckigem als auch auf rundem Sockel mit runden Körbchen auf drei Füßen ausgeformt wurde (Residenzmuseum, München, Inv.Nr. KII/Fra 195-196, 199). Gleichzeitig taucht das rechteckige Modell auch in den Manufakturen in Meissen (Fischer, Heilbronn, 12.10.1985, Nr. 134) und Gotha auf (Solowejcik 1978, Abb. 1); in Berlin wurde um 1765–70 das Körbchen glatt gebaucht ausgeführt (AK Berlin 1969, Nr. 181). Vermutlich ist das „Rauchgefäß pousirt mit Deckel nebst Tasse" mit „1 Spiritus Flasche hierzu, pousirt mit langen Stopfel" im Preiscourant von 1767 mit diesem Modell identisch. Ein bemaltes Ex. ehemals in Slg. Mühsam (VK Mühsam 1925, Nr. 350

737
Rechaud mit Spiritusschälchen
um 1765, wohl J. Häringer

H. 27 cm (ohne Einsatz);
Schälchen: Ø 6,3 cm
PM: RS 10; RM: „♭ₒ".
Schälchen: PM: RS 13, unterglasurblaue Hexagramm-Marke Nr. 14
Inv.Nr. B 248 (Prof. Seidler, München, um 1919); Schälchen: Inv.Nr. B 378 (Slg. v. Ostermann, 1928)

Über einem mehrfach profilierten Standring auf vier Volutenfüßen achteckig gerundeter Korpus, der mit Rocaillestreifen und Blumengirlanden in Relief überzogen ist. Seitlich zwei ausladende Blattrocaillen als Griffe, ein Schürloch vorne. Hochgewölbter Deckel mit profiliertem Rand, ein plastischer Phönix im Feuer als Knauf. Rundes Schälchen mit flachem Rocaillegriff, Deckel fehlt. Binnenzeichnung der Rocaillen teilweise eingeschnitten. Unbemalt.
Einsatzschale fehlt, Knauf stark bestoßen, Brandrisse.

Das Modell mit bunter Staffage im Stadtmuseum, Rosenheim (Hofmann,

Abb. 63), ebenso ehemals in Slg. der Markgrafen von Baden-Baden (VK Baden-Baden 1995, Nr. 804) und im Kunsthandel, London (The Antique Porcelain; Rollo 1964, Abb. 34a); mit Bemalung, aber ohne Deckel, im BNM, Inv.Nr. Ker 2209; ein unbemaltes Ex. im Grassimuseum, Leipzig, Inv.Nr. 70.74, ein unbemaltes Unterteil ehemals in Slg. Hirth (VK Hirt 1898, Nr. 183).

Publ.: VK Ostermann 1928/II, Nr. 408 (Schälchen)

738
Schreibzeug (Abb. s. S. 252)
um 1765–70, wohl J. Häringer

19,5 x 27,5 x 19,5 cm
Tintenfaß: PM: RS 11; RM: Strich. Streudose: RS; RM: „1/5", drei Punkte eingestochen
Inv.Nr. B 571 (Slg. Adelsberger, 1930)

Über viereckigem Grundriß auf C-Bögen und Rocaillen ruhender Aufbau, allseitig an den Kanten mit üppigen Rocaillereliefs verziert, denen rückwärts in der Mitte ein gedrehter Kerzenleuchter mit blütenförmiger Manschette, seitlich zwei Federhalter erwachsen.

737

738

Links Einsatz für Tintenfaß, rechts für
Streubüchse, davor eine kleine runde
Mulde für Tinte, darunter eine längliche Mulde für Schreibgerät mit pastellfarbenem Blumenbukett bemalt, Streublumen. Reliefs in Blaßgrün, Rosa und
Gold staffiert. Tintenfaß und Streubüchse mit Goldbogenkante Ende 18./
frühes 19. Jh.
Brandrisse, Leuchterarm gekittet,
Ergänzungen, Ränder bestoßen.

Die Jahresrechnung von 1764 erwähnt
erstmals ein „bossiertes Schreibzeug
neuerer Facon" (Hofmann, S. 571), das
früher J. Hermansdorffer (Hofmann,
S. 579), von Dr. Bäuml jedoch J. Häringer zugeschrieben wurde. Ein unbemaltes Ex. ehemals im Kunsthandel,
München (Hofmann, Abb. 62 Mitte).

Publ.: VK Adelsberger 1930, Nr. 158

739
Tintenzeug
um 1765–70

11 x 24 x 22 cm
PM: RS 6 vorne im Rand
Inv.Nr. B 399 (L. Steinhauser, München,
13.5.1931)

Dreipassiges Tablett mit gelb, lila, grün
und eisenrot staffierten Rocaillereliefs
auf dem hochgebogenen Wulstrand mit
plastischen, vergoldeten Ranken, rückwärts eine vasenförmige, durchbrochene Kerzentülle. In leicht erhöhten
Standringen rechts ein bauchiges Tintenfaß, links die Streubüchse mit eisenrotem Strichdekor und Goldrändern.
Kleine bunte Streublumen auf dem
Tablett.
Bruchstellen im Tablett restauriert, Vergoldung berieben, Deckel des Tinten-
fasses fehlt, Streubüchse am Stand
bestoßen.

1767 findet sich im Preiscourant ein
„Schreibzeug auf Blatten pousirt", das
wohl obiges Modell bezeichnet.

739

740

740
Cache-pot
um 1765–70, F.J. Eß zugeschrieben

H. 15,8 cm, Ø 16,7 cm
PM: RS 3, „PL" und „2"
Inv.Nr. B 402 (Auer Dult, München,
15.10.1932)

Rund, profilierter Standring mit breiter
Kehle, leicht konische Becherform mit
breitem, mehrfach profiliertem Rand-
streifen; zwei reliefierte Löwenköpfe als
Handhaben über einer Muschel mit
Blattmotiv, seitlich Blütengehänge in
Relief. Purpurstaffagen und auf beiden
Seiten lose Blumenarrangements und
Streublumen in Purpur-Camaieu.
In den Boden eingeschlagenes Loch.
Am Rand bestoßen.

Der Verwendungszweck dieses Cache-
pots ist nicht klar zu bestimmen. Er
könnte als Flaschenkühler ebenso ge-
dient haben wie als Blumentopf, wobei
das hinzugefügte Loch zumindest für
eine spätere Nutzung für diesen Zweck
spricht. Der Bossierer Franz Joseph Eß
erhielt im Jahr 1765 u.a. für „einen
Blumenscherben" 18 fl. ausbezahlt
(Hofmann, S. 593). Das Modell taucht
jedoch nicht im Preiscourant von 1767
auf.

741

741
Weihwasserkessel
um 1770–80, D. Auliczek
zugeschrieben

H. 17,7 cm
PM: RS 10; RM: „4", ein Punkt eingestochen
Inv.Nr. B 435 (Slg. Dr. Remé, Hamburg,
1938)

Rechteckige Rückwand mit buntem
Blumenstrauß in ovalem Medaillon von

großer, purpurner Schleife bekrönt,
seitlich Leiste mit silbernem Punktmu-
ster und Blattrelief, halbrundes, nach
unten eingeschwungenes Wasserbecken mit Pfeifenrelief und ovalem
Medaillonfries am Rand. Staffage in
Purpur und Gold.
Goldrand am Becken berieben.

Publ.: VK Remé 1938, Nr. 903b

Nymphenburg im 19. Jahrhundert

Geschichte der Manufaktur 1797–1856

Nach dem Regierungsantritt von Max IV. Joseph konnte Matthias Flurl als Landesdirektionsrat die Manufaktur weitgehend allein führen. Seiner Initiative sind neue Formen und Dekore, die chemische Verbesserung der Porzellanmasse und die technische Optimierung der Herstellung zu verdanken. Im Jahr 1800 verfügte der Kurfürst endgültig die Schließung der Frankenthaler Manufaktur, die schon zu Beginn der französischen Besatzung einen Teil der Entwürfe, Hohlformen und Bestände in Mannheim gelagert hatte, welche nun nach Nymphenburg überführt wurden. Aufgrund der europäischen Kriegswirren durch Napoleons Feldzüge und einer allgemeinen wirtschaftlichen Depression bedeutete die Ernennung J.P. Melchiors am 27.4.1802 zum Inspektor keine wirkliche Wende, und trotz hervorragender Porzellane aus diesen Jahren überlegte man, die Fabrik zur Kostensenkung in das säkularisierte Paulanerkloster, nach Passau oder Obernzell, zu verlegen. So vernünftig viele von Flurls Rationalisierungsbestrebungen waren, so war er doch für die Zerstörung aller damals altmodischen Modellformen aus der Zeit des Rokoko im Jahr 1804 verantwortlich. 1807 wurde Joseph Claudius Frhr. v. Schwerin Vorstand aller bayerischen Berg- und Hüttenwerke, die 1808 den Oberbergrat Johann Jakob Schmitz mit der Leitung der Manufaktur betrauten, bis 1809 Schwerin selbst diese Funktion bis zu seiner Pensionierung 1820 übernahm. Schon als Kronprinz bemühte sich Ludwig I. sehr um das künstlerische Niveau der Nymphenburger Manufaktur. Auf seine Anregung hin wurde 1815 die Malabteilung als „Kunstanstalt" in die Münchner Innenstadt verlegt, „um der Akademie der Künste und der Gemäldegalerie näher zu sein", während die Geschirrproduktion in Nymphenburg verblieb. Schon 1822 konnte der Kronprinz seinen favorisierten Architekten Friedrich v. Gärtner als Nachfolger des verstorbenen Melchior lancieren und nach dem Tod von Max I. Joseph zum Inspektor befördern. Doch Gärtner lagen die Verwaltungsaufgaben wenig, und er beschränkte sich ab 1829 auf die künstlerische Leitung, die er bis zu seinem Tod 1847 innehatte. Die kostspielig gepflegte Kunstanstalt bilanzierte stets mit Verlusten, so daß nach der Abdankung Ludwigs I. sein Sohn Max II. Überlegungen anstellte, die Manufaktur zu schließen. Der eben ein Jahr amtierende künstlerische Leiter Eugen Napoleon Neureuther legte daraufhin mehrere Eingaben vor, die Fabrik in eine „Industrie-Anstalt" umzuwandeln, um einen „wohltätigen Einfluß auf den Geschmack für vaterländische Industrie und Gewerbe im Allgemeinen auszuüben" (Hofmann, S. 192), woraufhin man die Kunstanstalt 1848 schloß. Zwar wurde ein umfangreiches

Nymphenburg in the 19th Century

History of the Factory 1797–1856

After Max IV Joseph's appointment to the government, Matthias Flurl could, as senior state administration official, lead the factory more or less on his own. It was due to his initiative that new forms and decors were invented, that the porcelain paste was improved, and technology optimized. In the year 1800, the elector finally ordered the closing of the Frankenthal factory, which had already at the beginning of the French occupation stored some of its designs, molds, and stock in Mannheim, now also transferred to Nymphenburg. Because of the chaos of war in Europe, due to Napoleon's campaigns and a general economic depression, the appointment of J. P. Melchior as inspector on 27 April 1802 did not really mean a change, and in spite of outstanding pieces of porcelain in these years, one considered relocating the factory to the secularized Paulaner monastery, to Passau, or Obernzell as a cost-saving measure. As sensible as many of Flurl's attempts at rationalization were, it was he who, in the year 1804, was responsible for the destruction of all of the then old-fashioned model forms from the rococo period. In 1807, Joseph Claudius Baron of Schwerin was made head of all Bavarian mines and industrial works; the senior mining official Johann Jakob Schmitz was appointed director of the factory in 1808, until Schwerin took over this function himself, ending with his retirement in 1820. Already as crown prince, Ludwig I endeavored to improve the artistic standards of the Nymphenburg factory. It was his suggestion to move the department of painting as an "art institution" to the center of Munich in 1815, "in order to be closer to the Akademie der Künste and the Gemäldegalerie," while the production of tableware remained at Nymphenburg. As early as 1822, the crown prince was able to launch his favorite architect Friedrich v. Gärtner as successor to the late Melchior and promote him to inspector after the death of Max I Joseph. But Gärtner was not much interested in administrative responsibilities, and as of 1829 restricted himself to the artistic direction, which he continued until his death in 1847. The costly art institute was always in the red, so that after Ludwig I abdicated, his son Max II considered closing the factory. The artistic director Eugen Napoleon Neureuther, who had been in office just one year, submitted several petitions to transform the factory into an "industrial institution," in order to "have a beneficial influence on the taste of national industry and commerce in general" (Hofmann, p. 192); consequently the art institute was closed in 1848. A comprehensive program of tableware following public tastes was produced and

Geschirrprogramm im Zeitstil hergestellt und auf der Londoner Weltausstellung 1851 gezeigt, doch ließen wirtschaftliche Schwierigkeiten eine Weiterführung der Manufaktur als Staatsunternehmen immer unrentabler werden. 1856 wurde sie an zwei Privatleute verpachtet, die die künstlerische Produktion stark einschränkten. Mehr als drei Jahrzehnte stellten sie, neben einigem Zierporzellan und schlicht dekorierten Servicen, Laborporzellan und Isolatoren her, bis Albert Bäuml 1888 die Pacht der Manufaktur übernahm.

Die Künstler des 19. Jahrhunderts

Johann Peter Melchior

Im Jahre 1797 wurde Johann Peter Melchior (1747–1825) aus Frankenthal, der dort bereits seit 1779 ein großes Œuvre geschaffen hatte, der Nachfolger Auliczeks. Melchior führte in Nymphenburg neue Geschirrmodelle im Stil der griechischen Antike ein und schuf, gemeinsam mit dem Frankenthaler Modelleur Adam Clair, eine große Zahl von Büsten, Figuren und Medaillen in Biskuitporzellan, die in einigen Fällen, dem Zeitgeschmack entsprechend, vollständig vergoldet wurden. Die glattwandigen Gefäßentwürfe bildeten den idealen Malgrund für die während seiner Leitung zur Kunstanstalt aufgestiegene Malabteilung, deren Portraits, Landschaften und Gemäldekopien international Anerkennung fanden.

Friedrich von Gärtner

Friedrich v. Gärtner (1791–1847) hatte nach einer Ausbildung bei Fontaine in Paris und einem langen Aufenthalt in Rom und England 1820 die Professur für Architektur an der Münchner Akademie erhalten. Als Architekt war die Berufung an die Manufaktur für ihn eine Überraschung. Doch mit großem Eifer schuf er Entwürfe für neue Vasen und Geschirre, besorgte aktuelle Bildvorlagen für die Malerei und zollte mit der „Huldigungsvase" (Kat. 1294) dem König seine Dankbarkeit. Sein strenger Klassizismus antiker Prägung dominierte auf Wunsch von Ludwig I. die gesamte Nymphenburger Produktion, während in anderen Manufakturen um 1830/40 erste Retrospektiven im Sinne des Historismus in den Vordergrund traten.

Eugen Napoleon Neureuther

Mit der Berufung des Landschafts- und Figurenmalers Eugen Napoleon Neureuther (1806–1882) zog 1847 der Zeitstil des damaligen Historismus in Nymphenburg ein, der sich an Ornamenten und Motiven der Gotik orientierte. Schon als Schüler von Peter Cornelius verlegte sich Neu-

The Artists of the 19th Century

Johann Peter Melchior

Johann Peter Melchior (1747–1825) from Frankenthal, who, since 1779, had already been creating a large œuvre there, was made successor of Auliczek in the year 1797. At Nymphenburg, Melchior introduced new models for tableware in the style of Greek antiquity and created, together with the Frankenthal modeler Adam Clair, a large number of busts, figures, and medallions of biscuit porcelain, which in some cases, in keeping with the taste of the times, were completely gilded. The smooth surfaces of the vessels created an ideal support for painted decoration. Under his management, the painting department rose to the level of an art institute, its portraits, landscapes, and copies of paintings finding international recognition.

Friedrich von Gärtner

Friedrich v. Gärtner (1791–1847) had been appointed professor for architecture at the Munich academy in 1820 after his training under Fontaine in Paris and after long stays in Rome and England. As architect, he was surprised to be called to the factory. It was with great enthusiasm, nevertheless, that he created designs for new vases and pieces of tableware, got new, more contemporary, sources for the paintings, and acknowledged his gratitude to the king with his "tribute vase" (cat. no. 1294). His severe classicism of antique form dominated the whole Nymphenburg production by demand of Ludwig I, while at other factories around 1830/40, first retrospectives in the sense of historicism began to be of primary importance.

Eugen Napoleon Neureuther

With the appointment of the landscape and figure painter Eugen Napoleon Neureuther (1806–1882), the then current style of historicism, which was oriented on ornaments and motifs of the Gothic period, came to Nymphenburg. Even as a student of Peter Cornelius, Neu-

reuther auf das Studium ornamentaler Dekoration und wurde mit graphischen Vignetten in einem deutschnationalen, romantischen Stil bekannt, die die Werke der Klassiker und lokale Folklore illustrierten. Stets dem aufstrebenden Kunsthandwerk verbunden, schuf er zahlreiche Entwürfe für Gebrauchs- und Ziergegenstände und erhielt nach Schließung der Manufaktur im Jahr 1868 eine Professur an der Münchener Kunstgewerbeschule, die er bis 1876 innehatte.

reuther shifted to the study of ornamental decoration and became known for graphic vignettes, which illustrated the classics and local folklore in a national German romantic style. Always associated with the aspiring arts and crafts, he created numerous designs for utilitarian and ornamental objects, and after the factory closed in the year 1868, was appointed professor at the Munich Kunstgewerbeschule, where he stayed until 1876.

Reliefportraits

Das Portrait als Porzellanrelief gewann in der zweiten Hälfte des 18. Jahrhunderts zunehmend an Beliebtheit. Noch vor 1772 schuf D. Auliczek 15 Portraits – darunter ein Selbstportrait (Kat. 742)–, die sich formal jenem Stil der Medaillenkunst anlehnten, die am bayerischen Hof von Franz Andreas Schega (1711–1787) zur höchsten Blüte gebracht worden war (Grotemeyer 1971, S. 44–48). Dabei diente der Bildnistypus von Schega weitgehend als Vorbild. Seine typischen Stilmittel des Brustbildes mit Draperieumschlag waren flatternde Bänder im Haar der Dargestellten und der geschwungene, unterhöhlte Armabschnitt.

Der Einfluß der Antike ist dagegen in den Reliefportraits J. Melchiors spürbar. Der hohe Stellenwert der Privatsphäre in allen Kreisen der Gesellschaft ließ einen neuen Darstellungstyp ohne Pathos entstehen, der in sensibel aufgefaßten Portraits adeliger Personen wie bürgerlicher Familien (Kat. 754–760) zum Ausdruck kommt. Am deutlichsten ist die damalige Veränderung gesellschaftlicher Rangstellung an Portraits des Königshauses abzulesen, die auf plakative Herrschersymbolik verzichten (Kat. 744, 750–752). Ablesbar ist diesen Bildnissen im Stil des frühen Realismus zudem der Wandel der Mode in Kleidung und Frisur in den ersten Jahrzehnten des 19. Jhs.

Relief Portraits

The portrait as porcelain relief increasingly gained popularity in the second half of the 18th century. By 1772 D. Auliczek had already made 15 portraits – including a self-portrait (cat. no. 742). Formally these were very close to that art medallion style that had reached its peak in the work of Franz Andreas Schega (1711–1787) at the Bavarian court (Grotemeyer 1971, p. 44–48). Schega's portrait type served as model to a large extent. Typical stylistic means in his portrait busts rounded off with the folded-back drapery were streaming ribbons in the hair of those being depicted and the curving, hollowed out arm section.

The influence of antiquity can, in comparison, be seen in the relief portraits of J. Melchior. The sphere of privacy valued highly in all circles of society brought about a new type of representation without pathos, expressed in sensibly interpreted portraits of the nobility as well as of middle class families (cat. nos. 754–760). The shift in the ranking of social status at that time can be most clearly seen in portraits of the royal family that do without blatant ruler symbolism (cat. nos. 744, 750–752). These portraits in the style of the early realism also illustrate the changing fashion of dress and hair style in the first decades of the 19th century.

Lit.: Hofmann, S. 478–483, Abb. 17, 51,180–183, 331–332 (zu Auliczek); S. 516–529, Abb. 184, 237–249, 256–271, 275–284 (zu Melchior)

Lit.: Hofmann, p. 478–483, figs. 17, 51, 180–183, 331–332 (Auliczek); p. 516–529, figs. 184, 237–249, 256–271, 275–284 (Melchior)

742
Selbstportrait Dominicus Auliczek
um 1770, D. Auliczek

Ø 12,2 cm
ohne Marke
Inv.Nr. A 162 (Prov. unbekannt)

Rund, flache Profilkante, reliefiertes Brustbild nach rechts, im Armabschnitt

bez. „Dominicus Aulicek". Unbemaltes Biskuitporzellan.

Vergleichsstücke aus der Slg. Hirth (1898, Nr. 166) im BNM, Inv.Nr. Ker 3903 (Hofmann, Abb. 17) und aus der Slg. Darmstädter (VK Darmstädter 1925, Nr. 250, Taf. 87) im WLM, Stuttgart, Inv.Nr. 25,15.

Publ.: AK Nürnberg 1955, S. 115, M 15

743
Portrait Graf Joseph Ferdinand Maria von Salern
um 1770, D. Auliczek

Ø 11,6 cm
PM: RS
Inv.Nr. A 161 (Prov. unbekannt)

Rund, reliefiertes Brustbild nach rechts im Kavaliersrock über Paradeharnisch,

742

744

745

um den Hals den St. Andreas-Orden, unterhalb des Armabschnitts der polnisch-sächsische Weißer Adler Orden an flatterndem Band. Unbemaltes Biskuitporzellan.

Der Dargestellte (1718–1805), laut Hofkalender von 1769 Generalmajor und Inhaber des Artilleriekorps des hochadeligen St. Michael-Ritterordens, war der natürliche Sohn des kaiserlichen Feldmarschalls Ferdinand Maria Innozenz von Bayern (1699–1738) und der Gräfin Adelheid Spaur (1718–1805). Graf Salern heiratete später die Gräfin Mechtild v. Toerring (1734–1765). Ein Vergleichsstück im BNM, Inv.Nr. Ker 3904 (Hofmann, Abb. 180).

743

744
Portrait Ludwig von Bayern als Kronprinz
1799–1802, J. P. Melchior, Ausformung A. Clair

10 x 8 cm, Rahmen 15,2 x 13 cm
PM: RS 36; RM: „AC" und „C 5"; rückseitig bez. „Lud. Carl August, Curprinz von Bayern"
Inv.Nr. A 292 (Privatbesitz, München)

Oval, Brustbild in Relief nach rechts in Uniform, um den Hals den Malteserorden. Unbemaltes Biskuitporzellan. Geprägter Messingrahmen.

Das Medaillon folgt einem Alabasterrelief, das auf der Rückseite signiert sowie 1802 datiert ist und zusammen mit drei gleichartigen, 1799 datierten Portraits der Prinzessinnen Charlotte Auguste, Auguste Amalia und dem erst vierjährigen Prinzen Karl des Kurfürsten Maximilian IV. Joseph aus der Linie Pfalz-Zweibrücken, der nach dem Tod Karl Theodors am 16. Februar 1799 das bayerische Erbe übernahm, unter Glas in einem Holzpassepartout gerahmt ist (Residenzmuseum, München, Inv.Nr. F.V.III, Bd. III, Bl. 614, Nr. A 597; Hofmann, Abb. 246-249). Die Datierung 1802 des obigen Portraits beruht wahrscheinlich auf einer Wiederholung für das zu Verlust gegangene Alabasteroriginal, das anschließend auch in Porzellan ausgeformt wurde und dabei durch den Schwund um 1/7 verkleinert wurde (AK München 1980, Nr. 1135).

745
Idealportrait Christus
vor 1801, J. P. Melchior, Ausformung A. Clair

17 x 13,9 cm
PM: RS 36; RM: „AC" und „C 5"
Inv.Nr. A 174 (Weinmüller, München, 1954)

Hochoval mit profiliertem Rand, jugendliches Idealportrait in Relief mit langem Haar und Kinnbart als Brustbild nach rechts, antikisierender Mantelwurf. Rückseitig Aufhängeöse. Unbemaltes Biskuitporzellan.

Ein Ex. ehem. in Slg. v. Gasser (VK Gasser 1912, Nr. 584), zusammen mit einem „Johannes" (?)-Relief, eine Gipsabformung im Stadtmuseum Ratingen, Inv.Nr. I-304/N. Zusammen mit einem Idealportrait des „Moses" (Hofmann, Abb. 288) bildet das Paar eine Allegorie auf das Alte und Neue Testament.

Publ.: Weinmüller, München, 9.12.1954, Nr. 58

746
Portrait Josef Maria von Weichs
(Abb. s. S. 258)
nach 1801, J. P. Melchior, Ausformung A. Clair

14,2 x 11,8 cm, Rahmen 17,1 x 14,6 cm
PM: RS 36; RM: „AC" und „8"
Inv.Nr. A 218 (Prov. unbekannt)

746

747

Hochoval, Brustbild eines älteren Herrn in Hochrelief nach rechts mit hoher Stirn und Zopf, in schlichtem Rock mit breiten Aufschlägen und Spitzenjabot. Unbemaltes Biskuitporzellan. Vergoldeter Holzrahmen.

Der Dargestellte, geb. 21.2.1756 in Deggendorf, war von 1790 bis 1799 Oberpolizeidirektor in München, 1801 wurde er Präsident der Landesdirektion (der auch die Manufaktur zeitweise unterstand) und Vorstand der Kloster-Aufhebungskommission in München. Weitere Ausformungen ehemals in Familienbesitz v. Weichs, Wien (Hofmann, Abb. 239) und im BNM, Inv.Nr. 28/2968 (AK München 1980, Nr. 235).

747
Portrait Friedrich Moritz Gohren

um 1805, J.P. Melchior, Ausformung A. Clair

12,2 x 9,8 cm, Rahmen 15 x 13 cm
PM: RS 36; RM: „AC" und „E"; in Grau bez. „79P"
Inv.Nr. A 176 (aus Privatbesitz durch Dr. Hofmann, 1930)

Hochoval, auf leicht gewölbter Platte unbekleidetes Brustbild in Relief nach rechts. Rückseitig Aufhängeöse. Unbemaltes Biskuitporzellan. Geprägter Messingrahmen.

Der Dargestellte war Obersthofmarschall am bayerischen Hof.

748
Portrait Napoleon Bonaparte

1805, J.P. Melchior, Ausformung A. Clair

18,4 x 14,8 cm
PM: RS 36; RM: „AC" und „8"
Inv.Nr. A 80 (Slg. Seitz, 1912)

Hochoval, Schulterbüste nach links in Relief, im lockigen Haar die Lorbeerkrone von 1804, die im Nacken von einer Schleife gehalten wird. Rückseitig Aufhängeöse. Unbemaltes Biskuitporzellan.
Am Rand oben bestoßen.

Der Überlieferung nach soll Melchior das Portrait nach dem Leben modelliert haben. Als Zeitpunkt käme Napoleons Aufenthalt in München nach der Schlacht bei Ulm vom 24.–28.10.1805 in Frage, da bereits vor seinem nächsten Aufenthalt vom 31.12.1805 bis 17.1.1806 Adam Clair schon im Dezember 15 Reliefs ausgeformt hatte. Im Übrigen zeigt das Portrait eine große Nähe zu einer Napoleon-Medaille von André Galle (1761–1844).
Ein Ex. ehemals Slg. v. Ostermann (Hofmann, Abb. 237; VK Ostermann 1928, Nr. 642, Taf. XXVIII), auch ehemals in Slg. Levi (Christie's London, 3.7.1956, Nr. 232) und in unbekanntem Besitz (Ruef München, 23.–25.3.1983, Nr. 495). Das Originalmodell aus Wachs im BNM (Hofmann, S. 522).

Publ.: VK Seitz 1912, Nr. 143; AK München 1980, Nr. 1276

749
Portrait Joseph Claudius von Schwerin

um 1808, J.P. Melchior, Ausformung A. Clair

13,5 x 10,2 cm, Rahmen 15,1 x 11,9 cm
PM: RS 36; RM: „AC" und „8"; verso in Schwarz bez. „33"; auf Klebezettel bez. „xx 33 Freiherr von Schwerin Generaldirector of Nymphenburg Factory 1815–18. Modelled by Adam Clair."
Inv.Nr. A 196 (Höchtl, München, 20.2.1957)

Hochoval, auf leicht gewölbter Platte Brustbild in Relief nach rechts mit kurzem Haar in schlichtem Rock. Rückseitig Aufhängeöse. Unbemaltes Biskuitporzellan. Vergoldeter Holzrahmen. Rechts oben am Rand bestoßen.

Freiherr v. Schwerin, der 1807 zum Vorstand der General-Bergwerk-Administration ernannt wurde, war zwischen 1815–18 Generaldirektor der Nymphenburger Manufaktur. Melchior modellierte auch dessen Gattin Maria Anna, geb. Gräfin Lemberg-Amerang (Hofmann, Abb. 242-243).

748

749

750
Portrait Königin Caroline von Bayern
nach 1809, J. P. Melchior,
Ausformung A. Clair

6,4 x 4,9 cm, Rahmen 8,2 x 6,6 cm
PM: RS 36; RM: „AC" und „V"
Inv.Nr. A 81 (Antiquar Schäfer, München,
um 1919)

Hochoval, Portrait in Relief nach rechts
mit hochgesteckter Zopffrisur und
Stirnlöckchen. Unbemaltes Biskuitporzellan. Geprägter Messingrahmen.
Links unten am Rand bestoßen.

750

Die Metallfassung diente eventuell als
Anhänger. Als Pendant erwähnt 1809
das Arbeitsbuch Adam Clairs „Kleines
Portrait des Königs" (Hofmann, S. 524).

Publ.: Hofmann, Abb. 256

751
Portrait Königin Caroline von Bayern (o. Abb.)
nach 1809, J. P. Melchior,
Ausformung A. Clair

4,6 x 3,7 cm
PM: RS 36; RM: „AC" und „V"
Inv.Nr. A 115 (Slg. Rüttgers 1927)

Verkleinerte Ausformung obiger Nr.,
rückseitig kleine Aufhängeöse. Unbemaltes Biskuitporzellan.
Am unteren Rand kleine Aussprengung.

Das Portrait findet sich auch als Relief
auf Tassen, siehe Kat. **1306**. Weitere
Ausformungen im BNM, Inv.Nr. Ker
3921-3924.

Publ.: VK Rüttgers 1927, Nr. 103

752
Doppelportrait Königin Caroline und König Max I. von Bayern
um 1806–25, wohl J. P. Melchior

1,9 x 1,7 cm, L. 6,7 cm
ohne Marke
Inv.Nr. A 175 (Prov. unbekannt)

Rechteckiges Feld mit abgeschrägten
Ecken aus schwarzem Onyx, darauf die
Portraits nach rechts, hintereinander
gestaffelt, aus unbemaltem Biskuitporzellan. Rahmung als Brosche aus Silber.

752

753
Portrait einer unbekannten Dame
nach 1810, J. P. Melchior,
Ausformung A. Clair

Ø 11,2 cm
PM: RS 36; RM: „AC" und „D"; verso in Grau
bez. „M..ia Theresia"
Inv.Nr. A 255 (Prov. unbekannt)

Rund, auf leicht gewölbter Platte Por-
trait einer Frau mittleren Alters in Re-
lief nach links mit hochgesteckter
Lockenfrisur. Rückseitig Aufhängeöse.
Unbemaltes Biskuitporzellan.
Am Rand links minimal bestoßen.

Publ.: Hofmann, Abb. 276

753

754

755

754
Portrait Michael Boshart
1803, Alabasterrelief von J. P. Melchior

11,5 x 9 cm
auf der Rückseite bez. „J: Melchior,
fecit 1803"
Inv.Nr. A 177 a (Frau Max Boshart, Gattin des
Enkels des Dargestellten, München, 1914)

Hochoval, Brustbild in Relief nach
rechts in bestickter Uniform mit Spitzenjabot und einem nicht zu bestim-
menden Orden um den Hals.

Der Elsässer Michael Boshart
(1758–1825) stand seit 1779 in der
Nachfolge seines Vaters Johann Georg
als Verwalter der Güter in Rappoltsweiler in Diensten des Pfalzgrafen Max
Joseph, der seit 1778 die Grafschaft
Rappoltstein inne hatte. Als dieser
1799 die Regierung in der Nachfolge
Karl Theodors als Kurfürst von Bayern
und der Pfalz in München übernahm,
berief er seinen Verwalter zuerst zum
Kammerdiener, dann zum kurbayeri-
schen Kammerfourier sowie 1802 zum
Schatzmeister des Hubertusordens,
der mit dem persönlichen Adel verbunden war. Im Nebenamt gab Boshart
den bayerischen Hofkalender heraus.
J. P. Melchior war mit Boshart eng
befreundet und portraitierte später
auch seine Kinder (Kat. 756–760).

Publ.: Hofmann, Abb. 257; AK München
1980, Nr. 1023

755
Portrait Frau Boshart
1803, Alabasterrelief von J. P. Melchior

11,5 x 9 cm
auf der Rückseite bez. „J:P: Melchior,
fecit 1803"
Inv.Nr. A 177 b (Frau Boshart, München,
1914)

Hochoval, Brustbild nach links mit
hochgebundenen Locken und dünnem
Schal über dem Kleid.

Früher wurde die Dargestellte als
Wilhelmine Boshart, geb. Löschhorn,
identifiziert, doch fand ihre Hochzeit
mit Michael Boshart erst am 23.5.1810
statt. Vermutlich handelt es sich um
Bosharts erste Frau Maria Theresia, geborene Petit, die am 5.12.1804 im Alter von 33 Jahren verstarb. Dr. Bäuml
zählte die beiden Portraits, „namentlich
das des jüngeren Mädchens (damals)
[...] zu dem Besten und Liebenswürdig-
sten, was Melchior geschaffen hat."
Mit dem vorigen Portrait zusammen in
einem grüngestrichenen, alten Holzpassepartout in vergoldetem Rahmen
unter Glas.

Publ.: Hofmann, Abb. 258; AK München
1980, Nr. 1023

756
Portrait Max Boshart
um 1817, J. P. Melchior,
Ausformung A. Clair

11,9 x 9 cm, Rahmen 17,5 x 14,5 cm
PM: RS 36; RM: „AC" und „8"
Inv.Nr. A 82 (Frau Boshart, München, 1919)

Hochoval, auf leicht gewölbter Platte
unbekleidete Schulterbüste nach
rechts, darunter kleines Blütenzweiglein. Rückseitig Aufhängeöse. Unbemaltes Biskuitporzellan. Vergoldeter Holzrahmen.

Max Boshart (1804–1848) war ein
Kind aus der ersten Ehe Bosharts mit
Maria Theresia Petit. Durch den ge-
meinsamen ovalen Umriß gehört das
Portrait zu den vorigen Alabasterreliefs.

Publ.: Hofmann Abb. 259

757
Portrait Joseph Boshart
um 1817, J. P. Melchior,
Ausformung A. Clair

Ø 11,7 cm, Rahmen 15,8 cm
PM: RS 36; RM: „AC"
Inv.Nr. A 83 (Frau Boshart, München, 1919)

Rund, auf leicht gewölbter Platte Schulterbüste in Relief nach rechts. Rückseitig Aufhängeöse. Unbemaltes Biskuitporzellan. Vergoldeter Holzrahmen.

756

757

759

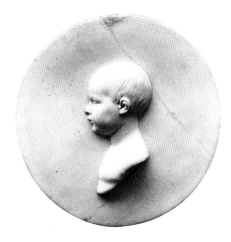

760

Die nachfolgenden runden Portraits zeigen die Kinder des Kammerfouriers Michael Boshart und seiner zweiten Frau Wilhelmine, geb. Löschhorn (1787–1849). Sie stammte aus Carlsberg und war die Tochter eines Leibpostillons in Zweibrücker Diensten. Der älteste, 1811 geborene Sohn, hatte König Max I. Joseph zum Taufpaten und wurde nach einem Jurastudium Landgerichtsassessor im Miesbach. Er starb 1855.

Publ.: Hofmann, Abb. 260; AK München 1980, Nr. 1024

758
Portrait Karl Theodor Boshart
um 1817, J. P. Melchior,
Ausformung A. Clair

Ø 11,1 cm, Rahmen 16,2 cm
PM: RS 36; RM: „AC" und „D"
Inv.Nr. A 84 (Frau Boshart, München, 1919)

Rund, auf leicht gewölbter Platte unbekleidete Schulterbüste in Relief nach rechts. Rückseitig Aufhängeöse. Unbemaltes Biskuitporzellan. Vergoldeter Holzrahmen.

Karl Theodor Boshart (1812–1892) hatte Herzog Karl Theodor von Bayern zum Paten, wurde Gerichtsassessor und war zuletzt Kgl. Bezirksamtmann in Garmisch.

Publ.: Hofmann, Abb. 262; AK München 1980, Nr. 1024

759
Portrait Wilhelm Boshart
um 1817, J. P. Melchior,
Ausformung A. Clair

Ø 11,5 cm, Rahmen 16,2 cm
PM: RS 36; RM: „AC" und „F"
Inv.Nr. A 85 (Frau Boshart, München, 1919)

Rund, auf leicht gewölbter Platte unbekleidete Schulterbüste in Relief nach links. Rückseitig Aufhängeöse. Unbemaltes Biskuitporzellan. Vergoldeter Holzrahmen.

Wilhelm Boshart (1815–1878) wandte sich nach einem Chemiestudium der Malerei zu und lernte bei Maximilian Haushofer und Eduard Schleich d. Älteren. Er gehörte zu den ersten Chiemseemalern und verstarb in Aisching (Ludwig 1981, S. 118).

Publ.: Hofmann, Abb. 263; AK München 1980, Nr. 1024

758

760
Portrait Caroline Boshart
um 1817, J. P. Melchior,
Ausformung A. Clair

Ø 11,2 cm, Rahmen 15,8 cm
PM: RS 36; RM: „AC"
Inv.Nr. A 86 (Frau Boshart, München, 1919)

Rund, auf leicht gewölbter Platte unbekleidete Schulterbüste eines Kindes in Relief nach links. Rückseitig Aufhängeöse. Unbemaltes Biskuitporzellan. Vergoldeter Holzrahmen.
Aufhängeöse ausgebrochen, Bruchstellen gekittet.

Dargestellt ist Caroline Boshart (1816–1900). Sie heiratete den Medizinalrat Dr. Max Jakubezky, den Sohn von Karl Jakubezky (s. Kat. 761).

Publ.: Hofmann, Abb. 261; AK München 1980, Nr. 1024

761
Portrait Karl Jakubezky
(Abb. s. S. 262)
um 1820, J.P. Melchior,
Ausformung A. Clair

Ø 14,6 cm, Rahmen 20 cm
PM: RS 36; RM: „AC" und „H 9"
Inv.Nr. A 150 (Prov. unbekannt)

Rund, Portrait eines Mannes in mittleren Jahren in Relief nach rechts. Unbemaltes Biskuitporzellan. Gekehlter Nußbaumrahmen.
Zwei Löcher in der Oberfläche, gekitteter Sprung

761

Der Kammerfourier Karl Jakubezky wurde 1826 Herold des Hubertusordens in der Nachfolge von Michael Boshart. Zwei Vergleichsstücke im MStm, Inv. Nr. 28/1298 (AK München 1987, Nr. 4.3.3) und 33/203.

Publ.: Hofmann, Abb. 283

762
Portrait Dr. Ludwig Friedrich Schmidt
um 18120, J. P. Melchior,
Ausformung A. Clair

12,6 x 9,3 cm
PM: RS 36; RM: „AC" und „H 9"
Inv.Nr. A 224 (Popp, München, 12.5.1960)

Hochoval, auf leicht gewölbter Platte Brustbild in Relief nach rechts in

762

schlichtem Rock. Rückseitig Aufhängeöse. Unbemaltes Biskuitporzellan.

Der Hofprediger Ludwig Friedrich Schmidt (1764–1857) kam 1799 als Hof- und Kabinettsprediger zusammen mit der Kurfürstin Caroline Wilhelmine aus Baden und wurde der erste in Altbayern zugelassene protestantische Pfarrer. Sein Wirken galt stets einem versöhnlichen Weg der Einbürgerung des Protestantismus in Bayern. 1818–1825 war er Ministerialrat im Innenministerium für protestantische Kirchenangelegenheiten, 1827 wieder Kabinettsprediger der nun verwitweten Königin Caroline. Bereits 1812 schuf Melchior ein Reliefportrait (Hofmann, Abb. 268), dem später eine Variante sowie ein Portrait von Schmidts Frau folgte, dessen Ausformung 1828 datiert ist (Hofmann, S. 526, Abb. 269-270), beide ehemals Slg. H. Leonhard, Mannheim (Helbing, München, 14.11.1910, Nr. 392, Taf. 17). Ein Portrait Schmidts in unbekanntem Besitz (Helbing, München, 11.3.1912, Nr. 335, Taf. 2) und ehemals Slg. Ostermann (VK Ostermann 1928, Nr. 643, Taf. XXVIII).

763
Portrait Friedrich von Gärtner
um 1822, J. P. Melchior,
Ausformung A. Clair

Ø 12,4 cm
PM: RS 36; RM: „AC" und „H 9"
Inv.Nr. A 194 (L. Steinhauser, München, 28.8.1956)

Rund, auf leicht gewölbter Platte unbekleidete Schulterbüste in Relief nach rechts. Unbemaltes Biskuitporzellan. Am Rand links bestoßen.

Es handelt sich wohl um eine der letzten Arbeiten Melchiors, da der Dargestellte als sein Nachfolger am 22.1.1822 zum „artistischen Leiter und Inspektor" der Manufaktur ernannt worden war.

Publ.: Hofmann, Abb. 282

764

764
Portrait König Ludwig I. von Bayern
um 1826, Ausformung von
F. X. Böhngen

Ø 13,3 cm
PM: RS 35 und „B"; mit Tusche bez. „1fl 36"
Inv.Nr. A 160 (Prov. unbekannt)

Rund, auf leicht gewölbter Platte Portrait in Relief nach links in antikisierender Toga. Rückseitig Aufhängeöse. Unbemaltes Biskuitporzellan.

Der Künstler dieses Portraits ist wohl auch der Schöpfer einer Büste des Königs, die 1828 erstmals in den Archivalien auftaucht (Hofmann, Abb. 386). Obwohl sich das Relief unmittelbar an die Portraitbüste des Königs von B. Thorvaldsen von 1821 in der antiken Auffassung anlehnt, spricht die freie Behandlung des Gewandes mit scharf eingeschnittenen Vertikalfalten für eine selbständige künstlerische Qualität. Ein

763

Ex. im MStm, Inv.Nr. 34/1289 (AK München 1987, Nr. 11.1.25).
Im Preiscourant von 1840 unter „Verschiedene Artikel" als „No. 4 Basrelief, König Ludwig" geführt.

Publ.: AK München 1909, Nr. 844; Hofmann, Abb. 385

765
Medaille zum Genfer Reformationsjubiläum 1835
nach 1835–1850

Ø 6 cm
PM: RS 39 und „J"
Inv.Nr. B 792 (Prov. unbekannt)

Rund, getreppter Rand. In der Mitte das Wappen der Stadt Genf mit Motto, in vier runden Medaillons die Portraits von Kirchenreformern, darunter Johannes Calvin (oben) und Petrus Viret (rechts), am Rand umlaufend lateinische Umschrift zum 300-jährigen Jubiläum der Genfer Reformation im Jahr 1835.

766
Medaille Benjamin C. Brodie 1841
nach 1841

Ø 7,2 cm
PM: RS 39 und „J"
Inv.Nr. B 791 (Prov. unbekannt)

Rund, getreppter Rand, auf Standlinie nach links kniende Frau in antikem Schleiergewand beim Entzünden einer Öllampe. Lateinische Umschrift E TENEBRIS TANTIS TAM CLARUM EXTOLLERE LUMEN QUI POTUISTI, im Abschnitt CONSOCII ET DISCIPULI GRATULANTES MDCCCXLI (Du, der Du Dich aus so großer Finsternis in so helles Licht erheben konntest – Freunde und Schüler gratulieren 1841). Unbemaltes Biskuitporzellan.

Porzellanausformung einer Medaille auf den englischen Physiologen und Chirurgen Benjamin Collins Brodie, gefertigt von William Wyon. Die Medaille war zwischen 1898 und 1985 Leihgabe an das BNM, Inv.Nr. Ker 3906 (MK München 1908, Nr. 653).

765

766

767
Portrait Christoph von Schmid
um 1848–50, L. Thaller

Ø 7,7 cm
RM: „G"
Inv.Nr. B 787 (Prov. unbekannt)

Rund, profilierter Rand, Brustbild in Relief nach rechts mit Umschrift, unter dem Armabschnitt bez. „L. THALLER". Kleines Aufhängeloch. Unbemaltes Biskuitporzellan.
Brandriß.

Christoph v. Schmids (1768–1854), „Biblische Geschichten für Kinder" erfreuten sich im 19. Jh. neben moralisierenden Erzählungen großer Beliebtheit. Von Ludwig Thaller weiß man nur, daß er zwischen 1835 und 1851 als Medailleur tätig war. Ein Ex. im MKH, Frankfurt (AK Frankfurt 1963, Nr. 244).

768
Medaille Königin Maria Augusta von Frankreich
um 1850, Nachguß einer Medaille des 17. Jahrhunderts

Ø 10 cm
PM: RS 39 und „J"
Inv.Nr. B 788 (Prov. unbekannt)

Rund, abfallend profilierter Rand mit Perlfries, spiegelverkehrtes Portrait der Königin von Frankreich nach rechts mit Umschrift „MARIA AUGUSTA GALLIAE ET NAVARAE REGINA", unter dem Armabschnitt bez. „G. Dupre F. 1625". Unbemaltes Biskuitporzellan.
Am Rand zwei Ausbrüche.

Ein Ex. dieser Medaille mit dem Bildnis der Gemahlin Heinrichs IV. von Frankreich der Slg. Bäuml ohne obige Umschrift war zwischen 1898 und 1985 Leihgabe an das BNM, Inv.Nr. Ker 3905 (MK München 1908, Nr. 652)

767

768

Figuren des 19. Jahrhunderts

Porzellanfiguren als Tafelaufsätze wurden um 1800 von vergoldeten Bronze- oder Silbersurtouts in ihrer Rolle als Dessertschmuck zunehmend verdrängt. Die letzten Serien von der Hand Melchiors in diesem Genre zeigen Allegorien (Kat. 782–783), die wie kleinere, figürliche Gebrauchsgegenstände, den Idealen des Klassizismus gemäß, dem antiken Stil folgen. Auch Modelle des Hofbildhauers Joseph Kirchmayer (1775–1845), der an der Akademie in Wien und bei Canova in Rom studierte, wurden ausgeformt (Kat. 773–774, 784, 791). Das nun bevorzugt verwendete Biskuitporzellan verlieh selbst kleinen allegorischen Figürchen den zarten Schimmer antiken Marmors, doch gab es auch vollständig vergoldete oder bronzierte Ausformungen, die den Materialcharakter verdeckten. Eng mit der Kunst des Reliefportraits sind die plastischen Büsten der königlichen Familie und berühmter Zeitgenossen zu sehen.

Zum ersten Mal wurden Figuren in typischen Trachten des bayerischen Oberlands in das Programm genommen, die von dem Münchner Maler und Bildhauer Sebastian Habenschaden (1813–1868) entworfen wurden (Kat. 793, 794). Der etwas naiven Auffassung der Modelle fügte Eugen Napoleon Neureuther bei seinen Figuren und Gruppen eine humoristische Note hinzu, die auf ironischer Beobachtung beruhte (Kat. 797–799) und von Georg Maier und Josef Grobmer aufgegriffen wurde (Kat. 801–802). Erste Versuche im Stil des Neorokoko führten um 1850 nur zu einigen, wenig befriedigenden Ergebnissen (Kat. 800).

Lit.: Hofmann, S. 529–536, Abb. 225, 236, 250–254, 272, 274, 343–344 (Büsten); S. 538–544, Abb. 228, 295–300, 346–351 (Figuren)

Figures of the 19th Century

Porcelain figures as centerpieces for desserts were succeeded more and more by gilded bronze or silver surtouts, around 1800. The last series in this genre from the hand of Melchior shows allegories (cat. nos. 782–783), which, like smaller, figural utilitarian objects, follow the antique style in accordance with the ideals of classicism. Models by the court sculptor Joseph Kirchmayer (1775–1845), who studied at the academy in Vienna and under Canova in Rome, were also executed (cat. nos. 773–774, 784, 791). The now preferred biscuit porcelain gave even small allegorical figures the delicate shimmer of antique marble, but there were also completely gilded or bronzed pieces that hid the character of the material. The three-dimensional busts of the royal family and of famous contemporaries can be seen in close association with the art of making portraits in relief.

For the first time typical figures of the Bavarian Oberland, designed by the Munich painter and sculptor Sebastian Habenschaden (1813–1868), were taken into the program (cat. nos. 793, 794). Eugen Napoleon Neureuther gave the somewhat naive view of the models a humorous note based on ironic observation (cat. nos. 797–799), which was taken up by the sculptors Georg Maier and Josef Grobmer (cat. nos. 801–802). First attempts in the style of the rococo only led to a few not very satisfying results around 1850 (cat. no. 800).

Lit.: Hofmann, p. 529–536, figs. 225, 236, 250–254, 274, 343–344 (busts); p. 538–544, figs. 228, 295–300, 346–351 (figures).

Ausschnitt aus dem Preiscourant von 1840

769 770

769
Liegender Greif als Briefbeschwerer
wohl um 1800, J. P. Melchior,
Ausformung A. Clair 1826

H. 7,5 cm, L. 13,5 cm
PM: RS 36; RM: „1826.", „B" und „AC"
Inv.Nr. A 228 (Geschenk Nini Bäuml,
24.12.1960)

Ruhender Greif mit übereinandergeleg-
ten Vorderpfoten, Adlerschnabel, gezacktem Rückenkamm und großen
Flügeln. Schweif unter dem linken hin-
teren Schenkel durchgezogen. Unbemaltes Biskuitporzellan.
Linkes Ohr fehlt.

Das stets in Biskuitporzellan ausgeführte Modell, im Preiscourant 1831,
Taf. VI, Nr. 70 als „Papier-Schwerer
No 3 als Greif" bezeichnet, gab es
auch mit einer Sockelplatte, die sich jedoch bei keinem Ex. erhalten hat, wie
im BNM, Inv.Nr. 18/4 (Hofmann, Abb.
304 auf nicht zugehöriger Platte; AK
München 1980, Nr. 1275 ohne Platte).

770
Liegender Greif als Briefbeschwerer
wohl um 1800, J. P. Melchior,
Ausformung A. Clair 1826

H. 7,5 cm, L. 13,5 cm
PM: RS 36; RM: „1826.", „B" und „AC"
Inv.Nr. A 77 (Slg. Frank, München, 1919)

Modell wie vorige Nr. Unbemaltes
Biskuitporzellan.
Ohren und angesetzte Pfoten bestoßen.

Publ.: VK Frank 1919, Nr. 418

771
Liegender Löwe als Briefbeschwerer
um 1801, J. P. Melchior,
Ausformung A. Clair

9,3 x 17,3 x 7,8 cm
PM: RS 36; RM: „AC" und „2"
Inv.Nr. A 248 (Ruef, München, 5.4.1967)

Länglich, rechteckiger Sockel mit ein-
gerückten, halbrunden Schmalseiten,
darauf liegender Löwe, die Vorderpfoten übereinandergelegt. Unbemalt.
Brandrisse, Reparaturen am Sockel.

771 772

Das Modell wird leicht verändert im
Preiscourant von 1831, Taf. VI, Nr. 69
als „Papier-Schwerer No 1 als Löwe"
bezeichnet. Ein unbemaltes, 1808
erworbenes Ex. im MNC, Sèvres,
Inv.Nr. 486.18.

Publ.: Hantschmann 1996, Mod. 501

772
Liegende Sphinx
um 1801, J. P. Melchior, Ausformung
A. Clair

11,5 x 16,5 x 7,7 cm
PM: RS 36; RM: „AC" und „2"
Inv.Nr. A 247 (Ruef, München, 5.4.1967)

Rechteckige Sockelplatte mit abgeschrägten Ecken, darauf liegende
Sphinx, die Vorderpfoten übereinandergelegt, mit einem langen, über den
Rücken fallenden Kopftuch und über
der Brust verknoteten Zöpfen. Unbemalt.
Zahlreiche Brandrisse, Sockel minimal
bestoßen.

Die Sphinx schmückte ursprünglich
den Deckel eines Tintenzeugs, das in
mehreren Ausformungen in kgl. Mini-
sterien und den sog. Staatsratszimmern
der Residenz in Benutzung war; heute
im Residenzmuseum, München, unbemalt Inv.Nr. Ker II/Ny 1583-1588, bemalt mit Marmorierung, die Figur bron-
ziert Ker I/Ny 74 (AK München 1980,
Nr. 591 m. Abb.), auch MKG, Hamburg, Inv.Nr. 1912.113a-d, und aus einem Ankauf des Jahres 1808 im MNC,

773   778   774

H. m. Sockel 17 cm
Marken nicht sichtbar
Inv.Nr. A 199 (L. Steinhauser, München,
14.8.1957)

Auf rundem Sockel mit Grasbelag aus-
schreitender nackter Knabe, in beiden
Händen Traubenreben, an einem Band
über den Rücken fallender Umhang.
Vollständig mattvergoldet. Zylindri-
sches Postament mit Wulstrand und
auskragender Deckplatte, mit Matt-
und Poliergold überzogen, umlaufend
zwischen Blattranken Groteskenorna-
mente in graviertem Platin.

Die Serie wird durch den 1803 erfolgten Eintrag in Adam Clairs Arbeitsbuch
deutlich: „12 Figuren Tagzeiten". Ein
vollständiger Satz aus unbemaltem
Biskuitporzellan im BNM, Inv.Nr. Ker
4171-4181 (Hofmann, Abb. 346–348),
zwei unbemalte Ex. auf vergoldeten
Sockeln im British Museum, London,
Inv.Nr. MLA Franks Nr. 200.

777

Sèvres, Inv.Nr. 486/19. Ein unbemaltes Ex. im BNM, Inv.Nr. Ker 4272
(Hofmann, Abb. 228), das auf einer Unterplatte steht. Ohne Untersatz auch in
unbekanntem Besitz (Metz, Heidelberg,
17.3.1990, Nr. 25). Einzelausformun-
gen meist nur als Briefbeschwerer, diese jedoch auch in Biskuitporzellan, so
im Residenzmuseum, München,
Inv.Nr. Ker I/Ny 84, und seit 1808 im
MNC, Sèvres, Inv.Nr. 486.17, später
erworben die Inv.Nr. 14110.

ein Amor im Jünglingsalter, einen Pfeil
aus dem Köcher nehmend; die [...]
Stücke sind von Joseph Anton Kirch-
mayers eigener Erfindung" (zit. nach
Hofmann, S. 549). Das Modell ist zusammen mit der „Psyche" im Preiscourant von 1840 unter „No. 39" gelistet.
Ein Ex. im BNM, Inv.Nr. Ker 2610
(Hofmann, Abb. 379).

773
Amor
um 1803, J. Kirchmayer,
Ausformung A. Clair

H. 18,8 cm
PM: RS 36; RM: „AC" und „H.9"
Inv.Nr. A 128 (Graf Holstein, 15.1.1938)

Auf rundem Sockel, neben einem
Baumstumpf als Stütze, stehender ge-
flügelter Knabe, der mit der rechten
Hand Pfeile aus dem Köcher auf seinem
Rücken nehmen will, in der Rechten
den Bogen.
Oberer Teil der Bogensehne angebro-
chen.

In einem Verzeichnis der Modelle 1803
findet sich der Eintrag: „eine Psyche;

774
Psyche
um 1803, J. Kirchmayer,
Ausformung A. Clair

H. 19 cm
PM: RS 36; RM: „AC" und „8"
Inv.Nr. A 129 (Graf Holstein, 15.1.1938)

Auf rundem Sockel mit Rasenbelag neben einer Felsstütze stehendes junges
Mädchen mit Schmetterlingsflügeln,
das oberhalb der linken Hüfte mit beiden Händen ein Deckelgefäß hält und
vor den Schoß ein Tuch gezogen hat.
Unbemaltes Biskuitporzellan.
In der Hüfte und am Kopf gekittet,
Brandrisse im Sockel.

Eine unbemalte Ausformung ebenfalls
im BNM, Inv.Nr. Ker 2611 (Hofmann,
Abb. 379).

776

Knabe mit Vogelnest aus der Serie der Tageszeiten

um 1803, J. P. Melchior,
Ausformung A. Clair

H. m. Sockel 17 cm
RM: „AC" und „H 9"
Inv.Nr. A 198 (L. Steinhauser, München,
14.8.1957)

Sockel wie vorige Nr., darauf stehender
nackter Knabe, der im linken Arm ein
Nest mit vier Vögelchen trägt, die er
mit der erhobenen Rechten füttert.
Vollständig mattvergoldet. Postament
wie vorige Nr.
Linker Arm restauriert.

775   776

777

Knabe mit Hündchen aus der Serie der Tageszeiten

um 1803, J. P. Melchior, Ausformung
A. Clair

H. 10 cm
RM: „AC" und „H 9"
Inv.Nr. A 74 (L. Steinhauser, München,
Juli 1919)

Sockel wie vorige Nr., darauf stehender
nackter Knabe, der sich zu einem hoch-
springenden Hund rechts neben ihm
wendet und ihm einen Knochen gibt.
Unbemaltes Biskuitporzellan.
Schwanz des Hundes fehlt.

778

Genius mit Blumengirlande

um 1804, J. P. Melchior, Ausformung
A. Clair

H. 18,8 cm
RM: „AC" und „H 9"
Inv.Nr. A 253 (Ruef, München, 15.7.1964)

Auf glattem, rundem Sockel vor Baum-
stamm als Stütze stehender nackter
Knabe mit Flügeln, der zwischen sei-
nen ausgestreckten Händen eine Blu-
mengirlande hält. Über dem linken
Arm drapierter Stoff, der auf dem
Baumstumpf aufliegt. Unbemaltes
Biskuitporzellan.

Rechter Flügel teilweise und Ende der
Draperie abgebrochen.

Die Figur gehört zu einer Serie von we-
nigstens fünf „Genien", die mit Blumen
spielen und im Arbeitsbuch A. Clair
1804 summarisch als „Amor mit Flügel" bezeichnet wurden (Hofmann,
S. 542, Abb. 293, 294). Vergleichsstück im BNM, Inv.Nr. 13/1469, in
der Kurhessischen Hausstiftung Schloß
Fasanerie, Eichenzell, Inv.Nr. PE 758,
und im Nationalmuseum, Stockholm,
Inv.Nr. CXV 455.

779   780

779
Büste Max I. von Bayern
um 1808, J. P. Melchior,
Ausformung A. Clair

H. m. Sockel 27,5 cm
PM: RS 36; RM: „AC" und „P".
Sockel: PM: RS 20 und „II"; RM: „W"
Inv.Nr. A 45 (Slg. Hirth, 1916)

Auf rundem Sockel mit eingeschwungenem Schaft und Profilleisten Schulterbüste des Königs im antiken Stil mit
einer Toga bekleidet. Unbemaltes Biskuitporzellan.
Saum und Standfläche leicht bestoßen,
Brandriß auf der Unterseite.

Weitere Ausformungen im BNM, Inv.
Nr. Ker 2257 (Hofmann, Abb. 252),
beim WAF, München, Inv.Nr. KIa22,
im MStm, Inv.Nr. 33/185, im Reiss-
Museum, Mannheim (AK Hohenberg
1994, S. 85), im Stadtmuseum Ratingen, Inv.Nr. I-301/N, und ehemals Slg.
v. Gasser (VK Gasser 1912, Nr. 585).
Hofmann kritisierte, daß sich die „be-

häbige Bürgerphysiognomie des Königs... in der antiken Toga etwas wun-
derlich" ausnimmt (S. 531), obwohl
die damals entstandenen Portraits des
königlichen Paares und seiner Kinder
dem Künstler viel Lob und Anerkennung von Seiten der fürstlichen Auf-
traggeber eintrugen.

Publ.: VK Hirth 1916, Nr. 255

780
Büste Caroline von Bayern
um 1809, J. P. Melchior,
Ausformung A. Clair

H. m. Sockel 28,5 cm
PM: RS 36; RM: „AC" und „E".
Sockel: PM: RS 20 und „II"; RM: „W"
Inv.Nr. A 46 (Slg. Hirth, 1916)

Sockel wie vorige Nr., Schulterbüste
der Königin in hochgegürtetem Kleid
mit Schal, im hochgesteckten lockigen
Haar ein geflochtener Kranz. Unbemaltes Biskuitporzellan.

Ecke des Kammes abgebrochen, Sockel
leicht bestoßen.

Weitere Ausformungen im BNM, Inv.
Nr. Ker 2258 (Hofmann, Abb. 252),
beim WAF, München, Inv.Nr. KIa23,
im MStm, Inv.Nr. 33/186, im Hetjens-
Museum, Düsseldorf, Inv.Nr. 20050
(Klein 1966, Nr. 190), im Reiss-Muse-
um, Mannheim (AK Hohenberg 1994,
S. 85), im Stadtmuseum Ratingen,
Inv.Nr. I-302/N, und ehemals Slg. v.
Gasser (VK Gasser 1912, Nr. 585).

Publ.: VK Hirth 1916, Nr. 256

781
**Büste Prinzessin Elisabeth
Ludovika von Bayern**
um 1812, J. P. Melchior,
Ausformung A. Clair

H. 26 cm
PM: RS 36; RM: „AC" und „D"
Inv.Nr. A 91 (Prov. unbekannt)

Schulterbüste der Prinzessin in gefälteltem Unterkleid mit dünnem Schal, der von einem Band über der Schulter gehalten wird. Unbemaltes Biskuitporzellan.
Bruchstellen gekittet. Spitze der rechten Schläfenlocke ergänzt.

Ein Vergleichsstück im BNM gehört zu einer dort vollständigen Serie der sechs Töchter des Königs, Inv.Nr. Ker 2264-2260 (Hofmann, Abb. 253, 254). Dem Modell liegt eine Portraitzeichnung in Dreiviertelansicht Melchiors nach Joseph Stieler zugrunde, die sich im Residenzmuseum, München, befindet (Hofmann, Abb. 306).

782
Allegorie des Frühlings
um 1810–15, J.P. Melchior,
Ausformung A. Clair

H. 31 cm
PM: RS 36; RM: „AC" und „F"
Inv.Nr. A 205 (Höchtl, München, 11.5.1958)

Auf runder Sockelplatte stehende, weibliche Figur als „Flora" in antikem Gewand mit einem Manteltuch darüber; mit erhobenen Armen hält sie einen Lorbeerkranz neben ihrem leicht zur Seite geneigten Haupt. Vergoldetes Biskuitporzellan.
Sockelrand restauriert.

782   783

781

Ein unbemaltes Ex., das sich ehemals in der Konditorei Rottenhöfer, München, befand (Hofmann, Abb. 295), beweist nach Hofmann, daß noch in diesen Jahren Figuren zur Desserttafel gehörten und nicht nur als Ausstattungsobjekte angesehen wurden (S. 543).

783
Allegorie des Herbstes
um 1810–15, J.P. Melchior,
Ausformung A. Clair

H. 32 cm
PM: RS 36; RM: „AC" und „F"
Inv.Nr. A 206 (Höchtl, München, 11.5.1958)

Sockel wie vorige Nr., darauf stehende, weibliche Figur als „Pomona" in anti-

kem Gewand, das Manteltuch über dem ausgestreckten rechten Arm, mit der linken Hand hält sie ein nach unten offenes Füllhorn mit Früchten. Vergoldetes Biskuitporzellan.
Sockelrand und Faltensaum bestoßen.

Zusammen mit einer „Ceres" (Sommer) und einer „Nymphe" (Winter) bilden obige Figuren eine allegorische Serie der Jahreszeiten. Ein unbemaltes Ex. im Hist. Museum der Pfalz, Speyer (Hofmann, Abb. 296), eine unbemalte Nymphe als „Winter" im Grassimuseum, Leipzig, Inv.Nr. 29.286 (MK Leipzig 1983, Nr. 128).

784

früher als Königin Caroline bez.) und einem jugendlichen Prinzen (Karl August von Leuchtenberg oder Prinz Karl von Bayern?, BNM, Inv. Nr. D 3107; Hofmann, Abb. 387). Zwei weitere Exemplare der Beauharnais-Büste besitzen das BNM, Inv.Nr. D 3108, und der WAF, Inv.Nr. P IV 26 (AK München 1980, Nr. 1270B m. Abb.). Alle bekannten Stücke tragen keine Marken. Der Kunststeinsockel stammt, wie zwei große Kandelaber im Münchner Residenzmuseum und eine Kaminvase im Neuen Schloß Bayreuth, aus der Produktion der Manufaktur Utzschneider, Saargemünd.

Publ.: Hofmann, Abb. 343

784
Büste Eugène de Beauharnais, Herzog von Leuchtenberg
um 1820–24, wohl J. Kirchmayer

H. m. Sockel 34,8 cm
ohne Marke
Inv.Nr. A 138 (L. Steinhauser, München, 23.12.1938, wohl ehemals Slg. Ostermann)

Hoher, einschwingender Rundsockel aus braun-weiß gesprenkeltem, geschliffenem Kunststein. Darauf rückwärts ausgehöhlte Schulterbüste des Herzogs mit Oberlippenbart und kurz geschnittenem Haar in togaähnlichem Umhang. Mattes, dunkelbraun gefärbtes Porzellan.

Die Büste gehört zu einer Reihe gleichartiger Bildnisse von Wittelsbacher Familienmitgliedern: König Max I. von Bayern (WAF, Inv.Nr. P IV 27; AK München 1980, Nr. 1270A), seiner Tochter Herzogin Auguste Amalie von Leuchtenberg (Königliches Schloß, Stockholm; Hofmann, Abb. Taf. 24,

785
Miniaturfigur König Max I. von Bayern
um 1824–25, wohl F. Eberhard

H. 7,7 cm
ohne Marke
Inv.Nr. A 207 (L. Steinhauser, München, 20.6.1958)

Auf runder Sockelplatte stehende Figur in Zivilkleidung mit Zylinder, die rechte Hand in den Rock geschoben. Vergoldetes Biskuitporzellan.

Der Bildhauer Franz Eberhard (1767–1836) war zwischen August 1822 und Juli 1825 in Nymphenburg tätig. Das Modell gehört zu einer Serie, die außer den folgenden Kat. Nrn. noch einen jungen Offizier mit Hubertusorden vorstellt und z.T. im Preiscourant von 1840 verzeichnet ist (Ludwig I.). Ein vollständiger, unbemalter Satz aus dem Besitz der Markgrafen von Baden-Baden (Sotheby's, Baden-Baden, 5.10.1995, Nr. 5974) im Besitz des WAF, München, Inv. Nr. KIa116/1-6. Unbemalte Figuren von König Max I. im MNC, Sèvres (Hofmann, S. 558) und in unbekanntem Besitz (Bangel, Frankfurt, 26.5.1925, Nr. 209). Die bisher der Serie zugeordneten Figuren von Napoleon und Friedrich d. Großem sind nur 6,2 und 6,7 cm hoch und stehen deshalb in einem anderen ikonographischen Zusammenhang.

786
Miniaturfigur König Max I. von Bayern (o. Abb.)
um 1824–25, wohl F. Eberhard

H. 7,7 cm
PM: RS 35
Inv.Nr. A 67 (L. Steinhauser, München, März 1919)

Modell wie vorige Nr., unbemaltes Biskuitporzellan.
Kleine Beschädigung am Zylinder.

Publ.: Hofmann, Abb. 382

787
Miniaturfigur Ludwig I. von Bayern
um 1824–25, wohl F. Eberhard

H. 7,9 cm
PM: RS 35
Inv.Nr. A 68 (L. Steinhauser, München, März 1919)

Sockel wie vorige Nr., vor einer Baumstütze der König in Uniform, den Dreispitz in der rechten Hand, die linke am Degen. Unbemaltes Biskuitporzellan.

Im Preiscourant von 1831 unter No. 38 abgebildet. Ein unbemaltes Ex. in unbekanntem Besitz (Bangel, Frankfurt, 26.5.1925, Nr. 210).

788
Miniaturfigur Kronprinz
Maximilian von Bayern (?)
um 1824–25, wohl F. Eberhard

H. 7,7 cm
ohne Marke; gedrucktes Inventaretikett mit
Rautenschild und Krone
Inv.Nr. A 57 (Prov. unbekannt)

Sockel wie vorige Nr., die stehende
Figur in Uniform mit Hubertusorden,
den Dreispitz im angewinkeltem rechten Arm vor der Brust. Vergoldetes
Biskuitporzellan.

Die Identifizierung dieser und einer
ähnlichen Figur mit den Söhnen
Ludwig I. Kronprinz Maximilian (geb.
1811) und Prinz Otto (geb. 1815),
später König von Griechenland, stammt
von F. Hofmann. Die Geburtsdaten
sprechen jedoch gegen diese Zuschreibung, falls die gesamte Gruppe aus einer Hand stammt. Da eine Portraitähn-
lichkeit nicht von der Hand zu weisen
ist, müßten diese Modelle entweder
später entstanden sein, oder doch andere Mitglieder des Hauses Wittelsbach
darstellen.

789
Miniaturfigur Kronprinz
Maximilian von Bayern (?) (o. Abb.)
um 1824–25, wohl F. Eberhard

H. 7,7 cm
PM: RS 35
Inv.Nr. A 69 (L. Steinhauser, München,
März 1919)

Modell wie vorige Nr., unbemaltes
Biskuitporzellan.

Ein unbemaltes Ex. im BNM, Inv.Nr.
29/2264.

790
Miniaturfigur Kronprinz
Maximilian von Bayern (?) (o. Abb.)
um 1824–25, wohl F. Eberhard

H. 7,6 cm
PM: RS 35; in Grau bez. „or / HOR"
Inv.Nr. A 73 (Brüschwiler, 4.7.1919)

Modell wie vorige Nr., auf grüner
Sockelplatte vor braunem Baumstumpf

stehende Figur in blauer Uniform mit
goldenen Epauletten, kräftiges Inkarnat.

791
Büste Königin Therese von
Bayern
um 1833, wohl J. Kirchmayer

H. m. Sockel 22,5 cm
ohne Marke. Sockel: PM: RS 35; RM: „3"
und „5"
Inv.Nr. A 76 (Slg. Frank, 1919)

Auf rundem Sockel mit eingeschwungenem Schaft und Profilleisten Schulterbüste der Königin in antikisierendem
Gewand, jedoch mit zeittypischer Haar-
tracht aus üppigen Schläfenlocken und
hochgestecktem Chignon. Unbemaltes
Biskuitporzellan.

Therese von Sachsen-Hildburghausen
(1792–1854) heiratete am 12.10.1810
in München Kronprinz Ludwig von
Bayern (1786–1868). Eine „Dinst. den
26. Nov." bezeichnete Ausformung der
Büste läßt sich durch den Stil der Frisur
auf 1833 datieren und befindet sich im
BNM, Inv.Nr. Ker 2259 (Hofmann,
Abb. 388).

Publ.: VK Frank 1919, Nr. 417

792
Milchmädchen (o. Abb.)
um 1816

H. 17 cm
PM: RS auf der Unterseite einer Milchkanne
Inv.Nr. A 56 (Prov. unbekannt)

Auf rundem, oben grün staffiertem
Sockel mit schwarzer Kante stehendes
Mädchen in knielangem, schwarzem
Rock, lila geblümter Schürze, blau-rot
gepunkteter gelblicher Jacke über Mie-
der und Bluse sowie schwarzem, breit-
krempigem Hut. In der rechten Hand
eine Milchkanne, über der linken
Schulter eine Tragstange mit zwei
Milchkannen. Lebhaftes Inkarnat.
Linker Arm, Tragstange und eine
Milchkanne ergänzt.

791

Das Modell ist im Preiscourant von
1831 unter No. 42 abgebildet. Mit
schmal gestreifter Schürze ein 1829
datiertes Ex. ehemals in Privatbesitz
(Hofmann, Abb. 383), bemalt auch im
BNM, Inv.Nr. 30/337, im British Museum, London, Inv.Nr. 1923.0314.118,
und in unbekanntem Besitz (Weinmüller, 6.10.1954, Nr. 69).

793
Gebirgsschütze (Abb. s. S. 272)
um 1830, S. Habenschaden
zugeschrieben

H. 19,3 cm
ohne Marke
Inv.Nr. A 208 (Höchtl, München, 18.7.1958)

Auf rundem grünen Sockel mit grauem
Rand stehender junger Mann mit
Schnauzbart in bayerischer Tracht mit
grau-weißen Wadenstrümpfen, kurzer
schwarzer Lederhose, besticktem Leder-
gürtel, grauer Jacke und hohem schwarzem Hut mit goldener Schnur; er stützt
sich mit beiden Händen auf einen langen Bergstock, das Gewehr über der
linken Schulter, einen Rucksack auf
dem Rücken. Kräftiges Inkarnat.
Gewehr abgebrochen.

793   794

Im Preiscourant von 1831 als „No. 40
Schütz" abgebildet, in der Preisliste von
1850 als „Gebirgsschütz" bezeichnet.
Ein ähnlich bemaltes Ex. im BNM,
Inv.Nr. Ker 3776.

794
Sennerin

um 1830, S. Habenschaden
zugeschrieben

H. 17 cm
ohne Marke
Inv.Nr. A 209 (Höchtl, München, 18.7.1958)

Auf Sockel wie vorige Nr., stehendes
Mädchen in oberbayerischer Tracht
über braun-weißen, langen Hosen und
schwarzem Rock mit gelbem Saum eine
blau-rot gestreifte Schürze, mit dunkel-
blauer Jacke und schwarzen Armstut-
zen sowie hohem, dunkelgrünem Hut
mit Goldschnur, die Linke in die Hüfte
gestützt. Kräftiges Inkarnat.

Im Preiscourant von 1831 als „No. 40
Gebirgsmädchen" abgebildet, in der
Preisliste von 1850 als „Sennerin" be-
zeichnet. Eine ungemarkte Figur als
„Piemontese woman" mit ähnlicher
Bemalung in unbekanntem Besitz
(Christie's, London, 13.3.1989, Nr.
40), mit geblümter Schürze im BNM,

Inv.Nr. Ker 3777, sowie zusammen mit
dem Gebirgsschützen in unbekanntem
Besitz (Christie's, London, 28.6.1982,
Nr. 39; Neumeister, München,
21.3.1996, Nr. 2065).

795
Bär als Honiggefäß

um 1830–50, S. Habenschaden

H. 22 cm
PM: zwei RS unter zwei Baumwurzeln
Inv.Nr. A 295 (Ruef, München, 1992)

Auf einer verästelten, braun-schwarz
staffierten Baumwurzel mit abgebro-
chenem Stamm stehender Bär mit
grau-schwarzem Fell, der sich am
Stamm abstützt und den Kopf mit auf-
gerissenem Maul nach rechts wendet.
Hohler Körper als Honiggefäß, Hals und
Kopf als Deckel abnehmbar.
Deckel und oberste Baumspitze
geklebt.

Vergleichsstück im BNM, Inv.Nr.
Ker 2558 (Hofmann, Abb. 434).

Publ.: Ruef, München, 11.11.1992, Nr. 320;
AK München 1995, Abb. S. 131

795

796
Hündchen als Briefbeschwerer
um 1850

3 x 6 x 4,3 cm
PM: RS; RM: „J"
Inv.Nr. A 75 (Antiquar Peter, München,
26.7.1919)

Rechteckiger Sockel mit breit geschrägten Ecken, darauf nach links liegendes
Königshündchen, den Kopf leicht erhoben. Unbemalt.
Brandrisse, Rand leicht bestoßen.

797
Altmünchner Bürgerfrau
um 1850, E. N. Neureuther

H. 13,4 cm
RM: RS
Inv.Nr. A 202 (Prov. unbekannt)

Auf rundem Sockel stehende Frau in
langem, purpurnem Kleid und hellbrauner Schürze mit grün-rotem Blütenmuster, goldverziertem Mieder, rosa Brust-
tuch und schwarzem Umhängetuch;
auf dem braunen Haarknoten eine goldene Riegelhaube, in der linken Hand
vor der Brust ein Gebetbuch. Kräftiges
Inkarnat.
Ein Stück vom Buch abgebrochen,
Sockel leicht bestoßen.

Ein Vergleichsstück im MStm, Inv.
Nr. 32/489 (AK München 1987,
Nr. 4.11.16).

801   797   802

798
Münchner Kellnerin
vor 1850, E. N. Neureuther

H. 14,4 cm
PM: RS 40 und „Bhts"
Inv.Nr. A 79 (Auktion Frank, 11.9.1919,
Nr. 428)

Auf quadratischem Sockel stehendes
Mädchen in wadenlangem Rock, Schürze, geschnürtem Mieder, Kropfkette
und Riegelhaube, in der Linken drei
Halbmaßkrüge, in der Rechten eine
Platte mit einer Schweinshaxe. Unbemaltes Biskuitporzellan.

Das männliche Pendant war ein
Schenkkellner, der neben einem Bier-
faß steht (Hofmann, Abb. 398).

798

796

799

799
„Der Gamsjager"
um 1850, E. N. Neureuther

H. 30 cm
ohne Marke
Inv.Nr. A 257 (Prov. unbekannt)

Auf einem annähernd runden Land-schaftssockel erwächst in der Mitte ein knorriger Baum mit dreifach verzweig-ter Schirmkrone aus einer graugefärb-ten, körnigen Porzellanmasse. Zwischen den Wurzeln klettert etwas ungelenk ein älticher Jäger in bürgerlicher Bie-dermeierkleidung mit Zylinder und ei-nem dicken Schal um den Kopf ge-wickelt, dem sich von rückwärts links der ältere Bergführer, rechts ein junger

Lastenträger mit einem Schirm nähern. Die Figuren aus unbemaltem Biskuit-porzellan.
Gewehrlauf und Schirmgriff abgebro-chen, Brandrisse zwischen Sockel und Figur links.

Das humoristisch aufgefaßte Thema folgt dem gleichnamigen Gedicht aus Franz v. Kobells „Gedichte in ober-bayerischer Mundart", 3. Auflage, München 1846, S. 123, und zeugt von Neureuthers Sinn für anekdotischen Humor. Dem gleichen Motivkreis ver-bunden und in der Ausführung durch die Verbindung von steinzeugartig wir-kendem Scherben mit weißem Biskuit-porzellan zugehörig ist die Gruppe „Das schlafende Diendl", ein schlafen-

des Mädchen unter einem Baum, das von einem alten Mann beobachtet wird (Hofmann, Abb. 400). Auch hier lag ein Gedicht Kobells zugrunde (op. cit., S. 21). Neureuther veröffentlichte 1862 Variationen beider Gruppen als Sockel von „Tafelaufsätzen für Silber oder Bronze" und verwies auf eine früherere Ausformung der Gruppen „in Terra-kotta" (ZS des Vereins zur Ausbildung der Gewerke, 12. Jg., No. 1, 1862, Bl. III). Der Stil der Figuren und die ungewöhnliche Materialverbindung setzt sich im 1853 veröffentlichten Jagdservice für König Max II. fort, des-sen figurale Griffe aus beige gefärbter Masse zart vergoldet sind und mit dem unterglasurblauen Dekor und dem Weiß des Porzellans reizvoll kontrastie-ren (ZS op. cit., 3. Jg., No. 3, 1853, Bl. III, IV). Außerdem sind Probestücke nach Entwürfen Neureuthers aus brau-ner, feinkörniger Masse bekannt (BSV, Zug.Nr. 279).

800
Miniaturfigur Rokokodame
um 1852/53, wohl Bildhauer Geiger

H. 10,2 cm
PM: RS 40; RM: „K"
Inv.Nr. A 58

Quadratischer, zweistufiger Sockel, stehende Dame im rosa-gelben Rokoko-Kostüm mit blauem Mieder, in der Rechten eine lila Blume.
Vergoldung berieben.

Geiger erhielt im Etatsjahr 1852/53 für „7 Rokokofigürchen 42fl. 54kr." (Hofmann S. 689).

801
Dachauerin (Abb. s. S. 273)
1853/54, G. Maier

H. 14 cm
RM: „F 2"
Inv.Nr. A 111 (Antiquar Müller, Frankfurt,
22.11.1925)

Auf quadratischem, braun-grünem
Sockel mit goldenen Seiten stehendes
Mädchen in Dachauer Tracht aus einer
purpur-grün gestreiften Schürze an lila
Bändern über dem schwarzen Rock
und eisenrotem Mieder mit Gold-
schnüren, darüber eine hellblaue Jacke
mit Goldverzierung, einem schwarzen
Hut mit rosa Schleife und weißem Plis-
see, im linken Arm einen Marktkorb, in
der rechten Hand einen Stoffbeutel.
Schwarze Farbe mehrfach abgeblättert.

Das Modell wurde früher als „Markt-
frau" abgebildet und Josef Grobmer zugeschrieben (Hofmann, Abb. 397 u.
S. 688), doch wies Dr. Bäuml aufgrund
der farbigen Staffage der Tracht die Figur dem sonst nicht weiter nachweisbaren Georg Maier zu, der in den Etats-
Abrechnungen zwischen 1853 bis 1856
genannt wird (Hofmann, S. 690–692).

800

803

804

802
Schnupferin, sog. „Ratschkathl"
(Abb. s. S. 273)
1854/55, J. Grobmer

H. 15,5 cm
PM: RS 40 ohne Stern
Inv.Nr. A 203 (L. Steinhauser, München,
31.12.1957)

Auf quadratischem Sockel stehende ältere Frau mit einer gerafften hellblauen
Schürze über dem olivgrünen Rock, mit
beiden Händen führt sie die Dose mit
Schnupftabak an die Nase und beugt
sich zum Schnupfen leicht nach vorne,
im linken Arm hängt ein Korb mit einem irdenen Henkelkrug, aus dem eine
Wurst heraushängt, unter Blättern
Walnüsse. Kräftiges Inkarnat.

Als Gegenstück wurde ein „Kornhänd-
ler" (Hofmann, Abb. 396) benannt, der
jedoch einen runden Sockel besitzt.
Eine farbig staffierte „Ratschkathl" im
MStm, Inv.Nr. 31/297 (AK München
1987, Nr. 4.11.17).

803
Miniaturbüste
um 1850

H. 4,8 cm
PM: RS 35 und „Z"
Inv.Nr. A 288 (Prov. unbekannt)

Schulterbüste eines Offiziers mittleren
Alters in Uniform mit Kinnbart nach
rechts. Unbemaltes Biskuitporzellan.

804
Miniaturbüste Goethe
um 1850

H. 4,5 cm
ohne Marke
Inv.Nr. A 287 (Prov. unbekannt)

Schulterbüste des Dichters nach links.
Unbemaltes Biskuitporzellan.

Geschirre des 19. Jahrhunderts   Tableware of the 19th Century

Mit dem Dienstantritt von J. P. Melchior 1797 setzte sich in Nymphenburg endgültig ein Geschmack französischer Prägung im allgemein gültigen Stil des ausgehenden Louis XVI. durch, den der Bildhauer und Modelleur schon in Frankenthal gepflegt hatte (Kat. 1300). Im Zuge der Antikenverehrung wurden in der 2. Hälfte des 18. Jhs. griechisch-römische Gefäßformen und Zierelemente in allen europäischen Porzellanmanufakturen aufgegriffen. Am Beispiel des Kaffee- und Teeservices „antic A" läßt sich die in Europa allgemeingültige Formensprache ablesen, die sich nur in Proportionen und Details von Manufaktur zu Manufaktur unterscheidet. Zu den wichtigsten Vorlagewerken für Prunkvasen zählten die zwischen 1756 und 1778 herausgegebenen Bauaufnahmen und Detailstudien Giovanni Batista Piranesis. Auch die Ausgrabungen in Pompeij finden ihren Niederschlag in der angewandten Kunst (Kat. 972). Nach 1800 verbreitete sich der „Style Empire" als Folge der Eroberungspolitik Napoleons in ganz Europa. Zum Modethema wurde kurzfristig der Ägyptenfeldzug von 1799, der auch in Nymphenburg zu einigen Modellen anregte (Kat. 821).

Unter der Leitung F. v. Gärtners hielt dann in Nymphenburg die strenge Kopie der Antike ihren Einzug. Durch eigene Studien auf das genaueste vorbereitet, schuf Gärtner bald nach seinem Dienstantritt 1822 eine Reihe von Vasen und Geschirren, die mit ihren großen glatten Flächen für Bemalungen besonders geeignet waren (Kat. 1294). Technisch war die Herstellung dieser großformatigen Prunkobjekte eine herausragende Leistung, die international gewürdigt wurde.

With J. P. Melchior commencing work at Nymphenburg in 1797, a taste French in character, in the generally valid late Louis Seize style, finally gained acceptance – a taste, which the sculptor and modeler had already cultivated at Frankenthal (cat. no. 1300). In veneration of antiquity, Greco-Roman vessel forms and decorative elements were taken up at all European porcelain factories in the second half of the 18th century. On the coffee and tea service Antic A, for example, one sees the generally valid European language of forms, which differs from factory to factory only in proportions and details. Amongst the most important sources for show vases are Giovanni Batista Piranesi's views of buildings and studies of architectural details. The excavations at Pompeii are also reflected in the applied arts (cat. no. 972). As a result of Napoleon's campaign of conquest, the "style empire" spread throughout all of Europe after 1800. For a brief period of time, the Egyptian campaign of 1799 came to be a fashionable subject, also inspiring a few models at Nymphenburg (cat. no. 821).

Under the direction of F. v. Gärtner, exact copies of antique sources began to be made at Nymphenburg. Shortly after commencing at Nymphenburg in 1822, having meticulously prepared himself with his own studies, Gärtner created a series of vases and pieces of tableware having large smooth surfaces particularly well-suited to painted decoration (cat. no. 1294). The production of these large-scale show pieces was technically an outstanding, internationally acknowledged, achievement.

Titelvignette des Preiscourants
von 1831

806 808 809 807 805

805–806
Paar Tischleuchter
um 1800, Ausformung A. Clair

H. 17 cm
PM: RS 36; RM: „AC" und „W"
Inv.Nr. B 530a-b (Prov. unbekannt)

Quadratischer Sockel mit plastischem
Perlstab, Kehle und zwei Abstufungen;
Schaft in Form einer antiken Säule mit
ionischer Basis, dünnen Kanneluren in
der unteren Hälfte und Kompositkapi-
tell als Tülle. Perlstab, Profile und Kanneluren goldstaffiert.
806: zwei Ecken am Sockel ergänzt.

Ein ähnlicher, höherer Leuchter auf
Kugelfüßchen mit Gold und Silber im
BNM, Inv.Nr. Ker 5982 (Hantschmann
1996, Mod. 462, Kat. 6).

Publ.: Hantschmann 1996, Mod. 463

807–808
Paar Zierväschen
um 1800, wohl J. P. Melchior,
Ausformung A. Clair

H. 10,5 cm
PM: RS 36; RM: „AC" und „B"
Inv.Nr. B 389a-b (Slg. v. Ostermann, 1928)

Runder Fuß mit fallendem Karnies,
tropfenförmiger Korpus mit reliefiertem, lanzettförmigem Blätterfries auf
der ausgebauchten Wandung, zwischen
Profilen glatte Schulterzone mit reliefierten Lorbeergirlanden, kurze Kanneluren auf dem Hals mit ausgestelltem
Lippenrand. Seitlich zwei kleine, gebogene Rundstabhenkel. Unbemaltes
Biskuitporzellan.

Ein Väschen dieser Art, 1802 erworben, im MNC, Sèvres, Inv.Nr. 486.1;
zum Altbestand der Münchner Resi-

denz gehören fünf vergleichbare Ex.
und neun Ex. mit aufgesetzten Blüten,
Inv.Nr. KIII/Ny 58-71.

Publ.: VK Ostermann 1928/II, Nr. 443;
Hantschmann 1996, Mod. 406, Kat. 15

809
Tischleuchter
um 1800–10, Ausformung A. Clair

H. 22,5 cm, Ø 9 cm
PM: RS 36; RM: „L" und „AC"
Inv.Nr. B 244 (Slg. Seitz, 1912)

Glatte, runde Bodenplatte, trommelför-
miger Sockel mit umlaufend reliefierten
Tuchgehängen und Blattreliefs auf den
Gesimsen; säulenförmiger Schaft mit
Kanneluren in der unteren Hälfte; mit
blattgeschmücktem Karnies abgesetzte

810

813

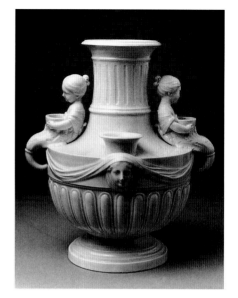

813 (Seitenansicht)

Tülle mit gepunkteter Girlande in Relief. Unbemalt.
Am Stand minimal bestoßen.

Publ.: VK Seitz 1912, Nr. 148; Hantschmann 1996, Mod. 464

810–811
Zwei Kühlgefäße
um 1800

H. 21 cm, Ø 26 cm
PM: RS; RM: „B" und „Z", drei Punkte eingestochen
Inv.Nr. B 396a-b (Schloß Biederstein, 1930)

Form wie Kat. 665, seitlich plastische Löwenköpfe als Handhaben. Unbemalt. Brandrisse.

Bislang die einzigen bekannten Ausformungen der Variante eines älteren Modells.

Publ.: VK Biederstein 1930, Nr. 15; Hantschmann 1996, Mod. 99

812
Vase (o. Abb.)
nach 1803, J. P. Melchior, Ausformung A. Clair

H. 36 cm
PM: RS 11; RM: „AC" und „P", Strich
Inv.Nr. B 532 (Antiquar Peter, München, 18.11.1915)

Runder Fuß mit spitzem Blattrelief auf fallendem Karnies, schlanker, oben ausgebauchter Korpus mit abgesetztem Blattfries unter der getreppten Schulter, zylindrischer Hals mit Kanneluren und gesimsartigem Rand mit Blattfries; zweiteilige Schlangenhenkel mit Blatttülle am Ansatz. Unbemalt.
Ein Henkel abgebrochen.

Mit großer Sicherheit handelt es sich um die „kleinere Vase mit schmalem Halse und vier aus dem Laube schliefenden Schlangenhenkeln" in der 1803 datierten Liste der neuen Modelle von Melchior (Hofmann, S. 612).

Publ.: Hantschmann 1996, Mod. 402, Kat. 9

813
Tulpenvase
um 1800–10, J. P. Melchior

H. 25 cm
PM: RS 20; RM: „MK" und „Z"
Inv.Nr. B 794 (Kunsthandlung Fink, München, 1987)

Balusterform mit stark eingezogenem, profiliertem Fuß und hohem, gerieftem Hals mit ausgestelltem Rand. Auf der bauchigen Wandung im unteren Teil Pfeifenrelief, darüber glatter Streifen mit zwei Masken und hängenden Tuchgirlanden. Auf der glatten Schulter vier Tüllen, zwei von sitzenden Mädchen

gehalten, deren Körper in ein Blatt übergehen. Unbemalt.

1803 werden Gefäße mit „Halbkinderhenkeln" erwähnt (Hofmann, S. 612), die dieses Modell bezeichnen könnten. Ein unbemaltes Ex. ehem. Slg. v. Sayn-Wittgenstein (Hofmann, Abb. 229).

Publ.: Hantschmann 1996, Mod. 403, Kat. 10

814
Unterteil einer Terrine (o. Abb.)
um 1800, J. P. Melchior

H. 19,5 cm, Ø 25 cm
PM: RS 36; RM: Strich
Inv.Nr. B 213 (Slg. Hirth, 1918)

Rund, auf vier Löwentatzen weit ausladender, schalenförmiger Korpus mit vergoldetem Pfeifenrelief und glattem Randstreifen mit Goldrändern und Goldblumen, darauf zwei vergoldete Maskarons mit Flügelhelmen und zwei abstehende, männliche Masken mit Bärten als Griffe.
Vergoldung berieben, Bruchstellen gekittet, Deckel fehlt.

Publ.: VK Hirth 1918, Nr. 36; Hofmann, Abb. 301; Hantschmann 1996, Kat. 13

815
Vase (o. Abb.)
um 1800–10, J. P. Melchior,
Ausformung A. Clair

H. 19,6 cm, Ø 15 cm
PM: RS 36; RM: „AC" und „8"
Inv.Nr. B 554 (Prov. unbekannt)

Runder Fuß mit fallendem Karnies;
urnenförmiger Korpus mit Pfeifenrelief
im unteren Teil, glattem Rand und Re-
liefstreifen mit herzförmigen Motiven
und Blättern auf der Schulter; aus dem
Pfeifenrelief seitlich erwachsende,
nackte Cupidos mit Flügeln und vor der
Brust verschränkten Armen. Unbemaltes Biskuitporzellan.
Beide Köpfe fehlen, Arme teils abgebrochen, am Rand und Standring ausgeschlagen. Ein wohl zugehöriger Deckel
fehlt.

Das Modell ahmt eine antike Vase
nach, die bei Piranesi 1778, II, Taf. 69
abgebildet ist.

Publ.: Hantschmann 1996, Mod. 404, Kat. 12

816

816
Vase
um 1800–10, J. P. Melchior

H. o. Deckel 28,3 cm
PM: RS 11 und „P", Strich
Inv.Nr. B 517 (Antiquar Peter, München,
18.11.1915)

Hoher, eingeschwungener Fuß; schlanker, becherförmiger Korpus mit lanzett-
förmigen Blättern in Relief, glatter
Randstreifen, leicht ansteigende Schulter. Seitlich plastische Kinderköpfe unterhalb der (fehlenden) Henkel. Unbemalt, Blattrelief und Kinderköpfe in
Biskuitporzellan.
Deckel fehlt, Henkel abgebrochen,
Standring bestoßen.

Die Grundform und die Lanzettblätter
folgen einem antiken Vorbild, siehe
Piranesi 1778, II, Taf. 72.

Publ.: Hantschmann 1996, Mod. 405

817–818
Zwei Vasen
um 1800, Ausformung um 1810

H. 21 cm, Ø 10,5 cm
PM: RS 27 und „II"; RM: „1/5"
Inv.Nr. B 538a-b (Prov. unbekannt)

Schwarz glasierte, runde Bodenplatte,
eingezogener Fuß, kelchförmiger Korpus aus leicht getöntem Biskuitporzellan mit symmetrischem Schlingendekor

817   818

und Blütenrosetten als weiße Biskuit-
auflagen; waagerechte Schulter, ausladender, schwarz glasierter Hals mit
Wulstrand.
Kleine Henkel abgebrochen.

12 Ex. in unbemaltem Biskuitporzellan
im Residenzmuseum, Inv. Nr. KII/Ny
26-37 (Hantschmann 1996, Mod. 413).

819–820
Zwei Obstkörbe
um 1803, Ausformung A. Clair

H. 11,5 cm, Ø 20 cm
PM: RS 36; RM: „AC"
Inv.Nr. B 565a-b (Prov. unbekannt, 1912)

Rund, konischer Fuß mit rautenförmigem Gitterwerk zwischen Profilleisten
durchbrochen; schalenförmige Wandung mit streifenartigem Durchbruch,
darüber Randzone wie der Fuß durchbrochen. Unbemalt.

819

Das Model wurde im Preiscourant von 1831 als „No. 76/77 Fruchtkorb mit Unterplatte" geführt (Hantschmann 1996, Mod. 88-89).

821
Pomadedöschen
um 1803

H. 8,8 cm, Ø 7 cm
PM: RS 26; Schleifstrich
Inv.Nr. B 234 (L. Steinhauser, München, 19.3.1919)

Runde Dose mit Profil über dem nach innen abgesetzten Stand, gewölbter Aufsatzdeckel, plastischer Frauenkopf mit ägyptischem Kopftuch als Knauf. Unbemalt.

Publ.: Hofmann, Abb. 302

822

824

822
Wasserkanne
um 1800–10

H. 23,7 cm
PM: RS 11; RM: „B" und Strich
Inv.Nr. B 281 (Kratzer, Nymphenburg)

Hoher, konischer Standfuß, schlanker Korpus mit Profilband um den Hals und weit ausgezogenem Ausguß, aus dem gegenüber der hochgezogene Bandhenkel erwächst. Unbemalt.

821

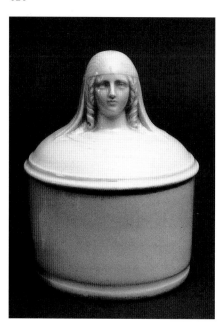

823
Cremebecher (o. Abb.)
um 1800

H. o. Deckel 6 cm, Ø 5,8 cm
PM: RS 24; RM: „X"
Inv.Nr. B 185a (Slg. Stegmann, 1917)

Auf drei ausgestellten Füßchen, becherförmige Wandung mit Pfeifenrelief im unteren Teil und Schuppenfries am Rand, seitlich schlaufenförmige Henkel aus großem Blatt erwachsend. Unbemalt.
Der zugehörige Deckel fehlt.

Publ.: VK Stegmann 1917, Nr. 154; Hantschmann 1996, Mod. 452

824
Deckelgefäß
um 1800–10

H. 22,2 cm
PM: RS 35 und „II"; RM: Strich
Inv.Nr. B 559 (durch Steiger, Bern, vermittelt)

Hoher, eingeschwungener Fuß; eiförmiger Korpus mit profiliertem Aufsatzdeckel, rosa Fond mit weißem Vorstoß. Am Deckelrand bestoßen.

Größeres Modell der Kat. 1018–1019.

825
Kühlgefäß
um 1800–10, J. P. Melchior

H. m. Deckel 28 cm, Ø 20,5 cm
PM: RS und „III"; RM: „1/5"
Inv.Nr. B 567 (Prov. unbekannt, 1913)

Glatter Standring, blütenförmiger Korpus mit einschwingender Schulter, seitlich zwei senkrechte, laffenförmige Griffe. Aufsatzdeckel mit hohem, eingezogenem Kragen und kanneliertem

825

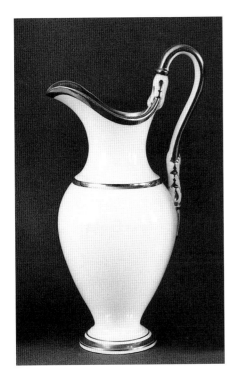

826

Griffstab in der Mitte. Unbemalt.
Ein Henkel abgebrochen.

Publ.: Hantschmann 1996, Mod. 102

826
Milchkanne „Form E"
um 1810–21

H. 23,5 cm
ohne Marke
Inv.Nr. B 25b (Prov. unbekannt)

Flacher, profilierter Trompetenfuß,
eiförmiger Korpus, eingezogener Hals
mit spitz zulaufendem Ausguß und glattem Bandhenkel, an beiden Enden mit
Blattrelief. Goldstaffage.

827

827
Kleine Deckelterrine
um 1820

H. 14 cm, Ø 18,5 cm
PM: RS 34 und „V", drei Punkte eingestochen
Inv.Nr. B 584a (Ruef, München, 27.10.1953)

Aus eingezogenem Standring sich leicht
konisch weitende, steile Wandung,
halbrunde Henkel mit reliefiertem Blattansatz, geschwungen gewölbter Deckel
mit Profilrand und pilzförmigem Knauf.
Liniertes Goldband als Staffage.
Standring leicht bestoßen.

828–912
94-tlg. Speiseservice
1. Viertel 19. Jh.
Inv.Nr. B 582 (Maximiliane v. Truchsaess,
1952); B 298 (Hautmann, München,
1.7.1923)

828
„Terrine mit ord. Henkel" und Unterplatte
Terrine: H. 28,0 cm
Unterplatte: H, 3,0 cm, Ø 34,9 cm
Terrine: PS: RS 27 und „III"; RM: Strich und
zwei Punkte eingestochen
Unterplatte: PM: RS 27 und „VI"; RM: „)))"
Inv.Nr. B 582a
Unterplatte mit erhöhtem Plateau, tie-
fer Kehle und leicht ansteigender Fah-
ne. Terrine auf glattem, profiliertem
Standring, geschwungen ausladende
Wandung mit gekehltem Rand, nach
oben geschwungene Henkel mit stili-
siertem Blattansatz, geschwungen ge-
wölbter Deckel mit profiliertem Rand
und Zapfenknauf. Profile, Ränder,
Henkel und Knauf vergoldet.

829

828

829
Gemüseschüssel
H. 14 cm, Ø 26 cm
PM: RS 33 und „3"; RM: „1/5"
Inv.Nr. B 298a
Glatter, niedriger Fuß; flache Schalen-
form mit verstärktem Rand, einfache
Henkel aus gerundetem Vierkantstab,
leicht gewölbter Deckel mit pilzförmi-
gem Knauf. Liniertes Goldband als
Staffage.
Vergoldung berieben.

830
„Sauciere No 1"
18,4 x 20,8 x 10,5 cm
PM: RS 35 und „2"; RM: „1/5"
Inv.Nr. B 298b
Ovaler, hoher Fuß mit profiliertem
Stand; längliche Schiffchenform mit
weit vorgezogenem Ausguß und gekehlt eingebogenem Rand beim Henkel
in Form eines Vogelkopfes über Palmet-
tenmotiv am Ansatz; Ränder und Henkel vergoldet.
Vergoldung berieben.

830

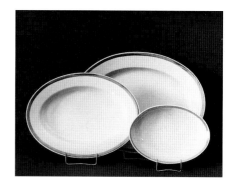

837   839   841

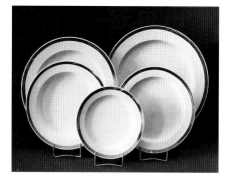

833   872   907   835   861

851   843   847   845

831
Zuckerdose auf Unterplatte
14,5 x 24,5 x 18,8 cm
PM: RS 35 und „XIII", RM: „21"
Inv.Nr. B 582b
Ovale Unterplatte mit geschwungener
Fahne; schalenförmiges Unterteil mit
glatter Wandung auf gekehltem Stand-
ring, gewölbter Aufsatzdeckel mit Ein-
schnitt und Zapfenknauf, Ränder und
Knauf vergoldet.

832
„Salatschüssel No 1" (o. Abb.)
H. 11,5 cm, Ø 30,5 cm
PM: RS 35 und „XIII"; RM: „W"
Inv.Nr. B 582c
Profilierter Standring mit Kehle; glatte,
schalenförmige Wandung mit Kehle
unter dem Rand, Standring und Kehle
vergoldet.

833-834
Zwei mittelgroße, runde Platten
H. 4 cm, Ø 31,3 cm
PM: RS 27 und „XVI", „5"; RM: zwei Striche
Inv.Nr. B 582 d-e
Gerader Standring, steiler Steigebord;
glatte, leicht ansteigende Fahne. Gold-
band mit Vorstoß.
Minimale Gebrauchsspuren.

831

835-836
Zwei große, runde Platten
H. 4,2 cm, Ø 35,7 cm
PM: RS und „XVI"; RM: drei Striche
Inv.Nr. B 582 f-g
Form und Bemalung wie vorige Nr.,
nur größer.

837-838
Zwei mittelgroße, ovale Platten
H. 5 x 40 x 29 cm
PM: RS, „XII" und „1/5"
Inv.Nr. B 582 h-i
Form und Bemalung wie vorige Nr.,
nur oval.

839-840
Zwei große, ovale Platten
6 x 49 x 36 cm
PM: RS 37; RM: „13" und „S"
Inv.Nr. B 582 k-l
Form und Bemalung wie vorige Nr.,
nur größer.

841-842
Zwei ovale Kompottschalen
4,5 x 27,9 x 19,3 cm
PM: RS 37, „XII" und „1/5"
Inv.Nr. B 582 m-n
Ausgezogener Standring, flach gemul-
deter Spiegel, glatt aufgebogener Rand,
Bemalung wie vorige Nr.
842: Sprung im Spiegel.

843-844
Zwei „Assiet, viereckig"
5,5 x 29,5 x 12,5 cm
PM: RS 37, „XII" und „1/5"
Inv.Nr. B 582 o-p
Rechteckig, auf nach innen abgesetztem Stand, schräg ausgestellter Rand,
an den Schmalseiten trapezförmig
gelängt, abgesetzter Wulstrand. Goldband mit Vorstoß.
843: Eisenfleck außen.

845
„Senfkanne No 1" mit Löffel
H. 10,6 cm. Löffel: L. 8,5 cm
PM: RS und „III"; RM: „W".
Löffel: PM: RS 37 und „1/5"
Inv.Nr. B 582q
Ausgebauchte Tonnenform mit umlaufenden Doppelreifen ober- und unterhalb des Ohrhenkels, gewölbter Aufsatzdeckel mit zwiebelförmigem Knauf.
S-förmiger Löffel mit tiefer, runder Laffe
und Akanthusblattrelief rückseitig in
der Mitte des Stiels. Ränder, Henkel
und Löffelstiel vergoldet.

846
„Senfkanne No 2" auf Unterteller
H. 10,3 cm. Unterteller: 15,5 x 10,5 cm
ohne Marke
Inv.Nr. B 584c (Ruef, München 27.10.1953)
Spitzovale Unterplatte mit unglasierter
Standfläche und aufgebogenem Rand.
Eiförmiges Gefäß auf profiliertem
Standring, geschwungen gewölbter Auf-
satzdeckel mit Zapfenknauf und Ein-
schnitt. Liniertes Goldband.

847-850
Vier Salzgefäße auf Füßchen
3,6 x 10,1 x 6,0-6,5 cm
PM: RS 37 und „XII"
850: PM: RS 35 und „VIII"
Inv.Nr. B 582r-u
Auf vier Löwentatzen spitzovale Schale
mit flachem Boden und ausgestelltem
Rand. Füßchen und Rand vergoldet.

851-861
Elf „Cremebecher No 3"
H. 10,2 cm
PM: RS; RM: „III" und „1/5"
Inv.Nr. B 582 v-gg
Hoher, gekehlter Standring, konische
Wandung, kantig umbrochener Band-
henkel, spitzer Aufsatzdeckel mit Rand-

profil und Zapfenknauf. Standring, Henkel und Ränder vergoldet.
852: Henkel abgebrochen.
861: Deckel geklebt.

862–871
Zehn tiefe Teller

Ø 24,5 cm
862, 864, 869, 871: PM: RS 37, „5" und „XVIII". 863, 865–868,
870: PM: RS 27 und „J 811"; RM: „A"
Inv.Nr. B 582 hh-ss
Gerader Standring, hoher Steigebord, schräg ansteigende Fahne, Goldband mit Vorstoß.
Gebrauchsspuren.

872–906
35 flache Teller

Ø ca. 25 cm
872–875, 898, 901: PM: RS 29, „12" und „XVII". 877–879, 902: PM: RS;
RM: „D.J. 811". 882–883, 896,
904: PM: RS und „XVIII"; RM: „12".
880–881, 903: PM: RS 37 und „1/5".
890, 906: PM: RS, „1/5", „D" und „811".
884–885: PM RS 32, „W K" und „811".
876, 900: PM: RS und „D". 886: PM: „12" und „XXIII". 887: PM: RS und „XVII".
888: PM: RS und „XVIII"; RM: „2".
889: PM: RS 31 und „XX"; RM: „12".
891: PM: RS 37 und „811". 892: RM: RS.
893: PM: RS, „D" und „811"; RM: „W".
894: PM: RS 32, „l" und „R".
895: PM: RS 33 und „XXI". 897: PM: „811".
899: PM: RS und „XXII". 905: RS 31, „K", „811" und „J".
Inv.Nr. B 582.1-35
Auf leicht konischem Standring, flacher Steigebord, schräg ansteigende, glatte Fahne, Goldband mit Vorstoß.
Gebrauchsspuren.

907–912
Sechs Dessertteller

Ø 20 cm
PM: RS 29, „5" und „XVI"
Inv.Nr. B 582.36-41
Form und Bemalung wie vorige Nr., nur kleiner.

Verschiedene Teile dieses Speiseservice sind im Preiscourant von 1831 abgebildet: Taf. I, Nr. 1 (Kat. 828), Nr. 21-24 (Kat. 833–836), Nr. 27-32 (Kat. 837–840), Nr. 35 (Kat. 829), Nr. 36-37 (Kat. 832), Nr. 41-42 (Kat. 841–842), Nr. 45 (Kat. 830), Taf. II, Nr. 32 (Kat. 847–850), Nr. 53 (Kat. 845), Nr. 54 (Kat. 846), Nr. 62

846

(Kat. 907–912), Nr. 65 (Kat. 843–844), Nr. 72 (Kat. 851–861). Die besonders große Zuckerdose auf Unterteller Kat. 831 gehörte damals zu Speiseservicen, wie ein ähnliches Modell auf Taf. II, Nr. 67 „Zuckerschale, oval No 2" belegt.

Publ.: Hantschmann 1996, Kat. 149

913
Mundbecher mit Untersatz
um 1820

H. 11 cm, Ø 15,7 cm
PM: RS 34; RM: „3" und „1/5"
Inv.Nr. B 732 (Ruef, München, 20.2.1967)

Untersatz mit hohlem Fuß in gedrückt bauchiger Form und leicht aufgebogenem, breitem Rand. Darin Gefäß in Form eines großen Eierbechers. Liniertes Goldband und Monogramm „A K" in Gold mit Grafenkrone.
Am Rand einmal bestoßen.

Neun jeweils in anderen Farben bemalte, einmal mit dem Monogramm „E A", siebenmal mit den Monogramm „A A" versehene Becher im Nationalmuseum, Stockholm, Inv.Nr. N.M.92-100/1948. Sie stammen aus dem Besitz von Auguste Amalie von Bayern, deren Tochter Josephine (1807–1876) mit Oskar I. von Schweden (1799–1859) verheiratet war. Der Becher war meist mit lauwarmer Pfefferminzlösung gefüllt, die zum erfrischenden Spülen des Mundes nach großen Diners diente.

913

914–915
Zwei „Saucieren No 2"
um 1815–20

15,5 x 23 x 7,8 cm
PM: RS 20 und „2"; RM: „1/5"
Inv.Nr. B 550 c-d (Prov. unbekannt)

Ovaler, gekehlter Fuß mit senkrechten Kanneluren; schmaler Korpus mit abgesetztem Ausguß und Kragen, daraus umgebogener Henkel mit stilisierter Palmette am Ansatz. Unbemalt.
Leichte Gebrauchsspuren.

Im Preiscourant 1831, Taf. I, Nr. 46–47. Die zugehörige, ovale Unterplatte fehlt bei diesen Ex.

916–917
Zwei Saucieren (Abb. s. S. 284)
um 1815–20

16,5 x 26 x 8,5 cm
PM: RS und „2"; RM: Strich
Inv.Nr. B 550 a-b (Prov. unbekannt)

Form wie vorige Nr., der Fuß jedoch glatt. Unbemalt.
Gebrauchsspuren.

914

916

919

Das Modell ist eine Variante der größeren Sorte „Sauciere No 2"; auch hier fehlen die Unterplatten.

918
Sauciere
um 1820

15 x 18,5 x 8,5 cm
PM: RS 37; RM: „I"
Inv.Nr. B 326 (Prov. unbekannt)

Auf rundem, gestuft ansteigendem Fuß, zum Oval gebauchter Korpus mit reliefierten Akanthusblättern am Ansatz; ausgezogener Ausguß gegenüber dem aufgebogenen Rand, Henkel in C-Form mit Tierkopf, in der Mitte ein Ring, darunter Kanneluren und Blattansatz. Glasur berieben.

In Proportion und Form ähnlich einer Sauciere aus dem Service für König Max I. Joseph um 1820, die am Henkelansatz Maskarons und als Tierkopf ein gefiedertes Wesen besitzt (Hantschmann 1996, Mod. 38).

919
„Schnuller-Becher"
um 1820

4,6 x 10,9 x 5,2 cm
PM: RS; RM: „S"
Inv.Nr. B 250a (Prov. unbekannt)

Ovale Schiffchenform mit vierpassig gebauchter Wandung und vorgezogenem Ausguß. Goldrand.
Brandrisse, Gebrauchsspuren.

Im Preiscourant von 1831, Taf. VI, Nr. 98, mit der Inhaltsangabe „enthält ½ Tasse".

920
Rechaud
1. Viertel 19. Jh.

H. 25,6 cm, Ø 17,5 cm
Brennschale: H. 4,7 cm, Ø 7,5 cm
PM: „1/5". Brennschale und Einsatz mit Schleifstrich
Inv.Nr. B 686 (Antiquitäten Gley, München, 22.5.1962)

Form wie Kat. 500, jedoch die Handhaben und Luftöffnungen glatt. Tassenförmige Brennschale mit waagerechtem Blattgriff, flache Deckplatte mit fünf Löchern für die Dochte und kleinem Griff. Goldränder.
Vergoldung leicht berieben.

Bei der Überarbeitung wurde das Modell des 18. Jhs. dem Zeitgeschmack entsprechend geglättet. Im Preiscourant von 1831, Taf. V, Nr. 56-58 als „Nacht-u. Wärmelampe No 1, 8½ hoch, die Einsatzschale hält ½ Maas" angeboten.

921–922
Zwei große Kandelaber
um 1817–25, F. Schwanthaler zugeschrieben

H. 132,5 cm
ohne Marken
Inv.Nr. B 239a-b (aus dem Lagerbestand der Manufaktur)

Nachahmung eines antiken Leuchters auf vier Löwentatzen mit Akanthusblättern; quadratische, an den Seiten eingeschwungene Sockelplatte, darüber umgekehrt kelchförmiges Zwischenstück mit üppigen Akanthusblättern belegt, konischer Schaft mit vier Reliefzonen zwischen Reifen, schalenförmige Traufschale mit weit ausladendem Rand. Reiche Goldstaffierung. Im Sockel Holzkern, aus acht Teilen verschraubt. Restauriert.

Zur Herstellung dieser Modelle finden sich in den Arbeitsbüchern zwischen 1817 und 1825 mehrere Hinweise (Hantschmann 1996, Kat. 172). Die Abrechnungsbücher belegen eine Zahlung an den Bildhauer Franz Schwanthaler (1760–1820) für „Ornamente, Candelaber und viele Modelle zu Figuren, in Holz geschnitten" (Hofmann, S. 550), die sich im Abrechnungsjahr 1816/17 speziell auf das Modell zu einem „Gangleuchter" beziehen. Technische Schwierigkeiten bei der Herstellung wurden 1819 gelöst, indem das Stück in mehreren, einzelnen Teilen gebrannt wurde. Ehemals vier Leuchter bewunderte der italienische Reisende Giovanni Luca della Somaglia in seinem 1838 erschienenen

918

920

Buch „Monaco di Baviera" und verglich
sie mit antiken Kandelabern in den
Vatikanischen Museen (Hofmann,
S. 618). Schwanthaler soll auch der
Schöpfer von hölzernen Kandelabern
unbekannten Aussehens sein, die ehemals in Schloß Ismaning standen, dem
Sommersitz Eugène Beauharnais, Herzog v. Leuchtenberg, dessen Innenaus-
stattung 1818–20 Leo v. Klenze entwarf (Th./B., Bd. 30, S. 355). Man
könnte auch an einen Standort im
Stadtpalais der Leuchtenbergs denken,
dessen Grundstein 1817 gelegt wurde.
Ein unseren Exemplaren ähnlicher Kandelaber findet sich auf einer Federzeichnung zum Mappenwerk „Römi-
sche Baukunst" von L. v. Klenze
(Graphische Slg., München, Inv.Nr.
27833; AK München 1977, Abb.
S. 26).

Publ.: Hantschmann 1996, Mod. 468,
Kat. 172

923
**„Vase No 21" mit Frauenkopf-
henkeln** (Abb. s. S. 286)
um 1825, F. v. Gärtner

H. 28,4 cm
PM: auf der Unterseite des Sockels RS und
„2", RM: „N. 21", im Fuß RS und „2",
RM: „N. 21"
Inv.Nr. B 649 (Prov. unbekannt, 1959)

Quadratische Sockelplatte, runder Fuß
mit breiter Kehle, kraterförmige Vase
mit ausgestelltem, innen profiliertem
Rand; an der unteren Wölbung je zwei
Frauenköpfe mit langen, unter dem
Kinn verschlungenen Haarsträhnen,
aus ihren Kronen erwächst der gerillte,
geschwungene Stabhenkel mit glatter
Manschette in der Mitte. Fuß und Vase
aus zwei Teilen und miteinander verschraubt. Sockelränder, Profile, Wölbung, Henkel und Vasenrand vergoldet.
Vergoldung berieben.

Im Preiscourant von 1831, Taf. V,
Nr. 13–18 wird das Modell in sechs
verschiedenen Größen „No 20–No 26"
angeboten.

921

924　929　928　925

924
„Vase No 18"
um 1825–30, J. P. Melchior

H. 20,3 cm
PM: RS 35, „I" und „V"; RM: „18" und „4"
Inv.Nr. B 701 (Anita de Bouché, 19.7.1963)

Auf einem Sockel und Fuß ähnlich vorige Nr., kraterförmige Vase mit ausgebauchter Wölbung, steiler Wandung und ausgestelltem, innen profiliertem Rand; auf der Wölbung seitlich in Blattrosetten angesetzte Stabhenkel. Sockelplatte, Wölbung, Henkel und Rand vergoldet, Fuß und Hals mit mattem, dunkelblauem Fond und kleinem Goldmuster an den Rändern. Fuß und Vase aus zwei Teilen und miteinander verschraubt.

Im Preiscourant von 1831, Taf. V, Nr. 12 nur in dieser Größe aufgeführt.

925–934
11-tlg. Kaffeeservice
nach 1822, J. P. Melchior

925–926
Zwei „Kaffeekannen antik C"
H. 25 cm
925: RM „L" und „1/5". 926: PM: RS 27 und „II"; RM: „1/5"
925: Inv.Nr. B 719a (Prov. unbekannt, 16.3.1965); 926: Inv.Nr. B 276a (Prov. unbekannt)
Runder, ansteigender Fuß mit profiliertem Rand, übergehend in eiförmigen Korpus mit zylindrischem Kragen und ausladendem, aufgebogenem Rand,

hoch angesetzte, geschwungene Tülle mit Tierkopfausguß, geschwungener Bandhenkel mit Blattansatz, flacher Einsatzdeckel mit Zapfenknauf. Fuß, Tülle, Henkel, Hals und Deckel vergoldet, Korpus mit mattem, lapislazuliblauem Fond.
926: Kratzspuren im Fond.
Im Preiscourant von 1831, Taf. III, Nr. 15-19 in fünf Größen angeboten.

927
„Milchkanne antik C" (o. Abb.)
H. 19,4 cm
PM: RS; RM: „I V" und „3"
Inv.Nr. B 276b (Prov. unbekannt)
Korpus wie vorige Nr., nur anstelle des Kragens geschwungener Ausgießer, daran geschwungener Henkel. Lapislazuliblauer Fond und Vergoldung wie oben.

923

Kratzspuren im Fond.
Im Preiscourant von 1831, Taf. III, Nr. 24-26 in drei Größen angeboten.

928
„Zuckerdose antik C"
H. 16,5 cm, Ø 12,5 cm
PM: RS 28 und „I"; RM: „I"
Inv.Nr. B 276 c (Prov. unbekannt)
Runder, glatter Standfuß, becherförmige Wandung mit seitlich aufgelegten Ringen, spitz aufgewölbter Aufsatzdeckel mit Zapfenknauf. Lapislazuliblauer Fond und Vergoldung wie oben.
Im Preiscourant von 1831, Taf. III, Nr. 45-49 in fünf Größen angeboten.

929–934
Sechs Kaffeetassen mit Untertassen
Obertasse: H. ges. 8,2 cm, Ø 8 cm
Untertasse: Ø 13,5 cm
Obertassen: 929: PM: RS 31; RM: „I V"
933: PM: RS 26 und „I V"
Untertassen: PM: RS; teilweise RM: „1/5"
Inv.Nr. B 719 c-h (Prov. unbekannt, 16.3.1965)
Tassen in konisch ausladender Becherform mit eingerolltem Vogelkopfhenkel und Blattmaskaron als Konsole. Kanten, Henkel und Innenseite der Wandung vergoldet, sonst lapislazuliblauer Fond wie oben.
Untertassen mit glattem Spiegel und steilem, minimal geschwungenem, schräg ausgestelltem Rand. Auf der Unterseite Goldlinien, innen Goldband am Rand, lapislazuliblauer Fond wie oben.

935–944
10-tlg. Kaffee- und Teeservice
um 1825, F. v. Gärtner

935
Große „Kaffeekanne antik L"
H. 26,4 cm
PM: RS 35 und „2"; RM: „V"
Inv.Nr. B 328a (Frau Sartori, Nymphenburg, 1922)
Runder, gekehlter Fuß mit fallendem Karnies, kelchförmiger Korpus, unter der kantig umbrochenen Schulter zwei Reifen, die auch über die steil angesetzte halbrunde Tülle mit Blattauflage am Ansatz verlaufen; eingeschwungener Hals mit ausgestelltem Rand, ohrförmiger Vierkanthenkel mit Kantenprofilen in Blattknospe endend, Blattauflage am

Ansatz; leicht ansteigender Einsatzdeckel mit Zapfenknauf. Korpus mit
mattem, lapislazuliblauem Fond; Fuß,
Tülle, Reifen, Henkel, Hals und Deckel
vergoldet.
Im Preiscourant von 1831, Taf. III,
Nr. 20-21 in zwei Größen angeboten.

936
Kleine „Kaffeekanne antik L"
H. 19 cm
PM: RS 34 und „II"; RM: „L. No. 1" und
„1/5"
Inv.Nr. B 719b (Prov. unbekannt, 16.3.1965)
Form und Bemalung wie vorige Nr., in
der kleineren Größe No. 1.

937
„Teekanne antik K"
H. 10,4 cm
PM: RS 35 und „I V"
Inv.Nr. B 276d (Prov. unbekannt)
Flach gedrückte Kugelform auf eingezo-
genem, niedrigem Standring, in der
Mitte der Wölbung zwei aufgelegte Rei-
fen, Randprofil und der Form folgender
Einsatzdeckel mit pilzförmigem Knauf;
kurze, geschwungene Tülle und eckig
nach oben umbrochener, massiver
Bandhenkel. Korpus mit mattem, lapis-
lazuliblauem Fond wie oben; Standring,
Reifen, Profil, Tülle, Henkel und Knauf
vergoldet.
Im Preiscourant von 1831, Taf. III,
Nr. 39 in einer Größe „zu 6 Tassen"
angeboten.

938–944
Sieben „Teetassen No 19" mit
„Untertassen No 26"
Obertassen: H. ges. 7,2 cm, Ø 7,7 cm
Untertassen: Ø 14,1 cm
Obertassen: PM: RS 35; RM: Striche
Untertassen: PM: RS 35 und „II"; RM: „I V",
„26" und „1/5"
Inv.Nr. B 276e-l (Prov. unbekannt)
Auf gekehltem Standring, niedrige,
ausgebauchte Wandung mit eingezoge-
nem, gekehltem Lippenrand, darüber
hochgebogener Bandhenkel in Ohrform
mit aufgerollten Enden. Untertasse auf
Standring mit tiefer Kehle, gemuldeter
Spiegel mit geschwungenem Rand.
Dekor wie vorige Nr.
Das Modell ist eine Überarbeitung
der Melchior-Tasse „No 19" durch
F. v. Gärtner, siehe Kat. 1109.

Der matte, lapislazuliblaue Fond mit
einem goldenen Palmetten-Akanthus-

937   936   935   938

Fries auf einem formgleichen Service
im BNM, Inv.Nr. Ker 3887-3901 (AK
München 1992, Nr. 5.6, Abb. S. 72).

Publ.: Hantschmann 1996, Kat. 232

945–950
Sechs „Kaffeetassen No 30" mit
„Untertassen No 29"
um 1830

Obertassen: H. 6 cm, Ø 8,3 cm
Untertassen: Ø 14 cm
PM: RS; RM: „1/5" und „3"
Untertassen: PM: RS; RM: „N. 29", teil-
weise „1/5"
Inv.Nr. B 585a-f (Weinmüller, München,
1953)

Obertasse auf einschwingendem Standring mit Randprofil; glatte, becherförmige Wandung, geschwungener, nach
unten konisch zulaufender Bandhenkel
mit herzförmigem Blattansatz und

945

Akanthusblatt am Tassenrand. Ränder
und Henkel goldstaffiert. Untertasse auf
tief gekehltem Standring, vertiefter Tassenspiegel und glatt aufgebogener
Rand. Goldband und Goldstaffage.
Untertassen 947 und 949 mit nur gemaltem Tassenspiegel, ebenso die Untertassen 946 und 951, die außerdem
nur einen glatten Standring besitzen.

Publ.: Weinmüller, München, 16.12.1953,
Nr. 7

951
„Handleuchter No 2" mit Fisch
um 1830–50

H. 7,9 cm, Ø 7,5 cm
PM: RS; RM: „1/5" und Strich
Inv.Nr. B 148 (L. Steinhauser, München,
September 1916)

Runder Unterteller mit geschwungenem Rand, darauf Fisch mit breitem

951

Maul und nach oben eingedrehter Schwanzflosse, Fischkopf mit Akanthusblättern maskiert, darauf runde Tülle in Form einer Krone. Oberfläche bis auf das Innere der Tülle und Standring vergoldet.
Schwanzflosse abgebrochen. Vergoldung an einigen kleinen Stellen abgeplatzt.

Im Preiscourant von 1831, Taf. V, Nr. 50 angeboten. Ein purpurstaffiertes Ex. im BNM, Inv.Nr. 18/200 (Hantschmann 1996, Mod. 470).

952
„Vase No 28"
nach 1824, F. v. Gärtner

H. 26 cm
PM: RS 28 und „II"; RM: „1/5" und „No 28"
Inv.Nr. B 541 (Prov. unbekannt)

Form eines schlanken Volutenkraters. Hoher Trompetenfuß auf Rundprofil, amphorenförmiger Korpus mit ausgestelltem Rand, seitlich unglasierte Löwenmaskarons als Konsolen der profilierten Bandhenkel, die sich über dem Lippenrand in Voluten eindrehen. Unbemalt.
Ein Henkel mit Teil des Vasenrandes ausgebrochen und gekittet.

Im Preiscourant von 1831, Taf. V, Nr. 19 angeboten.

Publ.: Hantschmann 1996, Mod. 438

952

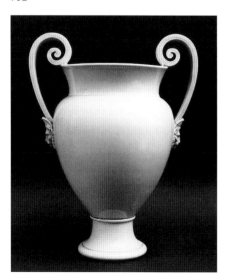

953
„Vase No 29"
um 1830, F. v. Gärtner

H. 38,5 cm
PM: RS 25; RM: „1/5" und lat. „𝓐"; auf dem oberen Rand der Unterteils „4", dem unteren Rand der Oberteils „5"; auf der Wandung in grau bez. „No. 29 / 20f"
Inv.Nr. B 241a (Prov. unbekannt)

Hoher Trompetenfuß auf Rundprofil, kelchförmiges Unterteil, darauf lose aufsitzend, durch zwei Profile abgesetzte Henkelzone mit waagerecht liegenden Faunmaskarons und aufgebogenen, gerillten Stabhenkeln mit Blattmanschette in der Mitte. Leicht gewölbte Schulter, zylindrischer Hals mit geschwungen ausgestelltem Rand. Unglasiertes Porzellan.

Das scheinbar unvollendete Werkstück mit rauher Oberfläche, dessen Fuß mit dem Unterteil fest verbunden ist, während das Oberteil abnehmbar ist, trägt auf der Wandung die Modellnummer und die Summe, die der Angabe im Preiscourant von 1831, Taf. V, Nr. 20 entspricht. Ein zweites Oberteil mit Henkeln in der Slg. Bäuml, Inv. Nr. 241b, zeigt dieselbe zarte Tönung wie die Vasen Kat. 817–818.

953

955
Tasse mit Untertasse
um 1840–50

Obertasse: H. 5,3 cm, Ø 7,7 cm
Untertasse: Ø 13,1 cm
Obertasse: PM: RS 40. Beide Teile: RM: „1/5"
Inv.Nr. B 771 (Familienbesitz)

Tasse auf hohem, geschwungenem Fuß mit Kehle; schalenförmige, glatte Wan-

954

954
Ziborium (Hostiengefäß)
um 1830–35, wohl F. v. Gärtner

H. 21,5 cm, Ø 13,5 cm
PM: RS; RM: „W" und „1/5"
Inv.Nr. B 535 (Prov. unbekannt)

Runder, sich stark verjüngender Trompetenfuß mit glattem Rand, leicht konischer Korpus mit ausgebauchter Wölbung, geschwungen ansteigender Aufsatzdeckel mit erhöhter Spitze und zapfenförmigem Knauf. Unbemalt.

dung, J-förmiger Vierkanthenkel, der in einer geteilten Volute ausläuft. Glatte, tief gemuldete Untertasse mit gemaltem Tassenspiegel. Linierte Goldränder. Vergoldung berieben.

Das Modell ist in keinem der bekannten Preiscourants enthalten.

956
Tafelaufsatz
um 1850–55, E. N. Neureuther

H. 45 cm, größerer Teller Ø 25 cm
PM: RS 38; RM: „1/5"
Inv.Nr. B 560 (Prov. unbekannt)

Hoher, trompetenförmiger Fuß mit kanneliertem Sockelprofil, reliefiertem Netzornament und ornamentiertem Nodus; konischer Balusterschaft mit Ornamentstreifen, dazwischen zwei tellerförmige Schalen mit aufgebogenem, gebogtem Rand, die Oberseiten mit feinstem Spitzenmuster reliefiert; blütenförmiger Abschluß und Metallring als Tragemontierung. Randstaffagen und ligiertes Monogramm „AA" unter Fürstenkrone in Gold. Oberer Teller ergänzt.

Das Monogramm weist das Stück der Hofhaltung Prinz Adalberts von Bayern (1828–1875) zu, der 1856 Amalia Felipe Pilar, Infantin von Spanien, heiratete.

955

956

957

957
Großer Dessertteller
um 1850

Ø 22 cm
PM: RS 40 und „⚘"; RM: „5" und „IX"
Inv.Nr. B 546 (Prov. unbekannt)

Rund, flacher Spiegel, gewölbt aufgebogene Fahne mit passigem Rand. Auf der
Fahne in Relief gegenständig schildför-
mige Felder mit Fiederblättern und Blüten im Wechsel, dazwischen über dem
Steigebord dünne, geschwungene Blatt-
stiele. Zum Rand hin, mit Unterglasurblau abschattiert, Felder in hellen Grüntönen mit Goldstaffage. Im Spiegel
Goldmonogramm „M" und Krone.
Vergoldung stark berieben, am Rand
und Standring bestoßen.

Das Monogramm bezieht sich auf
König Max II. v. Bayern. Vier vergleichbare Dessertteller bildet der Preiscourant von 1850, S. 4, Nr. 97d-g ab.

958

958
Tasse „rococo"
um 1850–56, E. N. Neureuther

H. 5,7 cm, Ø 8,6 cm
PM: RS; RM: „79"
Inv.Nr. B 790 (Prov. unbekannt)

Auf geschwungenem Füßchen mit gebogtem Rand und Blattauflagen, vierpassig ausgebauchte Tasse mit abgesetztem, ausladendem Lippenrand. Kanten
und Profile mit Goldstaffage. Gegenüber des Henkels goldenes, ligiertes
Monogramm „L" unter Fürstenkrone.

Das Monogramm weist die Tasse der
Hofhaltung Prinzregent Luitpolds von
Bayern (1821–1912) zu (vgl. Speiseservice, WAF, KIc 192), obwohl die Form
der Krone sich von vergleichbaren
Monogrammen unterscheidet. Das
Tassenmodell gehört zu einem Kaffeeservice „rococo", das im Preiscourant
von 1850, S. 6, Nr. 42-47 und Nr. 127
abgebildet ist.

959
Seifendose
um 1850, E. N. Neureuther

8,7 x 17 x 12,3 cm
PM: RS 40 m. Stern und „Vo K"
Inv.Nr. B 545 (Prov. unbekannt)

Rechteckige Schale mit breitem, leicht
gewelltem Rand; gewölbter Einsatzdeckel mit reliefierten Eckmedaillons
und stilisierten Blumenmustern mit eingestochenen Luftlöchern; ein Fisch als
Knauf. Unbemalt.

959

Ornamentale Dekore

In die ornamentalen Dekore des 19. Jhs. fließen architektonische, streng geometrische Elemente ein (Kat. 960–953), die durch abstrahierte und stilisierte Blatt- und Blütenmotive bereichert wurden (Kat. 974–978). Vorbild war auch hier die Antike, besonders der Ornamentschmuck griechisch-römischer Bauwerke und die Wandmalereien von Pompeij (Kat. 972). Zur wichtigsten Zierde wurde die hochpolierte Vergoldung einzelner Teile oder der gesamten Oberfläche (Kat. 1031). Auf weiß belassenes Porzellan (Kat. 1003, 1016–17) oder einfarbige Fondbemalungen (Kat. 1005) wurden Golddekore aufgebracht, die mit einer feinen Binnenzeichnung zusätzlich graviert wurden (1005–1010, 1033–1047). Diese Dekorgruppe spannt den Bogen vom Klassizismus bis zum frühen Historismus, der Stilemente des gotischen Maßwerks wiederbelebte (Kat. 1050).

Ornamental Decors

Strictly geometric architectonic elements emerge in the ornamental decors of the 19th century (cat. nos. 960–953), enriched by abstracted and stylized leaf and flower motifs (cat. nos. 974–978). Here, antiquity was the source as well: especially the ornamentation of Greco-Roman buildings and the murals of Pompeii (cat. no. 972). The most important type of decoration came to be the highly polished gilding of individual parts or of the whole surface (cat. no. 1031). Gold decor, which was additionally engraved with a fine interior drawing (cat. nos. 1005–1010, 1033–1047), was applied to porcelain left white (cat. nos. 1003, 1016–17) or on monochrome backgrounds (cat. no. 1005). This group of decors ranges from classicism to early historicism, which revived stylistic elements of Gothic tracery (cat. no. 1050).

960 – 963

960–963
4-tlg. Solitaire
um 1800, wohl J. P. Melchior
Inv.Nr. B 735a-d (Koller, Zürich, 1967)

960
Kaffeekanne
H. 13 cm
RM: „I K" und drei Punkte eingestochen;
MM: in Rot „No CI."
Inv.Nr. B 735a

Zylindrischer Korpus auf nach innen abgesetztem Standring, eingeschwungene Schulter mit spitzer Schnaupe, Deckel mit schrägem Rand und flacher Oberseite, kreiselförmiger Knauf; hochgezogener, umbrochener Vierkanthenkel in J-Form nach unten eingeschwungen. Auf dem Korpus senkrechter, purpurschattierter Streifendekor, unter dem Rand Purpurband mit weißem Mäander, Schnaupe mit Goldblättern, Henkel mit Purpurlinien und Goldpunktlinie, goldlinierte Ränder mit Vorstoß, Knauf grünmarmoriert.
Deckel gekittet.

961
Milchkanne
H. 11,4 cm
RM: „I K" und zwei Punkte eingestochen;
MM: in Rot „No. CI."
Inv.Nr. B 735b
Form und Bemalung wie vorige Nr., nur kleiner.
Deckelfalz innen ausgebrochen.

962
Tasse mit Untertasse
Obertasse: H. 5,8 cm, Ø 6,7 cm
Untertasse: Ø 12,4 cm
Obertasse: RM: „L". Untertasse: PM: RS 24;
RM: „I". Beide Teile mit MM: in Rot „No. CI."
Inv.Nr. B 735c
Sich konisch nach oben öffnende Tasse mit eckig umbrochenem Vierkanthenkel, der nach unten einschwingt. Untertasse mit hohem, schräggestelltem Rand. Bemalung wie vorige Nr., Blütenrosette im Spiegel der Untertasse.

963
Ovales Tablett
26,7 x 20,3 cm
PM: RS 19; RM: „L", „3" und zwei Punkte eingestochen
Inv.Nr. B 735d
Oval, auf nach innen abgesetztem Standring, hoher, schräggestellter

Rand. Bemalung wie vorige Nr. Vergoldung berieben, Malerei leicht verfärbt.

Das Kannenmodell ist bisher nur in diesen Ausformungen nachweisbar.

Publ.: Koller, Zürich, 1967, Nr. 1087; Hantschmann 1996, Kat. 3

964-967
4-tlg. Solitaire
um 1800, wohl J. P. Melchior
Inv.Nr. B 7a-d (Prov. unbekannt, 1914)

964
Kaffeekanne „A"
H. 11,2 cm
PM: RS 25; RM: Strich und ein Punkt eingestochen
Inv.Nr. B 7b
Konische, glatte Walzenform mit tief angesetzter Schnaupe, gewölbter Aufsatzdeckel mit kreiselförmigem Knauf; eckig umbrochener Vierkanthenkel, nach unten eingeschwungen und in kleinen Punkten auslaufend. Goldlinierte Kanten, auf dem Deckel und unter dem Kannenrand symmetrisches Rankenmuster in Grau, Purpur und Gold. Auf der Wandung purpur-schwarze Sternchen.
Vergoldung berieben.

965
Milchkanne
H. 8,8 cm
PM: RS 25; RM: Strich und ein Punkt eingestochen
Inv.Nr. B 7c
Form und Bemalung wie oben, nur kleiner.

964 – 967

966
Tasse mit Untertasse
Obertasse: H. 5,5 cm, Ø 6,2 cm
Untertasse: Ø 12,6 cm
Obertasse: PM: RS 26; RM: Strich
Untertasse: PM: RS und „0"
Inv.Nr. 7d
Zylindrische Wandung auf nach innen abgesetztem Standring, eckig umbrochener Vierkanthenkel mit Steg, nach unten eingeschwungen. Untertasse wie Kat. 962. Bemalung wie vorige Nr. Glasur verunreinigt.

967
Rechteckiges Tablett
28 x 19,5 cm
PM: RS 11 und „4"
Inv.Nr. B 7a
Rechteckig mit eingekerbten Ecken, leicht vertiefter Spiegel, aufgebogener Rand mit Profilkante. Bemalung wie vorige Nr.
Standring bestoßen, Vergoldung berieben.

Publ.: Koller, Zürich, 18.11.1982, Nr. 1733 (Tablett); Hantschmann 1996, Mod. 366 (Tablett)

968-969
Zwei Apothekengefäße
um 1800-10, wohl J. P. Melchior

968: H. 20,5 cm, Ø 10,5 cm
969: H. 14 cm, Ø 7,4 cm
PM: RS 11; RM: „B" und „I"
Inv.Nr. B 672a-b (Sotheby's, London, 1961)

Runde Sockelplatte mit Karnies, becherförmiger Korpus mit glattem Reliefband in der Mitte, Randkante; leicht gewölbter Aufsatzdeckel mit glatter Kante und Kugelknauf. Auf der Wandung querovales, grünes Medaillon mit „SYR: / SUC: / CITRI:" auf lila Grund zwischen buntem, stilisiertem Rankenwerk. Ränder, Kanten und Knauf purpurstaffiert. 969: Form und Bemalung wie vorige Nr., im Medaillon „EXTR: / DULCAMAR:".
Deckelränder bestoßen.

Publ.: Hantschmann 1996, Mod. 477

968   969

970
Deckeldose
um 1800-10, J. P. Melchior

H. 9,7 cm
PM: RS 31; RM: „L" und Strich;
MM: in Purpur „c.m."
Inv.Nr. B 163 (Slg. Hirth, 1916)

Abgesetzter Standring, becherförmiger Korpus mit gekehltem Rand, leicht gewölbter Deckel mit zwiebelförmigem Knauf, seitlich zwei Schlaufenhenkel, wie die Ränder und der Knauf versilbert. Auf der rosafarbenen Wandung zwischen sehr zarten, bunten Blütengirlanden der Buchstabe „A" in Rot und Gold.
Deckel gekittet. Silber oxydiert und berieben.

Publ.: VK Hirth 1916, Nr. 178; Hantschmann 1996, Mod. 410, Kat. 18

970   971

972

973

Kreis, darüber goldene Rosette mit Punktspitzen.
Bemalung leicht berieben.

Neben der Imitation anderer Materialien zählte in Sèvres der Schildpatt-Fond (fond écaille) bereits seit 1792 zum Dekorrepertoire (AK Hohenberg 1995, Abb. 151).

Publ.: Hantschmann 1996, Kat. 26

971
Väschen
um 1800, J. P. Melchior

H. 11,5 cm
PM: RS 11; RM: „C" und „P"
Inv.Nr. B 175a (Slg. Rittershausen, 1917)

Eiförmiger Korpus mit lavendelblauem Fond auf profiliertem Standring, mit einem Knick umbrochene Vierkanthenkel; eingezogener Hals mit profiliertem Rand, der wie die Henkel und Profile versilbert ist. Auf der Wandung runde Medaillons mit Monogramm „A" in Rot und Gold, von silbernen Blütenzweigen gerahmt.

Ein unbemaltes, 1802 erworbenes Väschen im MNC, Sèvres, Inv.Nr. 486.2, mit rosa Fond und Silberornamenten in den StKS, Augsburg, Inv.Nr. 4845.

Publ.: VK Rittershausen 1917, Nr. 122; Hantschmann 1996, Mod. 411

972
Tasse mit Untertasse
um 1800–10

Obertasse: H. 5,8 cm, Ø 6,8 cm
Untertasse: Ø 13,8 cm
PM: RS 26; RM: „Kreis m. Strich"
Untertasse: PM: RS 23
Inv.Nr. B 640 (Slg. Baron Pierre de Coubertin, 1958)

Zylindrische Tasse mit Henkel von Kat. 966. Untertasse mit hohem, schräggestelltem Rand. Umlaufend breiter, schwarzgrundiger Randstreifen mit

bunten weiblichen und männlichen Grotesken sowie Vögeln zwischen Spiralranken im Stil pompejanischer Wandmalereien. Darunter zarte Gehänge in Purpur und Gold mit ovalen Medaillons, darin Eroten.

Ein Kaffeeservice in ausgefallener Form mit ähnlichem Dekor im pompejanischen Stil ehemals in Slg. Strauss (VK Strauss 1922, Nr. 438; Hofmann, Abb. 232, Zuckerdose), eine Kaffeekanne ohne Deckel im BNM, Inv.Nr. 90/256. Der Dekor läßt sich auch in Wien um 1815 nachweisen (Hantschmann 1996, Kat. 19).

Publ.: Stuker, Bern, 24.11.1958, Nr. 1999; Hantschmann 1996, Mod. 263

973
Tasse mit Untertasse
um 1800–10

Obertasse: H. 6 cm, Ø 6 cm
Untertasse: Ø 14 cm
Obertasse: PM: RS; RM: „I C" und „R", zwei Striche
Untertasse: PM: RS 23 und „O"
Inv.Nr. B 795 (Kunsthandlung Fink, München, März 1989)

Zylindrische Tasse mit gerade angesetztem, eckig umbrochenem Vierkanthenkel, der nach unten einschwingt. Untertasse wie Kat. 972. Schildpattartiger Fond mit blauem Randstreifen, von Goldlinien mit Ringen eingefaßt. Darin Fries aus silberfarbenen Blütenwellen mit Mittelstreifen, darunter goldenes Arabeskenband, teils mit silberfarbener Malerei gehöht, im Spiegel weißer

974–978
Fünf „Cremebecher No 1"
nach 1803

H. ges. 5,7 cm, Ø 5,5 cm
PM: RS 11; RM: „$" und „C"
Inv.Nr. B 537a-e (Prov. unbekannt)

Weit eingezogener Standring, schalenförmig ausgebauchte Kuppa mit konisch nach innen geneigter Wandung und geradem Rand; auf der Bauchung ausgezogener, nach oben zum Oval eingerollter Rundstab als Henkel. Ränder und Henkel vergoldet, auf der hellblauen Wandung lachsfarbene, lunettenförmige Felder mit goldenen, symmetrischen Arabesken.

Im Preiscourant von 1831, Taf. II, Nr. 71. Der Dekor stimmt mit dem Randdekor des Tafelservices „mit Bayerischen Landschaften" überein, das für König Max I. zwischen 1803 und 1816 ausgeführt wurde (Hantschmann 1996, Kat. 34). 29 Cremebecher mit blauer Krone beim WAF, Inv.Nr. KIc 119.

Publ.: Hantschmann 1996, Mod. 80, Kat. 35

974 – 978

979 – 983

979–983
5-tlg. Solitaire
um 1805–10
Inv.Nr. B 5a-e (Prov. unbekannt)

979
„Kaffeekanne A"
H. 11 cm
PM: RS 26 und „S I", zwei Punkte
eingestochen; MM: in Rosa „M. 90."
Inv.Nr. B 5b
Form wie Kat. 964. Rosa Fond mit
Goldlinie und Vorstoß, unter dem Rand
mit Goldlinie umlaufender Lunetten-
fries mit stilisierten Knospen und Zwei-
gen in Gold.
Deckel bestoßen.

980
„Milchkanne A"
H. 8 cm
PM: RS 26 und „S I", ein Punkt eingestochen;
MM: in Rosa „M. 90."
Inv.Nr. B 5c
Form wie Kat. 965, Bemalung wie
vorige Nr.
Henkel abgebrochen.

981
„Zuckerdose antik A"
H. 7,2 cm, Ø 7,2 cm
PM: RS 25; RM: „A" und Strich;
MM: in Rosa „M. 90."
Inv.Nr. B 5d

Niedrige, zylindrische Wandung; geschwungen gewölbter Aufsatzdeckel
mit abgesetztem Rand und Knauf wie
oben. Bemalung wie vorige Nr.

982
Tasse mit Untertasse
Obertasse: H. 5,5 cm, Ø 6,0 cm
Untertasse: Ø 11,5 cm
Obertasse: PM: RS 31; RM: „L" und Strich
Untertasse: PM: RS 31; RM: „L" und Strich;
beide mit MM: in Rosa „M. 90."
Tasse wie Kat. 973. Untertasse mit steilem, schräg ausgestelltem Rand. Bemalung wie vorige Nr., im Spiegel der Untertasse goldener Blütenstern auf
weißem Grund.

983
Tablett
34 x 24 cm
PM: RS 26 und „L"; RM: „I";
MM: in Rosa „M. 90."
Inv.Nr. B 5a
Oval, nach innen abgesetzter Standring, schräg ausladender Rand, an den
Längsseiten in leicht ausgestellte Spitzen, an den Schmalseiten zu umgebo-
genen Griffen ausgezogen. Bemalung
wie vorige Nr., im Spiegel rundes, goldenes Medaillon mit goldenem Blütenstern auf weißem Grund.
Vergoldung berieben.

Das Tablett ist in mehreren Größen bis
in die Jahre um 1850 ausgeführt worden (Hantschmann 1996, Mod. 368).

Publ.: Hantschmann 1996, Kat. 37

984
„Kaffeekanne antik A"
um 1815

H. 18,7 cm
PM: RS 35; RM: „W", drei Striche und fünf
Punkte eingestochen
Inv.Nr. B 282a (Prov. unbekannt)

Leicht ausgebauchte Walzenform auf
nach innen abgesetztem Standring,
geschwungene Schnaupe, glatter Bandhenkel in Ohrform; geschwungen gewölbter Aufsatzdeckel mit abgesetztem
Rand, kreiselförmiger Knauf mit glatter
Kante. Auf den Kanten und unter dem
Rand Goldstreifen, darunter blaue
Punkte über goldenem Schlingenband
mit purpurnem Behang.
Ausguß bestoßen.

Im Preiscourant von 1831, Taf. III,
Nr. 9-14 wurde das Modell mit einer
leicht konischen Wandung in sechs verschiedenen Größen zwischen „1 Tasse"
und „8 Tassen" Fassungsvermögen angeboten. Obwohl es sich aufgrund des
geringen Preises und der Vielzahl der
angebotenen Größen um ein Modell
mit großem Absatz gehandelt haben
müßte, ist diese Kanne die bislang einzige, erhaltene Ausformung. Der Dekor auch auf zwei Speise- und einem
Dessertteller im WLM, Stuttgart,
Inv.Nr. 1946.326-328.

Publ.: Hantschmann 1996, Mod. 212,
Kat. 146

984

985

986   988   987

985
Tasse „Jasmin" mit Untertasse
um 1815

Obertasse: H. ges. 10 cm, Ø 7,8 cm
Untertasse: Ø 13 cm
Obertasse: PM: RS 27; RM: Strich
Untertasse: PM: RS 27, „XX" und „XXI"
Inv.Nr. B 737 (Prov. unbekannt)

Becherförmige, nach oben sich weiten-
de Wandung mit ausgezogenem Lip-
penrand über abgesetztem, gekehltem
Standring; hochgewölbter Schlangen-
henkel in Ohrform mit aufgerolltem
Ende über kleiner Blattkonsole. Unter-
tasse mit hohem, schräggestelltem
Rand. Auf mattem Goldfond reicher
Arabeskendekor mit Blumenvasen und
Fruchtkörben zwischen Blütengirlan-
den und Blattspiralen aus graviertem
Platin. Polierte Goldstreifen mit gravier-
ten Platinblumen an den Rändern,
Tassenwandung innen vergoldet.
Henkel geklebt.

Die Tasse ist eine genaue Wiederholung des Modells „Jasmin" der Manufaktur in Sèvres. Tassen dieser Form
enthielt jenes Service, das Napoleon
1810 nach München verschenkte
(Hantschmann 1996, Mod. 279). Platin
bot im Vergleich zu Silber den Vorteil,
nicht schwarz zu oxidieren. Die Einführung der Platinmalerei in Nymphenburg geht auf Versuche des Chemikers
v. Gehlen und des „Oberprobierers"
v. Roeckel um 1813–14 zurück
(Schmitz 1819, S. 38).

Publ.: Hantschmann 1996, Mod. 279, 334,
vgl. Kat. 132

986–987
Zwei kleine Leuchter
um 1815

H. 13 cm, Ø 8,9 cm
PM: RS 35 und „XI"; RM: „1/5"
Inv.Nr. B 164a-b (Slg. Hirth, 1916)

Runder, eingewölbter Scheibenfuß mit
gekehltem Rand; über profiliertem
Nodus konischer Balusterschaft, toska-
nisches Kapitell mit quadratischer
Deckplatte. Auf dem Fußrand und der
unteren Bauchung gravierte Blattorna-
mente aus Mattgold; auf dem Schaft
schmale Felder mit Blütenmotiven in
graviertem Platin. Tüllen fehlen.

Das Modell ist im Musterbuch von
1815, S. 60 abgebildet.

988
Kleiner Leuchter
um 1815

H. 16,7 cm, Ø 9,2 cm
PM: RS 33; RM: „III" und „12" oder „21"
Inv.Nr. B 164c (L. Steinhauser, München,
23.12.1938)

Modell wie vorige Nr., nur mit größerem, flacherem Fuß. Vasenförmige Kerzentülle modern ergänzt. Ähnlicher Dekor auf Fuß und Nodus wie oben, auf
dem Schaft zierliche Gehänge mit ovalen Medaillons in graviertem Platin.

Publ.: Hantschmann 1996, Mod. 466

989–993
5-tlg. Déjeuner (Abb. s. S. 296)
um 1815

Inv.Nr. B 428a-e (Brüschwiler, München,
1937)

989
„Kaffeekanne antik C"
H. 18,5 cm
PM: RS 27; RM: „II" und „1/5"
Inv.Nr. B 428a
Form wie Kat. 925, nur kleiner. Auf
den Seiten zwischen Goldranken mit
einer blauen Draperie goldgravierte
Löwenköpfe mit Ring im Maul, darüber
Korb mit bunten Blumen. Standring,
Tülle, Hals, Henkel und Deckel vergol-
det.

990
„Milchkanne antik C"
H. 15,7 cm
PM: RS 27; RM: „II" und „1/5"
Inv.Nr. B 428b
Form wie Kat. 927, nur kleiner. Dekor
wie vorige Nr.

991
„Zuckerdose antik C"
H. 12 cm
PM: RS 26; RM: „III", „1/5" und drei Punkte
eingestochen
Inv.Nr. B 428c
Form wie Kat. 928, nur kleiner. Dekor
wie vorige Nr.

992–993
Zwei „Tassen No 11" mit Untertassen
Obertassen: H. ges. 9,1 cm, Ø 7,6 cm
Untertassen: Ø 13 cm
Obertassen: PM: RS 27
Untertassen: PM: RS 37
Inv.Nr. B 428d-e
Einschwingender Standring mit Profil-
ring, becherförmige, nach oben sich
weitende Wandung mit ausgezogenem
Lippenrand. Über einer Konsole mit
bärtigem Maskaron ausschwingender
Rundstabhenkel mit Manschette, der
sich über dem Lippenrand einrollt und
mit einem Vogelkopf endet. Untertas-
sen wie Kat. 985. Dekor wie vorige Nr.

Im Preiscourant 1831, Taf. III, Nr. 61
als „Becher antik No 11" mit „Untertasse ord. II. Sorte" abgebildet.

Publ.: Hantschmann 1996, Kat. 140

990   989   992   994   991   995

994
„Spülkumpen No 3"
um 1815

H. 11,5 cm, Ø 21 cm
PM: RS 35 und „II"; RM: Strich
Inv.Nr. B 331 (Raritätenbüchse, München,
9.1.1922)

Auf eingeschwungenem Fuß mit abgetrepptem Rand, flache Schale mit glatter Wandung. Dekor wie vorige Nr.
Am Fuß bestoßen, Vergoldung leicht
berieben.

Im Preiscourant von 1831, Taf. VI,
Nr. 92 mit der Angabe „zu 10 Tassen"
abgebildet (Hantschmann 1996,
Mod. 371).

995
Zuckerdose auf Löwenfüßen
um 1815

H. 19 cm, Ø 10,5 cm
PM: RS 33 und „XII"; RM: „21" jeweils auf
der Unterseite eines Fußes
Inv.Nr. B 441 (Brüschwiler, München,
17.11.1938)

Hohe Becherform auf drei vergoldeten
Löwenfüßen. Aufschwingender, oben
abgeplatteter Einsatzdeckel; vergoldeter Vogel als Knauf. Dekor wie vorige

Nr., jedoch etwas reicher und mit umlaufenden, dünnen Girlanden.
Unterteil an Rand repariert.

Das Vorbild dieser Zuckerdose stammt
aus der Pariser Manufaktur Dagoty und
gehört zu einem Service im BNM,
Inv.Nr. Ker 2803-2817, dessen zerbro-
chene Kaffeekanne schon um 1830 in
Nymphenburg nachgefertigt wurde,
BNM, Inv.Nr. 2802.

Publ.: Hantschmann 1996, Mod. 259,
Kat. 140

996–1001
6-tlg. Kaffee- und Teeservice
(o. Abb.)
um 1815
Inv.Nr. B 137a-f (Bing & Cie., Frankfurt,
1915)

996
„Kaffeekanne antik C"
H. 23,7 cm
PM: RS 35 und „I"; RM: „1/5"
Inv.Nr. B 137a
Form wie Kat. 925, nur etwas kleiner.
Dekor wie vorige Nr., mit umlaufender
Goldgirlande.
Am Standring zweimal stark bestoßen,
Deckelknauf abgebrochen.

997
„Teekanne antik F"
H. 19,8 cm
PM: RS 35 und „II"; RM: „1/5"
Inv.Nr. B 137b
Eiförmiger Korpus auf ausgestelltem
Fuß mit glattem Rand, konvex ein-
schwingende Schulter, geschwungene
Tülle mit Tierkopfausguß; hochgewölb-
ter Bandhenkel mit Blättern am Ansatz,
leicht ansteigender Einsatzdeckel mit
spitzem Zapfenknauf. Dekor wie vorige
Nr.
Tüllenspitze repariert, Deckel ergänzt.

998
„Milchkanne antik G"
H. 16,5 cm
PM: RS 35 und „II"; RM: „1/5"
Inv.Nr. B 137c
Gedrückter, bauchiger Korpus auf aus-
gestelltem Standring, erhöht abgesetzte
Kehle mit breitem Ausguß, gegenüber
zur Volute nach innen eingerollt; hoch-
gezogener Stabhenkel, der sich über
dem Lippenrand einrollt. Dekor ge-
genüber dem Henkel wie vorige Nr.
Am Ausguß bestoßen.

999
„Zuckerdose E"
H. o. Deckel 12,6 cm
PM: RS 35 und „II"; RM: „1/5"
Inv.Nr. B 137d
Eiförmiger Korpus auf ausgestelltem
Standring mit Profil, gekehlter Ab-
schluß; seitlich auf der Schulter zwei
plastische Adlerköpfe als Handhaben.
Auf beiden Seiten Dekor wie vorige Nr.
Deckel fehlt.

1000–1001
Zwei „Tassen No 11" mit
Untertassen
Obertassen: H. ges. 9,9 cm, Ø 7,7 cm
Untertassen: Ø 13 cm
Obertassen: PM: RS; RM: „S"
Untertassen: PM: RS 37, „5" und „XX"
Inv.Nr. B 137e-f
Tassen und Untertassen wie Kat. 992.
Bemalung wie vorige Nr., auf dem
Rand der Untertassen Goldgirlanden
zwischen dreiblättrigen Gehängen.
Untertassen restauriert.

Das Modell der Teekanne Kat. 997 ist
nur im Musterbuch von 1815, S. 21,
Nr. 76 abgebildet und entspricht einem
Vorbild der Pariser Manufaktur Dagoty
(Hantschmann 1996, Mod. 243). Die
Milchkanne „antik G" Kat. 998 ist im
Musterbuch von 1815, S. 33, Nr. 116
abgebildet. Später nur in der kleineren
Ausführung „für Kinder" angeboten,
siehe Kat. 1125 (Hantschmann 1996,
Mod. 227). Im Fall der „Zuckerdose E"
Kat. 999 variieren bei den nachweis-
baren Ausformungen die Formen der
Deckel und Knäufe (Hantschmann
1966, Mod. 258).

1002
Tasse mit Untertasse
um 1815–20

Obertasse: H. ges. 7,9 cm, Ø 7,7 cm
Untertasse: 12,9 cm
Obertasse: PM: RS; RM: „1/5"
Untertasse: PM: RS 37, „5" und „XX"
Inv.Nr. B 12 (L. Steinhauser, München,
Mai 1914)

Tasse und Untertasse wie Kat. 929.
Gegenüber dem Henkel zwei dunkel-
grüne, verschlungene Delphine über
goldener Blattranke mit grünen Zweigen, auf dem Rand der Untertasse
grüne Girlanden mit goldenen Blatt-

1002

gehängen. Ränder und obere Hälfte
der Tasse innen vergoldet.

Ein vergleichbarer, jedoch reicherer
Dekor auf einer Tasse im BNM, Inv.
Nr. 18/74,75 (Hantschmann 1996,
Kat. 138).

1003
„Vase No. III" mit
Satyrkopfhenkeln
um 1815, wohl J. P. Melchior

H. 29,4 cm, Ø 22,4 cm
PM: RS; rechteckiges Inventaretikett mit
Rautenschild und Krone
Inv.Nr. B 745 (Prov. unbekannt)

Runder Trompetenfuß mit gestuftem
Rand, flach ausladende Wölbung mit
abgesetzter, konisch geschwungener
Wandung und ausgebogenem Rand.
Auf beiden Seiten plastische Satyrköpfe
mit spitzen Ohren als Träger der ∩-för-
mig gebogenen Stabhenkel mit Blattmanschette in der Mitte. Aus zwei Teilen bestehend und miteinander verschraubt. Auf der Wandung über einem
rechteckigen, grün-goldenen Feld mit
Waffen eine grün-schwarze Lyra mit
Goldornamenten zwischen sich über-
schneidenden, grün-goldenen Gehängen und goldgravierten, grünen und
goldpolierten Girlanden. Fuß, Wölbung, Henkel und Rand vergoldet. Fuß
und Vase miteinander verschraubt.
Vergoldung bei einer Maske abgeplatzt.

Dieser Dekor findet sich auf einem vergleichbaren Vasenmodell im Musterbuch von 1815, S. 41, Nr. 135, das
jedoch keine Henkel besitzt.

Publ.: Hantschmann 1996, Mod. 422,
Kat. 137

1003

1004

1004
„Vase No III" mit Satyrkopfhenkeln
um 1815, wohl J. P. Melchior

H. 31,6 cm
PM: RS und „XX"; RM: Strich
Inv.Nr. CB 31 (Familienbesitz)

Form wie vorige Nr., auf beiden Seiten Goldarabesken auf Blattranken und Girlanden, auf dem Fuß umlaufend Blattzweig sowie Goldstreifen. Profile und Rand, Maskarons und Außenseite der Henkel vergoldet. Fuß und Vase miteinander verschraubt.
Rand einmal bestoßen. Vergoldung berieben.

Ein sehr ähnlicher Dekor auf diesem Vasenmodell im Musterbuch von 1815, S. 40, Nr. 134.

1005
„Vase No III" mit Satyrkopfhenkeln
um 1815–20, wohl J. P. Melchior

H. 30 cm
PM: RS 35, „XXI"; RM: „1/5"
Inv.Nr. CB 30 (Familienbesitz)

Form wie vorige Nr., mattschwarzer Fond auf unglasiertem Scherben; auf beiden Seiten goldgraviertes, ovales Medaillon mit Lyra, flankiert von Akanthusarabesken und zarten Blattzweigen. Fußrand, Henkel sowie Rand ver-

goldet und poliert, Maskarons in Mattgold. Fuß und Vase miteinander verschraubt.

Publ.: Hantschmann 1996, Mod. 422, Kat. 136

1006
„Tasse antik No 11" mit Untertasse
um 1815–20

Obertasse: H. ges. 9,2 cm, Ø 7,7 cm
Untertasse: Ø 13,2 cm
Obertasse: PM: RS
Inv.Nr. B 360 (Auktion Wessner, 8.6.1926, Nr. 193)

Tasse und Untertasse wie Kat. 992, bräunlicher Fond, unter einem Goldband am Rand goldgravierte Eichenblätter und hängende Blüten im Wechsel, innen vergoldet.

1007
„Tasse antik No 11" mit Untertasse
um 1815–20

Obertasse: H. ges. 9,1 cm, Ø 7,7 cm
Untertasse: Ø 13,1 cm
Obertasse: PM: RS
Inv.Nr. B 207 (Helbing, München, 1917)

Tasse und Untertasse wie Kat. 992, smaragdgrüner Fond mit Opferschale

1005

1006   1007

zwischen goldradierten Arabesken; Standring, Ränder, Henkel und Innenwandung der Tasse vergoldet. Spiegel der Untertasse leicht verkratzt.

Publ.: Helbing, München, 21.12.1917, Nr. 205

1008
„Tasse antik No 17" mit Untertasse
um 1815

H. ges. 10,1 cm, Ø 7,9 cm
Untertasse: Ø 13,3 cm
Obertasse: PM: RS 28; RM: „20"
Untertasse: PM: RS 27 und „II"; RM: „:I"
Inv.Nr. B 500 (L. Steinhauser, München, 19.10.1948)

Hoher, leicht geschwungener Fuß, becherförmige Wandung mit eingezogenem, ausgestelltem Rand; hochgezogener, eingerollt aufliegender Bandhenkel mit flacher Blatthülse am Ansatz über gewölbtem Blatt. Untertasse auf hohem Standring mit vertieftem Tassenstand, leicht geschwungene Fahne. Fond in dunklem Pompejanisch-Rot mit graviertem Golddekor aus Lyren zwischen Festons an Konsolen und Goldblattzweigen. Gravierter Lorbeerstab auf den Rändern; Standring, Henkel, Innenseite der Tasse und Tassenstand vergoldet.

Im Musterbuch 1815, S. 31, Nr. 102-104 und im Preiscourant von 1831, Taf. III, Nr. 62 abgebildet. Das Modell folgt einer Tasse französischer Provenienz, die sich ehemals in der Vorlagensammlung der Manufaktur befand, heute im BNM, Inv.Nr. Ker 3200.

Publ.: Hantschmann 1996, Mod. 284, 338, Kat. 130

1009
„Tasse No 19" mit Untertasse
um 1815

Obertasse: H. ges. 6,8 cm, Ø 7,6 cm
Untertasse: Ø 13,9 cm
Obertasse: PM: RS 27 und „II"; RM: Strich
Untertasse: PM: „102"; MM: „St. 29"
Inv.Nr. B 112 (L. Steinhauser, München, 1914/15)

Stark eingezogener Standfuß, gedrückt bauchige Wandung mit eingezogenem, ausgestelltem Lippenrand; glatt hochgezogener Ohrhenkel, am Lippenrand eingerollt. Kräftiger dunkelrosa Fond mit umlaufendem Rosenfries in graviertem Gold, in der Randkehle mit gefeldertem Blumenmuster graviertes Goldband; Standfuß, Henkel und Innenseite vergoldet. Untertasse neuzeitliche Ergänzung.

Das Modell mit Bez. „No 19" im Musterbuch von 1815, S. 29, Nr. 96 wurde in Bezug auf den Henkel wohl durch Gärtner verändert und so im Preiscourant 1931, Taf. IV Nr. 64 angeboten.

Publ.: Hantschmann 1996, Mod. 286, Kat. 127

1011 – 1015

1010
Tasse mit Untertasse
um 1815

Obertasse: H. ges. 9,1 cm, Ø 7,2 cm
Untertasse: Ø 13,3 cm
Obertasse: PM: RS 27 und „II"; RM: „W"
Untertasse: RS; RM: „$" und „⚳"; in Gold bez. „15"
Inv.Nr. B 499 (L. Steinhauser, München, 19.10.1948)

Kelchförmige Tasse auf nach innen abgesetztem Standring mit hochgezogenem, bandartigem Schlangenkopfhenkel in Ohrform. Untertasse auf Standprofil, flacher Spiegel und glatt nach außen gebogene Fahne. Korallen-roter Fond mit ovalen Medaillons mit Sternblüten zwischen Trophäen in gravierter Goldmalerei; Randstreifen mit graviertem Blattstab. Henkel und Innenseite der Tasse vergoldet.

Bislang einzige bekannte Ausformung dieses Modells, das im Musterbuch 1815, S. 69 abgebildet ist. Der Henkel kopiert ein Vorbild unbekannter Provenienz, wohl ehemals in der Mustersammlung der Manufaktur, heute im BNM, Inv.Nr. Ker 3281.

Publ.: Hantschmann 1996, Mod. 292, 340, Kat. 129

1008   1009   1010

1011–1015
5-tlg. Déjeneur
um 1815
Inv.Nr. B 452a-e (Caroline Lang, München, 1939)

1011
„Kaffeekanne antik C"
H. 18,5 cm
PM: RS 27 und „II"; RM: Strich
Inv.Nr. B 452a
Form wie Kat. 989, auf der Wölbung zwischen gravierten Goldstreifen mit Blatt- und Blütenstab ein breiter, tomatenroter Fondstreifen mit versetzten, goldenen Punktblüten; Standfuß, Hals, Tülle und Henkel vergoldet. Knauf gekittet.

1012
„Milchkanne antik C" (Abb. s. S. 299)
H. 16 cm
PM: RS 28 und „II"; RM: Strich
Inv.Nr. B 452b
Hoher, eiförmiger Korpus mit breitem, gekehltem Hals und weitem Ausguß; hochgezogener Bandhenkel mit eingerollten Palmetten an Hals und Ansatz. Dekor wie vorige Nr., nur mit einfachem, graviertem Blattstab.

Das Modell wird mit dieser Bezeichnung im Musterbuch von 1815, S. 59, Nr. 174 wie diese Ausformung wiedergegeben. In den späteren Preiscouranten besitzen die Kannen „antik C" einen Fuß, den vermutlich Gärtner eingeführt hat.

1013
„Zuckerdose antik C" (Abb. s. S. 299)
H. 12 cm, Ø 10 cm
PM: RS 27 und „II"; RM: Strich
Inv.Nr. B 452c
Form wie Kat. 991, Dekor wie Kaffeekanne.

1014–1015
Zwei „Tassen antik No 18" mit Untertassen (Abb. s. S. 299)
Obertassen: H. ges. 6,1 cm, Ø 8,6 cm
Untertasse: Ø 12 cm
Obertasse: PM: RS 27; RM: Strich
Untertassen: PM: RS 28
Inv.Nr. B 452d-e
Gekehlter Standring, glockenförmig ausschwingende Wandung; hochgezogener, fast zum Kreis eingerollter

1016

1018   1020   1019

Bandhenkel. Flache Untertasse auf unglasierter Standfläche mit vertieftem Tassenstand und aufgebogenem, niedrigem Rand. Dekor wie vorige Nr.

Publ.: Deubner 1942, Abb. S. 30 (irrtümlich Gärtner zugeschrieben); Hantschmann 1996, Kat. 128

1016–1017
Paar Amphorenvasen
um 1815–20

H. 23 cm
PM: RS 28; RM: „L" und Strich
Inv.Nr. B 444a-b (Weinmüller, München, 1938)

Auf hohem Trompetenfuß mit abgesetztem Rand, schlanker, kelchförmiger Korpus mit abgesetzter, leicht geschwungener Schulter und weitem, ausgestelltem Hals; von der Schulter hochgezogene Henkel mit Blatthülsen. Auf der Wandung mit einem Profil abgetrennter, rosafarbener Dekorstreifen mit goldgravierter Lyra zwischen Arabesken, Schulter mit goldenem Blattfries auf weißem Grund. Fuß, Vasenansatz, Hals und Henkel vergoldet. 1016: restauriert. 1017: Henkel gekittet und ergänzt.

Publ.: Weinmüller, München, 1.12.1938, Nr. 351; Hantschmann 1996, Mod. 420, Kat. 131

1018–1019
Paar Deckelvasen
um 1815

H. 15,5 cm
PM: RS 27 und „I"; RM: „12"
Inv.Nr. B 336a-b (L. Steinhauser, München, um 1922)

Trompetenförmiger Fuß mit hohem, abgesetztem Rand. Eiförmiger Korpus. Am Rand tief gekehlter, gewölbter Aufsatzdeckel mit kleinem Kugelknauf. Rosa Fond mit fein gravierten Rosengirlanden und verschlungenen Kränzen unter flatternden Bändern in graviertem Gold. Goldstaffage auf den Kanten und Rändern.

Publ.: Hantschmann 1996, Mod. 417

1020
„Tasse antik No 17" mit Untertasse
um 1815

Obertasse: H. ges. 9,7 cm, Ø 7,7 cm
Untertasse: Ø 14 cm
Obertasse: PM: RS 28 und „II"; RM: „1/5"
Untertasse: PM: RS 31 und „XX"
Inv.Nr. B 445 (Weinmüller, München, 1938)

Tasse wie Kat. 1008, rosa Fond mit Lyren, flankiert von Lorbeerzweigen zwischen Arabesken in graviertem Gold;

im vertieften Tassenstand ligiertes Monogramm „CvW", auf den Rändern gravierter Blattstab, Fuß, Henkel und Innenseite vergoldet.

Publ.: Weinmüller, München, 1.12.1938, Nr. 353b; Hantschmann 1996, Mod. 284

1021
Teller mit Musterkalligraphie
1820, Schrift von J. P. Sedlmaier

Ø 24,5 cm
PM: RS 29, „y" und „XIX"
Inv.Nr. B 219 (Jagemann, Oktober 1918)

Flacher Teller mit glatter Fahne. Im Spiegel zwischen symmetrischem Schmuckwerk und auf der Fahne belehrende Sprüche in verschiedenen Schriftarten und -größen in Schwarz und Gold: „Die erste Stufe auf der Leiter des Glückes ist Bescheidenheit; die zweite Unverdrossenheit; die dritte Hoffnung; diese führt dann weiter. Ein Narr als Freund ist schlimmer als ein kluger Feind." Darunter: „1820 geschrieben von J. Sedlmaier, Porcelain Schr." Auf der Fahne: „Drey sind, die sieht man nur zu seiner Zeit: Muth in Gefahr; im Unmuth die Vernunft; die Freundschaft in der Noth." „Sage nicht, um deine Trägheit zu bemänteln: Es wird in der Welt immer so bleiben und nie besser werden: Sage vielmehr Es

1021

wird darin gleich um einen Theil beßer, wenn nur ich beßer bin und ichs beßer mache." „Gott hat Seelen in den Staub gesenkt, damit sie durch Irrthümer zur Wahrheit hindurch brächen, und durch Fehler zur Tugend, und durch Leiden zur Glückseligkeit." „Lebe der Ewigkeit in Hinsicht der Arbeit; lebe dem Augenblick in Hinsicht der Freude des Genusses." Goldrand.
Fahne und Standring bestoßen. Vergoldung berieben.

Ein vergleichbarer, 1822 datierter Teller mit Kalligraphie von Jakob Peter Sedlmaier im MStm, Inv.Nr. 36/2039 (Hantschmann 1996, Kat. 181).

1022–1025
Teile eines Kaffee- und Teeservices
um 1820
Inv.Nr. B 715a-d (Prov. unbekannt, 12.7.1968)

1022
„Kaffeekanne antik C"
H. 25 cm
PM: RS 28 und „II"; RM: „1/5" und zwei Striche
Inv.Nr. B 715a
Form wie Kat. 925, auf der Schulter zwischen Streifen eine Bordüre aus ovalen Medaillons zwischen rautenförmigen Feldern und Blattwerk in „Spargold". Fuß, Tülle, Hals, Deckel und Henkeloberfläche vergoldet.

1023
„Teekanne antik F"
H. 20 cm
PM: RS und „III"; RM: „1/5"
Inv.Nr. B 715b
Form wie Kat. 997, Dekor wie vorige Nr.

1024
„Milchkanne antik C"
H. 19,7 cm
PM: RS 28 und „II"; RM: „1/5"
Inv.Nr. B 715d
Form wie Kat. 927, Dekor wie vorige Nr.

1025
„Zuckerdose antik A"
H. 16,5 cm, Ø 12,3 cm
PM: RS 28 und „III"
Inv.Nr. B 715c
Form wie Kat. 928, Dekor wie vorige Nr.

Publ.: Hantschmann 1996, Kat. 155

1026–1029
4-tlg. Solitaire (Abb. s. S. 302)
um 1820–25
Inv.Nr. B 736a-d (Ruef, München, 1977)

1026
„Kaffeekanne antik C"
H. 18,5 cm
PM: RS und „II"; RM: „1/5"
Inv.Nr. B 736a
Form wie Kat. 989, auf der Schulter

1022–1025

1026 – 1029

des weiß belassenen Korpus umlaufender Goldfries aus hängenden, stilisierten Palmwedeln und Blüten unter einer Rankenbordüre. Standring, Hals, Tülle, Henkeloberfläche und Deckel vergoldet.

1027
„Milchkanne antik C"
H. 15,5 cm
ohne Marken
Inv.Nr. B 736b
Form wie Kat. 990, Dekor wie vorige Nr.
Am Fuß repariert.

1028
„Zuckerdose antik C"
H. 12 cm, Ø 9,2 cm
PM: RS 35 und „II"; RM: „1/5"
Inv.Nr. B 736c
Form wie Kat. 991, Dekor wie vorige Nr.

1029
Tasse mit Untertasse
Obertasse: H. ges. 8,2 cm, Ø 8 cm
Untertasse: Ø 13 cm
Obertasse: PM: RS 32; RM: „1/5" und Strich
Untertasse: ohne Marke
Inv.Nr. B 736d
Form wie Kat. 929, Dekor wie vorige Nr.

Laut Dr. Bäuml stammt das Solitaire aus dem Kloster der „Englischen Fräulein" in Nymphenburg.

Publ.: Hantschmann 1996, Kat. 174

1030
Kratervase ohne Henkel
um 1825–30, wohl F. v. Gärtner

H. 27,2 cm, Ø 21,8 cm
PM: RS 25; RM: „𝒜"
Inv.Nr. B 734 (E. Hohenberger, Mai 1967)

Formaler Aufbau wie Kat. 1003, jedoch mit quadratischer Platte, zweistufigem Fußprofil und ohne Henkel. Kehle des Fußes und oberes Profil mit Goldlinien, gemalte Kanneluren, auf der Wandung Fries mit stilisierten Palmetten, Lotos und Laufendem Hund; Platte, Profil des Fußes, bauchige Wölbung und Rand vergoldet.
Sockelplatte berieben und lose, Fußrand bestoßen.

Eine Vase dieser Art mit Anthemionfries und Wappen ist Teil des Tafelservice des Grafen von Schönborn, das zwischen 1825–30 datiert wird (Hantschmann 1996, Kat. 209j). Das Modell ist nicht mehr im Preiscourant von 1831 enthalten.

Publ.: Hantschmann 1996, Mod. 440, Kat. 208

1031
„Vase No 22" mit Frauenkopfhenkeln (o. Abb.)
um 1825–30, F. v. Gärtner

H. 33,4 cm, Ø 26 cm
PM: RS; RM: „N 22" und „1/5"
Inv.Nr. B 397 (Schloß Biederstein, 1930)

Form wie Kat. 923, nur größer. Oberfläche vollständig vergoldet; Wulstrand mit graviertem Blattfries, am Ansatz der Wandung umlaufend mit Mäander und stehenden Palmetten graviert. Fußplatte bestoßen.

Die Vase stammt aus dem Besitz der Königin Caroline v. Bayern, die in Schloß Biederstein ihren Witwensitz hatte.

Publ.: VK Biederstein 1930, Nr. 22; Hantschmann 1996, Mod. 437, Kat. 207

1032
Tasse „à la grecque" mit Untertasse
um 1825–30

Obertasse: H. 6,5 cm, Ø 6,1 cm
Untertasse: Ø 13 cm
Obertasse: PM: RS 34; RM: „V" und „3"
Untertasse: PM: RS, RM: „V" und drei Striche
Inv.Nr. B 29b (Prov. unbekannt)

Zylindrische Tasse auf nach innen abgesetztem Standring; mit gebogenem Ansatz abstehender, eckig umbrochener Vierkanthenkel in J-Form mit aufgerollten Enden. Untertasse mit hohem, schräggestelltem Rand. Vergoldung mit einem Streifen in Rosso Antico in der Mitte, darauf umlaufend goldener Mäander.

1030

Spiegel der Untertasse leicht berieben, Tasse am Rand bestoßen.

Dem Modell liegt eine Tasse der englischen Manufaktur Wedgwood zugrunde, die 1824 von Karl Schmitz für die Vorlagensammlung der Manufaktur angekauft wurde und sich heute im BNM, Inv.Nr. Ker 3006, befindet (Hantschmann 1996, Mod. 310). Die Tasse entstand als Ergänzung des umfangreichen Tafelservices „mit Goldrand roth à la grecque" für die königliche Hofhaltung in der Residenz, das bis Anfang des 20. Jhs. in Benutzung war (Hantschmann 1996, Kat. 210).

Publ.: Hantschmann 1996, Mod. 310, Kat. 210

1033 – 1047

1033–1047
15-tlg. Kaffeeservice
um 1830, F. v. Gärtner
Inv.Nr. B 583a-p (Frl. Schulze, Bad Tölz, 12.5.1953)

1033
„Kaffeekanne antik L"
H. 26,7 cm
PM: RS 35 und „II"; RM: lat. „L", „1/5" und zwei Punkte eingestochen
Inv.Nr. B 583a
Form wie Kat. 935, gravierter Blattfries auf dem Karnies; Gefäßkörper mit dunklem, purpurfarbenem Fond, von Linien getrennte Dekorstreifen mit schmalen Rundbogenfeldern und je einer hängenden Quaste, darüber stehende, stilisierte Akanthusarabesken; unter der Schulter zwei gegenständige Wellenmäander in Gold. Fuß, Hals, Tülle und Henkel vergoldet.
Deckel nicht original zugehörig.

1032

1034
„Milchkanne antik R"
H. 20 cm
PM: RS 28 und „II"; RM: „1/5"
Inv.Nr. B 583b
Unterteil der Kanne wie Kat. 936, nur kleiner. Eingezogener Hals mit breitem Ausguß und hochgezogenem Bandhenkel, Dekor wie vorige Nr.

1035
„Zuckerdose antik I"
H. 14 cm, Ø 12 cm
PM: RS und „II"; RM: „J", „1/5" und zwei Punkte eingestochen
Inv.Nr. B 583c
Auf gekehltem Fuß mit fallendem Karnies über glattem Rand, halbkugelige Schale mit Randstreifen zwischen zwei Profilen, flach ansteigender Aufsatzdeckel mit gerundetem Zapfenknauf. Dekor wie vorige Nr.

1036–1047
Zwölf „Tassen antik No 11" mit Untertassen
Obertassen: H. ges. 9,2 cm, Ø 7,9 cm
Untertassen: Ø 12,7 cm
PM: RS; RM: „1/5"
Inv.Nr. B 583d-p
Tasse und Untertasse wie Kat. 992, Dekor wie vorige Nr., ohne Akanthusarabesken. 1037 mit gegenständigen Palmetten.

Publ.: Hantschmann 1996, Kat. 239

1048
„Vase No 13" (Abb. s. S. 304)
Modell nach 1822, F. v. Gärtner, Bemalung 1834

H. 50 cm
PM: RS 25; RM: „No. 13" und „𝒜"
Inv.Nr. B 240 (Hermann Einstein, zwischen 1912–1919)

Quadratische Sockelplatte, Trompetenfuß mit abgesetztem Wulstrand; eiförmiger Korpus mit flach gewölbter Schulter, schlanker, eingezogener Hals mit auskragendem, profiliertem Rand; seitlich zwei hochgebogene Rundstabhenkel mit stilisierten Blattmanschetten am Ansatz. Auf dem vergoldeten Fuß Streifen mit goldenem Palmetten-, Lotos- und Akanthusfries auf weißem Grund; Korpus unten vergoldet, darüber ein breiter Streifen mit den Initialen „F. v. L." in einem Lorbeerkranz, daran eine Schleife mit flatternden Bändern auf weißem Grund, in der Henkelzone symmetrischer Dekorstreifen mit quadratischem Feld zwischen Ranken und Palmetten, auf der Schulter Fries wie auf dem Fuß; um den vergoldeten Hals Streifen mit goldenem Blattstab auf weißem Grund. Henkel vergoldet. Fuß und Vasenunterteil miteinander verschraubt, Schulter- und Halsteil aufgekittet. Rückseitig eine später ausgeätzte Widmungsinschrift in Gold und Datierung „26. August 1834".

Philipp Ferdinand Lippe wurde nach langjähriger Tätigkeit im Finanzministerium zwischen 1828 und 1833 Vor-

stand der Generaladministration der Königlich Bayerischen Postanstalt und im Jahr 1834 Ritter des Civil-Verdienst-Ordens der Bayerischen Krone, der mit dem persönlichen Adelstitel verbunden war. Vermutlich in diesem Jahr wurden ihm außerdem der preußische Rote-Adler-Orden II. Klasse, der griechische Erlöser-Orden und der russische Stanislaus-Orden III. Klasse verliehen. Zu seinem Dienstjubiläum erhielt er in diesem Jahr obige Vase laut rückseitiger Inschrift von „sämtlichen Postbeamten des Königreichs ehrerbietig geweiht". Das Modell war 1822 Gärtners erster Vasenentwurf für die Manufaktur und „im edlen heturischen Styl" gehalten (Hantschmann 1996, Mod. 431). Eine Ausformung dieses Modells erhielten die bayerische Prinzessin Marie und Friedrich Wilhelm v. Preußen anläßlich ihrer Hochzeit 1823. Aufgrund seiner Beliebtheit wurde das Modell in der Berliner Porzellanmanufaktur kopiert und ab 1829 als „Münchner Vase" in vier verschiedenen Größen ausgeführt (Baer 1983, S. 21).

Publ.: Hantschmann 1996, Mod. 431, Kat. 245

1049

1050

1049
Erinnerungstasse mit Untertasse
1838 dat.

Obertasse: H. 9,4 cm, Ø 9,1 cm
Untertasse: Ø 15,4 cm
PM: RS 38; RM: „1/5"
Inv.Nr. B 446 (Weinmüller, München, 1938)

Gekehlter Fuß mit fallendem Karnies über dem Rand, schalenförmige Wölbung mit Profilleiste unter gerader, konvex eingezogener Wandung mit ausgestelltem Lippenrand; Vierkanthenkel in Ohrform mit palmettenförmigen Enden. Untertasse auf gekehltem

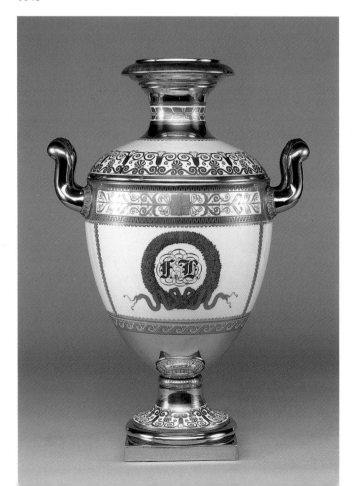

1048

Standring mit glattem Spiegel und geschwungenem Rand. Auf Karnies und über der Profilleiste gravierter Goldmäander, darüber schmale Bogenfelder mit gravierten Weinlaubranken, gegenüber dem Henkel Rechteck mit ovalem Medaillon und goldener Inschrift „Zur Erinnerung an den Verlobungs=Tag 11ten September 1838 von A.Z." auf weißem Grund. Unter dem Rand Fries aus goldgravierten Blattranken auf weißem Grund. Untere Wölbung und breiter Streifen der Innenseite der Tasse sowie Partien des Henkels vergoldet.

Das Modell „Bouillonbecher No 7" war seit der Veröffentlichung im Preiscourant von 1831, Taf. V, Nr. 25 bis über die Jahrhundertmitte ein sehr gängiges Modell. Aufgrund ihrer Größe waren Bouillonbecher überwiegend für Geschenkzwecke beliebt und erhielten spezielle Bemalungen.

Publ.: Weinmüller, München, 1.12.1938, Nr. 353a; Hantschmann 1996, Mod. 317, Kat. 264

1050
Dessertteller
um 1850

Ø 20,8 cm
PM: RS 39; RM: „5"
Inv.Nr. B 340 (L. Steinhauser, München, 25.5.1923)

Flacher Teller mit glatter Fahne. Im Spiegel sternförmiges Spitzenmuster aus zierlichen Arabesken in Gold, auf der Fahne fein gemalter, goldener Ornamentstreifen, Goldrand.

Blumendekore

Neben einer Nachblüte der Bukettmalerei des 18. Jhs. (Kat. 1051, 1052) unterteilt sich die Blumenmalerei in der 1. Hälfte des 19. Jhs. in zwei Gruppen: stilisierte Blumenmuster als Randdekore (beispielsweise Kat. 1053 ff) und eine höchst naturalistische Wiedergabe fein gemalter Blumen als Bordüren (Kat. 1102, 1103, 1155–61), in Medaillons (Kat. 1105, 1108–12) oder in dichten Sträußen (1113–17). Zu den künstlerischen Höhepunkten zählen Blumenstilleben im Stil der niederländischen Malerei, die in ihrer Detailtreue und Farbenpracht den Vorbildern gleichrangig sind (Kat. 1104, 1107, 1134).

Flower Decors

Aside from a second flowering of the painted bouquets of the 18th century (cat. nos. 1051, 1052), flower painting of the first half of the 19th century can be divided into two groups: stylized flower patterns as decor along the edge (e.g. cat. nos. 1053ff.) and an extremely naturalistic representation of finely painted flowers as borders (cat. nos. 1102, 1103, 1155–61), in medallions (cat. nos. 1105, 1108–12), or in dense bouquets (cat. nos. 1113–17). Still lifes in the style of Dutch painting that were just as exact in the rendering of details and had just as magnificent colors (cat. nos 1104, 1107, 1134) as the sources belonged to the artistic highlights.

1051

1051
Cremebecher
um 1805

H. ges. 6,2 cm, Ø 7,5 cm
PM: RS 11; RM: „IC. S"
Inv.Nr. B 306 (L. Steinhauser, München, 21.2.1921)

Halbkugelige Wandung mit Wulstrand auf vier eng nach innen gestellten Löwenfüßchen, hochgezogener Schlaufenhenkel mit Blatthülse am Ansatz. Auf der Seite buntes Bukett mit rosa Rose, blauen Vergißmeinnicht und gelb-rot gestreifter Tulpe, Streublumen und Goldrand.

Das Modell gehört auch zu dem ab 1803 entstandenen Tafelservice für König Max I. v. Bayern mit bunten Landschaftsveduten (Hantschmann 1996, Mod. 79, Kat. 341).

1052
Suppenteller
Anfang 19. Jh.

Ø 24,5 cm
PM: RS 34; RM: „St" und „6"
Inv.Nr. B 473 (L. Steinhauser, München, 29.7.1942)

Tiefer Teller auf Standring, hohem Steigebord und breiter, schräggestellter Fahne, auf der Unterseite geschwungene Übergänge. Im Spiegel lockeres Blumenbukett mit lila Rosen, gelb-roten Strohblumen und bunten Leberblümchen in pastellfarbenen Tönen; ebensolche Streublümchen auf der Fahne. Unterhalb des Steigebords und des Randes Goldlinie mit blauem, gebogtem Muster.

1053–1096
45-tlg. Speiseservice (Abb. s. S. 306)
1. Viertel 19. Jh.
Inv.Nr. B 439a-z,1-17 (Frau Gillhausen, München, 25.7.1938)

1053
Terrine mit Unterplatte
H. 26,5 cm
Unterplatte: H. 5 cm, Ø 32,5 cm
PM: RS 11; RM: „B" und Strich
Inv.Nr. 439a
Standring mit geschwungenem Profil, halbkugeliger Korpus mit kantig umbrochenem, geschwungenem Rand; seitlich über Blattansatz hohe, nach außen eingerollte Bandgriffe mit Schup-

1052

penrelief und Kehle; leicht geschwungener Aufsatzdeckel mit eckigem Profil unter dem purpur-grün staffierten Fruchtknauf. Unter dem Terrinenrand und auf dem Deckel stilisierter, gegenständiger Weinlaubfries in Grün und Dunkelbraun; Kanten grün staffiert. Unterplatte mit kantig abgesetztem Steigebord, schräggestellter Fahne und waagerechtem, durch ein Profil abgesetztem Rand; Standring nach innen abgesetzt und geschwungen in die Fahne übergehend. Umlaufend einfacher, naturalistischer Weinlaubfries in Grün mit Dunkelbraun.
Glasur berieben. Unterplatte leicht verzogen.

1054
Salatiere „franz. Form" (o. Abb.)
H. 10 cm, ∅ 25,5 cm
PM: RS 11; RM: „B" und „VIII"
Inv.Nr. B 439f
Hoher, gekehlter Standring, schalenför-
mige Wandung, mit Profilband betonter
Rand. Dekor mit naturalistischem
Weinlaubfries unter grüner Linie.
Am Standring ein Stück ausgebrochen.

1055
Tiefe Schüssel (o. Abb.)
H. 4,7 cm, ∅ 25 cm
PM: RS 33; RM: „A" und Strich
Inv.Nr. B 439b
Gerader Standring, gemuldete Schale
mit aufgebogener Wandung. Am Rand
kurzes, waagerechtes Profil. Dekor wie
vorige Nr.
Fehlstellen, Riß.

1056–1057
Zwei tiefe Schüsseln (o. Abb.)
H. 5,4 cm, ∅ 27,7 cm
1056: PM: RS 33; RM: „A" und Strich,
zwei Striche im Standring. 1057: PM: RS 31;
RM: „I" und „L", zwei Punkte im Standring
eingestochen
Inv.Nr. B 439c-d
Form und Dekor wie vorige Nr., nur
größer.
Fehlstellen, Risse.

1058–1059
Zwei runde Platten (o. Abb.)
∅ 27,2 cm
1058: PM: RS 33; RM: „A", „S" und Strich

1059: PM: RS 20(?); RM: „A" und Strich
Inv.Nr. B 439g-h
Gerader Standring, leicht gemuldeter
Spiegel mit steil gewölbtem Steigebord;
schräg ansteigende, glatte Fahne. Dekor
wie vorige Nr., bei 1059 in gelblichem
Grün.
Glasur berieben.

1060–1061
Zwei ovale Platten (o. Abb.)
33,4 x 25,2 cm
1060: PM: RS 32, „L" und „↕", drei Punkte
eingestochen. 1061: PM: RS 20; RM: „K", „I"
und „S", drei Punkte eingestochen
Inv.Nr. B 439i-k
Innen hoch abgesetzter Standring, steil
gewölbter Steigebord, schräg ansteigende Fahne mit leicht aufgebogenem
Rand. Dekor wie vorige Nr.
Gebrauchsspuren

1062
Ovale Platte (o. Abb.)
39,6 x 31 cm
PM: RS 32, „L" und „↕"
Inv.Nr. B 439l
Form und Dekor wie vorige Nr., nur
größer.

1063
„Senftopf No 1" mit Löffel (o. Abb.)
H. 10 cm
PM: RS 21; RM: „S" und Strich
Löffel: PM: RS, „L" und „2"
Inv.Nr. B 439n
Form wie Kat. 845, die Profile etwas
dünner und der Deckel oben leicht ab-

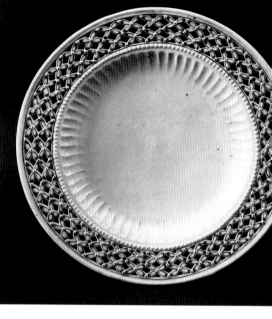

1092

geflacht. Auf dem Deckel Dekor wie
vorige Nr.
Deckel geklebt, am Stand bestoßen.

1064–1068
Fünf Suppenteller (o. Abb.)
∅ 24,6 cm
PM: RS 31; „L" und „D"
Inv.Nr. B 439o-s
Innen hoch abgesetzter Standring, steil
gewölbter Steigebord, leicht ansteigende, glatte Fahne, auf der Unterseite
deutlich voneinander abgesetzt. Dekor
wie vorige Nr.
Gebrauchsspuren, 1068 mit Riß.

1069–1074
Sechs Teller (o. Abb.)
H. 3,6 cm, ∅ 24,8 cm
PM: RS 32; RM: „L" und Strich
Inv.Nr. B 439t-z
Innen gerade abgesetzter Standring, der
schräg ansteigt und direkt in die sehr
breite, schräggestellte Fahne umknickt,
innen kleiner Spiegel mit steilem, gera-
dem Steigebord. Dekor wie vorige Nr.

1075–1091
17 Speiseteller (o. Abb.)
∅ ca. 24,7 cm
1075, 1078–79, 1081, 1085, 1090:
PM: RS 32 und „2"; RM: „1/5"
1077: RS: „D" und Strich
1080, 1084, 1088, 1091: PM: RS 31, „L"
und „I"
1076, 1082: PM: RS, „S" und Strich
1083: PM: RS, RM: „7" und „3"

1053

1086: PM: RS: „L" und „SH"
1087: PM: RS; RM: „D" und „D"
1089: PM: RS 26; RM: „A" und Strich
Inv.Nr. B 439.1-17
Form wie Kat. 1064, nur niedriger,
Dekor wie vorige Nr.
Mehrfach am Standring bestoßen.
1083, 1085 und 1087 am Rand
bestoßen.

1092–1096
Fünf Dessertteller mit durchbrochenem Rand

⌀ 22,5 cm
1092, 1094–95: PM: RS 20 und „2"
1093, 1096: PM: RS 20, Strich und ein Punkt
eingestochen
Inv.Nr. B 439.18-22
Konischer Standring, leicht gemuldeter
Spiegel mit Kanneluren im flachen Steigebord; durch Perlstab abgesetzte Fahne mit rautenförmigem, durchbrochenem Gitterwerk aus Blütenblättern.
Plastische Perlen auf den Schnittpunkten, glatter Wulstrand. Blätter und Perlen grün staffiert.
1093 am Rand geklebt.

Die in keinem weiteren Ex. nachweisbare Terrine entstand wahrscheinlich kurz nach 1800, taucht jedoch nicht mehr im Preiscourant von 1831 auf, der folgende Nr. verzeichnet:
Taf. I, Nr. 58 (Kat. 1054), Nr. 25–26 (Kat. 1055–1057), Taf. II, Nr. 53 (Kat. 1063), Nr. 62 (Kat. 1092–1096).

Publ.: Hantschmann 1996, Mod. 65

1098

1097
Rechaud
um 1800–10

H. 25,7 cm
PM: RS 11; RM: „B" und Strich
Inv.Nr. B 23a (K. Schäfer, München,
13.5.1912)

Form wie Kat. 268, Luftnasen und
Handhaben jedoch geglättet; entlang
der schwarzstaffierten Ränder orangeschwarze Punktschnur, begleitet von
überschnittenen C-Bögen mit stilisierten Weinblättern und Gehängen in
Orange-schwarz; Reliefs schwarz
staffiert.
Sprung im Boden, Henkel der Einsatzschale abgebrochen, Glasur des Deckels
mit Einschlüssen.

1098
Kleine Terrine mit Unterplatte
um 1805–10

H. 17 cm, ⌀ 18 cm. Unterteller: ⌀ 26 cm
PM: RS 20, „P" und „2"; RM: „A"
Inv.Nr. B 196 (L. Steinhauser, München,
8.9.1917)

Hoher, gekehlter Fuß mit mehrfach
profiliertem Rand, schalenförmige Wandung, gekehlt eingezogene Schulter;
zwei aus der Wandung aufsteigende,
eckig umbrochene Vierkanthenkel,
kuppelförmig gewölbter Aufsatzdeckel
mit teils geripptem, blau-goldenem Zapfenknauf. Unterplatte auf geradem
Standring, in der Mitte erhöhte Standfläche mit Wulstrand, tiefe Kehle,
schräg ansteigende Fahne mit schmalem, waagrechtem Rand. Auf der Schulter, dem Deckelrand und der Fahne lila
Linie mit grünen Halbbögen, daran
hängend grüne Weinblätter und blaue
Trauben. Auf der Wandung verstreut
Traubenreben. Goldstaffage.
Deckel geklebt.

Das Modell ist Teil des ab 1803 gefertigten Hofservices mit bayerischen
Landschaftsdarstellungen (Hantschmann 1996, Kat. 34).

Publ.: Hantschmann 1996, Mod. 4, 15,
Kat. 40

1097

1099
„Bouillon Schale" mit Unterteller
um 1810–20

Oberteil: H. 11,3 cm, ⌀ 11,8 cm
Unterteller: ⌀ 16,6 cm
Oberteil: PM: RS 31 und „VI"; RM: „W"
Unterteller: PM: RS 11 und „XXI"; RM: „5"
Inv.Nr. B 49 (Prov. unbekannt)

Weit eingezogener Standfuß mit geschwungenem Rand, schalenförmige
Wandung mit verstärktem Rand, seitlich einfache Ohrhenkel mit Schlangenköpfen am Ansatz; flacher, zur Mitte hochgezogener Aufsatzdeckel mit
Zapfenknauf. Unterteller auf hohem,
gekehltem Standring, vertiefter Tassenstand, leicht ansteigende, breite
Fahne. Umlaufend Bordüren aus dreiteiligen Blättern und stilisierten Maiglöckchenrispen in Gold. Ränder vergoldet.

Publ.: Hantschmann 1996, Mod. 322, 362

1099

1100
„Teekanne mit Schild"
um 1810–15

H. 11,8 cm
PM: RS 11; RM: „B" und Strich
MM: in Rosa „VII d.36"
Inv.Nr. B 677b (Ruef, München, 1961)

Angedeuteter Standring, gedrückte Kugelform mit nach vorne schräg ausladendem Kragen, der in den ohrförmigen Bandhenkel übergeht; spitz zulaufende, gerade Röhrentülle, leicht gewölbter Einsatzdeckel mit Kugelknauf. Auf der Schulter und auf dem Deckel umlaufend Bordüre aus blauen Vergißmeinnicht mit grünen Blättern und Goldlinie; Ränder vergoldet. Henkel und Knauf mit Purpurstaffage. Deckelrand bestoßen.

Das ab 1810 in den Archivalien nachweisbare Modell ist auch in englischen (z.B. Wedgwood, um 1779–1800; Buten 1980, Abb. 61) und französischen Manufakturen ausgeführt worden. Die „Theekanne mit Schild" taucht bereits im Musterbuch von 1815, S. 6 auf und wird im Preiscourant von 1831, Taf. III, Nr. 31-32 in

zwei Größen angeboten. Die rosa Malermarke bedeutet die Dekornummer, die auch auf der Kaffeekanne und vier Tassen vermerkt ist, Inv.Nr. B 677a,c-f (Hantschmann 1996, Kat. 42).

Publ.: Hantschmann 1996, Mod. 239, Kat. 42

1101
Kühlgefäß
um 1803–16, wohl J. P. Melchior

H. 39 cm, Ø 27,5 cm
ohne Marke
Inv.Nr. CB 32 (Familienbesitz)

Hohe, runde Sockelplatte mit fallendem Karnies als Profil, auf vier kräftigen Löwenfüßen das Kühlgefäß in Form eines Gestells mit tiefhängendem Einsatz; seitlich zwei eingerollte Bandhenkel mit Blatthülse am Ansatz und ebensolcher Manschette. Halbkugelige Einsatzschale mit waagerechtem, breitem Rand, Deckel mit hohem, gekehltem Kragen und Ringknauf über dreigeteiltem, glockenförmigem Stiel. Sockelkarnies und unterer Teil der Wandung mit hell-dunkelgrünem Blattwerk und Goldzweiglein auf gelbem Fond. Auf

1100

den Außenseiten der vergoldeten Füße Felder mit goldenem Rankenwerk auf weißem Grund, auf beiden Seiten zwischen goldenen Blätterbordüren in großen, runden Kränzen aus rosa Rosen der Goldbuchstabe „C", Sockelkante, Henkel und Ränder vergoldet. Vergoldung leicht berieben, Füße gekittet, am Sockel minimal bestoßen.

Das Modell des Kühlgefäßes findet sich auch bei dem ab 1803 gefertigten Hofservice mit bayerischen Landschaftsdarstellungen, dort noch mit zugehöriger Unterplatte (Hantschmann 1996, Kat. 34). Es läßt sich wahrscheinlich mit dem „Eisgefäß zu Gefrornes oder Confitur, mit vier Füssen und zween Henkeln, nebst einer dazu gehörigen Unterplatte" identifizieren, das in dem Verzeichnis neuer Modelle Melchiors aus dem Jahr 1804 aufgeführt ist (Hofmann, S. 612).

Publ.: Hantschmann 1996, Mod. 100

1102
Tasse mit Untertasse
um 1800–1810/15, Bemalung wohl J. Reis

Obertasse: H. 7 cm, Ø 7 cm
Untertasse: Ø 14,2 cm
Obertasse: PM: RS 11; RM: „P", Strich und drei Punkte eingestochen
Untertasse: PM: RS 31; RM: „L" und Strich
Inv.Nr. B 96 (Georg Esslair, München, 13.10.1913)

Zylindrische Tasse auf nach innen abgesetztem Standring, oben mit kleinem Steg waagerecht abstehender Bandhenkel in Ohrform. Untertasse auf nach in-

1101

nen abgesetztem Standring mit glattem Spiegel und nach außen gebogener Fahne. Zwischen zwei breiten Goldbändern umlaufende, naturalistisch fein gemalte Bordüre aus rosa Rosen mit Blättern in verschiedenen Grüntönen. Henkel vergoldet.
Vergoldung berieben. Untertasse am Rand bestoßen.

Auf zwei Ausformungen dieses Tassenmodells gibt es eine abwechslungsreiche, bunte und von Reis signierte Blumenmalerei: auf der Obertasse im Stil „fleur en terasse" über umlaufendem Korbgeflecht, auf der Untertasse als Bordüre, MNC, Sèvres, Inv.Nr. 486.9.

Publ.: Hantschmann 1996, Kat. 43 (als Vergleich)

1104

1105

Tasse am Rand bestoßen. Vergoldung berieben.

Publ.: Helbing, München, 6.11.1924, Nr. 44; Hantschmann 1996, Mod. 275, 334, Kat. 43

1103
Tasse mit Untertasse
um 1805–10, Bemalung J. Reis

Obertasse: H. 6,1 cm, Ø 6,6 cm
Untertasse: Ø 13,3 cm
Obertasse: PM: RS 31; RM: „$" und „W";
MM: in Rosa „Reis"
Inv.Nr. B 350 (Helbing, München, 1924)

Zylindrische Tasse auf nach innen abgesetztem Standring, Bandhenkel in Ohrform mit nach innen abstehendem Dorn unter der Wölbung. Untertasse auf nach innen abgesetztem Standring mit glattem Spiegel und weit nach außen gebogener Fahne. Unter dem Rand umlaufende, naturalistisch fein gemalte Bordüre aus rosa Rosen mit grünen Blättern, darunter gegenüber dem Henkel Buchstabe „F" in Gold, Goldrand und Goldlinie; im Spiegel der Untertasse Kreis mit Blüte in Gold und Rosa. Henkel gold-rosa staffiert.

1104
Tasse mit Untertasse
um 1805–10

Obertasse: 6,2 cm, Ø 6,7 cm
Untertasse: Ø 14,3 cm
Obertasse: PM: RS 31; RM: „A", „8" und Strich; MM: in Rosa „XXII:Z."
Untertasse PM: RS 31; RM: „VIII" und „L"; MM: in Rosa „XXII.Z."
Inv.Nr. B 447 (Prov. unbekannt, 1938)

Tasse wie Kat. 1003, Untertasse wie Kat. 1002. Matter, dunkelgrüner Fond mit kleinen goldenen Blüten, gegenüber dem Henkel rechteckiges Bildfeld mit graviertem Wellenband um einen Stab als Rahmenleiste, darin im Stil niederländischer Stilleben auf einer Tischplatte ein Weidenkorb mit buntem, naturalistisch gemaltem Arrangement aus lila Rose, eisenrot-weißer Päonie, rot-schwarz gestreifter Tulpe und weiteren Sommerblumen vor

hellem, graubraunem Hintergrund. Goldränder und Oberfläche des Henkels vergoldet.
Am Standring leicht bestoßen.

Feine Blumenmalerei, die die Kompositionsprinzipien der niederländischen Stillebenmalerei des 17. Jhs. eigenen Entwürfen zugrundelegt, läßt sich zwischen 1803–13 in Berlin (Ziffer 1993, Abb. S. 56), um 1810 in Sèvres (AK Hohenberg 1995, Nr. 196) und um 1816 in Wien belegen (Ziffer 1993, Abb. S. 2).

Publ.: Hantschmann 1996, Kat. 69

1105
Tasse mit Untertasse
um 1815

Obertasse: H. ges. 10 cm, Ø 7,6 cm
Untertasse: Ø 13,5 cm
Obertasse: PM: RS 31 und „XII"; RM: „W"
Untertasse: PM: RS 37 und „VII", Strich
Inv.Nr. B 617 (Prov. unbekannt)

Tasse wie Kat. 985, Untertasse wie Kat. 1103. Leuchtend blauer Fond mit goldgravierten Balustern zwischen Perlgehängen, gegenüber dem Henkel ovales Medaillon mit buntem, naturalistisch gemaltem Blumenstrauß aus weißer Rose, rosa Rittersporn, blauen Primeln und eisenroten Buschröschen auf mattgoldenem Grund; Innenseite der Tasse, Henkel und Ränder vergoldet.

Publ.: Hantschmann 1996, Kat. 120 (z. Vgl.)

1102   1103

1108 – 1112

1106
„Tasse No 11" mit Untertasse
um 1815, Bemalung J. Reis

Obertasse: H. ges. 9,5 cm, ∅ 7,8 cm
Untertasse: ∅ 13,1 cm
Obertasse: PM: RS 27; RM: „I V"
MM: in Rosa „Reis". Untertasse: RM: „6"
Inv.Nr. B 332 (L. Reiter, Rosenheim,
30.5.1922)

Tasse wie Kat. 992, Untertasse auf
nach innen leicht abgesetztem Standring mit schräger, leicht aufgebogener
Fahne. Goldfond, über dem Standprofil
und im Spiegel der Untertasse mit stilisiertem Korbgeflecht graviert, darüber
vor weißem Grund umlaufend naturalistisch gemalte Blumen, darunter Rosen, Tulpen, Winden, Päonien, Aurikel
undMaiglöckchen, die teils über den
Rand des Korbes herabhängen. Innenseite der Tasse und Henkel vergoldet.
Vergoldung leicht berieben.

1106

1107
„Tasse No 11"
um 1815

H. ges. 9,3 cm, ∅ 7,8 cm
PM: RS und „II"; RM: „I V"
Inv.Nr. B 353 (Etbauer, München,
14.12.1924)

Form wie Tasse Kat. 992. Gegenüber
dem Henkel rechteckiges Bildfeld in
dünnem Goldrahmen mit einem Blumenstilleben aus rosa Rosen, gelber
Tulpe und bunten Sommerblumen auf
einer Tischplatte, darunter in Schreib-
schrift bez. „Zum Andenken von L.K.",
Ränder und Henkel vergoldet.

1108–1112
5-tlg. Déjeuner
um 1815–20
Inv.Nr. B 616a-e (Ruef, München, 1956)

1108
„Kaffeekanne antik C"
H. 18,5 cm
PM: RS 28 und „II"; RM: Strich
Inv.Nr. B 616a
Form wie Kat. 898. Zwischen Gold-
ranken und -arabesken auf den Seiten
ovale Medaillons mit mattiertem Gold-
grund, darin unterschiedliche, natura-
listisch gemalte Blumenbuketts. Fuß,
Hals, Tülle und Henkel vergoldet.
Am Rand restauriert.

1109
„Milchkanne antik C"
H. 15,7 cm
PM: RS 27 und „II"; RM: „VT"
Inv.Nr. B 616b
Form wie Kat. 1012, Dekor wie
vorige Nr.

1110
„Zuckerdose antik C"
H. 11,8 cm, ∅ 10 cm
PM: RS und „L"; RM: „1/5"
Inv.Nr. B 616c
Form wie Kat. 991, Dekor wie
vorige Nr.

1107

1111
Tasse mit Untertasse
Obertasse: H. ges. 7,7 cm, Ø 7,8 cm
Untertasse: Ø 12,9 cm
Obertasse: PM: RS; RM: „1/5"
Untertasse: RS 37, „5" und „XX"
Inv.Nr. B 616d
Tasse wie Kat. 1002, der Bandhenkel
jedoch glatt und über dem Lippenrand
zu einer Volute eingerollt. Untertasse
wie Kat. 985. Dekor wie vorige Nr.

1112
Tasse mit Untertasse
Obertasse: H. ges. 7,6 cm, Ø 7,8 cm
Untertasse: Ø 13 cm
Obertasse: PM: RS; RM: „20" und Strich
Untertasse: RS 37, „5" und „XX"
Inv.Nr. B 616e
Tasse wie Kat. 1102, Untertasse wie
Kat. 985. Dekor wie vorige Nr.

Publ.: Hantschmann 1996, Kat. 120

1113–1117
5-tlg. Solitair
um 1815–20, Bemalung wohl J. Reis
Inv.Nr. B 501a-e (Kunstmaler Karl Roth,
München, 18.10.1948)

1113
„Kaffeekanne antik C"
H. 16,8 cm
PM: RS 35 und „II"; RM: „12"
Inv.Nr. B 501a
Form wie Kat. 989. Der Fond ist voll-
ständig vergoldet, auf beiden Seiten un-
terschiedliche, naturalistisch gemalte
Blumenbuketts in feinster Ausführung
und leuchtenden Farben.

1114
„Milchkanne antik C"
H. 14 cm
ohne Marke
Inv.Nr. B 501b
Form wie Kat. 1012, nur kleiner.

1115
„Zuckerdose antik C"
H. 9 cm, Ø 7,3 cm
ohne Marke
Inv.Nr. B 501c
Form wie Kat. 991, nur kleiner.

1113 – 1117

1116
**„Tasse antik No 18" mit
Untertasse**
Obertasse: H. ges. 6,3 cm, Ø 8,6 cm
Untertasse: Ø 12,7 cm
Obertasse: PM: RS 35 und „II"; RM: „12"
Untertasse: ohne Marke
Inv.Nr. B 501d
Tasse und Untertasse wie Kat. 1014.
Dekor wie vorige Nr., die Untertasse
neuzeitlich ergänzt.
Tassenrand restauriert.

1117
Tablett
34,8 x 25 cm
PM: RS 31, „12" und „X"; auf dem Boden
altes Inventaretikett bez. „sub N. 133 / Königin / .erese v. / Baiern"
Inv.Nr. B 501e
Form wie Kat. 983, vollkommen vergoldet bis auf weißen Vorstoß außen über
dem Standring.

Dr. Bäuml notierte in seinem Inventar:
„Nach Angabe des Vorbesitzers hat seine Großmutter, die Kammerfrau bei der
Königin [erg.: Therese von Bayern] war,
das Service von ihr geschenkt erhalten." Die vollständige Vergoldung der
Oberfläche erhebt das Solitaire in den
Rang eines wertvollen Vitrinenobjekts,
doch mutet es eigenartig an, daß der
qualitätvolle Scherben dadurch völlig
verdeckt wird, und die frühere Bewertung von Porzellans nach Reinheit und
Farbe nicht mehr an erster Stelle steht.

Publ.: Hantschmann 1996, Kat. 125

1118
„Ungarischer Pfeifenkopf"
1821 dat.

H. o. Deckel 8,2 cm, Ø 3,3 cm
ohne Marke; rückseitig bez. „Joseph Wurm
seinem Freunde Dachs 1821"
Inv.Nr. B 522 (Prov. unbekannt)

Konisch eingezogener Pfeifenkessel
mit ausgebauchtem Saftsack und geschwungenem Hals. Auf der Vorderseite ovaler Kranz aus rosa Rosen und
blauen Vergißmeinnicht mit ligiertem
Goldmonogramm „CTvB". Silbermon-

1118

tierung mit Klappdeckel und Manschette; kurzes, zweiteiliges Mundstück auf Hirschhorn.
Glasur unten und Goldränder berieben.

Im Preiscourant von 1831, Taf. VI, Nr. 77 als „Pfeiffenkopf, ung: geschweift" angeboten. Das Modell, bemalt mit König Max I. Joseph vor Schloß Tegernsee im MStm (Morgenroth 1989, Nr. 137) sowie mit Genreszene, siehe Kat. 1331.

Publ.: Hantschmann 1996, Mod. 499

1119
Apothekengefäß
um 1815–20

H. 16 cm, Ø 9 cm
RM: „1/5" und „8"
Inv.Nr. B 631b (L. Steinhauser, München, 24.12.1957)

Runder Trompetenfuß mit gerundetem Rand, kelchförmiger Korpus mit flachem, leicht geschwungen ansteigendem Einsatzdeckel, flacher Scheibenknauf. Auf dem Fuß mattgrüner Streifen, darüber lanzettförmige Blätter und stilisierte Blüten, rautenförmiges Schriftfeld in Purpur, mit Girlanden in Grüntönen; grüne Blattgirlande unterhalb des Deckelknaufs, Ränder grün und purpur staffiert.
Einige kleine Bestoßungen.

Publ.: Hantschmann 1996, Mod. 479

1119   1120

1120
Apothekengefäß
um 1815–20

H. 21,7 cm, Ø 12 cm
PM: RS 27 und „II"; RM: „1/5"
Inv.Nr. B 631a (L. Steinhauser, München, 24.12.1957)

Runder Fuß mit Kehle und glattem Rand, becherförmige, nach oben ausladende Wandung mit ausgestelltem Rand; geschwungen gewölbter Aufsatzdeckel mit Kugelknauf. Fuß mit dunkelgrünem Streifen, darüber grün-schwarzgelb schattierter Blattfries, rechteckiges Schild in Purpur; Wiederholung des Blattfrieses auf dem Deckel.
Deckel repariert, Ränder bestoßen.

Publ.: Hantschmann 1996, Mod. 478, Kat. 112

1121
Tintenfaß
um 1815–20

H. 3,9 cm, Ø 6,2 cm
PM: RS 38 und „III"; RM: „1/5"
Inv.Nr. B 362 (Prov. unbekannt)

Gedrückte Kugelform auf kleiner Standfläche; abgeplattete Oberseite mit Loch. Auf der Wölbung umlaufend stilisierte, rot-goldene Erdbeeren mit grün-goldenen Blättern, oben goldener Lorbeerkranz, Goldränder.

Publ.: Hantschmann 1996, Mod. 509, Kat. 141

1122–1124
3-tlg. Kaffeeservice
um 1815–20
Inv.Nr. B 85a-c (H. Weisenbeck, 18.3.1913)

1122
„Kaffeekanne antik C" (o. Abb.)
H. 17,7 cm
PM: RS 28 und „I"; RM: „1/5"
Inv.Nr. B 85a
Form wie Kat. 989, auf der Wölbung umlaufend stilisierte, rote Erdbeeren zwischen grünen und goldenen Blättern mit goldenen Kirschen (?). Fuß, Hals, Tülle und Henkel vergoldet.
Henkel abgebrochen.

1123   1121   1124

1123
Milchkanne
H. 15,7 cm
PM: RS 35 und „III"; RM: „1/5"
Inv.Nr. B 85b
Eingezogener Fuß mit profiliertem Rand, eiförmiger Korpus mit weitem, abgesetztem Hals und hochgezogenem Ausguß, gegenüber hochgezogener Bandhenkel. Dekor wie vorige Nr.
Das Modell paßt zu den Teilen „antik A", wurde aber im Preiscourant von 1831, Taf. III, Nr. 22-23 als „Milchkanne, unbed:(eckt) No 1" in zwei Größen angeboten.

1124
„Zuckerdose antik A"
H. 11,4 cm, Ø 9,7 cm
PM: RS 35 und „III"; RM: „1/5"
Inv.Nr. B 85c
Form wie Kat. 991, Dekor wie vorige Nr.
Vergoldung am Knauf berieben.

Publ.: Hantschmann 1996, Kat. 142

1125–1127
3 Teile eines Kaffeeservices für Kinder
um 1815–20
Inv.Nr. B 36a-c (Prov. unbekannt)

1125
„Milchkanne antik G"
H. 9,7 cm
PM: RS und „II"; RM: Strich; bez. „24"
Inv.Nr. B 36a
Form wie Kat. 998, nur kleiner. Auf der Wölbung Zick-Zack-Bordüre aus Goldnavetten zwischen Purpurpunkten, da-

hinter in Wellen eine Vergißmeinnicht-
ranke. Fuß, Hals und Henkel vergoldet.

1126
„Zuckerdose antik C"
H. o. Knauf 6,3 cm, Ø 5,4 cm
PM: RS und „I"
Inv.Nr. B 36b
Form wie Kat. 1115, nur kleiner. Dekor
wie vorige Nr.
Deckel am Rand bestoßen, Knauf fehlt.

1127
„Tasse antik No 18" mit
Untertasse
Obertasse: H. ges. 5,5 cm, Ø 7,4 cm
Untertasse: Ø 11,2 cm
Obertasse: PM: RS 28 und „II"
Untertasse: PM: RS und „III"; RM: „1/5"
Inv.Nr. B 36c
Tasse wie Kat. 1014, nur kleiner.
Untertasse auf geradem Standring mit
schräg ansteigender, glatter Fahne.
Dekor wie vorige Nr.
Tasse am Standring und Rand be-
stoßen.

Publ.: Hantschmann 1996, Kat. 145

1128–1132
5-tlg. Kaffeeservice für Kinder
um 1815–25
Inv.Nr. B 414a-e (Prov. unbekannt)

1128
„Kaffeekanne antik C"
H. 12 cm
PM: RS 35 und „II"; RM: Strich; bez. „1/12"
Inv.Nr. B 414a
Form wie Kat. 989, nur kleiner. Auf der
Schulter umlaufend Blatt- und Blüten-
stab in Gold. Fuß, Tülle, Hals und Hen-
kel goldliniert.
Teil des Halses und Deckel fehlen.

1128 – 1132

1129
„Milchkanne antik G"
H. 9,7 cm
PM: RS 28 und „II"; RM: Strich; bez. „36"
Inv.Nr. B 414b
Form wie Kat. 1125, Linie mit Halb-
kreisen und Punkten darüber, darunter
Behangmuster aus Blüten in Gold.

1130
„Zuckerdose antik C"
H. 7 cm, Ø 5,4 cm
ohne Marke
Inv.Nr. B 414c
Form wie Kat. 1126, Dekor wie
vorige Nr.

1131–1132
Zwei Tassen mit Untertassen
Obertassen: H. 5 cm, Ø 6,3 cm
Untertassen: Ø 10,2 cm
Obertassen: RM: „1/5"
Untertassen: RM: Strich
Inv.Nr. B 414d-e
Tassen auf hohem, geschwungenem
Fuß mit Kehle; flach gebauchte Wan-
dung mit abgesetztem, ausladendem
Rand, daran S-förmiger Vierkanthenkel.
Untertasse auf tief gekehltem Stand-
ring; aus dem gemuldeten Spiegel aus-
schwingende Fahne. Golddekor wie auf
der Kaffeekanne.
Obertasse 1132 am Standring bestoßen.

Das Tassenmodell erst von Gärtner entworfen und im Preiscourant von 1831,
Taf. IV, Nr. 74–75 enthalten. Miniatur-
ausgaben von Porzellanservicen für
kleine Mädchen, die im Spiel auf die
späteren Aufgaben einer gewandten
Gastgeberin vorbereiten sollten, tauchen erst zu Beginn des 19. Jhs. auf.

Publ.: Hantschmann 1996, Mod. 309

1133
„Eistopfgestell No 2"
um 1820

H. 32,8 cm
RM: „1/5"
Inv.Nr. B 143 (A. Weissenbeck, 20.2.1916)

Hoher Trompetenfuß mit gerundetem
Rand, kelchförmiger Korpus, seitlich
anliegende, eckige Henkel mit Blattansatz, Einsatzschale fehlt; Deckel mit
konvex eingezogenem Hals und profiliertem, ausgestelltem Rand. Am Rand

1125 – 1127

umlaufend Eichenblattbordüre in
Grüntönen, darunter ligiertes Gold-
monogramm „EB", Goldstaffage.
Boden des Deckels ausgebrochen,
Fehlstelle am Rand, Gefäß gekittet.

Das Modell ist im Preiscourant 1831,
Taf. II, Nr. 83 abgebildet und u.a. als
Ergänzung zu 1812 datierten Serviceteilen der Pariser Manufaktur Dagoty
im Besitz der Eremitage, St. Petersburg,
nachweisbar (Hantschmann 1996,
Kat. 156).

Publ.: Hantschmann 1996, Mod. 103

1133

1134 Seitenansicht

1134 Rückansicht

1134
„Vase No 19"
wohl 1823, Vasenmodell F. v. Gärtner,
Bemalung F. X. Nachtmann; Gravur-
arbeiten J. Haemmerl

H. 46 cm, Sockel 22 x 22 cm
ohne Marke
Inv.Nr. B 682 (Stuker, Bern, 1961)

Kraterförmige Prunkvase auf quadratischer Sockelplatte; eckig profilierter
Trompetenfuß mit Wulstring und ausladendem Rand, gebauchte Wandung mit
je zwei lachenden, bärtigen Männerköpfen als Ansatz der gerillten Wulsthenkel mit breiter Blattmanschette in
der Mitte. Hoher, weit ausladender
Hals mit Profilrand. Auf der Vorderseite
rechteckiges Bildfeld mit einem naturalistisch gemalten Blumenstilleben in
antikisierter Vase neben Trauben auf
einer Marmorplatte, rechts unten bez.
„von X: Nachtmann". Innenseite zur
Hälfte und Oberfläche vollständig vergoldet. Profile, Wölbung und Rand mit
stehenden Blättern graviert, Maskarons
und Henkelmanschette mattiert; gravierte Platindekoration auf dem Fuß
als Wellenbordüre mit Palmetten und
Blütenfries, oberhalb der Henkel seitlich in Lorbeerkränzen die Initialen „J"
und „M", unter einer Krone, die von
Genien gehalten wird. Rückseitig rechteckiges Feld mit Schirmmotiven in den
Ecken und Bordüren wie auf dem Fuß,
darin runder Blütenkranz mit goldgraviertem Amor, der zwei Lorbeerkränze
emporhält.

Mit großer Wahrscheinlichkeit handelt
es sich hier um jene, in den Archivalien für Mai 1823 mehrfach erwähnte
Vase, die Franz Xaver Nachtmann
(1799–1846) in königlichem Auftrag
ausführte. Auch die Mitarbeit des
Dekorationsmalers und Goldgraveurs
Joseph Haemmerl (1793–1842) ist
durch Belege gesichert (Hantschmann
1996, Kat. 186).

Publ.: Stuker, Bern, 14.11.1961, Nr. 30A;
Hantschmann 1996, Mod. 436, Kat. 186

1135

1135
Dessertteller
um 1823–26, Bemalung
F. X. Nachtmann

Ø 23 cm
RM: „ST" und „6"
Inv.Nr. B 606 (Karl Neppel, München,
29.5.1955)

Teller mit niedrigem Steigebord und
breiter, schräg ansteigender Fahne, auf
der nach innen leicht abgesetzten Unterseite zwei konzentrische Standringe.
Oberfläche vollständig vergoldet; im
Spiegel zwischen gravierten symmetrischen Ranken mit Löwenmaskarons
ein hochrechteckiges Bildfeld, darin ein
Stilleben mit klassizistischem Vogelkäfig, Papagei auf Sitzstange, Weinglas,
Teller mit Früchten, rechts Kohlkopf
und verschiedene Blumen vor braunem
Hintergrund; rechts unten bez. „ad
Nat. Nachtmann". Auf der Fahne ein
zweiteiliger, gravierter Dekorstreifen
aus stilisierten Palmetten und Lotus-
blüten.

Publ.: Hantschmann 1996, Kat. 214

1136
„Vase No 21"
21.4.1830 dat., Vasenmodell
F. v. Gärtner

H. 28,8 cm
PM: RS; RM: „1/5" und Strich
Inv.Nr. B 321 (Nathan, München)

Form wie Kat. 923. Auf der Vorderseite
in graviertem Gold ein Efeu- und ein
Lorbeerkranz mit zwei gekreuzten
Fackeln, von einem flatternden Band
gehalten; rückseitig Widmungsinschrift
„Zur Feyer der silbern. Hochzeit gewidmet von" und die Namen der Schen-
ker aus den Familien Haindl, v. Sutner
und Roßner, darunter „München den
21. April 1830". Sockelplatte, Fußprofil, Wölbung, Henkel und Lippenrand
vergoldet, Maskarons mattvergoldet.
Aus zwei Teilen verschraubt.
Vergoldung leicht berieben. Oberer
Fußrand teils abgesplittert.

Publ.: Hantschmann 1996, Mod. 437,
Kat. 228

1136

1137 – 1145

1146 – 1154

1137–1145
9-tlg. Kaffeeservice

um 1830

Inv.Nr. B 497a-i (Brüschwiler, München, 25.11.1949)

1137
„Kaffeekanne antik C"

H. 24,5 cm

PM: RS; RM: „1/5", Strich und vier Punkte eingestochen

Inv.Nr. B 497a

Form wie Kat. 925. Wandung mit goldenen Sternchen auf mattem, hellem Purpurfond; auf der Schulter zwischen Goldlinien umlaufend eine Weinblattranke mit Reben in Gold auf weißem Grund. Fuß und Hals vergoldet, Henkel, Ränder und Tülle teilvergoldet. Am Standring leicht bestoßen.

1138
„Milchkanne antik C"

H. 19,6 cm

ohne Marke

Inv.Nr. B 497b

Form wie Kat. 927, Dekor wie vorige Nr.

1139
„Zuckerdose antik C"

H. 16,3 cm, Ø 12 cm

RM: „3/5", „1/0" und Strich, fünf Punkte eingestochen

Inv.Nr. B 497c

Form wie Kat. 928, Dekor wie vorige Nr.
Deckelrand restauriert.

1140–1145
Sechs Tassen „antik No 11" mit Untertassen

Obertassen: H. ges. 9 cm, Ø 7,9 cm

Untertassen: Ø 13 cm

PM: RS, „2" und „8"; RM: „1/5", „I V" und Strich

Untertassen: PM: RS und zwei Striche

Inv.Nr. B 497d-i

Tasse wie Kat. 992, Untertasse wie Kat. 985. Bemalung wie vorige Nr. 1145: Henkel ergänzt, Untertasse gesprungen.

Ein 3-tlg. Kaffeeservice gleicher Form und Bemalung in unbekanntem Besitz (Ruef, München, 9.11.1988, Nr. 276).

Publ.: Hantschmann 1996, Kat. 230

1146–1154
9-tlg. Teeservice

um 1830

Inv.Nr. B 44a-i (A. le Feubure, 23.5.1911)

1146
„Teekanne antik K"

H. 10,2 cm

ohne Marke

Inv.Nr. B 44a

Form wie Kat. 937. Wandung und Deckel mit aprikosenfarbenem Fond, darauf goldene Sternchen; auf der Wölbung zwischen zwei vergoldeten Profilreifen umlaufende Weinlaubranke auf weißem Grund, Henkel und Ränder vergoldet.

1147
„Milchkanne antik P"

H. 7,8 cm

RM: „6", „8" und Strich

Inv.Nr. B 44b

Korpus und Henkel wie die Teekanne, nur kleiner und mit einer weiten Öffnung und breitem Ausguß. Dekor wie vorige Nr.

1148
„Zuckerdose antik H"

H. 8,6 cm, Ø 14,7 cm

PM: RS 13; RM: „3", „5" und Strich

Inv.Nr. B 44c

Niedriger, schalenförmiger Korpus auf geradem Standring mit zwei Profilreifen unter dem Rand und zwei gewölbten, steil nach oben gerichteten Griffen; flach ansteigender Aufsatzdeckel mit abgesetztem Rand und abgeflachter Mitte sowie pilzförmigem Knauf. Dekor wie vorige Nr.

1149–1154
Sechs „Teetassen antik No 19" mit „Untertassen antik No 26"

Obertassen: H. ges. 7,2 cm, Ø 7,5 cm

Untertassen: Ø 14,2 cm

Obertassen: PM: RS; RM: „19" und „1/5"

Untertassen: PM: RS; RM: „26" und „1/5", Striche

Inv.Nr. B 44d-i

Tasse und Untertasse wie Kat. 938, Dekor wie vorige Nr.

Die Modelle von Teekanne, Milchkanne und Zuckerdose entsprechen Produkten der englischen Manufaktur Wedgwood, die 1824 von Carl Schmitz als Muster in London angekauft wurden und sich heute im BNM befinden

1155 – 1161

1162
Tasse mit Untertasse
1841 dat.

Obertasse: H. 6 cm, Ø 9,3 cm
Untertasse: Ø 15,3 cm
Obertasse: RM: „1" und „1/5"
Untertasse: PM: RS und „3"
Inv.Nr. B 412 (Prov. unbekannt)

Tasse in Glockenform auf gekehltem
Standring; Bandhenkel in Ohrform mit
Daumenruhe und umbrochenem Ansatz. Unterteller mit leicht vertieftem
Tassenstand und geschwungener Fahne, wellig konturierter Rand. Auf der
innen halb vergoldeten Tasse blau-goldene Blütengirlanden und Kranz mit
Datum „1841" in Gold, auf der Untertasse im Spiegel und auf der Fahne umlaufend Bordüren mit blauen Blüten
und goldenen Blättern.

Eine Tasse mit Darstellung der
Ludwigstraße im MStm, Inv.Nr.
38/1266.1.

Publ.: Hantschmann 1996, Mod. 312,
Kat. 270

(Hantschmann 1996, Mod. 246). 1828
stellte die Manufaktur Ausformungen
dieser Serviceteile aus verschiedenfarbi-
ger „Jaspis-Ware" her, um die technische Leistung und Konkurrenzfähigkeit
Nymphenburgs zu demonstrieren
(Hantschmann 1996, Kat. 217).

Publ.: AK München 1992, Nr. 5.7, Abb. S. 72;
Hantschmann 1996, Kat. 231

1156
„Milchkanne antik R"
H. 19,6 cm
ohne Marke
Inv.Nr. B 311b
Form wie Kat. 1034, Dekor wie
vorige Nr.
Henkel und Standring restauriert.

1157
„Zuckerdose antik I" (o. Abb.)
H. o. Deckel 10,4 cm, Ø 12,1 cm
PM: RS; RM: „1/5"
Inv.Nr. B 311c
Form wie Kat. 1035, Dekor wie
vorige Nr.
Deckel fehlt.

1155–1161
6-tlg. Kaffeeservice
um 1830
Inv.Nr. B 311a-f (Antiquar Peter, München,
1921)

1155
„Kaffeekanne antik L"
H. 26,6 cm
RM: „6"
Inv.Nr. B 311a
Form wie Kat. 935. Oberfläche voll-
ständig vergoldet, bis auf einen breiten
Dekorstreifen mit bunter, naturalisti-
scher rosa Rosenbordüre vor grünem
Blattwerk auf weißem Grund auf der
Wandung unterhalb des Profilstreifens.
Blattansatz von Tülle und Henkel mat-
tiert.
Am Lippenrand leicht bestoßen. Tülle
restauriert.

1158–1161
Drei „Tassen antik No 26" mit Untertassen
Obertassen: H. ges. 10,7 cm, Ø 6,7 cm
Untertassen: Ø 14 cm
Obertassen: RM: „1/5"
Untertassen: PM: RS und „II"; RM: „1/5"
Inv.Nr. B 311d-f
Getreppt ansteigender Fuß, eiförmiger
Korpus mit eingezogenem, gekehltem
Lippenrand, darüber hochgebogener
Vierkanthenkel in Ohrform mit auf-
gerollten Enden. Untertassen wie
Kat. 938. Dekor wie vorige Nr.
Henkel geklebt. 1158: Tasse und Unter-
tasse am Rand bestoßen. 1159: Unter-
tasse bestoßen. 1160: Tasse am Fuß
bestoßen.

Publ.: Hantschmann 1996, Kat. 237

1162

1163 – 1167

1163–1167
5-tlg. Déjeuner
um 1845–50
Inv.Nr. B 142a-e (Baronin Riederer zu Paar, 22.1.1916)

1163
Kaffeekanne
H. 16,3 cm
PM: RS; RM: „7", Strich und sieben Punkte eingestochen; unter dem Boden bez. in Gold „32"
Inv.Nr. B 142a
Form wie Kat. 392, auf Wandung und Deckel breites Goldband am Rand, darunter umlaufende Bordüre mit großen Weinblättern und Trauben. Oberseite des Henkels vergoldet.

1164
Milchkanne
H. 14,3 cm
PM: RS; RM: „6", Strich und sechs Punkte eingestochen
Inv.Nr. B 142b
Form und Dekor wie Kaffeekanne, nur kleiner.

1165
„Zuckerdose antik A"
H. 11 cm, Ø 11,4 cm
PM: RS; RM: „6", „1/5" und vier Punkte eingestochen
Inv.Nr. B 142c
Form wie Kat. 981, der Knauf jedoch glatt. Dekor wie vorige Nr.

1166–1167
Zwei Tassen mit Untertassen
Obertassen: H. 6 cm, Ø 6,3 cm
Untertassen: Ø 12,8 cm
ohne Marken
Inv.Nr. B 142d-e
Tasse ähnlich zu Kat. 1103, nur schlanker und mit kleinerem Henkel. Untertasse wie Kat. 962. Dekor wie vorige Nr.
Vergoldung auf allen Teilen leicht berieben.

Publ.: Hantschmann 1996, Mod. 211, Kat. 285

1168–1170
3-tlg. Kaffeeservice
um 1850, E. N. Neureuther
Inv.Nr. B 123a-c (Prov. unbekannt)

1168
„Kaffeekanne D"
H. 13 cm
PM: RS 30; RM: „7" und „1/5"
Inv.Nr. B 123a
Unglasierte Standfläche; becherförmige Wandung mit gekehlt abgesetztem Kragen, vertieft aufliegender, leicht gewölbter Deckel mit spitzem Zapfenknauf; steil geschwungene Tülle, hochgezogener Bandhenkel in Ohrform. Auf Wandung und Deckel umlaufend Efeuranken in Grüntönen, mit zartgrauen Schatten hinterlegt. Goldränder.

1169
„Milchkanne D"
H. 9,9 cm
PM: RS 30; RM: „7" und „1/5"
Inv.Nr. B 123b
Form wie die Kaffeekanne, nur mit breitem Ausguß und hochgezogenem Henkel. Dekor wie vorige Nr.

1170
„Zuckerdose D"
H. 8,8 cm, Ø 9,5 cm
PM: RS 30; RM: „7" und „1/5"
Inv.Nr. B 123c
Über unglasierter Standfläche niedrige, becherförmige Wandung; vertieft aufliegender, leicht gewölbter Deckel mit Zapfenknauf. Dekor wie vorige Nr.

Das Service „D" ist im Preiscourant von 1850, S. 6, Nr. 24-32 abgebildet und war in drei Größen lieferbar.

1168 – 1170

1180   1181   1174

1171–1182
Zwölf Dessertteller
um 1850

Ø 23 cm
PM: RS
Inv.Nr. B 39a-m (Wolfner, um 1910)

Im Spiegel Früchtestilleben in naturalistischen Farben mit hinterlegten Schatten auf weißem Grund: 1171: Zitronen
und Johannisbeeren; 1172: Zitrone
und Feige; 1173: Apfel und Birne;
1174: Pflaumen und Zwetschgen;
1175: Aprikose und Pflaume;
1176: Apfel, Pflaume und Kirschen;
1177: Pflaumen und Reineclauden;
1178: Aprikose, Feige und Mirabellen;
1179: blaue Trauben; 1180: Apfel,
Zwetschgen und Erdbeeren;
1181: Reineclauden und rote Pflaumen;
1182: Pflaumen. Steige-bord vergoldet,
auf der Fahne stehender Palmettenfries,
Goldrand.

Die Motive dieser Serie scheinen von
französischen Vorbildern übernommen,
siehe sechs ungemarkte Teller in Privatbesitz. Weitere 12 Teller mit unterschiedlich gestalteten Goldbordüren in
unbekanntem Besitz (Neumeister,
München, 27.9.1995, Nr. 49).

1183–1189
7-tlg. Teeservice
um 1850, E. N. Neureuther
Inv.Nr. B 685a-g (Karl Neureuther, München,
Mai 1962)

1183
„Teekanne, achteckig"
H. 15,5 cm
PM: RS; RM: „1/5"
Inv.Nr. B 685a
Eingezogener Standring, rechteckiger
Korpus mit geschrägter Schulter auf
achteckigem Grundriß. Gerade Rand-

leiste, formentsprechend gewölbter Einsatzdeckel mit blütenförmigem Knauf,
polygonale, geschwungene Tülle, hochgewölbter Bandhenkel in Ohrform.
Rosafarbener Fond. Flächen jeweils mit
goldenem Ranken- oder Gitterwerk bemalt, seitlich runde Reserven mit bunten, naturalistischen Blumensträußen
auf weißem Grund. Henkel, Tülle,
Knauf und Ränder vergoldet.

1184
„Milchkanne, achteckig"
H. 16,3 cm
PM: RS; RM: „1/5"
Inv.Nr. B 685b
Form der Kaffeekanne entsprechend,
nur kleiner; hoher Kragen mit Ausguß.
Dekor wie vorige Nr.

1185
„Zuckerdose, achteckig"
H. 14,3 cm
PM: RS; RM: „1/5"
Inv.Nr. B 685c
Korpus der Kaffeekanne entsprechend,
nur niedriger; seitlich zwei nach oben
gebogene Vierkanthenkel. Dekor wie
vorige Nr.

1186–1189
Vier Tassen mit Untertassen
Obertassen: H. 5,7 cm, Ø 9,5 cm
Untertassen: Ø 14,4 cm
PM: RS; RM: „1/5"
Inv.Nr. B 685d-g
Tasse auf gekehltem Standring, 12-fach
gekantete Glockenform mit ausgestelltem Rand; leicht S-förmiger Bandhenkel mit waagerechtem Steg, unten nach
innen einschwingend. Untertasse mit
leicht geschwungener, 12-fach gebuk-
kelter Fahne. Bemalung wie vorige Nr.

Das Service stammt aus dem Haushalt
von Eugen Napoleon Neureuther.
Unter der Bezeichnung „Theeservice,
achteckig" ist es im Preiscourant 1850,
S. 7, Nr. 63–68 enthalten und war in
zwei Größen lieferbar. Die Modelle
sind französischen Vorbildern der Zeit
um 1835 nachempfunden (Mundt
1981, Abb. 203) und wurden auch
in thüringischen Manufakturen ausgeformt (siehe z. B. Berlinghof, Heidelberg, 24.–25.6.1983, Nr. 385).

1183 – 1189

Landschaften

Die Landschaftsmalerei des 19. Jhs. verließ bald die imaginäre Idylle der Phantasie (Kat. 1198) und wandte sich der realen Topographie zu. Dabei dominierten Ansichten von München und anderen bayerischen Städten, deren Vorlagen stets in der damaligen Druckgraphik zu suchen sind. Eine warmtonige Camaieumalerei wurde bald von naturalistischer Buntmalerei abgelöst, und beide stets wie ein Gemälde gerahmt. Die Wiedergabe einer Ansicht von Freising zeigt die verschiedenen Richtungen der Landschaftsmalerei in Nymphenburg: Die Tasse Kat. 1199, gemalt 1800–10 von P. Böhngen, zeigt eine graphisch detaillierte Malerei in hellen, lichten Farben. Der Dessertteller Kat. 1213, ausgeführt um 1830, eine malerisch weiche Manier, die romantische Wirkung über Details setzt, während die Bouillontasse Kat. 1233 das topographische Motiv sachlich, in fein ausgeführter Miniaturmalerei, auf hohem Niveau schildert.

Landscapes

Landscape painting of the 19th century soon left the imaginary idyll of fantasy (cat. no. 1198) and turned to real topography. Views of Munich and other Bavarian cities, whose sources can always be found in contemporary printed graphics, dominated. Warmly toned camaïeu painting was soon succeeded by naturalistic color painting, both always being framed like a painting. The various directions of landscape painting at Nymphenburg are illustrated in views of Freising: A cup (cat. no. 1199) by P. Böhngen, 1800–1810, was painted in graphical detail, in light bright colors; a dessert plate of around 1830 (cat. no. 1213) executed in a soft painterly manner that places romantic effects ahead of details, while on a bouillon cup (cat. no. 1233) the topographical motif is objectively described in finely executed, high quality miniature painting.

1190

dem Henkel rechteckiges, goldgerahmtes Bildfeld mit bunter Ansicht von „Neuried beÿ Fuirstenried", im Spiegel der Untertasse Blick auf „Die Kuirche beÿ planek", gold-purpurner Rand und Blattstab.
Vergoldung leicht berieben.

Als Vorlage dienten kleine Aquarelle von Theodor Lamey, die sich bis heute im Archiv der Manufaktur befinden.

Publ.: Hantschmann 1996, Kat. 50

1190
Tasse mit Untertasse
um 1800–10

Obertasse: H. 6,1 cm, Ø 6,1 cm
Untertasse: Ø 13 cm
PM: RS 26; RM: „K", Strich und zwei Punkte eingestochen; auf der Unterseite betitelt
Inv.Nr. B 258 (L. Steinhauser, München, 10.7.1919)

Tasse und Untertasse wie Kat. 1102, nur kleiner. Auf der Tasse gegenüber

1191–1196
6-tlg. Déjeuner (Abb. s. S. 322)
um 1800–10, Bemalung P. Böhngen
Inv.Nr. B 6a-f (Slg. v. Franckenstein, 1912)

1191
„Kaffeekanne A"
H. 13,3 cm
PM: RS 11, „P" und Strich, drei Punkte eingestochen; auf der Unterseite betitelt
Inv.Nr. B 6b
Form wie Kat. 979, nur kleiner. Rotbrauner Fond, unter dem Rand und auf

dem Deckel goldene Weinlaubbordüre auf weißem Grund. Auf den Seiten Bildfelder in gravierter Umrahmung mit Ansicht „Das Schlos planeck", gegenüber „Mühle planeck" in fein ausgeführter Malerei. Ränder und Henkel vergoldet.
Deckel gekittet und repariert.

1192
„Milchkanne A"
H. 11 cm
PM: RS 11, „P" und Strich, zwei Striche im Standring; auf der Unterseite betitelt
Inv.Nr. B 6c
Form wie Kat. 980, Staffage wie vorige Nr.; auf der Seite „Die alle nach München" mit der Frauenkirche im Hintergrund, gegenüber „Die alle nach Fürstenried" mit dem Schloß als Pointde-vue.
Deckel gekittet.

1193
„Zuckerdose antik A"
H. 8 cm, Ø 8,3 cm
PM: RS 11; RM: „A" und zwei Striche; auf der Unterseite betitelt
Inv.Nr. B 6d
Form wie Kat. 1165, nur kleiner, Staffage wie vorige Nr.; in querrechteckigen Bildfeldern das Dorf „Forstenried", gegenüber das Dorf „Sohlen" (=Solln).

1191 – 1196

1194–1195
Zwei Tassen mit Untertassen

Obertassen: H. 6 cm, Ø 6 cm
Untertassen: Ø 13 cm
Obertassen: PM: RS 36, RM: „A" und zwei
Striche
Untertassen: 1194: PM: RS 11, „P" und
Strich; 1195: PM: RS; RM: „A", Strich und
zwei Punkte; auf der Unterseite betitelt
Inv.Nr. B 6e-f
Tassen wie Kat. 973, Untertassen
wie Kat. 1190, Staffage wie vorige Nr.
1194: auf der Tasse gegenüber dem
Henkel Holztempelchen „im Garten zu
Fürstenried", auf der Untertasse „Für-
stenried von der Garten Seite".
1195: auf der Tasse „die Kirche von
Neuried", auf der Untertasse „Die
kürche beÿ Planeck" (vgl. Kat. 1190).
1195: Untertasse restauriert.

1196
Tablett

39 x 28 cm
PM: RS 26, „L" und „j", zwei Punkte
eingestochen; im Bildfeld rechts unten sig.
„Böhngen" und auf der Unterseite betitelt
Inv.Nr. B 6a
Form wie Kat. 983, nur größer, Staffage
wie vorige Nr., im Spiegel ovales Bild-
feld mit Ansicht vom „Lust Schloß
Fürstenried".
Vergoldung stark berieben.

Als Sohn eines Porzellanmalers aus
Höchst war Paul Böhngen (1771–1816)
zunächst in Niederweiler tätig, bevor er
1796 nach Nymphenburg kam. Neben

seiner Tätigkeit als Maler, wobei er den
„französischen Gusto" eingeführt haben soll (Hofmann, S. 621), bemühte
er sich besonders um technische Verbesserungen der Öfen und wurde 1812
zum Betriebsfaktor ernannt.
Der Bemalung dieser Déjeuners liegen,
wie schon bei Kat. 1190, Aquarelle von
T. Lamey zugrunde, die sich im Archiv
der Manufaktur befinden. Böhngen
wiederholte die Bordüre u.a. bei einer
Schale mit apfelgrünem Fond und
der Ansicht von München in Braun-
Camaieu (Neumeister, 1.7.1981,
Nr. 59).

Publ.: VK Franckenstein 1912, Nr. 177;
Hofmann, Abb. 420 (Tablett); Hantschmann
1996, Kat. 51

1197
Tasse mit Untertasse
um 1800–10, Bemalung wohl
P. Böhngen

Obertasse: H. 5,9 cm, Ø 5,9 cm
Untertasse: Ø 13,9 cm
Obertasse: PM: RS 26; RM: „S", zwei
Striche und zwei Punkte eingestochen.
Untertasse: PM: RS 23; RM: „A" und „O"
Inv.Nr. B 796 (Elfriede Lechner, München,
1989)

Tasse wie Kat. 973, Untertasse wie
1102. Unterglasurblauer Fond mit goldenem Vermiculé (sog. Würmchen-
muster), goldener Lorbeerstab am

Rand. Gegenüber dem Henkel in goldgraviertem Rahmen querrechteckige
„Erste Aussicht im Englischen Garten
bey München" mit kleinem Schwanen-
teich und Chinesischer Brücke, darauf
ein Reiter, in Braun-Camaieu. Im Spiegel der Untertasse die „Zweite Aussicht" der Serie mit der Gastwirtschaft
neben dem Chinesischen Turm
(Proebst 1957, Abb. S. 124, 125).
Untertasse leicht berieben.

Der Überlieferung nach soll der Reiter
auf der Chinesischen Brücke Kurfürst
Karl Theodor sein. Diese und weitere
Ansichten des Englischen Gartens in
München, der 1792 eröffnet und ab
1804 erweitert wurde, auf einem weiß-
grundigen Déjeuner im Besitz der BSV,
Zug. Nr. 181, liegen Radierungen von
Simon Gassner und Simon Warnberger
(dat. 1795) zugrunde, die sich noch
heute im Archiv der Manufaktur befinden (Hantschmann 1996, Kat. 54 mit
weiterer Lit.). Weitere Déjeuners mit
hellblauem Fond im MStm, Inv.Nr.
31/383/1-6, und mit grünem Fond
im BNM, Inv.Nr. Ker 4141-4157
(Hantschmann 1996, Kat. 55, 56).

Publ.: Hantschmann 1996, Kat. 57

1198
Tasse mit Untertasse
um 1800–10

Obertasse: H. 6,2 cm, Ø 6,1 cm
Untertasse: Ø 13,7 cm
Obertasse: PM: RS 26; RM: „S", zwei
Punkte eingestochen
Untertasse: PM: RS 23; RM: „O", zwei
Punkte eingestochen; MM: in Schwarz
bez. „No. 105."
Inv.Nr. B 74 (Slg. v. Franckenstein, 1912)

Tasse wie Kat. 973, Untertasse wie
Kat. 1102. Hellgrüner Fond; Randleiste
und rundes Medaillon aus grau-weißem
Spiralband auf Gold. Gegenüber dem
Henkel Landschaft mit Dorf am Ufer
und Fischern im Vordergrund, im Spiegel der Untertasse Blick auf eine befestigte Stadt oberhalb eines Flußlaufs in
hellem Braun-Camaieu.

Die Art der „Idyllischen Landschaft"
vergleichbar zu Darstellungen auf Servicen mit „Grüner Landschaft" und Kup-
ferstich-Dekoren auf Holzmaserfond.

1197 1198

1199
Tasse mit Untertasse
um 1800–10, Bemalung P. Böhngen

Obertasse: H. 6,7 cm, Ø 6,9 cm
Untertasse: Ø 14,3 cm
Obertasse: PM: RS 32; RM: zweimal „I." und
zwei Punkte eingestochen; MM: in Schwarz
bez. „Böhngen p:" und betitelt
Untertasse: PM: RS; RM: „L" und Strich
Inv.Nr. B 434 (Frhr. v. Feilitzsch, 11.3.1938)

Tasse wie Kat. 1102, Untertasse ähnlich zu Kat. 972 mit leicht gebogener
Fahne. Zitronengelber Fond, gegenüber
dem Henkel zwischen Goldrändern ein-
gefaßte Ansicht des Dombergs von
„Freysing" aus südlicher Richtung mit
der Stiftsprobstei und St. Andreas,
rechts davon die Residenz sowie der
Dom in lichter, feinkonturierter Malerei. Rückwärts, unterhalb des Randes,
zarte Wellenbordüre in Gold auf weißem Grund. Im Spiegel der Untertasse
goldene, stilisierte Blüte, auf der Fahne
goldene Wellenbordüre auf weißem
Grund. Ränder und Henkel vergoldet.

Das Motiv folgt einer kolorierten, un-
datierten Federzeichnung von Max
Joseph Wagenbauer in der Graphischen
Slg., München, Inv.Nr. 707z. Eine
kolorierte Nachzeichnung von Simon
Mayr befindet sich im Archiv der Manufaktur (Nr. 608). Die Ansicht nimmt
denselben Standpunkt ein, wie der
um 1775 entstandene Kupferstich
„Prospect der Hochfrl. Bichöfl. Residenz Stadt Freysing, wie solche gegen
Nord ost von der Münchner Straße
anzusehen" von Franz Xaver Jung-
wierth und Johann Michael Söckler
nach einem Gemälde von Johann
Baptist Dreyer, das 1772 als Fest-
dekoration entstand und sich heute
im Marstallmuseum, Schloß Nymphenburg befindet befindet, Inv.Nr.

NyMar.G144 (AK Freising 1989,
Nr. I.17)

Publ.: Hantschmann 1996, Kat. 60

1200
Tasse mit Untertasse
um 1800–10, Bemalung wohl
P. Böhngen

Obertasse: H. 6,8 cm, Ø 6,8 cm
Untertasse: Ø 14 cm
PM: RS; RM: „L" und Strich; auf der Unter-
seite der Tasse betitelt
Inv.Nr. B 498 (L. Steinhauser, München,
19.10.1948)

Tasse wie vorige Nr., Untertasse wie
Kat. 972. Zartgelber Fond, gegenüber
dem Henkel bunte Ansicht von „Staren-
bereg" aus nordwestlicher Richtung in
lichter, feinkonturierter Malerei. Im
Spiegel der Untertasse goldene Blume,
auf der Fahne Bogenkante mit Blatt-
gehängen in Gold auf weißem Grund.
Henkel und Ränder vergoldet.
Tasse am Stand bestoßen.

Die Ansicht geht auf Blatt 12 der
„Zwölf Ansichten von Bayern", eine
Radierung Simon Warnbergers
(1769–1847) aus der Zeit um 1802
nach Zeichnungen von Johann Georg
von Dillis (1759–1841) zurück (AK
München 1991, Nr. 19, Aquarell v.
Dillis), die für das ab 1803 ausgeführte
Tafelservice König Max I. verwendet
wurden, dessen Dessertteller alle Paul
Böhngen bemalte (vgl. Hantschmann
1996, Kat. 34).

Publ.: Hantschmann 1996, Kat. 59

1201–1203
Drei „Tassen antik No 11"
(o. Abb.)
um 1815–20

H. ges. 9,2 cm, Ø 7,6 cm
PM: RS; RM: „1/5"
Inv.Nr. B 10i, k (Prov. unbekannt);
Inv.Nr. CB 34 (Familienbesitz)

Tassen wie Kat. 992. Auf die Wandung
gesetzte Bildfelder in goldenen Leisten
mit radiertem Punktstab, in der Mitte
unten jeweils betitelt. 1201: im Bildfeld
der Blick aus südlicher Richtung auf
„Ansbach" mit der St. Gumbertus-Kir-
che in matten Farben. 1202: im Bildfeld Ansicht aus südlicher Richtung von
„Donauwörth" mit Hl. Kreuz Kloster
und Pfarrkirche in matten Farben.
1203: im Bildfeld der Blick auf „Regensburg" von Nordosten. Zwischen Henkel
und Bildrand jeweils goldene Fiederran-
ken und Gehänge auf weißem Grund.
Standring, Henkel und Innenseite der
Wandung vergoldet.
Vergoldung leicht berieben.

1199 1200

1204 1205   1207 1206 1208

1204
„Tasse antik No 11" mit Untertasse
um 1815–20

Obertasse: H. ges. 9,2 cm, Ø 7,8 cm
Untertasse: Ø 13,4 cm
Obertasse: PM: RS; RM: „1/5" und Strich
Untertasse: PM: RS 37 und „XX"; RM: „2 C";
in Braun bez. „15"
Inv.Nr. B 10f (Slg. Leonhard, 14.11.1910)

Tasse wie Kat. 992, Untertasse wie
Kat. 1103; gegenüber dem Henkel
rechteckiges, goldumrahmtes Bildfeld
mit Titel „München" in der unteren
Leiste, Blick auf die Stadt aus südöstli-
cher Richtung vom Giesinger Berg.
Standring, Rand und Henkel vergoldet.
Untertasse nur mit Goldband.
Gebrauchsspuren.

Bildvorlage war ein kolorierter Kupfer-
stich nach einer Lithographie Max
Joseph Wagenbauers, die um 1806
datiert wird. Eine gleiche Tasse in Slg.
Bäuml, Inv.Nr. B 10o, weitere in unbe-
kanntem Besitz (Neumeister, Mün-
chen, 30.6.1982, Nr. 149, 152;
Ruef, München, 23.3.1983, Nr. 490;
Neumeister, München, 7.12.1994,
Nr. 118).

Publ.: Hantschmann 1996, Kat. 109b

1205
„Tasse antik No 11" mit Untertasse
um 1820–30

Obertasse: H. ges. 9,1 cm, Ø 7,7 cm
Untertasse: Ø 13,2 cm
Obertasse: PM: RS 35, „I V"; RM: „7" und
Strich
Untertasse: PM: RS und drei Striche
Inv.Nr. B 10g (Prov. unbekannt)

Tasse wie Kat. 992, Untertasse wie
Kat. 985, Staffage wie vorige Nr.; im
Bildfeld mit Titel eine Ansicht von
„München" aus östlicher Richtung von
Bogenhausen aus, im Mittelgrund die
Praterinsel mit dem hölzernen Quell-
wasserleitungssteg, im Vordergrund
Spaziergänger. Untertasse mit Gold-
punkt im Spiegel und Goldrand.

Die Darstellung folgt einer 1821 entstandenen Vorlage von Carl Heinzmann, die im Original und als Aqua-
tinta erhalten ist (Proebst 1957, Abb.
S. 48). Carl Friedrich Heinzmann
(1795–1846) wechselte nach einer
Ausbildung zum Maler und Lithograph
in Stuttgart 1815 an die Münchner
Akademie. Er war ein anerkannter
Maler, als er 1822 in Nymphenburg im
Fach Landschaftsmalersmalerei ange-
stellt wurde, und bereiste im Auftrag
der Manufaktur zwei Jahre lang Ober-
bayern, um Aquarelle mit Ansichten,
Stadtveduten und Volkstrachten als
Malvorlagen zu schaffen. Nach einem
Italienaufenthalt im Jahr 1843 litt
Heinzmann zunehmend unter einem
Augenleiden, das ihn schließlich zwang,
die Porzellanmalerei aufzugeben.

1206
„Tasse antik No 11" mit Untertasse
um 1820–30

Obertasse: H. ges. 9,1 cm, Ø 7,7 cm
Untertasse: Ø 13,3 cm
Obertasse: PM: RS; RM: „1/5" und Strich; auf
der Unterseite betitelt
Untertasse: PM: RS; RM: „1/5" und Strich
Inv.Nr. B 10a (Frau Dr. Rothe, München,
30.11.1922)

Tasse und Untertasse wie vorige Nr.,
im Bildfeld Blick auf München aus östlicher Richtung vom Gasteig aus, rechts
der Kalvarienberg, links das Auer Tor.
Fuß, Rand, Innenseite und Henkel der
Tasse vergoldet. Untertasse mit Goldpunkt und liniertem Goldrand.

Die Ansicht auch auf einem Pfeifenkopf
wie Kat. 1297 in Privatbesitz (Morgenroth 1989, Nr. 169).

1207
„Tasse antik No 11" mit Untertasse
um 1820–30

Obertasse: H. ges. 9,1 cm, Ø 7,8 cm
Untertasse: Ø 13 cm
Obertasse: PM: RS; RM: „3" und Strich; auf
der Unterseite betitelt
Untertasse: PM: RS; RM: „14" und Strich
Inv.Nr. B 10b (Prov. unbekannt)

Tasse und Untertasse wie vorige Nr.,
im Bildfeld Ansicht von „Würzburg"
mit Blick über den Main auf die

1208 1209 1211

1212

Festung Marienberg, im Vordergrund
Lastschiffe.
Vergoldung der Untertasse stark berie-
ben.

Das Tassenmodell mit identischer
Ansicht im Kunsthandel, Bamberg
(Hantschmann 1996a, Abb. 11).

1208
„Tasse antik No 11" mit Untertasse
um 1820–30

Obertasse: H. ges. 9,1 cm, Ø 7,7 cm
Untertasse: Ø 12,6 cm
Obertasse: PM: RS; RM: „I V", „3", „1/5";
auf der Unterseite betitelt.
Untertasse: PM: RS; RM: „1/5" und zwei
Striche
Inv.Nr. B 10e (Frau Dr. Roth, München,
30.11.1912)

Tasse wie vorige Nr., Untertasse wie
Kat. 962; im Bildfeld Ansicht von
„Passau" aus nördlicher Richtung, im
Vordergrund der Einfluß der Iltz in die
Donau, Nieder- und Oberhaus sowie
der Altstadt mit Dom und Residenz im
Hintergrund.
Untertasse am Rand stark berieben.

Die Vorlage folgt einer lavierten
Federzeichnung von Alois Kurz
(1797–1842) im Besitz der GSlg,
München, Inv.Nr. 43603 (Topographie).

1209
„Tasse antik No 11" mit Untertasse
um 1820–30

Obertasse: H. ges. 9 cm, Ø 7,8 cm
Untertasse: Ø 13 cm
Obertasse: PM: RS und „6"; RM: „1/5" und
Strich; auf der Unterseite betitelt
Untertasse: PM: RS 37, „5" und „XX"
Inv.Nr. B 10h (Prov. unbekannt)

Tasse wie vorige Nr., Untertasse wie
Kat. 985; im Bildfeld der Kapellenplatz
mit der Stiftskirche rechts in „Alten-
ötting".
Untertasse am Rand bestoßen. Tasse
am Henkelansatz defekt.

1210
„Tasse antik No 11" mit Untertasse (o. Abb.)
um 1815–20

Obertasse: H. ges. 8,8 cm, Ø 7,9 cm
Untertasse: Ø 13,5 cm
Obertasse: PM: RS; auf der Unterseite betitelt
Untertasse: RM: „5"
Inv.Nr. B 10c (Slg. Leonhart, 14.11.1910)

Tasse wie vorige Nr., Untertasse wie
Kat. 1199, nur kleiner; im Bildfeld der
Blick auf „Starenberg" aus nordöstlicher Richtung, im Vordergrund die
alte Kirche St. Valentin von Percha.

1211
„Tasse antik No 11" mit Untertasse
um 1815–25

Obertasse: H. ges. 9 cm, Ø 7,8 cm
Untertasse: Ø 13 cm
PM: RS, RM: „1/5" und Strich; auf der
Unterseite betitelt
Untertasse: RM: „14" und Strich
Inv.Nr. B 10d (Slg. v. Franckenstein, 1912)

Tasse und Untertasse wie Kat.1205; im
Bildfeld der Blick auf „Augsburg" von
Südwesten, links die katholische und
die evangelische St. Ulrichskirchen, in
der Mitte das Rathaus und rechts der
Dom, im Vordergrund ein wanderndes
Paar.

Die Ansicht von Augsburg stimmt mit
einem signierten Aquarell von Carl
Heinzmann in unbekanntem Besitz
überein (Karl & Faber, München,
4.-5.7.1981, Nr. 621).

1212
Tasse mit Untertasse
um 1830

Obertasse: H. 7,3 cm, Ø 7,4 cm
Untertasse: Ø 12,4 cm
Obertasse: PM: RS 34; RM: „I V" und Striche;
auf der Unterseite betitelt
Inv.Nr. B 10l (Frau Dr. Rothe, 30.11.1912)

Tasse wie Kat. 992, Untertasse mit
steilem Rand. Im breiten Bildfeld
gegenüber dem Henkel Ansicht von
Kirche und Schloß „Tegernsee".
Untertasse nicht zugehöriges Fremd-
fabrikat.

1213

1214 1215 1216

Vorlage nach einen Aquarell von Carl
Heinzmann im Archiv der Manufaktur.
Die Ansicht auch auf einer Tasse, ehemals Slg. Thurn und Taxis, im BNM,
Inv.Nr. 93/461 (Hantschmann 1996,
Kat. 221). König Max I. v. Bayern
erwarb das 1803 säkularisierte Bene-
diktinerkloster Tegernsee im Jahr 1817
und ließ es von Leo v. Klenze bis 1824
zu einer Sommerresidenz umbauen.

1213
Dessertteller
um 1830

Ø 21 cm
PM: RS; RM: „1/5", auf der Unterseite betitelt
Inv.Nr. B 338 (L. Steinhauser, München,
1923)

Teller wie Kat. 1135, nur kleiner. Im
Spiegel runde Ansicht von „Freÿsing"
nach derselben Vorlage wie auf der
Tasse Kat. 1199. Steigebord vergoldet,
auf der Fahne auf weißem Grund goldene Blütenranke. Goldrand.

Ein Teller mit ähnlicher Bordüre und
Ansicht von Ohlstadt im MKG, Hamburg, Inv.Nr. 1899,158 (Hantschmann
1996, Kat. 157), weitere 12 Teller mit
verschiedenen Ansichten in unbekanntem Besitz (Ruef, München, 8.7.1987,
Nr. 370). Das Bildmotiv in sehr feiner
Ausführung auf einer „Tasse antik
No 11" in unbekanntem Besitz (Ruef,
München, 16.12.1988, Nr. 1175). Vergleiche Kat. 1199 und 1233.

1214
„Tasse antik No 11" mit Untertasse
um 1830

Obertasse: H. ges. 9,2 cm, Ø 7,8 cm
Untertasse: Ø 13,3 cm
Obertasse: PM: RS; RM: zweimal „8", „II/5"
und zwei Striche; auf der Unterseite betitelt
Untertasse: PM: RS 46
Inv.Nr. CB 33k (Prov. unbekannt)

Tasse wie Kat. 992, Untertasse mit steilem Rand neuzeitliche Ergänzung; im
Bildfeld der Blick auf „Salzburg" aus
nordöstlicher Richtung vom Rosenneg-
ger-Garten auf dem Bürglstein, an der
Salzach das St. Michaels-Tor, dahinter
der Dom, links Stift Nonnberg, darüber
die Festung Hohensalzberg. Untertasse
neuzeitliche Ergänzung.

Publ.: Hantschmann 1996, Kat. 225

1215
„Tasse antik No 11" mit Untertasse
um 1830–40

Obertasse: H. ges. 9,2 cm, Ø 7,8 cm
Untertasse: Ø 13 cm
Obertasse: PM: RS 38; RM: „3" und „1/5";
auf der Unterseite betitelt
Untertasse: ohne Marke
Inv.Nr. B 10p (Ruef, München, 11.11.1954)

Tasse wie vorige Nr., im Bildfeld der
Blick auf die 1818–24 errichteten Kur-
gebäude von Bad „Kreuth" vor hohen
Bergen, links im Hintergrund die 1696

erbaute Badekapelle, im Vordergrund
Kurgäste beim Ausritt. Gemuldete
Untertasse nicht zugehöriges Fremd-
fabrikat.

Als Vorlage diente eine 1822 veröffentlichte Lithographie von Carl Heinzmann (Hantschmann 1996, Kat. 224),
siehe auch Kat. 1218. Das Motiv auch
auf einer Tasse Slg. Thurn und Taxis,
Regensburg (AK München 1987, Nr.
1213).

1216
„Tasse antik No 11" mit „Untertasse antik No 26"
um 1830–40

Obertasse: H. ges. 9,3 cm, Ø 7,8 cm
Untertasse: Ø 14 cm
Obertasse: PM: RS 32 und „II"; RM: „1/5";
auf der Unterseite betitelt
Untertasse: RM: „1/5" und Strich
Inv.Nr. B 10q (Ruef, München, 11.11.1954)

Tasse wie vorige Nr., Untertasse wie
Kat. 938, im Bildfeld der Blick auf die
„Spizing-Alpe" mit Almhütte und wei-
dendem Vieh sowie Senner und Sennerin am Brunnen.

Die Vorlage war ein betiteltes Aquarell
von Carl Friedrich Heinzmann aus dem
Archiv der Manufaktur (Nr. 1322), das
ein 1826 dat. Ölgemälde in Privatbesitz wiedergibt (Wichmann 1981,
Abb. 112, irrtümlich als „Alm über
dem Schliersee" bez.; vgl. Hantschmann 1996, Kat. 280).

1217
„Tasse No 11" mit Untertasse
(o. Abb.)
um 1830–40

Obertasse: H. ges. 9 cm, Ø 8 cm
Untertasse: Ø 13,4 cm
PM: RS und „o"; RM: Strich
Untertasse: PM: RS 46
Inv.Nr. CB 33l (Familienbesitz)

Tasse wie Kat. 992, jedoch eine spätere
Ausformung mit breiterem Standring.
Im Bildfeld zwischen vergoldetem
Standring und Goldrand Blick auf
„Lindau" aus nördlicher Richtung, im
Hintergrund der Bodensee und die
Schweizer Berge im Morgenrot. Stim-
mungsvolle, tonige Malerei. Untertasse
neuzeitlich ergänzt.
Am Standring bestoßen, Haarriß neben
dem reparierten Henkel.

1218
„Vase No 18"
um 1830

H. 19,2 cm
PM: RS; in Schwarz bez. „Kreuth"
Inv.Nr. B 673 (Ruef, München, 13.3.1961)

Form wie Kat. 924, auf der Vorderseite
rechteckiges, goldgerahmtes Bildfeld
mit Ansicht von „Bad Kreuth" wie auf
Kat. 1215. Fuß, Wölbung, Henkel und
Lippenrand vergoldet.

Publ.: Hantschmann 1996, Mod. 435,
Kat. 224

1218

1219
„Vase No 20"
um 1830

H. 25 cm
im Sockel PM: RS 37
Inv.Nr. B 700 (Löwe, München, 25.4.1963)

Form wie Kat. 924, nur kleiner. Auf der
Vorderseite rechteckiges, goldgerahm-
tes Bildfeld mit einer Gruppe rastender
Bauern links im Vordergrund, dahinter
Blick auf See und Ort Tegernsee.
Sockelkante, Fußränder, obere Hälfte
der Wölbung, Henkel und Lippenrand
vergoldet. Aus zwei Teilen verschraubt.
Vergoldung am Sockel berieben.

Die Darstellung folgt laut Dr. Bäuml
„einem Aquarell von Carl Heinzmann
aus der Vorbildsammlung der Manufaktur No. 179 (1825)", während
ein Aquarell mit diesem Motiv,
9,8 x 11,3 cm, zunächst als sign.
Arbeit Lorenzo II. Quaglios „um 1839"
(Wichmann 1981, Abb. 105), später als
unsignierte Arbeit (Wellensiek 1983,
S. 166) publiziert wurde.

1219

1220
**„Bouillontasse No 7" mit
Untertasse** (Abb. s. S. 328)
um 1830

Obertasse: H. 9,5 cm, Ø 9,4 cm
Untertasse: Ø 15 cm
Obertasse: PM: RS; RM: „7" und „1/5"; auf
der Unterseite betitelt. Untertasse: PM: RS
und „2"; RM: „No 9" und „1/5"
Inv.Nr. B 417 (Prov. unbekannt)

Hoher Fuß mit Kehle und fallendem
Karnies; kraterförmige Kuppa mit schalenförmig ausgebauchter Wölbung, abgesetztem Profil und konkav eingezogener Wandung mit ausgestelltem
Lippenrand. Ohrförmiger Vierkanthenkel mit eingerollt abstehenden Blatten-
den. Tiefgemuldete Untertasse auf gekehltem Standring mit glattem Spiegel
und geschwungener Fahne. Gegenüber
dem Henkel rechteckiges Bildfeld mit
gleicher Ansicht von „Tegernsee" wie
vorige Nr.; Fuß, Wölbung, Rand, Henkel und Innenseite vergoldet. Untertasse mit gemaltem Tassenstand in radialem Streifenband, Goldrand.

1221   1220

1221
„Bouillontasse No 7" mit Untertasse
um 1830–40

Obertasse: H. 9,4 cm, Ø 9 cm
Untertasse: Ø 15,5 cm
Obertasse: PM: RS ; RM: „7" und „1/5"
Untertasse: PM: RS und „2"; RM: „1/5"
Inv.Nr. B 337 (L. Steinhauser, München, 11.5.1923)

Tasse und Untertasse wie vorige Nr., im Bildfeld ein geschmücktes Weg- kreuz, zu dem ein junges Mädchen in Festtagskleidung sein flehendes Gebet richtet. Tasse nur mit Goldrand innen.

Das Tassenmodell mit gleichem Motiv in Privatbesitz (Hantschmann 1996, Kat. 255).

1222
„Vase No 20"
um 1830–40

H. 25 cm
Sockel: PM: RS; RM: „20", „4" und „1/5"; auf der Unterseite betitelt
Inv.Nr. B 699 (Löwe, München, 25.4.1963)

Form wie Kat. 1219, auf der Vordersei- te Blick auf „München" aus südlicher Richtung, rechts die Wallfahrtskirche Mariä Himmelfahrt in Thalkirchen. Sockelkante, Wulstrand des Fußes, obere Hälfte der Wölbung, Henkel und Lippenrand vergoldet. Aus zwei Teilen verschraubt.

Laut Inventar von Dr. Bäuml folgt die Darstellung „einem 1943 verbrannten

Aquarell von Felix Belgodoré aus der Vorbildersammlung der Manufaktur". F. Belgodoré (geb. in Lyon) war im Juni 1815 als Malerlehrling in die Manu- faktur eingetreten und dort als Land- schaftsmaler bis zu seinem Tod 1838 tätig. Das Motiv auch auf einer Bouil- lontasse im Kunsthandel, München, auf mehreren Tassen im MStm und auf einem Pfeifenstummel in Privat- besitz (Hantschmann 1996, Kat. 218).

1223
„Bouillontasse No 7" mit Untertasse
um 1830–40

Obertasse: H. 9,8 cm, Ø 9,1 cm
Untertasse: Ø 15 cm
Obertasse: RM: Strich; auf der Unterseite betitelt
Untertasse: PM: RS und „2"; RM: „No. 9" und „1/5"
Inv.Nr. B 171 (Frhr. v. Malsen, München, 28.1.1917)

Tasse und Untertasse wie Kat. 1220; gegenüber dem Henkel in rechteckigem Bildfeld Blick auf „Bamberg" aus süd- westlicher Richtung. Fuß, Wölbung, Henkel, Ränder und Innenseite vergol- det.

1224
„Bouillontasse No 7" mit Untertasse
um 1830–40

Obertasse: H. 9,7 cm, Ø 9,1 cm
Untertasse: Ø 15,4 cm
Obertasse: PM: RS und „II"; RM: „No 7" und „1/5"; auf der Unterseite betitelt
Untertasse: PM: RS; RM: „No 9", „3" und „I V"
Inv.Nr. B 612 (Frau Prof. v. Ach, 9.3.1956)

1222

1223   1224

Tasse und Untertasse wie Kat. 1220, im Bildfeld die gleiche Ansicht von „München" aus südlicher Richtung wie vorige Nr.

1225–1227
3-tlg. Kaffeeservice
wohl um 1830–40
Inv.Nr. CB 33a-c (Familienbesitz)

1225
„Kaffeekanne antik C"
H. 25 cm
PM: RS 35 und „2"; RM: „1/5"; auf der Unterseite betitelt
Inv.Nr. CB 33a
Form wie Kat. 925. Auf der Seite rechteckiges, goldgerahmtes Bildfeld mit einer Ansicht von „München" aus östlicher Richtung von der Haidhauser Straße, links die Kürassier-Kaserne, in der Mitte zwischen den Bäumen das Dach des Kalkofens, ganz rechts die Türme der Ludwigskirche, im Vordergrund Spaziergänger; gegenüber Bildfeld mit einer Ansicht von „Augsburg" aus südöstlicher Richtung. Fuß, Hals, Henkel, Tülle und Deckel mit Goldstaffage.
Deckel ergänzt, Tülle und Standring bestoßen.

1226
„Milchkanne antik C"
H. 19,5 cm
PM: RS; RM: „3" und „1/5", auf der Unterseite betitelt
Inv.Nr. CB 33b
Form wie Kat. 927, Staffage wie vorige Nr., im Bildfeld gegenüber dem Henkel Ansicht von „Regensburg" aus nordöstlicher Richtung mit der Steinernen Brücke über die Donau, im Vordergrund spielende Kinder auf einer Holzlege.

1227
„Zuckerdose antik C"
H. 16,5 cm, Ø 12,4 cm
PM: RS 38; RM: „3" und „1/5"; auf der Unterseite betitelt
Inv.Nr. CB 33c
Form wie Kat. 928, im Bildfeld Ansicht von „Passau" aus nördlicher Richtung, im Vordergrund Spaziergänger, gegenüber Ansicht von „Straubing" aus nordöstlicher Richtung, in der Mitte die Karmeliterkirche, rechts davon der Stadtturm, St. Jakob und ganz rechts die Liebfrauenkirche, im Vordergrund eine bohlenbefestigte Uferböschung.

Die Ansicht von München auf der Kaffeekanne folgt einer 1830 datierten Lithographie von Carl August Lebschée (1800–1857) aus der Serie „Malerische Topographie des Königreichs Bayern, I. Band, 1. Heft", die sich bis heute im Archiv der Manufaktur befinden, allerdings sind die Türme der Ludwigs-

kirche noch nicht abgebildet (Hantschmann 1996, Kat. 281); dieselbe Ansicht auf einer Kratervase im MStm, Inv.Nr. XId 25 (AK München 1987, Nr. 5.1.163, Abb. S. 388). Zur Ansicht von Augsburg siehe Kat. 1211, die Ansicht von Regensburg folgt einem 1823 datierten Aquarell von Carl Heinzmann, das sich bis heute im Archiv der Manufaktur befindet (Nr. 1315).

Publ.: Hantschmann 1996, Kat. 257

1228–1233
Sechs „Bouillonbecher No 7" mit Untertassen
um 1830–40

Obertassen: H. 9,4 cm, Ø 9,3 cm
Untertassen: Ø 15,5 cm
Obertassen 1228–1232: PM: RS 38; RM: „3" und „1/5"; 1233: PM: RS; RM: „W", „6" und zweimal „1/5"; alle auf der Unterseite betitelt
Untertassen: 1228: PM: RS 40 und „APW"; RM: „9" und „3". 1229: PM: RS 35; RM: „8", „5" und „1/5". 1230–1233: PM: RS 35; RM: „N 7", „3" und „1/5".
Inv.Nr. CB 33d-i (Familienbesitz)

Tasse und Untertasse wie Kat. 1220, Fuß, Wölbung, Henkel und Innenseite der Tasse vergoldet. Untertasse mit gemaltem Tassenstand und Goldrand. In den rechteckigen Bildfeldern gegenüber dem Henkel folgende Ansichten:
1228: „Ingolstadt" aus südwestlicher

1226   1228   1225   1227

1232   1231   1233   1230   1229

Richtung, von links nach rechts das Liebfrauenmünster, der Pfeifturm, St. Moritz und das damals verfallene Neue Schloß, im Vordergrund Fischer auf der Donau.

1229: „Erding" mit der Stadtpfarrkirche St. Johannes, dem Zwiebelturm der Frauenkirche und dem spitzen Turm der Hl. Geistkirche, im Vordergrund die Sempt, links ein Weiher und Spaziergänger.

1230: „Burghausen" aus östlicher Richtung, im Vordergrund die Salzach.

1231: „Traunstein" aus nordöstlicher Richtung, links die Holzbrücke über die Traun, in der Mitte die Salinengebäude mit einer Rauchsäule über dem Sudhaus, rechts die Stadtpfarrkirche St. Oswald.

1232: „Landshut" aus südlicher Richtung, rechts oben die Burg Trausnitz.

1233: „Freising" aus südlicher Richtung (vgl. Kat. 1199, 1213).

1231: Untertasse stark bestoßen.

1232: Obertasse am Rand bestoßen.

1233: Obertasse am Rand stark bestoßen.

Die Vorlage zu „Ingolstadt" war ein signiertes, aber undatiertes Aquarell von Carl Heinzmann, das sich bis heute im Archiv der Manufaktur befindet (Nr. 1693). Die Ansicht von Landshut folgt einer um 1828 entstandenen Lithographie von Gustav Wilhelm Kraus (1804–1852), die eine Radierung von Heinrich Adam aus dem Jahr 1822 wiederholt. Das Motiv auch auf einem unsign. Aquarell im Archiv der Manufaktur (Nr. 1241). Die Vorlage

zur „Ansicht der Stadt und Saline Traunstein" war Blatt 9 der „Zwölf Ansichten von Bayern", eine um 1802 datierte Radierung von Simon Warnberger nach einer Zeichnung J. G. v. Dillis (AK München 1991, Nr. 86). Für die Vorlagen der übrigen Ansichten konnte bisher keine Quelle ermittelt werden.

Publ.: Hantschmann 1996, Kat. 259 (zu „Ingolstadt")

1234
„Bouillontasse No 7" mit Untertasse
um 1840

Obertasse: H. 9,6, Ø 9,1 cm
Untertasse: Ø 15,8 cm
Obertasse: PM: RS; RM: „1/5" und Strich; auf der Unterseite betitelt
Untertasse: PM: RS und „Keim."; RM: „C" und „1/5"
Inv.Nr. CB 48 (Familienbesitz)

Tasse und Untertasse wie Kat. 1220, Wandung und Untertasse mit mattem, königsblauem Fond, Goldränder. Gegenüber dem Henkel rechteckiges Bildfeld mit Ansicht von Schloß „Leopoldskron" am Seeufer, dahinter die Feste Salzburg.

Die Bemalung folgt der Lithographie „Das Hôtel Leopoldskron eine Viertelstunde von der Stadt entfernt" von Leopold Rottmann nach einer Zeichnung von Georg Pezolt, verlegt bei J. B. Kuhn in München, das sich bis

heute im Archiv der Manufaktur befindet. Das südwestlich vom Mönchsberg in einem Moor gelegene Schloß Leopoldskron wurde 1736 von dem Schottenbenediktinerpater Bernhard Stuart für Erzbischof Leopold Anton Frhr. v. Firmian erbaut.

1235
„Bouillontasse No 7" mit Untertasse
um 1840

Obertasse: H. 9,5 cm, Ø 9,1 cm
Untertasse: Ø 15,8 cm
Obertasse: PM: RS 38; RM: „3" und „1/5"
Untertasse: RM: „7", „3" und „1/5"
Inv.Nr. B 797 (Kunsthandel, München, 1990)

Tasse und Untertasse wie Kat. 1220, gegenüber dem Henkel breites, rechteckiges Bildfeld mit darunter betitelter Ansicht von „Schloss Burggrub" über der Fichtelnaab, südöstlich von Kemnath/Oberpfalz. Im Spiegel der Untertasse das Wappen der Freiherrn von Sauerzapf in Schildform mit zwei silbernen „Pippen" auf blauem Grund, darüber die Freiherrnkrone, Goldrand. Vergoldung berieben, Tasse mit Sprung.

Schloß Burggrub befand sich von 1655 bis 1861 im Besitz der 1555 in den Adelsstand erhobenen Nürnberger Familie, die mit Alexander Freiherr v. Sauerzapff 1861 ausstarb. Die dreiflügelige Schloßanlage wurde 1599 errichtet und im 18. Jh. umgestaltet (frdl. Auskunft Dr. Alexander Herzog v. Württemberg).

1234

1240   1236

1236
Maßkrug mit Untersetzer
1845 dat., Bemalung Karl und/oder
Ferdinand Le Feubure

H. 13 cm, m. Montierung 15,5 cm
Untersetzer: Ø 12,3 cm
Krug: PM: RS; RM: „1/5" und „1/2"
Untersetzer: PM: RS und „7"; RM: „1/5"
und drei Striche
Inv.Nr. B 21 (Geschenk von Frl. Le Feubure,
1914)

Nach innen abgesetzter Standring mit
Wulstrand, konisch nach oben zulaufende Wandung, unten mit fünf, oben
mit vier umlaufenden Profilrillen, glatter Rand, ohrförmiger Bandhenkel.
Auf der Wandung umlaufend goldene

1235

Hopfenblattranke; Profile und Ränder
goldstaffiert. In der Deckelmontierung
aus Silber (Stadt- und Meistermarke auf
der Henkelmanschette) rundes Porzel-
lanmedaillon mit Ansicht von München
aus Nordwesten, links die Ingolstädter
Landstraße mit der ersten Stundensäu-
le, rechts die 1836 fertiggestellte Alten
Pinakothek, im Vordergrund Spaziergänger; rückseitig bez. „Zur Erinnerung
an Deine Heimath von Ferdinand,
Therese und Karl le Feubure, 1845".
Runder Untersetzer mit unglasierter
Unterseite, vier kurzen Stegen auf dem
Boden innen am kantig abgesetzten
Rand; Goldstaffage.

Der Ansicht von München liegt eine
1837 datierte, kolorierte Lithographie
von Gustav Wilhelm Kraus zugrunde
(MK Slg. Proebst 1968, Nr. 138), die
sich im Archiv der Manufaktur befindet (Nr. 1957). Karl (1805–1886) und
Ferdinand (1815–1898) Le Feubure
wurden beide ab 1826 als Porzellanmaler in der Akten geführt und mit der
Ausführung wichtiger Aufträge betraut.
Während Ferdinand 1856 anläßlich der
Reorganisation der Manufaktur entlassen wurde, ist Karl bis zu seinem Tod
als Obermaler nachweisbar. Das Krug-
modell ist schon im Preiscourant von
1831, Taf. V, Nr. 46 als „Krug, gereift"
für „1/2 Maas" enthalten und hieß im
Preiscourant 1850, S. 12, Nr. 118
„Halbekrügel, ord.".

Publ.: Hantschmann 1996, Kat. 277

1236 Deckel

1237
Medaillon für Maßkrugdeckel
um 1845–50

Ø 7,7 cm
PM: RS 40 und „↨"; RM: „6" und „4", zwei
Punkte eingestochen; in Braun bez. „3 24";
altes Etikett mit Nr. „7906"
Inv.Nr. B 786 (Prov. unbekannt)

Runde, leicht gewölbte Platte. Vollständig bemalt mit einer Ansicht des
Schliersees aus nördlicher Richtung,
im Vordergrund ein Wanderer.

Die Ansicht auch auf einer Kaffeetasse
nach Neureuther-Entwurf im BNM,
Inv.Nr. 76/64 (Hantschmann 1996,
Kat. 284).

1237

1238

1239

1238
Maßkrug
um 1850

H. 16,5 cm
PM: RS 40, „V" und „3"; RM: „5"
Inv.Nr. B 514 (Prov. unbekannt)

Form wie vorige Nr., nur größer. Gegenüber dem Henkel rechteckiges Bildfeld mit spitz nach unten zulaufender Unterkante, darüber buntes Münchner Stadtwappen zwischen dünnen Goldranken, seitlich bunte Hopfenranken und Kornähren. Im Bildfeld Ansicht von München aus nordöstlicher Richtung vom Hochufer der Isar aus, links die Isarbrücke bei der Kürassierkaserne, rechts im Vordergrund drei Spaziergänger. Profile und Henkel vergoldet.

Die Vorlage der Ansicht wurde bereits um 1825/30 für die Bemalung von Kratervasen, heute im BNM und im KGM, Berlin, verwendet (Hantschmann 1996, Kat. 220). Ihr fehlt die Aktualisierung durch die 1853 errichteten Türme der St. Anna Klosterkirche, s. o.

1239
Medaillon für Maßkrugdeckel
nach 1853

Ø 7 cm
PM: RS 40 und „↕"; RM: „6" und „4",
zwei Punkte eingestochen, Reste eines
alten Etiketts
Inv.Nr. B 785 (Prov. unbekannt)

Form wie Kat. 1237. Ansicht des 1823–25 nach einem Brand wiederaufgebauten Kgl. Hof- und Nationaltheaters in München an der Ostseite des Max-Joseph-Platzes, links oberhalb der Arkaden der Wintergarten von Max II. v. Bayern.

Der Wintergarten wurde 1851–1853 auf den Verbindungsgang zwischen dem Kgl. Hoftheater und dem alten Residenztheater (sog. Cuvilliés-Theater) nach dem Plan des Architekten Franz Jakob Kreuter (1813–1889) von August v. Voit (1801–1870) als gußeisernes Säulengerippe aus der Eisengießerei von Cramer-Klett in Nürnberg gesetzt.

1240
Maßkrug (Abb. s. S. 331)
nach 1853

H. 14 cm
ohne Marke; in Gold bez. „90 M"
Inv.Nr. B 754 (Prov. unbekannt)

Form wie Kat. 1236; gegenüber dem Henkel hochovales Medaillon in goldgestricheltem Rahmen mit Ansicht von München aus nordöstlicher Richtung in Grau-Camaieu, seitlich zwei bunte Blumensträuße und kleine Streublumen, blauer Rand, Profile und Henkel goldstaffiert.
Glasur mit kleinen grauen Verunreinigungen.

Die Bemalung datiert aufgrund der beiden spitzen Kirchtürme des Franziskanerklosters St. Anna im Lehel, die erst 1853 errichtet wurden.

Genreszenen

Die Darstellungen mit figürlichen Szenen folgen zwei unterschiedlichen Richtungen: dem realen Leben entnommene, veristische Abbildungen und Phantasieszenen, die einer sentimentalen Mentalität verbunden sind. Die militärisch wechselvollen Jahre um 1800 spiegeln sich in Solatenbildern wider, die Uniformen aus den letzten Jahren des Kurfürstentums abbilden (Kat. 1243–1252). Einen breiten Raum nehmen Motive der griechisch-römischen Mythologie ein, die in Szenen aus dem vermeintlichen Alltagsleben der Antike (Kat. 1255), als mehrfigurige Allegorien (Kat. 1256–1262) oder als symbolische Einzelfiguren dargestellt wurden (Kat. 1264–1290). Eine einzigartige künstlerische Leistung stellt durch ihre Verschmelzung von Antike und Gegenwart die sog. „Huldigungsvase" von 1822 dar, die als Imitation eines antiken Reliefs König Max I. Joseph als Beschützer der Manufaktur zeigt (Kat. 1294). Dem hohen Stellenwert des Sentiments trugen Tassen mit Erinnungsmotiven und Sinnsprüchen Rechnung (Kat. 1292–1293).

Genre Scenes

The depictions of figural scenes follow two different directions: veristic depictions taken from real life and fantasy scenes linked to a sentimental mentality. The militaristically varied years around 1800 are reflected in the figures of soldiers, which illustrate the uniforms from the last years of the electorate (cat. nos. 1243–1252). There are many motifs from Greco-Roman mythology, illustrated in scenes from the imaginary everyday life of antiquity (cat. no. 1255), as allegories with several figures (cat. nos. 1256–1262), or as single symbolic figures (cat. nos. 1264–1290). The so-called *Homage Vase* of 1822, which, in imitation of an antique relief, shows King Max I Joseph as protector of the factory, represents in its fusion of antiquity and the present a unique artistic achievement (cat. no. 1294). The important role of sentiment was taken into account in the cups with remembrance motifs and epigrams (cat. nos. 1292–1293).

1241

1241
Tasse mit Untertasse
um 1800–05, Bemalung A. Auer

Obertasse: H. 6 cm, Ø 6,2 cm
Untertasse: Ø 14,2 cm
Obertasse: PM: RS; RM: „K", Punkt und
zwei Striche; MM: in Braunrot „A:"
Untertasse: PM: RS 23, „O" und Strich
Inv.Nr. B 798 (Kunsthandlung Fink,
München, 7.12.1989)

Tasse wie Kat. 1190, Untertasse wie
Kat. 1190. Braunroter Fond, gegenüber
dem Henkel viereckiges Bildfeld mit
einem Straßenmusikanten und seinen
Hündchen, die Kunststücke machen,
im Spiegel der Untertasse Szene vor der

Stadtmauer in Braun-Camaieu mit Drehleierspieler und Schausteller mit Guckkasten auf dem Rücken. Am Rand auf weißem Grund goldene Blättchenbordüre, Ränder und Henkel vergoldet. Fond etwas retuschiert, Vergoldung leicht berieben.

Anton Auer (1778–1814) trat als Schüler D. Auliczeks 1795 in die Manufaktur ein. Seit 1802 war er als Figuren- und Portraitmaler tätig, verbrachte 1807/08 einen Studienaufenthalt an der Akademie in Wien und wurde 1809 zum Obermaler ernannt. 1810 begann er mit der Bemalung des Tafelservices für Kronprinz Ludwig mit den Kopien nach Gemälden der Kgl. Galerie, das er durch seinen frühen Tod nicht abschließen konnte. Ein unsigniertes Portrait des Künstlers befindet sich im Besitz der Slg. Bäuml.

Publ.: Hantschmann 1996, Kat. 28

Portrait Anton Auer (Öl/Holz, 32,5 x 25 cm)

1242
Tasse mit Untertasse (Abb. s. S. 334)
um 1800–10

Obertasse: H. 6 cm, Ø 6,2 cm
Untertasse: Ø 13,6 cm
PM: RS 31 und „⚓"; RM: „L" und zwei
Punkte eingestochen;
Obertasse auf der Unterseite in Schwarz bez.
„Eine Bäurin von Tesino.-"
Inv.Nr. B 675 (Gerzer, 28.4.1961)

Tasse wie Kat. 1190, Untertasse wie
Kat. 1210. Schwefelgelber Fond, gegenüber dem Henkel in rechteckigem, goldgerahmtem Bildfeld Darstellung einer Bäuerin aus dem Tessin, im Spiegel der Untertasse goldene Blüten mit Pfeilen auf weißem Grund, Goldränder.

1242

1243–1244
Zwei Tassen mit Untertassen
vor 1806, Bemalung A. Auer

Obertassen: H. 6,8 cm, Ø 7 cm
Untertassen: Ø 14,3 cm
Obertassen: 1243: PM: RS 34; RM: „L" und Strich; MM: in Schwarz „Auer p:"
1244: PM: RS 11; RM: „P", Strich und drei Punkte eingestochen; auf den Unterseiten betitelt. Untertassen: PM: RS 31; RM: „L", Strich und zwei Punkte
Inv.Nr. B 710a-b (Frau Dr. A. Math, 12.5.1964, ehemals Slg. v. Ostermann)

Tassen und Untertassen wie Kat. 1102. Blaßblauer Fond, dem Henkel gegenüber rechteckiges, goldgerahmtes Bildfeld mit Darstellung von Soldaten.
1243: „Korporal. v: 1.ten Drago: Regi: Minuccÿ" darunter „Gemeiner. v: 2.ten Dra: Regi: Taxis." 1244: „Korporal. v: 3.ten Leich: Inf: Bata: Preÿsing." darunter „Gemeiner. v: 4.ten deto Stengel.".
Im Spiegel auf weißem Grund in Lor-

beergirlande goldener Raupenhelm, am Rand und in der Henkelzone der Tasse auf weißem Grund stehende, stilisierte Blüten, bzw. Wellenranken in Gold.

Publ.: VK Ostermann 1928/II, Nr. 435; Hofmann, S. 624; Hantschmann 1996, Kat. 62b-c

1245
Tasse mit Untertasse
vor 1806, Bemalung A. Auer

Obertasse: H. 6,7 cm, Ø 7 cm
Untertasse: Ø 14 cm
Obertasse: PM: RS 11; RM: „P", Stich und drei Punkte; MM: in Rot „Auer pn:"
Untertasse: PM: RS 11; RM: „W" und „3"
Inv.Nr. B 405 (L. Steinhauser, München, 21.10.1932)

Tasse wie vorige Nr., Untertasse wie Kat. 972. Schwefelgelber Fond, Bildfeld wie vorige Nr. mit vier Soldaten, an den Rändern auf weißem Grund dreifach unterteilter Lorbeerstab.

Die Vorlage zu dieser Bemalung folgt dem Blatt „Churfürstliche Bayrsche Cavallerie. Zu finden in der Akademischen Kunsthandlung in Augsburg", das sich in der Vorlagenslg. der Manufaktur befindet (Nr. 913) sowie einer Aquatinta von L. Ebner nach J.B. Seele im MStm, Inv.Nr. 38/694/4, aus einer „Kostümfolge" der „Churfürstlich Bayerischen Cavallerie", die in anderen Farben koloriert ist. Vermutlich wurden je nach Besteller die Regimentsfarben entsprechend gewählt.

Publ.: Hantschmann 1996, Kat. 62c

1246–1251
6-tlg. Déjeuner
vor 1806, Bemalung A. Auer
Inv.Nr. B 335a-f (Gebr. Sandor, 30.1.1923)

1246
Kaffeekanne
H. 18,5 cm
PM: RS 31; RM: „L", Strich und drei Punkte eingestochen; MM: in Rot bez. „Auer px."
Inv.Nr. B 335a
Standring mit breitem, flachem Rand und eckiger Kehle, konisch sich nach oben weitender Korpus; einschwingende Schulter mit kurzer konischer Tülle und nach innen umgebogenem, hochgezogenem Bandhenkel in Blatthülsen, gewölbter Aufsatzdeckel mit profiliertem Rand, nußförmiger Zapfenknauf. Auf der Seite hochovales Goldmedaillon mit zwei Cavallerieoffizieren, links in grünem Rock mit schwarzen Aufschlägen, rechts in weißer Uniform mit roten Aufschlägen und blauer Schärpe, links dahinter ein Reiter; gegenüber im Medaillon Rückansicht eines Cavallerieoffiziers in grünem Rock. Am Hals und Deckel Blattstab, Ränder, Henkelhülsen und Tüllenansatz goldstaffiert.

1247
Milchkanne
H. 15 cm, Bemalung Le Feubure zugeschrieben
PM: RS 28; RM: „1/5"
Inv.Nr. B 335b
Form wie vorige Nr., nur kleiner. Im hochovalen Bildfeld Offizier in grünroter Uniform zu Pferd nach rechts, gegenüber ein Kürassier in blau-roter Uniform mit gezückter Pistole. Staffage wie vorige Nr.
Später bemalte Ergänzung.

1248
Zuckerdose
H 10,5 cm
PM: RS 32; RM: „L", Strich und zwei Punkte eingestochen; MM: in Eisenrot bez. „Auer pn:"
Inv.Nr. B 335c
Rund, Korpus wie vorige Nr., nur weiter und niedriger. Zwei hochgebogene Henkel. Im ovalen Medaillon zwei Infanterieoffiziere in blauer Uniform mit Dreispitz, der eine im Mantel. Gegenüber Wachposten der Kavallerie in grüner Uniform mit grauem Mantel unter einem Baum sitzend.
Unterteil restauriert.

1243   1245   1244

1246 – 1251

1249–1250
Zwei Tassen mit Untertassen
Obertassen: H. 7 cm, Ø 6,8 cm
Untertassen: Ø 13,8-14 cm
Obertassen: PM: RS 31, RM: „L" und Strich;
1249: MM: in Schwarz bez. „Auer p:";
1250: MM: in Rot bez. „Auer Px."
Untertassen: PM: RS; RM: „W" und Strich
Inv.Nr. B 335d-e
Tasse auf gerundetem Standring mit tiefer Kehle, konisch sich leicht nach oben weitende Wandung, hochgebogener Rundstabhenkel in Blatthülsen. Gegenüber dem Henkel hochovales Goldmedaillon, darin bei 1249 ein Infanterist mit grünem Rock und Dreispitz, der einen Brief liest; bei 1250 ein Infanterist mit dunkelblauem Rock in Rückansicht. Untertassen wie Kat. 1199 mit goldener Blütenrosette und Blattkranz im Spiegel, Blattstab am Rand.
1250: Tasse am Standring ausgeschlagen.

1251
Tablett
39,5 x 28 cm
PM: RS 20, „L" und „2"; MM: in Rot bez. „Auer px."
Inv.Nr. B 335f
Form wie Kat. 1196, im Spiegel ovales Bildfeld mit Offizieren in blauen Uniformen; links zwei berittene Offiziere, rechts drei Artilleristen bei einem Mörser, im Hintergrund zum Angriff stürmende Artillerie. Auf den Griffen

Blütenrosetten, auf der Fahne Blattstab, Goldrand.
Vergoldung leicht berieben.

Die Vorlagen zu den Darstellungen waren fünf Blatt „Churfürstlich Bayrsche Cavallerie, Zu finden in der Akademischen Kunsthandlung in Augsburg" (Nr. 913a-b, 916), bzw. „Infanterie" (Nr. 914) und „Artillerie" (Nr. 915), wobei letztere auf dem Tablett vollständig, die übrigen ausschnittweise übernommen wurden. Die Blätter befinden sich bis heute im Archiv der Manufaktur. Für ein Motiv auf der Kaffeekanne und einer Tasse kann wiederum auf die kolorierten Aquatintas von L. Ebner nach J. B. Seele hingewiesen werden, siehe Kat. 1245, die auf dieselben Vorlagen zurückzuführen sind. Dr. Bäuml schrieb die mindere Qualität der Milchkannenbemalung Le Feubure zu.

Publ.: Hofmann, S. 624; Hantschmann 1996, Kat. 63

1252

1252
Tasse mit Untertasse
um 1810

Obertasse: H. 5,9 cm, Ø 6,4 cm
Untertasse: Ø 13,2 cm
Obertasse: PM: RS 35 und „XIV"; RM: Strich
Untertasse: PM: RS 35, „XX" und „XXI"
Inv.Nr. B 467 (L. Steinhauser, München, 30.6.1941)

Einfache, zylindrische Tasse auf nach innen abgesetztem Standring, Untertasse wie Kat. 1103. Gegenüber dem Henkel auf einem ovalen Terrainstreifen Chevauleger in dunkelgrün-rotem Rock, auf der Satteldecke bez. „J.M." (Max I. Joseph). Zu beiden Seiten des Henkels und auf der Fahne des Untertellers Arabeskenranken und Girlanden in Gold.

Publ.: Hantschmann 1996, Kat. 117

1253
Tasse mit Untertasse
um 1805–10

Obertasse: H. 6,8 cm, Ø 7 cm
Untertasse: Ø 14 cm
Obertasse: PM: RS 11; RM: Strich und „a"
Untertasse: PM: RS 31; RM: „L" und Strich, zwei Punkte eingestochen
Inv.Nr. B 290 (Frl. Billing, 13.12.1919)

Tasse und Untertasse wie Kat. 1102. Gegenüber dem Henkel auf ovalen Rasensockel Mädchen in bäuerlicher Festtagskleidung mit einer Drehleier. Im Spiegel der Untertasse ein Notenblatt, oben bez. „Andante", Goldränder.

1253

1254

1254
Tasse mit Untertasse
um 1806

Obertasse: H. 6,8 cm, Ø 7 cm
Untertasse: Ø 14,1 cm
Obertasse: PM: RS 11; RM: „P", Strich und
drei Punkte eingestochen
Untertasse: PM: RS 31; RM: „L" und Strich,
zwei Punkte eingestochen
Inv.Nr. B 317 (L. Steinhauser, München,
1.6.1921)

Tasse und Untertasse wie vorige Nr.,
unterhalb des Randes und auf der
Fahne des Untertellers zwischen hellblauen Streifen blaue Blüten in goldenem Blattstab. Gegenüber dem Henkel
auf ovalem Rasenstück eine Frauenge-
stalt in rosa Gewand mit blauem Manteltuch im antiken Stil, in der Rechten
hält sie einen Stab mit einem Harlekin-
kopf als Bekrönung. Im blau-gold ge-
rahmten Spiegel der Untertasse der
Vers „Lächelnde Freude ohne Sorgen: /
Wünsch ich o Beste dir! / Jeden abend
und jeden Morgen; / Und deine Liebe
mir."
Untertasse am Rand bestoßen, Glasur
leicht gegilbt.

Publ.: Hantschmann 1996, Kat. 64

1255
Tasse mit Untertasse
1808 dat., Bemalung A. Auer

Obertasse: H. 6,8 cm, Ø 6,9 cm
Untertasse: Ø 13,2 cm
Obertasse: PM: RS 20, RM: „P" und „I.", drei
Punkte eingestochen; MM: auf der Unterseite
in Schwarz bez. „Auer. pinxit. 1808."; unter

dem Henkelansatz in Braun bez. „Auer p:"
Untertasse: PM: RS; RM: „K"
Inv.Nr. B717 (Weinmüller, München, 1964)

Tasse wie vorige Nr., Untertasse wie
Kat. 1210. Auf der Wandung zwischen
zwei Goldstreifen umlaufend eine antike Opferszene mit Frauen und Kindern,
die ein Rauchopfer darbringen und vor
einer Säule mit der Statue der Ceres
Kornähren als Opfergabe niederlegen,
die Jünglinge vom Feld herbeitragen.
Im Spiegel der Untertasse eine Szene
mit Apollo, der mit einer Lyra in Händen links auf einem Felsen sitzt,
während von rechts Amor eine Fackel
herbeiträgt; Fahne und gesamte Innen-
fläche der Tasse vergoldet.

Die zweifache Signatur des Malers und
die Datierung bilden eine Ausnahme
bei Nymphenburger Arbeiten. Eine Tasse mit schwefelgelbem Fond und rechteckigem Bildfeld mit ähnlicher, mehr-
figuriger Darstellung einer Familien-
szene im antiken Stil im KGM, Köln,
Inv.Nr. E 2018a (MK Köln 1980,
Nr. 283).

Publ.: Weinmüller, München, 2.12.1964,
Nr. 127; Hantschmann 1996, Kat. 81

1256
Milchkanne
um 1808, Bemalung A. Auer

H. 14,7 cm
PM: RS 20, „P" und Strich, zwei Punkte eingestochen; MM: in Schwarz bez. „Auer pin:"
Inv.Nr. B 465 (L. Steinhauser, München,
30.6.1941)

Hoher Fuß mit breiter Kehle und profilierten Rändern, becherförmiger Korpus
mit abgesetzter, zylindrischer Wandung

1255

1256

und gewölbter Schulter; kurze, leicht
geschwungene Tülle mit Profilreif,
nach oben gebogener, hochgezogener
Bandhenkel in Ohrform. Glockenförmig
gewölbter Aufsatzdeckel mit flachem
Pilzknauf. Glatter Streifen der Wandung mit zartem Gelbfond und goldgerahmtes, hochrechteckiges Bildfeld mit
geschrägten Ecken, darin eine Nereide
mit Putto und Adler auf einem Delphin
reitend, gegenüber eine Nereide, die
von zwei Tritonen übers Wasser getragen wird. Schulter mit Goldbogenkante
und Blütenbehang auf weißem Grund,
goldene Efeuranke auf dem nicht zu-
gehörigen Deckel.

Eine gleiche Kanne, von Auer mit
„Galathea" und „Ceres" bemalt, im
V&A, London, Inv.Nr. C.55-1953
(Hantschmann 1996, Kat. 83). Ein
3-tlg. Service, dessen Kaffeekanne auf
der linken Seite das obige Motiv der
Nereide mit Putto auf Delphin zeigt,
ehemals im Kunsthandel, München
(Hofmann, Abb. 418), ein ovales
Tablett ehemals in Slg. v. Ostermann
(Hofmann, Abb. 417).

1257–1262
6-tlg. Déjeuner
um 1806–12, Bemalung G. Danner
Inv.Nr. B 126a-f (Antiquar Peter, München, 24.11.1915)

1257
Kaffeekanne
H. 18,7 cm
PM: RS 31; RM: „L" und Strich, MM. in Grau bez. „Danner f."
Inv.Nr. B 126a
Form wie Kat. 1246, am Rand und Deckel zarte Bogenkante mit eingestellten Ranken; unter der Tülle in goldgerahmtem, hochrechteckigem Bildfeld mit geschrägten Ecken weibliche Halbfigur mit einem Spiegel in der Linken, die sich mit der rechten Hand einen Schleier aus dem Gesicht zieht, als „Allegorie des Gesichts" vor hellblauem Himmel mit braungrauen Wolken, Goldstaffage.

1258
Milchkanne
H. 16,5 cm
PM: RS 31; RM: „L" und Strich; MM: in Grau bez. „Danner"
Inv.Nr. B 126b
Form wie Kat. 1247, Staffage wie vorige Nr., unter der Tülle Bildfeld mit weiblicher Halbfigur, die sich mit einem Dornenzweig in den Finger sticht, als „Allegorie des Gefühls" vor lichtem Wolkenhimmel.

1259
Zuckerdose
H. 11,5 cm
PM: RS 31, RM: „L" und Strich, zwei Punkte eingestochen; MM: in Grau bez. „Danner f:"
Inv.Nr. B 126c
Form wie Kat. 1248, Staffage wie vorige Nr., zwischen den Henkeln jeweils ein Bildfeld mit weiblicher Halbfigur, die an Blumen riecht, als „Allegorie des Geruchs", gegenüber eine junge Frau, den Finger an den Lippen, als „Allegorie des Geschmacks".

1260–1261
Zwei Tassen mit Untertassen
Obertassen: H. 7,6 cm, Ø 6,6 cm
Untertassen: Ø 14,7 cm
Obertassen: PM: RS 31; RM: „L" und Strich; MM: in Grau bez. „Danner. f."
Untertasse: 1260: PM: RS 31, RM: „L" und Strich, zwei Punkte eingestochen

1257 – 1262

1261: PM: RS; RM: „L" und vier „x"
Inv.Nr. B 126d-e
Tasse und Untertassen wie Kat. 1249, Staffage wie vorige Nr., auf Tasse 1259 im Bildfeld eine junge Frau, die den Saft einer Traubenrebe über einer Schale ausdrückt, als „Allegorie des Geschmacks"; auf Tasse 1260 eine junge Frau, ganz in ein Tuch gehüllt, das sie mit beiden Händen hochhält; auf dem Tuch steht in der Vorlage der Titel der Serie „The Five Senses".

1262
Tablett
38,5 x 28 cm
PM: RS 20, „2" und „L"; zwei Punkte eingestochen
Inv.Nr. B 126f
Form wie Kat. 1251, im Spiegel goldgerahmtes, querrechteckiges Bildfeld mit geschrägten Ecken und der Darstellung der „Ceres mit Füllhorn und Ährenkrone im Löwenwagen", der von einem Putto gelenkt wird, umgeben von symmetrischer Rankenbordüre, auf dem Rand vier goldene Blütenrosetten, Goldrand.

Das Motiv der „Ceres im Löwenwagen" auf einer Kanne im V&A, London, Inv.Nr. C.55-1953 (Hantschmann 1996, Kat. 83). Das Tablett aufgrund fehlender Signatur und unterschiedlicher Goldbordüre wohl nicht ursprünglich zugehörig. Den Darstellungen liegt die allegorische Serie der Sinne von Luigi Schiavonetti (1765–1810)

zugrunde, deren englisch-französische Ausgabe von Alexander Chapponier (1753–1805) sich unter dem Titel „The five senses / Les Cinq Sens" in der Vorlagensammlung der Manufaktur befindet (Nr. 354–359). Der bei dem Münchner Hofmaler Kellerhofer zum Historienmaler ausgebildete Georg Danner (geb. 1782) trat 1806 nach einer 3-jährigen Tätigkeit an der Berliner Porzellanmanufaktur als Maler für historische Darstellungen in Nymphenburg ein. Auch nachdem er 1813 zum Aufseher der Kgl. Bildergalerie in München ernannt wurde, war er gelegentlich als Porzellanmaler tätig.

Publ.: Hofmann, S. 624; Hantschmann 1996, Kat. 84

1263
Tasse „Jasmin" mit Untertasse
(Abb. s. S. 338)
um 1810, Bemalung G. Danner

Obertasse: H. 10 cm, Ø 7,8 cm
Untertasse Ø 13,3 cm
Obertasse: PM: RS 31; RM: „W"; MM: in Eisenrot bez. „Danner p."
Untertasse: RM: „8"
Inv.Nr. B 469 (L. Steinhauser, München, 30.6.1914)

Tasse und Untertasse wie Kat. 1105. Kräftiger, hellblauer Fond, gegenüber dem Henkel rechteckiges, goldgerahm-

tes Bildfeld mit einem jungen Paar und seinem Kind in lichten Farben. Standring und Henkel vergoldet, an den Rändern umlaufend goldener Efeustab, im Spiegel der Untertasse goldene Blütenrosette, breiter Goldrand.
Haarriß in der Tasse.

Dasselbe Motiv, ebenfalls von Danner gemalt, auf einer Tasse im BNM, Inv.Nr. Ker 3603 (Hantschmann 1996, Kat. 85).

1264 – 1269

1264–1269
6-tlg. Kaffeeservice
um 1815, Bemalung wohl J. Haemmerl
Inv.Nr. B 84 (Henry Weisenbeck, München, 18.3.1913)

1264
„Kaffeekanne D"
H. 21,9 cm
PM: RS 27; RM: „L" und Strich;
MM: in Schwarz bez. „H."
Inv.Nr. B 84a
Geschwungen ansteigender Fuß mit glatter Kante, kelchförmiger Korpus mit eingerückt abgesetzter, einschwingender Schulter und Wulstrand; hochgebogene Tülle mit Blattrelief am Ansatz und Kanneluren am Ausguß, auf der Schulter eingerollter, hochgezogener Profilhenkel, der über einer kleeblattverzierten Walze umgebogen ist; glockenförmig gewölbter Einsatzdeckel mit blütenförmigem Knauf. Fuß, Korpus, Henkel, Tülle und Deckel teils mit Gold staffiert. Über einem umlaufenden, blau-grünen Rasenstreifen in der Mitte der Wandung auf jeder Seite

antike Szenen mit einer Göttin auf einem Thron, umgeben von ihren Gespielinnen, gegenüber in kräftigen Farben Jünglinge mit Pferd und Hunden auf dem Weg zur Jagd.
Henkel geklebt.

1265
„Teekanne D"
H. 18,5 cm
PM: RS 27; RM: „L" und Strich; MM: in Rot bez. „HA"
Inv.Nr. B 84b
Form wie vorige Nr., nur etwas kleiner. Staffage wie oben, mit Darstellungen der Europa auf dem Stier und die Huldigung eines Neugeborenen im Kreis zahlreicher junger Frauen, die Blumengirlanden halten.
An der Schulter leicht bestoßen.

1263

1266–1269
Vier Tassen „Jasmin" mit Untertassen
Obertassen: H. ges. 9,6 cm, Ø 7,6 cm
Untertassen: Ø 13 cm
Obertassen: PM: RS und „XIII"; RM: „W" und „I"; MM: in Schwarz bez. „H."
Untertassen: PM: RS 37, „5" und „VII"; in Rot bez. „15"
Inv.Nr. B 84c-f
Tasse und Untertasse wie Kat. 985. Staffage wie oben, darauf weibliche und männliche Gestalten der antiken Mythologie in gestenreichen Haltungen, Kehle des Standrings, Tasse innen

und Henkel vergoldet. Untertassen mit Goldbändern.
Vergoldung berieben. 1267: Tasse am Standring bestoßen. 1268: Tasse am Standring und Henkel repariert.
1269: Tasse am Standring bestoßen, Henkel in Metall ergänzt.

Eine Spülkumme mit entsprechendem Dekor ist im Musterbuch 1815, S. 25 abgebildet, eine Kaffeekanne mit anderem Motiv auf S. 59. Die Malerei wird von gewisser Unbeholfenheit in der Wiedergabe anatomischer Details und einem deckenden Farbauftrag charakterisiert, die Dr. Bäuml dem Maler Louis-Socrate Fouquet zuschrieb.

Publ.: Hantschmann 1996, Kat. 113

1270–1271
Zwei „Tassen No 11" mit Untertassen
um 1815, Bemalung wohl J. Haemmerl

Obertasse: H. ges. 9,2 cm, Ø 7,6 cm
Untertasse: Ø 13,1 cm
Obertassen: PM: RS
Untertassen: PM: 37, „5" und „XX"
Inv.Nr. B 366a-b (Slg. Rüttgers, 1927)

Tasse und Untertasse wie Kat. 992. Gegenüber dem Henkel auf einem kleinen Rasensockel stehende Personifikation der Diana in gelbem Kleid und grünem Mantel mit Bogen (1270) und Ceres in gelbem Kleid und lila Mantel mit Füll-

1271   1270   1282   1281

1277   1276   1274
1287   1289   1283   1286   1284

horn und Sichel (1271); den Henkelansatz flankieren Rankenarabesken mit
Girlanden, die auch auf der Fahne wie-
derkehren. Goldstaffage.

Publ.: VK Rüttgers 1927, Nr. 69

1272–1282
Elf flache Teller
um 1815

Ø ca. 24,5 cm
1273, 1275–78, 1280–81: PM: RS 37 und
„XVIII, Strich.
1272, 1274, 1282: PM: RS und „XVII;
RM: Strich und Punkt
1277: PM: 31, „G", „R" und „1811"
1279: PM: RS und „XIX"
Inv.Nr. B 373a-l (Slg. v. Ostermann, 1927)

Konischer Standring, flacher Steige-
bord; schräge, leicht aufgebogene Fah-
ne. Auf der Fahne zwischen Lyren und
liegenden Rauten Rankendekore mit
Girlanden in Gold; bei 1282 größere
Ranken mit stehenden Ovalen. Im
Spiegel jeweils in kräftigen Farben auf
Rasensockel weibliche Allegorien der
Antike. 1272: Parze in weißem Kleid
mit eisenrotem Mantel, in der erhobenen Linken den Faden mit der Spindel.
1273: Figur in weißem Kleid mit rotem
Mantel, im linken Arm trägt sie einen
Schild mit einem Heldenbildnis, in der
Rechten eine brennende Opferschale.
1274: weibliche Figur in weißem Kleid
mit purpurnem Mantel, über der Brust
eine Blütengirlande, in den Händen einen Weinkrug und Becher. 1275: Figur
in weißem Kleid mit lila Mantel, in der
Linken eine brennende Opferschale.

1276: Juno mit dem Pfau in weißem
Kleid mit lila Mantel und einem Vogel
auf dem Zepter. 1277: Allegorie der Fama in blauem Kleid mit rotem Mantel,
in der Rechten den Palmzweig, mit der
Linken die Trompete an die Lippen haltend. 1278: Allegorie der Justitia mit
verbundenen Augen, bekleidet mit
weißem Kleid und rotem Mantel, in der
Rechten das erhobene Schwert, in der
Linken die Waage. 1279: Figur als Allegorie der Architektur in gelbem Kleid
mit blauem Mantel, auf dem Haupt eine Mauerkrone, in der Linken einen
Bauplan, in der Rechten ein Senklot.
1280: Terpsichore, die Muse des Tan-
zes, in weißem Kleid mit flatterndem
roten Mantel, im Arm eine Lyra. 1281:
auf einem Felsen sitzende Thalia, Muse
der Komödie, in purpurnem Kleid mit
grünem Mantel, in der rechten Hand
hält sie einen Stab mit Narrenkappe,
in der Linken eine lachende Maske.
1282: auf einem Felsen sitzende Diana
in weißem Kleid mit grünem Mantel
und der Mondsichel im Haar, rechts
ihr Windhund.

Publ.: VK Ostermann 1928, Nr. 662;
VK Ostermann 1928/II, Nr. 441;
Hantschmann 1996, Kat. 114

1283
„Zuckerdose antik C"

H. 12 cm
PM: RS 35 und „III"; RM: „1/5", drei Punkte
eingestochen
Inv.Nr. B 373.1 (Helbing, München, 1928)

Form wie Kat. 991, auf den Seiten über

Rasensockel stehende Personifikation
von Bacchus mit Pantherfell neben
traubenumwundenem Rebstock, gegenüber geflügelter Jüngling mit einem
Schwan im Arm. Standring, Henkel
und Deckel vergoldet.

Publ.: Helbing, München, 17.1.1928, Nr. 58

1284–1289
Sechs „Tassen No 11" mit
Untertassen
um 1815

Obertassen: H. ges. 9,1 cm, Ø 7,6 cm
Untertassen: Ø 13 cm
Obertassen: PM: RS 32; RM: „1/5"
Untertassen: PM: RS 37, „5" und „XX"
Inv.Nr. B 690a-f (Weinmüller, München,
1962)

Tasse und Untertasse wie Kat. 992.
Standring, Henkel und Innenseite der
Tasse vergoldet. Gegenüber dem Henkel auf einem naturalistischen Rasensockel stehende, weibliche Figuren als
Allegorien der Antike.
1284: stehende Figur als Polyhymnia,
Muse des ernsten Gesangs, mit grau-
weißem Kleid und braunem Mantel
in dramatischer Pose.
1285: auf einer Bücherkiste sitzende
Figur als Klio, Muse der Geschichts-
schreibung, bekleidet mit einem
weißem Kleid und rotem Mantel, mit
der Rechten auf einer Tafel, die sie mit
der Linken hält, „SPIRI [erg. TUS] /
MANET" schreibend.
1286: stehende Figur in flatterndem,
lila Mantel, die mit beiden Händen einen großen Weinkrug emporhält.

1291

1292   1293

1287: auf einem Felsen sitzende Frau in purpurnem Kapuzenkleid und gelb-braunem Mantel, die entgegen ihrer Blickrichtung mit dem Finger zur Seite weist.
1288: stehende junge Frau als Allegorie des Ruhms in weißem Kleid mit rotem, flatterndem Mantel, in der Rechten einen Lorbeerzweig.
1289: auf einem Hocker sitzende Erato, Muse der Lyrik, in purpurnem Kleid mit blauem Mantel beim Spiel auf einer Lyra, auf dem Schoß ein Notenblatt.

Vergleichbare weibliche Allegorien in bunter Malerei auf Goldfond zieren eine „Spülkumpen No 3" aus Wittels-bachischem Besitz, heute in Sammlung Böhler, München; eine Tasse, bemalt mit sitzender Viktoria im BNM, Inv. Nr. 66/220.

Publ.: Weinmüller, München, 3.10.1962, Nr. 106; Hantschmann 1996, Kat. 115

1290
„Tasse No 11" mit Untertasse
(o. Abb.)
um 1815

Obertasse: H. ges. 9,2 cm, Ø 7,7 cm
Untertasse: Ø 13,4 cm
Obertasse: ohne Marke
Untertasse: PM: RS 27; RM: „5" und „1/5", zwei Striche
Inv.Nr. B 268 (Slg. Frank, 1919)

Tasse wie vorige Nr., Untertasse wie Kat. 1210. Gegenüber dem Henkel auf

einem schwebenden Rasensockel Alle-gorie der Diana in gelbem, kniekurzem Kleid mit Bogen und Mondsichel als Diadem, vgl. Kat. 1270. Standring, Innenseite der Tasse und Henkel ver-goldet. Untertasse mit Goldpunkt und Goldrand.
Henkel repariert.

1291
„Tasse No 11" mit Untertasse
um 1815–20

Obertasse: H. ges. 9,2 cm, Ø 7,7 cm
Untertasse: Ø 13 cm
Obertasse: RM: „1/5"
Untertasse: PM: RS 37, „5" und „XX"
Inv.Nr. B 333

Tasse und Untertasse wie Kat. 992. Gegenüber dem Henkel ovaler, gold-gepunkteter Rahmen, darin in bunter Malerei ein Hirte in grünem Mantel vor lagerndem Vieh auf der Weide. Über dem Henkelansatz goldene Baluster-vase, flankiert von goldenen Ranken-arabesken und Blütengirlanden, eben-solche auf der Fahne zwischen ovalen, goldgravierten Medaillons, Tasse innen vergoldet.

1292
Tasse mit Untertasse
um 1815

Obertasse: H. 5,5 cm, Ø 6 cm
Untertasse: Ø 13,3 cm
Obertasse: PM: RS 27 und „IV"; RM: Strich und Punkt
Untertasse: PM: RS 32 und „XX"; RM: „21"
Inv.Nr. B 676 (Bernhard, Holzminden, 10.7.1961)

Tasse wie Kat. 1252, nur kleiner; Untertasse wie Kat. 1103. Auf der Tas-se gegenüber dem Henkel ein breiter Rasenstreifen mit Blumen „en terasse", darauf neben einem Rosenstrauch ein stehender, nackter Putto mit einem Korb voller Vergißmeinnicht an einem Band um den Hals. Im goldlinierten Spiegel der Untertasse mehrzeiliger Sinnspruch „Flora unter deinen Blumen / Zeigen keine schöner sich / Als die Rose und die Nelke / Drum Mädchen pflück ich sie für dich, / Doch wen zu

mir die treue Liebe spricht / Dann pflück Mädchen dir / Vergismein-nicht". Schmales Goldband.

Publ.: Hantschmann 1996, Kat. 118

1293
Tasse
um 1815–20

H. 6 cm, Ø 6,5 cm
PM: RS 11 und „IV"; RM: Strich und zwei Punkte eingestochen
Inv.Nr. B 284 (Prov. unbekannt)

Tasse wie Kat. 1252. Gegenüber dem Henkel zwischen Goldstreifen eine Parklandschaft im Inselstil mit einem kugelbekrönten Denkmal, auf der Platte „Der Erinnerung" bez., Innen-seite der Tasse oben mit breitem Gold-streifen.
Vergoldung am Rand berieben, auf der Innenseite ein Stück abgeplatzt.

Publ.: Hantschmann 1996, Kat. 119

1294
Sog. „Huldigungsvase"
1822 dat., Bemalung von Chr. Adler, Goldgravuren von J. Haemmerl

H. 50,7 cm
RM: „3"; im Bildfeld rechts unten bez. „C. Adler"
Inv.Nr. B 398 (Schloß Biederstein, 1930)

Vase wie Kat. 1048. Sockel und Wulst-profile des Fußes vergoldet. Tomaten-roter Fond, auf Fuß und Ansatz der Wöl-bung umlaufend Lambrequinbordüre, spitze Schlaufenbordüre und Mäander. In der Mitte der Wandung zwischen den Henkeln rechteckiges Bildfeld, dar-

stellend in Grau-Camaieu, als Imitation eines Onyxreliefs, die Huldigung der Manufaktur, personifiziert durch eine junge kniende Frau mit einer Vase, die von Minerva Ergatis, der Schutzgöttin des Handwerks, geführt und beschützt wird. Rechts Max I. Joseph, huldvoll seine Rechte erhoben, in römischer Kleidung auf einem Thron, davor der bayerische Löwe, dahinter steht Fama mit der Palme und hält einen Lorbeerkranz über das Haupt des Königs. Im Bildfeld gegenüber auf grauem Grund wie eingemeißelt „VI. CALENDAS IUNII. / MDCCCXXII." Dazwischen auf rotem Fond über graviertem Akanthusstreifen symmetrische Ranken und Palmetten. In der Henkelzone breiter Goldstreifen mit gravierter Palmetten-Lotos-Bordüre, auf der Schulter über rotem Fond Spitzblattreihe und Lorbeerstab, Lippenrand vergoldet und mit Eierstab graviert.

Die Vase war ein Geschenk der Manufaktur an den König zu seinem Geburtstag am 27. Mai 1822. F. v. Gärtner, der erst im Januar 1822 die Leitung der Manufaktur übernommen hatte, wollte damit des Königs Aufmerksamkeit erregen und bat den in Rom lebenden Bildhauer und Kunstagenten Johann Martin v. Wagner (1777–1858) um einen Entwurf für die Darstellung. 1825 gelangte die Vase aus dem Nachlaß Max I. Joseph in den Besitz von Königin Caroline und verblieb bis 1930 in Schloß Biederstein, dem Witwensitz der Königin. Der Entwurf der Vase wurde auf drei Blättern der ersten (und letzten) Lieferung der lithographierten „Auswahl von Vasen und Gefaessen zum gemeinnützigen Gebrauch für Künstler und Handwerker entworfen von F. Gaertner [...] und ausgeführt in der Königl. Porzellanmanufaktur zu Nymphenburg" 1825 veröffentlicht (AK München 1992, Nr. 5.13).

Publ.: Hofmann, S. 637; VK Biederstein 1930, Nr. 31; AK München 1980, Nr. 1235 m. Abb.; AK München 1992, Nr. 5.9, Abb. S. 75, Hantschmann 1996, Kat. 182

1294

1295
„Tasse No 11" mit Untertasse
(Abb. s. S. 342)
um 1820–25

Obertasse: H. ges. 9,1 cm, Ø 7,9 cm
Untertasse: Ø 13 cm
Obertasse: PM: RS 38; RM: „I V" und „3"
Untertasse: PM: RS 34; RM: „I V"
Inv.Nr. B 374 (Etbauer, 1928)

Tasse und Untertasse wie Kat. 992. Gegenüber dem Henkel rechteckiges, goldgerahmtes Bildfeld mit Darstellung eines bürgerlichen, grün tapezierten Interieurs mit jungem Ehepaar im Kreis ihrer drei Kinder und dem Kindermädchen. Auf dem Boden im Vordergrund spielendes Kätzchen. Rückwärtiges Feld, Goldrand innen und Goldränder der Untertasse mit zierlicher C-Bogenkante.
Tasse geklebt.

Die Szene ist eine aufschlußreiche Bildquelle für den damaligen Wohnstil des gehobenen Mittelstandes mit der dunkelgrünen Tapete, der Kommode und den Stühlen als typische „Biedermeier-Möbel" sowie dem goldgerahmten Gemälde. Das spielende Kind, die Wiege und das Kätzchen runden das Bild der

1295   1296

1298

ungestörten Idylle ab, die dem Biedermeier zu seiner späteren Einschätzung
als „gute, alte Zeit" verholfen hat.

Publ.: AK München 1980, Nr. 976 m. Abb.;
Hantschmann 1996, Kat. 178

1296
„Tasse No 11" mit Untertasse
um 1820–25

Obertasse: H. ges. 9 cm, Ø 7,8 cm
Untertasse: Ø 13 cm
Obertasse: PM: RS 35; RM: „5", „3" und
Strich
Untertasse: PM: RS; RM: drei Striche
Inv.Nr. B 152 (Antiquar Peter, München,
Oktober 1916)

Tasse und Untertasse wie Kat. 992.
Gegenüber dem Henkel goldgerahmtes,
rechteckiges Bildfeld mit dem dramati-
schen Absturz eines Reiters in der
Schlacht, im Hintergrund das Kriegsge-
schehen, von Rauchwolken vernebelt.
Standring, Henkel und die Innenseite
der Tasse zur Hälfte vergoldet. Untertasse mit breitem Goldrand.
Vergoldung am Henkel berieben.

1297
Pfeifenkopf
um 1840

H. 14 cm
ohne Marke; innen im Deckel verschlagene
Bez.
Inv.Nr. B 802 (Rudigier, München, 1994)

Auf dem schlanken Pfeifenstummel mit
Knopf und montiertem Klappdeckel in
Silber(?)montierung ein goldgerahmtes,

rechteckiges Bildfeld mit idyllischer
Genreszene „Aufbruch zur Jagd": Vor
dem Treppenaufgang eines Hauses wartet ein gesattelter Schimmel, zwischen
seinen Vorderbeinen sitzt ein Hund mit
einer Peitsche im Maul, auf den Stufen
ein aufwartender Dackel mit Jagdhand-
schuhen in den Vorderpfoten. Über der
Treppenbalustrade liegt eine rote Decke,
auf der drei Jagdfalken mit Häubchen
sitzen. Das Motiv wohl nach einem
Gemälde von Benno R. Adam. Feine,
warmtonige Malerei.

Eine eigene Werkgruppe des Malers
Benno Raffael Adams (1812–1892)
schildert anekdotische Tierstücke im
Stall (vgl. AK München 1981, Nr. 178).

1298
Plattenbild
um 1850

18,7 x 16 cm
PM: RS 40 und „So"; RM: „N. 3", „SCH" und
Strich; mit Bleistift bez. „3/0"
Inv.Nr. CB 25 (Familienbesitz)

Hochrechteckige Bildplatte mit dünnem Goldrand. In einer annähernd
rechteckigen Umrahmung aus wildem
Wein und Efeuranken, unten purpurne
Heckenrosen, ein Schaf mit trinkendem
Jungem auf der Wiese unter einer Weide in koloriertem Umrißdruck. Rückseite unglasiert.

1299
Pfeifenkopf
um 1850–55, Bemalung nach
E. N. Neureuther

H. 9 cm
ohne Marke
Inv.Nr. B 803 (Rudigier, München, 1988)

Hoher achteckiger Pfeifenstummel, geschwungenes Ansatzstück mit goldstaffiertem, geripptem Saftsack, Silberfassung. Auf dem Stummel seitlich bunte
und goldene Blumenarabesken, darüber
Jäger, die einen Baumstamm tragen.
Auf der Vorderseite ein mehrfach von
bunten Bordüren unterteiltes Schriftfeld
mit einzelnen Liederstrophen, darüber
sitzt ein Musikant mit Hackbrett.

Das Modell ist nicht in den Preiscourants enthalten, jedoch sehr ähnlich
als Erzeugnis der Kgl. Gesundheits-
Geschirr-Fabrik Berlin und der Porzellan-
manufaktur Pirkenhammer nachweisbar (Morgenroth 1989, Abb. 145, 146,
160, 162). Die Bemalung folgt dem
1830 dat. Blatt 4 der Ausgabe „Bayerische Gebirgslieder mit Bildern, gezeichnet von Eugen Neureuther,
1. Heft, München 1831" und fand in
reduzierter Form auch auf Tassen Verwendung, z.B. MStm, Inv.Nr. 29/36,1.

1297   1299

Portraits

Tassen mit Portraits nahmen zu Beginn des 19. Jhs. den gleichen Rang wie in der Zeit davor kostbare Miniaturen ein und dienten als Schauobjekte in der Vitrine, die zur fürstlichen und gehobenen bürgerlichen Einrichtung gehörte. Tassen mit Bildnissen der Herrscherfamilie bezog nicht nur der Hof als fürstliche Geschenke, sondern auch die Bevölkerung schätzte ihren Besitz als Ausdruck ihrer Verehrung für die Wittelsbacher Familie. Um 1800 vollzog sich der Wechsel vom Silhouettenportrait (Kat. 1300, 1301) zum Abbild eines Gemäldes, wie immer nach einer graphischen Vorlage (Kat. 1304, 1309ff). Bis in die 1830er Jahre folgten die Portraits überwiegend Gemälden von J. Stieler. Die Variante mit Biskuitreliefs (Kat. 1306–1308) läßt sich auch in anderen Manufakturen nachweisen, so z. B. in Form der beliebten „Louisen-Tasse" der Berliner Porzellanmanufaktur (Faÿ-Hallé/Mundt 1983, Abb. 90).

Portraits

Cups with portraits played the same role at the beginning of the 19th century as the precious miniatures in the previous period. They served as show pieces in the display cabinets, which belonged to the interiors of royalty as well as to those of the upper middle class. Not only the court acquired cups with depictions of the ruling family as royal gifts, the common people also treasured them as an expression of their veneration of the Wittelsbach family. Around 1800 the silhouette portrait (cat. nos. 1300, 1301) was succeeded by copies of paintings, using as always graphics as an intermediary source (cat. nos. 1304, 1309ff.). Right up to the 1830s, portraits were primarily based on paintings by J. Stieler. The variation with biscuit relief (cat. nos. 1306–1308) can also be documented for other factories, as for example, in the form of the popular Louise Cup of the Berlin porcelain factory (Faÿ-Hallé/Mundt 1983, fig. 90).

1300
Kaffeekanne (Abb. s. S. 223)
vor 1800, J. P. Melchior

H. 17,5 cm
PM: RS 21 und Strich
Inv.Nr. B 731 (Sotheby's, London, 1967)

Hoher, trompetenförmiger Fuß mit profiliertem Rand, konisch nach oben ausgebauchte Birnform mit schlankem, eingezogenem Hals, kurze Tülle in Form eines Faunsmaskaron, über der Schulter geteilter, hochgezogener Henkel, hochgewölbter Aufsatzdeckel mit abgesetztem Rand und Zapfenknauf. Seitlich ovale, goldene Medaillons mit goldenen Portraitsilhouetten einer Dame und eines Herrn in Purpur abschattiert. Zwischen Henkelansatz, einer Rosette unter der Schnaupe und den Medaillons mit Purpurschleife sowie Hals und Deckel grün-purpurne Lorbeergirlande; goldene Streublumen, Fußprofil, Henkel, Tülle und Knauf vergoldet.
Tülle bestoßen.

Die Zuweisung des Modells an Melchior stellte bereits Hofmann aufgrund der Ähnlichkeit zu Frankenthaler Motiven fest (Hofmann, S. 617–618). Unsere Kanne gehörte wohl zu einem Déjeuner auf Tablett, wie es sich mit ähnlicher Bemalung im Johann-Jacobs-Museum,

Zürich, Inv.Nr. C81/6 (Weltkunst, 81, Abb. S. 508; Frühsorge 1990, S. 22) oder mit Putten in Purpurcamaieu im WLM, Stuttgart, Inv.Nr. 30.73, erhalten hat (Hantschmann 1996, Kat. 1).

Publ.: Sotheby's, London, 24.1.1967, Nr. 116

1301
Tasse
um 1806

H. 5,9 cm, Ø 6,3 cm
PM: RS 11, „P"; RM: Strich und zwei Punkte eingestochen
Inv.Nr. B 504 (Architekt Schuchard, 1950)

Tasse wie Kat. **1190**. Hellblauer Fond, gegenüber dem Henkel ovales, goldgerahmtes Medaillon mit punktierter Innenlinie, darin schwarze Silhouette von Carl Theodor Dalberg, unter dem Rand mit Goldkante breite, goldene Rankenbordüre auf weißem Grund, Goldstreifen am Fuß, Henkel vergoldet. Vergoldung stark berieben.

Das Portrait in Art eines Scherenschnittes knüpft an Traditionen des 18. Jhs. an, siehe Kat. **639–640**. Carl Theodor von Dalberg (1744–1817) wurde nach einer zielstrebig ausgerichteten Lauf-

1301

bahn 1802 Erzbischof und Kurfürst von Mainz. Bereits ein Jahr später führte der Verlust der linksrheinischen Gebiete zur Verlegung des Erzstuhles nach Regensburg. Nach der Säkularisierung schloß er sich Napoleon an, wurde Fürstprimas im deutschen Rheinbund und 1810 Großherzog von Frankfurt. Nach der Schlacht bei Leipzig 1813 wurde er gezwungen seine Landeshoheit aufzugeben und starb als Erzbischof von Regensburg. Sein Portrait folgt dem Kupferstich von Ripenhausen, der den Schattenriß eines unbekannten Künstlers aus dem Jahr 1787 als Vorlage hatte (Spieß 1994, Abb. S. 64).

1302
Kännchen
um 1800–10, Bemalung A. Auer

H. 12,8 cm
PM: RS 26; RM: „K", „Z" und zwei Striche;
MM: in Purpur bez. „Auer pinx."
Inv.Nr. B 698 (Lipski, Wiesbaden, 27.3.1963)

Standring mit fallendem Karnies und
glattem Rand, becherförmiger Korpus
mit abgesetzt einschwingender Schulter, darauf eine kurze Tülle; gerade
nach oben umgebogener Bandhenkel,
gewölbter Aufsatzdeckel mit hohem,
glattem Rand und spitzem, polygona-
lem Zapfenknauf. Fuß, Ansatz der Wölbung, Schulter und Deckel mit Purpurfond, auf der Wandung breiter Streifen
mit Gelbfond, darin seitlich spitzovale
Medaillons mit den Portraits antiker
Helden in braunrosa Camaieu, flankiert
von zarten, eisenroten Rankenarabesken und weißgrauen Perlschnüren.

Das Modell ist bislang nur in dieser
einen Ausformung nachweisbar. Der
Dekor folgt pompejanischen Wandmalereien, siehe auch Kat. 972. Reliefportraits und Büsten von antiken Göttern
wurden wohl stets in Camaieumalerei
dargestellt, siehe in unbekanntem Besitz eine Tasse wie Kat. 639 mit kobaltblauem Fond und „Minerva" (AK Karlsruhe 1984, Nr. 3) sowie eine Kaffeetasse mit Holzmaserfond (Fischer, Heilbronn, 27.11.1982, Nr. 154).

Publ.: Hantschmann 1996, Mod. 209, Kat. 33

1303
Tasse mit Untertasse
um 1806, Bemalung A. Auer

Obertasse: H. 6 cm, Ø 6,3 cm
Untertasse: Ø 14 cm
Obertasse: PM: RS 11;RM: „W" und „3";
MM: in Graubraun bez. „A.A:"
Untertasse: PM: RS 31; RM: „L" und Strich,
zwei Punkte eingestochen
Inv.Nr. B 130 (L. Steinhauser, München,
5.12.1915)

Tasse wie Kat. 1190, Untertasse wie
Kat. 1102, nur etwas höher. Gegenüber
dem Henkel ovales, goldgerahmtes
Medaillon mit Profilbüste des Dichters
Agathon als Imitation eines unten be-
titelten Steinreliefs in braun-grauer
Camaieumalerei, Goldränder, unter
dem Rand goldene Bogenkante mit eingestellten Halbblüten. Untertasse mit
Goldrand, zierlichem Blüten-Ranken-
fries und Sternblüte im Spiegel, aufgrund des Dekors wohl nicht ursprünglich zugehörig.

Publ.: Hantschmann 1996, Kat. 76

1304
Tasse
um 1807–10, Bemalung A. Auer

H. 6,7 cm, Ø 7 cm
PM RS 11; RM: „7", drei Punkte eingestochen; MM: in Schwarz bez. „Auer pinx."
Inv.Nr. B 339 (L. Steinhauser, München,
25.5.1923)

Tasse wie Kat. 1103, nur größer. Auf
der Tasse mit dunklem, blaugrünem
Fond gegenüber dem Henkel ovales

1302   1303

1305   1304

Bildfeld mit dem Portrait der Baronin
Maria Anna von Schwerin in weißem
Kleid mit grün-lila Federhut vor dunkelbraunem Hintergrund in rechteckigem,
in den Zwickeln goldgraviertem Rahmen, unter dem Rand umlaufend Fries
aus hängender Schildbogenkante mit
eingestellten Halbblüten und Blütengehänge, Tasse innen vollständig und
Henkel vergoldet.
Am Rand berieben und leicht bestoßen.

Die Dargestellte, geb. Gräfin Lamberg-
Amerang, war die Gattin des von
1807/15 bis 1820 amtierenden Manu-
fakturdirektors Claudius von Schwerin.
Ein weiteres Portrait der Dame auf
einer Tasse im BNM, Inv.Nr. 11/16
(Hantschmann 1996, Kat. 80).

Publ.: AK München 1980, Nr. 975 m. Abb.

1305
Untertasse
um 1810, Bemalung Seeliger

Ø 13 cm
PM: RS; RM: „5"; MM: in Schwarz
bez. „Seeliger fec."
Inv.Nr. B 87 (Prov. unbekannt, 27.2.1913)

Form wie Kat. 1210. Im Spiegel in
einer goldenen Blattspirale, umgeben
von einer üppigen, blaugrünen Blattranke mit pastellfarbenen Blüten sitzender Paradiesvogel, auf der Fahne vier
Arrangements goldener, stilisierter Blu-
menkörbe mit Blattranken und Blüten
wie im Spiegel. Goldrand mit Vorstoß.

Der Maler ist bisher ebenso wenig in
den Akten nachweisbar wie ein weiteres Stück mit diesem ausgefallenen
Dekor.

1307   1306   1308

1306
Tasse mit Untertasse
um 1810, Portrait J. P. Melchior,
Ausformung A. Clair

Obertasse: H. ges. 10,8 cm, Ø 7,8 cm
Untertasse: Ø 14,1 cm
Obertasse: PM: RS; RM: „AC", „W" und „$"
Untertasse: PM: RS 35 und „XIII";
RM: Strich mit Punkt
Inv.Nr. B 320 (Bernheimer, München, 1921)

Tasse auf eingezogenem Fuß mit geschwungenem, vergoldetem Randprofil,
der in die kelchförmige, unten vergoldete Wandung mit ausgestelltem Lippenrand übergeht; steil hochgezogener,
vergoldeter Henkel mit Schlangenkopf
am Lippenrand und Blatthülse, durch
eingerolltes Blatt mit der Wandung verbunden. Untertasse auf geradem Standring mit glatter, aufgebogener Fahne,
innen mit vertieftem Tassenstand und
leicht gekehltem Randstreifen. Auf der
Tasse dem Henkel gegenüber ein mattgoldenes, ovales Medaillon mit dem
Brustbild der Königin Caroline v.
Bayern in unbemaltem Biskuit, umgeben von einem rechteckigen Goldrahmen mit ausgesparten Lyren und
Blumen in den Zwickeln. Seitlich auf
Blütenranken sitzende, goldgravierte
Greifen. Den Boden ausgenommen,
innen vergoldet. Untertasse mit breiten
Goldstreifen, der mittlere mit radiertem
Blütendekor.
Vergoldung im Brand verfärbt, im
Spiegel berieben.

Das Biskuitrelief folgt verkleinert dem
Portrait der Königin von Melchior,
das 1809 erstmals erwähnt ist, siehe
Kat. 750 oder 751. Eine Portraittasse
mit buntem Blumenfries seitlich
des Medaillons im BNM, Inv.Nr.
Ker 2543-2544 (Hantschmann 1996,
Kat. 90).

1307
Tasse mit Untertasse
um 1810–15, Portrait J. P. Melchior,
Ausformung A. Clair

Obertasse: H. ges. 10,8 cm, Ø 7,7 cm
Untertasse: Ø 14,5 cm
Obertasse: PM: RS 32 und „XIII"; RM: „AC"
und Strich mit Punkt
Untertasse: PM: RS; RM: „W" und „$"
Inv.Nr. B 31 (Prov. unbekannt)

Tasse und Untertasse wie vorige Nr.,
Auf der Tasse dem Henkel gegenüber
ein mattgoldenes, ovales Medaillon mit
dem Brustbild des Königs Max I. Joseph
in Biskuit nach links. Vom vergoldeten
Henkel ausgehend ein goldener stilisierter Blatt-Blütenstab. Goldränder mit
Vorstoß. Untertasse mit Goldmonogramm „M J" im vertieften Tassenstand, umlaufender Blatt-Blütenstab,
Goldstreifen.
Tasse am Rand bestoßen, Vergoldung
der Untertasse leicht berieben.

1308
„Tasse antik No 10" mit Untertasse
um 1810–15, Portrait J. P. Melchior,
Ausformung A. Clair

Obertasse: H. ges. 10,3 cm, Ø 7,6 cm
Untertasse: Ø 13,3 cm
Obertasse: RM: „AC"
Untertasse: PM: RS; RM: „6", Striche
Inv.Nr. B 227 (Gebr. Einstein, München,
1919)

Tassenkörper wie vorige Nr., der ohr-
förmige Henkel mit dem Löwenkopf
am Lippenrand und einem Schwanen-
kopf als Ansatz. Untertasse wie
Kat. 1210. Auf der Tasse dem Henkel
gegenüber ein mattgoldenes, ovales
Medaillon mit graviertem Lorbeerrahmen und dem Brustbild des Königs
Max I. Joseph in Biskuit nach links.
Darunter umlaufend Lorbeerstab, Randbordüre aus stehenden und liegenden
Palmetten, Fuß, Henkel und Innenseite
vergoldet. Stehende Palmetten auf der
Fahne des Untertellers.

Tassenfuß restauriert, Innenvergoldung
leicht berieben. Untertasse repariert.

Die Portraittasse mit Goldzweiggirlan-
den im MStm, Inv.Nr. 35/2082, ein
Ex. mit mattblauem Fond des Biskuit-
portraits und goldenen Herzblättern aus
der Slg. Thurn und Taxis, Regensburg,
im BNM, Inv.Nr. 93/453 (Hantsch-
mann 1996, Kat. 104), mit goldenem
Weinlaubdekor auf blauschwarzem
Fond im BLM, Karlsruhe, Inv.Nr.
12200 (AK Karlsruhe 1982, Nr. 26).
Zusammen mit einer Portraittasse von
Königin Caroline, beide mit zarten
Goldranken und Monogrammen im
Spiegel der Untertasse in unbekanntem
Besitz (Christie's, New York,
27.4.1984, Nr. 227).

1309–1310 (Abb. s. S. 346)
„Kaffeekanne antik C" und „Tasse No 11" mit Untertasse
um 1810–15
Inv.Nr. CB 20a-b (Familienbesitz)

1309
„Kaffeekanne antik C"
H. 18,2 cm
PM: RS 27 und „II"; RM: Strich; in Schwarz
bez. „2/12"
Inv.Nr. CB 20a
Form wie Kat. 989, auf dem Korpus
zwischen goldgravierten Streifen mit
Blütenmotiven matte, smaragdgrüner
Fond; seitlich goldgravierte Blumenvase
zwischen Rankenarabesken mit Blüten
und Gehänge zu Lyra unter der Tülle;
Fuß, Hals, Tülle, Henkel und Deckel
vergoldet.
Am Standring, Rand und Tülle be-
stoßen, teils retuschiert.

1309   1310

1310
Tasse „Jasmin" mit Untertasse
Obertasse: H. ges. 8,7 cm, Ø 7,7 cm
Untertasse: Ø 13,5 cm
Obertasse: PM: RS und „XIII"; RM: „1/5"
Untertasse: PM: RS und „XX"; RM: „20";
in Gold bez. „15"
Inv.Nr. CB 20b

Tasse und Untertasse wie Kat. 1105.
Matter, dunkelgrüner Fond und
Goldstaffierung wie vorige Nr., gegenüber dem Henkel ovales, goldgerahmtes Medaillon mit dem Portrait eines
dunkelhaarigen Offiziers mit Schnurrbart in weißem Uniformrock mit rotem
Kragen. Standring und Innenseite der
Tasse vergoldet. Im Spiegel der Untertasse goldene Blüte.
Fehlender Henkel in Metall ersetzt.

1311
Tasse „Jasmin" mit Untertasse
um 1813, Bemalung wohl Chr. Adler

Obertasse: H. ges. 9,6 cm, Ø 7,7 cm
Untertasse: Ø 13 cm
Obertasse: PM: RS 27 und „XIII"; RM: „A."
Untertasse: PM: RS 32 und „XX"; RM: „12"
Inv.Nr. B 666 (L. Steinhauser, 16.8.1960)

Tasse und Untertasse wie Kat. 985.
Unterglasurblauer Fond, gegenüber
dem Henkel in ovalem, goldgraviertem
Medaillon das Portrait der Prinzessin
Charlotte Auguste in weißem Kleid
altrosa Tuch über der rechten Schulter.
Seitlich des Henkels und auf der Fahne
der Untertasse goldgravierte Spring-
brunnenschalen zwischen symmetrischen Rankenarabesken und Perlgehängen. Standring und Henkel der Tasse

vergoldet. Die Innenseite mit rötlichem
Burgoslüster überzogen. Im Spiegel der
Untertasse rundes Goldmedaillon mit
graviertem Buchstaben „C".
Vergoldung der Untertasse leicht be-
rieben.

Charlotte Auguste (1792–1873) war
eine Tochter Max Josephs aus seiner
ersten Ehe mit Auguste Wilhelmine
von Hessen-Darmstadt. 1808 heiratete
sie Wilhelm von Württemberg, doch
wurde die Ehe 1814 geschieden. Sie
bewohnte anschließend jene Räume in
der Münchner Residenz, die heute als
„Charlotten-Zimmer" bezeichnet
werden. 1816 schloß sie mit Kaiser
Franz I. v. Österreich ihre zweite Ehe
und wählte den Vornamen Karoline
Auguste. Eine Tasse mit identischem
Randdekor und Portrait befindet sich
als Teil eines 13-tlg. Tassensatzes der
gesamten königlichen Familie im BNM,
Inv.Nr. Ker 2231-2255 (Hantschmann
1996, Kat. 96 mit weiterer Lit.).

1312
Tasse „Jasmin" mit Untertasse
um 1813, Bemalung wohl Chr. Adler

Obertasse: H. ges. 9,7 cm, Ø 7,7 cm
Untertasse: Ø 13,2 cm
Obertasse: PM: RS 27 und „XIII"; RM: Strich
und zwei Punkte eingestochen
Untertasse: PM: RS; RM: „I R"
Inv.Nr. B 19 (L. Steinhauser, München,
Mai 1914)

Tasse und Untertasse wie Kat. 1105.
Unterglasurblauer Fond, gegenüber
dem Henkel rechteckiges Bildfeld mit
gravierten Blütenmotiven in den
Zwickeln und ovalem Medaillon mit
dem Portrait der Königin Caroline
v. Bayern in weißem Kleid mit altrosa
Tuch über der linken Schulter. Seitlich
des Henkels und auf der Fahne der Untertasse große, goldgravierte Lyren zwischen symmetrischen Rankenarabesken
und Perlgehängen. Standring und Henkel der Tasse vergoldet. Die Innenseite mit rötlichem Burgoslüster überzogen. Im Spiegel der Untertasse rundes Goldmedaillon mit graviertem
Buchstaben „C".

Bisher wurde in zahlreichen Veröffentlichungen die Dargestellte als Auguste
Amalie (1788–1824), verheiratet mit
Prinz Eugène de Beauharnais, Vize-
könig von Italien und später Herzog
von Leuchtenberg und Fürst von Eichstätt angesprochen (AK München
1980, Nr. 1223). Als diese Verbindung
aus politischen Gründen im Winter
1905 von Napoleon beschlossen wurde, hatte er seinem Sohn eine Tasse mit
dem Bildnis der Prinzessin nach Italien
gesandt und geschrieben „.... Sie ist sehr

1311   1312

1314   1313   1315   1316

hübsch. Ihr Bildnis finden sie auf beifol-
gender Tasse, sie sieht aber besser aus"
(zit. nach Junkelmann 1985, S. 141).
Da es den Tassentyp „Jasmin" zu dieser
Zeit in Nymphenburg noch nicht gab,
dürfte wohl eine zylindrische Tasse wie
Kat. 1102 das Präsent gewesen sein,
von der sich zwei Ausformungen mit
dem von A. Auer gemalten Portrait von
Auguste Amalie seit 1806, bzw. 1856
in MNC, Sèvres, Inv.Nr. 486.13 und
4996, befinden (Hantschmann 1996,
Kat. 78). Dargestellt ist Königin Caroline Friederike Wilhelmine v. Baden, seit
1797 die zweite Gemahlin Max I.
Josephs, deren Portrait mit der Darstellung auf einer rückseitig alt beschrif-
teten Porzellanplatte aus der Slg. Thurn
und Taxis im BNM, Inv.Nr. 93/439,
identisch ist (Hantschmann 1996,
Kat. 97).

Publ.: Deubner 1942, Abb. S. 29 (als Amalie
Auguste)

1313
Tasse „Jasmin" mit Untertasse
um 1815

Obertasse: H. ges. 9,7 cm, Ø 7,7 cm
Untertasse: Ø 13,4 cm
Obertasse: RM: „5" und Strich
Untertasse: PM: RS 37, „VII" und „1/5"
Inv.Nr. B 128 (L. Steinhauser, München,
5.12.1915)

Tasse und Untertasse wie Kat. 1105.
Gegenüber dem Henkel rechteckiges
Bildfeld mit goldgraviertem Blumen-
dekor in den Zwickeln und ovalem
Medaillon mit dem Brustbild der Prin-

zessin Maximiliane v. Bayern in
Grisaillemalerei. Seitlich des Henkels
und auf der Fahne der Untertasse zwi-
schen Goldstreifen goldene stehende
Blätter zwischen Punktgirlanden;
Standring, Innenseite und Henkel der
Tasse vergoldet.
Tasse mit Haarriß, am Henkelansatz
repariert.

Prinzessin Maximiliane Josepha Caroline
(1810–1821) war das letztgeborene
Kind Max I. Josephs und starb mit elf
Jahren in Tegernsee. Als Vorlage der
Malerei diente eine Lithographie von
Ferdinand Piloty nach Zeichnungen
Joseph Stielers (1781–1847) von 1813
und 1814 (Hase 1971, Nr. 39-42). Eine
Tasse im MStm, Inv.Nr. 36.32 (AK
München 1982, Nr. 11.1.11) Zusam-
men mit den Schwestern und den El-
tern bildeten die Vorlagen die Grisaille-
Motive für ein Déjeuner auf hellblauem
Fond in unbekanntem Besitz (Hantsch-
mann 1996, Kat. 98), ebenso auf einem
Service mit Goldranken (Ruef, Mün-
chen, 16.11.1977, Nr. 740).

1314
Tasse „Jasmin"
nach 1816

H. ges. 9,7 cm, Ø 7,8 cm
PM: „XIII"; RM: „W"
Inv.Nr. B 297 (L. Steinhauser, München,
28.4.1920)

Tasse wie Kat. 985. Gegenüber dem
Henkel in rechteckigem Bildfeld mit
goldgraviertem Blattmuster in den
Zwickeln ovales Medaillon mit dem

Portrait von Königin Caroline v. Bayern
im Renaissancetracht in Grisaillemalerei. Seitlich des Henkels große Spiralranken und Blütengehänge. Standring,
Innenseite und Henkel der Tasse vergoldet.

Das Portrait von Königin Caroline folgt
einem Gemälde von J. Stieler (nicht bei
Hase 1971), das sowohl von Nepomuk
Strixner (1782–1855) als auch von
P. P. Perktold in Kupferstichen veröffentlicht wurde (GHA, WB Caroline
4/8 und 9/25).

1315–1316
Zwei „Tassen No 11" mit
Untertassen
nach 1816

Obertassen: H. ges. 9 cm, Ø 7,7 cm
Untertassen: 13 cm
Obertassen: PM: RS 27
Untertassen: PM: RS 37, „XX" und „5"
Inv.Nr. B 255-256 (L. Steinhauser, München,
10.7.1919)

Tasse und Untertasse wie Kat. 992.
Gegenüber dem Henkel rechteckiges
Bildfeld mit gravierten Blüten und Blu-
menkranz um das ovale Medaillon mit
den Portraits von König Max I. Joseph
in blauem Rock mit weißem Hemd vor
braunem Hintergrund, bzw. Königin
Caroline in purpurviolettem Renais-
sancekostüm mit weißem Rüschen-
kragen, Samtbarett und Straußenfeder
vor dunkelgrünem Hintergrund. Neben
dem Henkel große goldene Spiralranken; Standring, Innenseite und Henkel
vergoldet, Goldränder. Auf der Fahne

1317   1318   1319

der Untertasse Spiralranken zwischen Blumenvasen in Gold.

Das Portrait des Königs folgt einem Gemälde von Joseph Stieler aus dem Jahr 1816 (Hase 1971, Nr. 61), das Max I. Joseph in legerer, fast bürgerlicher Kleidung zeigt, die er schon auf einem ganzfigurigen Bildnis, das den König am Schreibtisch sitzend zeigt, aus dem Jahr 1814 bevorzugte (Hase 1971, Nr. 35). Zum Portrait der Königin, siehe vorige Nr. Beide Portraits farbig auch auf zylindrischen Tassen in unbekanntem Besitz (Neumeister, München, 18.9.1985, Nr. 62).

1317–1319
Drei „Tassen antik No 10" mit Untertassen
nach 1816, Bemalung Chr. Adler

Obertassen: H. ges. 10 cm, Ø 7,6 cm
Untertassen: Ø 14,5 cm
Obertassen: PM: RS 35; RM: „1/5"
1317: rechts im Bildfeld bez. „Adler";
1318: auf der Unterseite in Schwarz betitelt, links im Bildfeld bez. „Adler"
Untertassen: PM: RS; RM: „1/5"
1319: PM: RS 29, „VI" und „XIX"
Inv.Nr. B 400 (L. Steinhauser, München, 2.1.1932). Inv.Nr. B 277a-b (L. Steinhauser, München, 19.10.1919)

Tassen und Untertassen wie Kat. 1308. Vollständig vergoldet, gegenüber dem Henkel in gravierten Rahmen ovale Portraits.
1317: Königin Caroline in rotem Kleid mit Taftkragen und Türkisparure vor dunkelgrünem Hintergrund.
1318: „Ludwig, Carl August, Kronprinz" in grauer altdeutscher Tracht

mit weißem Kragen und dem St. Hubertus-Orden vor blauem Himmel mit stimmungsvollen Wolken.
1319: Kronprinzessin Therese in rotem Kleid mit Goldborten vor blauem Himmel mit stimmungsvollen Wolken. Zwischen zwei umlaufenden, gravierten Blattstäben seitlich der Henkel und auf der Fahne der Untertasse stehender Fries aus eingerollten Akanthusranken und Blütenmotiven. Tierköpfe der Henkel mattiert. Auf der Unterseite der Untertassen Goldstreifen, Standring vergoldet.

Das Portrait der Königin Caroline folgt einem Gemälde J. Stielers aus dem Jahr 1816 (Hase 1971, Nr. 63), das C. Heß als Kupferstich veröffentlichte (GHA, WB, Caroline 13/22). Ebenfalls 1816 entstand auch das Bildnis von Kronprinz Ludwig Carl August in altdeutscher Tracht (Hase 1971, Nr. 64, 65), das von A. Selb lithographiert wurde (Maillinger, Bd. 2, Nr. 529). Ludwig unterstrich mit dieser Kleidung seine französenfeindliche Haltung, die zu schweren Zerwürfnissen mit seinem Vater führte, dessen Nachfolge er 1825 antrat. Nach seiner Abdankung 1848 aufgrund der Affaire um Lola Montez widmete er sich hauptsächlich seinen Kunstsammlungen und starb 1868 in Nizza. Das Portrait von Ludwigs Gattin, Therese von Sachsen-Hildburghausen (1792–1854) läßt sich mit einer später entstandenen Lithographie von Hanfstaengl vergleichen (GHA, WB Therese 27/6).

Publ.: Deubner 1942, Abb. S. 29; Miller 1986, Abb. S. 3023; Hantschmann 1996, Kat. 165

1320
„Ungarischer Pfeifenkopf"
um 1820

H. 8,9 cm
ohne Marke
Inv.Nr. B 800 (Münchner Privatbesitz, 1984)

Form wie Kat. 1118. Auf der Wandung rechteckiges, goldgerahmtes Bildfeld mit den Portraits eines Knaben in blauer Jacke und weißer Hose, flankiert von seinen zwei Schwestern in violetten Kleidern. Davor ein nach links springender Hund, nach dessen Halsband der Knabe faßt. Blaugrüner Hintergrund.
Sprung.

Das Familienbild in Festtagskleidung hält im Biedermeier auch in bürgerlichen Kreisen Einzug.

1320

1321
Portrait Benno Keim
1816.–1826, Bemalung B. Keim

7,2 x 5,8 cm
RM. „1/5"; rückseitig auf altem Papier bez.
„Selbstportrait Nymphenburger Porzelanmaler
u. a. Hofkavalier Keim, Urgroßvater der verehl.
Else Weinmann, geb. Keim"
Inv.Nr. B 708 (Fam. Weinmann, 1964)

Ovale, leicht gewölbte Platte. Brustbild
eines eleganten jungen Mannes mit
Schnurrbart in dunklem Rock, gelber
Weste und weißem Plastron nach links
vor grünlichem Hintergrund.

Benno Keim (1798–1826) trat 1816
als Malergehilfe in die Manufaktur ein
und wurde aufgrund seines Talents
1824 zum Porzellanmaler ernannt.
Seine Tier- und Genreszenen auf Tassen, Bechern und Pfeifenköpfen wurden schon von Nagler gelobt (Nagler,
Bd. VII, S. 404).

Publ.: Hantschmann 1996, Kat. 176

1322

1321

1322
Große Kratervase
1817, Modell J. P. Melchior, Bemalung
Chr. Adler, Gravuren J. Haemmerl

H. 55 cm, Ø 52 cm
ohne Marke; im Bild Mitte rechts
bez. „Adler. 1817"
Inv.Nr. B 589 (Adolf Meyer & Co., Hamburg,
8.1.1954)

Quadratische Sockelplatte, eingeschwungener Fuß mit getrepptem
Randprofil, niedrige, schalenförmige
Wölbung mit seitlich zwei Henkeln
über bärtigen Männerköpfen als Maskarons; einschwingend abgesetzte, weit
ausladende Wandung mit umgeschla-
genem Rand, nach innen kantig abgesetzt. Oberfläche vollkommen glanzver-
goldet; Sockelplatte, Profile des Fußes,
Ansatz der Wölbung und Lippenrand
mit Akanthusblattmotiven graviert;

Maskarons mattiert. Auf der Wandung
ovales Medaillon in graviertem Rahmen
aus Palmetten-Akanthus-Bordüre mit
Portrait von Kronprinz Ludwig in grü-
ner Chevauleger-Uniform mit roten
Aufschlägen, im Knopfloch der Militär-
Max Joseph-Orden, auf der Brust die
Sterne des St. Hubertus-Ordens und des
St. Georg-Ordens, Kragen mit Goldbor-
ten und silbernen Epauletten, blauer
Himmel als Hintergrund. Über den
Henkeln und auf der Rückseite geflü-
gelte, weibliche Genien zwischen zar-
ten Rankenarabesken in feiner Gravur.

Im Residenzmuseum, Inv.Nr. KIII/
Ny 57, gleiche Vase mit differierender
Gravur und ebenfalls von Adler gemaltem Portrait Ludwigs, das 1820 datiert
ist (Hantschmann 1996, Kat.166). Vorlage war beide Male eine Lithographie
nach dem 1816 datierten Gemälde von
J. Stieler (Hase 1971, Nr. 58).

1325

1323
Tasse mit Untertasse
um 1820–30

Obertasse: H. ges. 7,7 cm, Ø 7,8 cm
Untertasse: Ø 12,9 cm
Obertasse: PM: RS und „XIII"; RM: „5"
Untertasse: RM: Strich; Blaumarke „L"
Inv.Nr. B 105 (Rieda Wahl, München,
29.11.1913)

Minimal nach innen abgesetzter
Standring, geschwungen ausladende
Wandung, über der Lippe eingerollter
Bandhenkel. Untertasse mit schräg ausgestellter Fahne aus fremder Produktion. Gegenüber dem Henkel zwischen
zwei gestrichelten Goldstreifen rechteckiges Bildfeld mit einem Bildnis
Martin Luthers in schwarzem Mantel,
rotem Wams und weißem Hemd vor

braungrünem Hintergrund. Am Rand
der Tasse und auf der Fahne der Untertasse glanz- und mattgoldener Fries mit
Kreismotiven , darunter gotisierendes
Bogenwerk. Im Spiegel der Untertasse
in Gold „Eine veste Burg / Ist unser
Gott!".
Vergoldung der Untertasse leicht berieben.

Publ.: Hantschmann 1996, Kat.

1324
„Tasse antik No 26" mit Untertasse
um 1825

Obertasse: H. ges. 10,5 cm, Ø 6,8 cm
Untertasse: Ø 14,4 cm
Obertasse: ohne Marke
Untertasse: PM: RS; RM: „1/5" und „9"
Inv.Nr. B 197 (L. Steinhauser, München,
8.9.1917)

Tasse wie Kat. 1158, nur Untertasse
etwas größer. Gegenüber dem Henkel
trapezförmiges Bildfeld aus goldgravierter Leiste, unten betitelt, mit Brustbild
von Friedrich v. Schiller nach rechts in
grünem Rock mit blauem Aufschlag
und blau-weiß gestreifter Weste vor lila
Hintergrund. Standfuß, Innenseite und
Henkel vergoldet. Goldränder.

1325
Porzellanplakette
um 1830

16 x 11,8 cm, Rahmen 23,7 x 19,9 cm
PM: „H", schwarz ausgemalt
Inv.Nr. B 799 (Rudigier, München, 1.8.1984)

Rechteckige Platte mit dem Portrait der
Königin Therese v. Bayern auf einem
goldenen Thronsessel vor einer Säule,
links im Hintergrund violette Draperie.
Die Königin trägt ein dunkelrotes,
weitausgeschnittenes Kleid, einen rot-
weißen Turban mit goldenen Fransen
und weißen Reiherfedern, um den Hals
eine Kette aus bayerischen Süßwasser-
perlen; auf dem Stuhl ein Hermelin-
umhang, am Ausschnitt den Theresien-
orden am Band mit Brillantschleife.
Zeitgenössischer vergoldeter Holzrahmen mit applizierten Eckornamenten.

1323

1324

Die Darstellung folgt einer Lithographie, „nach dem Leben gezeichnet", von August Selb (1812–1859), verlegt von Piloty und Loehle, und zeigt die Königin als Großmeisterin des am 12.12.1827 von ihr gestifteten Theresienordens (GHA, WB Therese 5/20; unbez. Darstellung 7/30).

1329   1330

1326–1327
Teekanne und Zuckerdose „antik K"
2. Viertel 19. Jh.

1326: H. 9,9 cm
1327: H. 8,3 cm, Ø 12,3 cm
1326: PM: RS 34 und „3"; RM: „1/5"
1327: PM: RS; RM: „1/5", „S" und Strich
Inv.Nr. B 432a-b (Auer Dult, München, 17.10.1937)

Teekanne wie Kat. 937, Zuckerdose wie Kat. 1148. Auf der Schulter der Teekanne und dem Deckel der Zuckerdose bislang ungedeutetes, links von einem goldenen, rechts von einem blauen Löwen gehaltenes Wappen, diagonal geteilt mit einem Storch auf blauem und drei Bienen auf goldenem Grund, darüber eine siebenzackige Krone. Profile, Henkel und Knäufe vergoldet. Deckel der Teekanne nicht zugehörig, Tülle bestoßen. Rand der Zuckerdose bestoßen. Vergoldung etwas berieben.

Publ.: Hantschmann 1996, Kat. 233

1328
„Bouillontasse No 7" mit Untertasse (o. Abb.)
um 1830–40

Obertasse: H. 9,6 cm, Ø 9,3 cm
Untertasse: Ø 15,5 cm
Obertasse: ohne Marke
Untertasse: PM: RS 38 und „3", RM: „1/5"
Inv.Nr. B 704 (L. Steinhauser, München, 13.8.1963)

Tasse und Untertasse wie Kat. 1220. Gegenüber dem Henkel das silber-schwarz-rote Wappen der Freiherrn von Leoprechting mit üppigem Rankenwerk und Familienzeichen; im Spiegel der Untertasse in Gold das Motto in Schwarz „Freÿ und Treu", Goldstaffage.

Publ.: Hantschmann 1996, Kat. 234

1329
„Bouillontasse No 7" mit Untertasse
um 1840

Obertasse: H. 9,5 cm, Ø 9,3 cm
Untertasse: Ø 16,2 cm
Obertasse: PM: RS 38 und „3"; RM: „1/5"
Untertasse: ohne Marke
Inv.Nr. B 591 (Simmer, Dachau, 20.4.1954)

Tasse wie Kat. 1220, Untertasse mit geradem Standring, geschwungener Fahne, im Spiegel vertiefter Tassenstand und abgesetzter Randstreifen. Dem Henkel gegenüber goldgerahmtes, rechteckiges Bildfeld mit ovalem Medaillon in graviertem Wellenrahmen und Palmetten in den Zwickeln; Portrait Prinz Luitpold v. Bayern als Artillerieleutnant in blauer Uniform mit goldbetreßtem Kragen, mit dem Schulterband des St. Hubertus-Orden sowie einem schwarzen Mantel über der Schulter; nach einem Gemälde von J. Stieler. Standring, Wölbung, Henkel und Tasse innen vollständig vergoldet; Untertasse mit liniertem Goldrand wohl nicht zugehörig.
Tasse am Rand restauriert.

Prinz Luitpold v. Bayern (1821–1912) war der zweitälteste Sohn von König Max I. Joseph und wurde 1886 nach dem Tod seines Neffen, Ludwig II. v. Bayern, zum Prinzregenten ernannt. Die Darstellung folgt einem 1839 datierten Gemälde von J. Stieler (Hase 1971, Nr. 187).

1327   1326

1330
„Bouillontasse No 7" mit
Untertasse (Abb. s. S. 351)
um 1840

Obertasse: H. 9,5 cm, Ø 9,3 cm
Untertasse: Ø 15,2 cm
PM: RS 38; RM: „1/5" und „3"
Untertasse: wie vor und RM: „No 6.7"
Inv.Nr. B 118 (Geschenk v. Herrn M. Ober-
mayer, um 1915)

Tasse und Untertasse wie Kat. 1220.
Dem Henkel gegenüber goldgerahmtes,
rechteckiges Bildfeld mit Portrait von
König Ludwig I. v. Bayern in blauer
Uniform mit silberbetreßtem Kragen,
Ordensspange mit Goldenem Vlies,
Militär-Max Joseph-Orden, Orden der
Bayerischen Krone, Militärdenkzeichen
von 1813/15, Sterne des St. Hubertus-
Ordens und St. Georg-Ordens. Fußpro-
fil, Tassenränder, Henkel und breiter
Streifen innen vergoldet. Im Spiegel
zwischen standartentragenden Löwen
das von Ludwig 1835 neu gestaltete
Königswappen mit dem Gesamtwappen
von Bayern im Mittelschild, umgeben
von den Wappen der Pfalz, von Fran-
ken, Niederbayern und Schwaben.
Goldrand.

Das Portrait König Ludwigs I. folgt einem Bildnistypus, der auch auf einer
Lithographie von Gottlieb Bodmer
1835/37 zu finden ist (AK München
1986, Nr. 5). Sie war auch Vorlage
für eine von C. Wollenweber 1839
bemalte Porzellanplatte (Hofmann,
Abb. 433, heute MStm, Inv.Nr.
29/719; AK München 1987, Nr.
11.1.26, Abb. S. 17); ein identisches,
unsign. Ex. im Besitz der BSV, Zug.Nr.
276. Im Vergleich mit Gemälden aus
der Kronprinzenzeit und dem Portrait
nach der Thronbesteigung 1822 ist der
Alterungsprozeß Ludwigs II. veristisch
wiedergegeben.

1331
Pfeifenkopf
um 1840

H. 14 cm
ohne Marke
Inv.Nr. B 524 (Prov. unbekannt, um 1951)

Form wie Kat. 1289 mit Silbermontierung; in ovalem, goldgerahmten Bildfeld das Portrait von Kronprinz Maximilian v. Bayern mit Oberlippenbart in
grüner Chevauleger-Uniform mit roten
Aufschlägen und goldbetreßtem Kragen. Unter der rosa-silbernen Schärpe
mit grünen Kanten die Bruststerne des
St. Hubertus- und des St. Georg-Ordens
vor mittelbraunem Hintergrund. Saftsack und Rand vergoldet.

Die Darstellung folgt einer 1834 datierten Lithograpie von F. Hanfstaengl, erschienen im Verlag der A. Webern-
schen Buchhandlung (Bayern 1963,
Abb. n. S. 308), die den Prinzen noch
ohne Bart zeigt und auch auf einem
Pfeifenkopf im MStm, Inv.Nr. 61/550,
wiedergegeben wurde (AK München
1987, Nr. 1.26).

1331

1332
„Bouillontasse No 7" mit
Untertasse
um 1850

Obertasse: H. 9,7 cm, Ø 9,4 cm
Untertasse: Ø 15,6 cm
Obertasse: PM: RS 40; RM: „3", „4" und „g"
Untertasse: PM: RS 32 und „8"; RM: „1/5"
Inv.Nr. B 464 (Frau Sanitätsrat Bergeat,
Mai 1941)

Tasse und Untertasse wie Kat. 1220.
Lapislazuliblauer Fond, dem Henkel gegenüber goldgerahmtes, rechteckiges
Bildfeld mit Palmetten in den Zwickeln
und ovalem Medaillon, darin Portrait
von König Ludwig I. in blauer Gala-
uniform eines Feldmarschalls mit dem
Militär-Max Joseph-Orden, dem Orden
der bayerischen Krone, den Militärdenkzeichen von 1813/15 und
1848/49, den Sternen des St. Hubertus-Ordens und des St. Georg-Ordens
vor dunkelbraunem Hintergrund.
Standring, Henkel und Innenseite der
Tasse vergoldet, Untertasse mit
Goldrand.

Der Kopftypus gleicht einem Gemälde
von J. Stieler, das 1841 den König in
Privatkleidung zeigt und 1852 mit
einer Feldmarschallsuniform und zahlreichen Orden wiederholt wurde
(Hase 1971, Nr. 206 und 252). Auffällig ist das Fehlen des charakteristi-
schen Oberlippenbarts bei der Tassen-
darstellung. Gerade nach der Abdankung des Königs 1848 mehrten sich
kulthaft überhöhte Darstellungen, die
den Monarchen verjüngen und in
militärischem Glanz zeigen.

1332

Kunstwerke auf Porzellan

Works of Art on Porcelain

Das persönliche Kunstinteresse Ludwig I. war bereits 1810 der Anstoß, ein Tafelservice und zwei Ziervasen mit Kopien der Gemälde aus der königlichen Sammlung zu bemalen (Hantschmann 1996, Kat. 91). Bereits 1812 wurden rechteckige Porzellanplatten als Malgrund verwendet, doch gab es noch Probleme bei der Herstellung der großformatigen Platten, und mit dem Tod des Malers A. Auer wurde das Vorhaben eingestellt. Erst 1820–26 entstand das Dessertservice für König Max I. Joseph (Kat. 1333), dem ab 1827 die legendären Gemäldekopien auf Tellern und großen Platten folgten, die König Ludwig I. in Auftrag gab (Hantschmann 1996, Kat. 215). Neben den reichen Goldgravuren auf der Fahne der Teller bestechen die Kopien der Gemälde durch die leuchtenden Farben, die mehrere Brennvorgänge erforderten. Sowohl Teller als auch Platten waren nie zum Gebrauch bestimmt, sondern waren als „Zierde im Königsbau" gedacht (op. cit.). Der König beabsichtigte „die Kopien der vorzüglichsten Bilder in Schmelzfarben für die Nachwelt zu erhalten, wenn endlich der Zahn der Zeit die Originale zerstört haben wird" (zit. nach Hofmann, S. 632).

Ein ähnliches Konzept der Kunstrezeption liegt dem sog. „Onyx-Service" zugrunde, das Ludwig I. 1833 in Auftrag gab und damit seine selbst zusammengetragene Antikensammlung der Nachwelt dokumentieren wollte. Stilgerecht wurde für die Malerei der Marmorplastiken die „antik" wirkende Camaieumalerei gewählt, die sich in hellem Graubraun wie Onyx von dem pompejanisch-braunroten Farbfond abhob. (Hantschmann 1996, Kat. 249).

As early as 1810, Ludwig I's personal interest in art was the impetus for decorating a table service and two ornamental vases with copies of paintings from the royal collection (Hantschmann 1996, cat. no. 91). Already in 1812, rectangular porcelain platters were used as support, but there were still problems in producing the large scale platters, and with the death of the painter A. Auer the project was discontinued. The dessert service for King Max I Joseph was made only in 1820–26 (cat. no. 1333), followed as of 1827 by the legendary copies of paintings on plates and large platters, which King Ludwig I had commissioned (Hantschmann, cat. no. 215). Aside from the rich gold engravings on the rim of the plates, the copies of the paintings are captivating in their luminous colors, which required several firings. Neither the plates nor the platters were intended for use, but were considered "decoration in the king's palace" (op.cit.). The king wanted "to preserve copies of the most exquisite paintings in enamel for posterity, when the ravages of time will finally have destroyed the original" (cited in Hofmann, p. 632).

The so-called "onyx service," which Ludwig I commissioned in 1833, is based on a similar concept of art adaptation. He wanted to document the antiquities that he himself had collected for posterity. In keeping with the style, the apparently „antique" camaïeu painting was chosen for depicting the marble sculptures; the light grey-brown of the figures contrasts with the background colored a brownish Pompeiian red (Hantschmann 1996, cat. no. 249).

1333

1333
Gemäldeteller
1821, Bemalung L. Fouquet,
Gravur J. Haemmerl

Ø 23,3 cm
PM: RS 29, „VI" und „XIX"; in Schwarz bez.
„Copiert nach Titien aus der königl. Bildergallerie zu München am 10ten Junÿ 1821 v. L. Fouquet."
Inv.Nr. B 470 (L. Steinhauser, München, 30.6.1941)

Hoher, leicht konischer Standring, flach gemuldeter Spiegel mit niedrigem Steigebord; breite, schräggestellte Fahne. Im Spiegel rundes Bildfeld mit der Kopie eines Ausschnitts aus dem Gemälde „Jupiter und Antiope" in warmtonigem Kolorit, darstellend die nackt auf einem Bett liegende Antiope, die von Jupiter in Satyrgestalt geküßt wird. Der vergoldete Steigebord mit Kanneluren sowie die glanzvergoldete Fahne mit bärtigen Maskarons zwischen mehrteiligen Akanthusranken und stilisierten Palmetten graviert.

Der Teller entstand als Teil eines Dessertservices für König Max I. v. Bayern, das zwischen 1820–26 mit Gemälden der kgl. Gemäldegalerie bemalt wurde (Hantschmann 1996, Kat. 175). Während das Verzeichnis der Gemälde aus dem Jahr 1838 die aus der kurfürstlichen Galerie in München stammende Vorlage noch als Werk Tizians aufführte (Kat.Nr. 634), korrigierte der Katalog

von 1908 die Zuschreibung und wies das Bild Paolo Veronese zu (Kat.Nr. 1133). Das Gemälde gilt heute als „Tizian-Nachahmer" (BStG, Inv.Nr. 475).
Man nimmt an, daß der in Sèvres ausgebildete Maler Louis-Socrate Fouquet (1795 – nach 1831) eigens für die Ausführung der gewünschten Malereien 1820 nach Nymphenburg geholt wurde. Nachdem er eine Reihe von Tellern fertiggestellt hatte, forderte er höhere Bezahlung, lieferte jedoch gleichzeitig etwas flüchtigere Malerei. Im Streit mit dem Obermaler Auer, der daraufhin jeden Teller vor der Lieferung an den Hof begutachtete, um die Zahlung anzuweisen, verließ Fouquet 1821 München und wurde Hofmaler in Sachsen-Gotha. Ebenso wie ein Teller im WLM, Stuttgart, Inv.Nr. 11.255, scheint unser Ex. zu den von Auer abgelehnten Stücken zu gehören. Fouquets malerisch koloristische Handschrift zeigt deutlich eine andere Auffassung als die bis 1826 folgenden, minutiösen Kopien der Vorlagen durch andere Maler.

1334
Große Kratervase
vor 1825, Bemalung Chr. Adler, Gravur J. Haemmerl

H. 53 cm
keine Marke sichtbar, im Bild Mitte rechts bez. „C. Adler"
Inv.Nr. B 457 (Alfred Leverkus, Köln, Februar 1940)

Form wie Kat. 1320. Oberfläche vollständig vergoldet. Fuß und Lippenrand mit schmalen Blattreihen, Wölbung mit großen, stehenden Akanthusblättern graviert. Auf der Wandung ovales Medaillon in breitem, mit Pfeifendekor

und zwei Randstreifen graviertem Rahmen eine originalgetreue Wiedergabe des Gemäldes „Mona Lisa" von Leonardo da Vinci zeigend. Darüber in Gravur hängende, mehrteilige Blütengirlande, die seitlich von geflügelten Genien gehalten wird, die in große Akanthusranken übergehen.
Sockelplatte vermutlich nicht Nymphenburger Porzellan. Brandriß im Inneren der Vase.

Laut Mitteilung des Vorbesitzers erwarb er die Vase in Paris vor dem 1. Weltkrieg aus dem Besitz des ermordeten Präsidenten der Republik, Casimir Perrier, der darüber schrieb: „Quant au vase, il vient d'une vente faite à l' Hôtel des Ventes au nom de la marquise de x. Je n'ai pu savoir qui était cette marquise ce qui n'a rien d'étonnant, les grandes familles cachent en général leurs noms, pour qu'on ne sache pas qu'elles sont forcées de faire vendre leurs objets" (Zitat nach Inventar Dr. Bäuml).

Publ.: Hofmann, S. 641, Abb. 425; Hantschmann 1996, Kat. 192

1335
Antikenteller
um 1833

Ø 23,5 cm
PM: RS; RM: „18", darunter „6"
Inv.Nr. B 599 (Karl Neppel, München, 10.12.1954)

Teller wie Kat. 1135. Im Spiegel auf hellbraunem Fond die antike Plastik „Medusa Rondanini" aus der Kgl. Glyptothek, Steigebord dunkelbraun, Fahne mit cremefarbenem Fond und stehendem Palmette-Lotosfries über eingerollten C-Bögen, brauner Rand.

Vermutlich handelt es sich bei diesem Teller um einen Entwurf für das sog. Onyx-Service, siehe Kat. 1336–1337.

1334

1335

1336

1337

1336
Antikenteller
um 1833

Ø 24,5 cm
PM: RS; RM: „18", darunter „6"
Inv.Nr. B 605 (Karl Neppel, München,
29.4.1955)

Minimal abgesetzter Standring, breiter
Steigebord, schräg ansteigende Fahne.
Im Spiegel rundes Bildfeld mit umlaufender Bordüre aus stilisierten, gegenständigen Goldvoluten auf weißem
Grund. Auf verlaufendem, graurosa
Fond in Grisaille die Portraitbüste des
Feldherrn Themistokles, im rechteckigen Sockel betitelt. Steigebord vergoldet; vergoldete Fahne mit einem ausgesparten, tomatenrot ausgemalten
Mäanderband in der Mitte, Unterseite
weiß belassen.

Publ.: Hojer 1980, Abb. S. 1977;
AK München 1992, Nr. 5.17b, Abb. S. 84

1337
Antikenteller
um 1833

Ø 22,7 cm
PM: RS; RM: „5", „V" und „XXII"
Inv.Nr. B 598 (Karl Neppel, München,
29.4.1955)

Tiefe Tellerform der Kat. 1335. Spiegel
vergoldet; in rotliniertem Kreis auf
weißem Grund rechteckiges Bildfeld
mit rotem Wellenband und stilisierten
Voluten auf weißem Grund in den
Zwickeln als Rahmung eines ovalen
Medaillons; auf verlaufendem, grau-

rosa Fond die Statue der „Sandalenbin-
derin" auf Sockel von Rudolf Schadow
(1786–1822) in Grisaille. Steigebord
und Fahne vergoldet, Bordüre wie
vorige Nr.

Alle drei Teller zeigen Vorstufen
der Entwicklung für das sog. „Onyx-
Service", das König Ludwig I. v. Bayern
1833 in Auftrag gab. Nach Ludwigs
Wunsch sollten alle Teller und Vasen
mit antiken Bildwerken aus seiner
Sammlung bemalt werden, wobei es
dem damaligen Kunstverständnis entsprach, auch Werke zeitgenössischer
Bildhauer als gleichrangig anzusehen,
wenn sie im antiken Stil gearbeitet
waren (siehe Kat. 1337).
Nach Vorlage von Mustertellern, zu
denen wir unsere Stücke zählen, wurde
1836 der Auftrag erteilt, wobei man
sich für runde, mit Bordüren gerahmte
Bildfelder im Spiegel mit braunrotem
Fond und Darstellung der Figuren auf
Sockelplatten in Grisaille, vergoldeten
Steigeborden und Mäanderbordüren

auf der Fahne entschied. Während die
Antikenteller bereits 1836 ausgeführt
waren und Gärtner bis zu seinem Tod
insgesamt 183 Teile fertigstellen ließ,
folgten die letzten Stücke des insgesamt 213 Teile umfassenden Dessertservices erst 1848 unter E. Neureuther
(Hantschmann 1996, Kat. 249). Für
die Antikenrezeption des 19. Jhs. ist
das „Onyx-Service" von einzigartiger
Bedeutung.

Publ.: Hojer 1980, Abb. S. 1977; Hofmann,
S. 630-631; AK München 1992, Nr. 5.17a,
Abb. S. 84

1338   1339

1340

1341

1338–1339
Zwei Gemäldetassen (Abb. s. S. 355)
um 1845–50

Obertassen: H. 7,4 cm, Ø 7,5 cm
Untertassen: **1338**: Ø 13 cm. **1339**: 13,4 cm
Obertassen: PM: RS; RM: „6", Strich und zwei
Punkte eingestochen
Untertasse **1338**: PM: RS 31; RM: „1/5",
zwei Punkte.
Untertasse **1339**: RM: „S"
Inv.Nr. B 801a-b (Kunsthandlung Rudigier,
München, 30.11.1983)

Konische, glatte Tassen auf nach innen
abgesetztem Standring, Bandhenkel in
Ohrform mit Dorn nach innen. Untertassen wie Kat. **985**, bzw. **1210**. Auf
der Tasse gegenüber dem Henkel trapezförmiges, goldgrahmtes Bildfeld mit
feinen Grisaillemalereien allegorischer
Gemälde.

1338: Dame in Phantasiekostüm auf
den Zinnen einer Burg weist mit der
Linken auf die Mondsichel zwischen
Wolken, als Allegorie der „Nacht".
1339: Dame in Phantasiekostüm vor
einem gotischen Maßwerkfenster mit
Blick in eine weite Landschaft im Mor-
genlicht, auf dem Haupt einen Blumen-
kranz, mehrere Blumen in der Linken,
als Allegorie des „Morgens". Untertassen mit stilisierten Blütenrosetten im
Spiegel und breitem Goldrand.

Die Tasse ist eine Variante des „englischen Bechers" der Melchior-Zeit. Sie
erhielt unter Neureuther einen neuen
Henkel mit Dorn und wurde im Preiscourant 1850, S. 7, Nr. 97 als „Becher
ordinär d" bezeichnet. Die Bemalung
folgt einer Vorlage, die Burgenromantik
mit Allegorien verbindet, wie es in der
deutschen Malerei um 1830/40 dem
Zeitgeschmack entsprach.

1340
Plattengemälde nach C. Lorrain
1858, Bemalung F. le Feubure

0,9 x 24 x 30,3 cm
PM: RS und „III"; RM: „25", „13 · 10 · b"
(Größenangabe der Platte), darunter „6"; in
Rot bez. „Probefeuer 22.3./58", im Bild
rechts unten sign. „Ferd. le Feubure 1858"
Inv.Nr. B 749 (Prov. unbekannt)

Rechteckige Platte, Schmalseiten mit
weiß belassenem Rand. Originalgetreue
Kopie des Gemäldes „Idyllische Landschaft bei untergehender Sonne" von
Claude Lorrain; rechts lagern musizierende Hirten, in der Mitte zieht eine
Vierherde durch eine Furt nach links,
wo im Schatten dichter Bäume die Ruine eines korinthischen Tempels steht.

Das 1670 datierte Gemälde von Claude
Lorrain, BStG (MK München 1983,
Nr. 382) bildet das Gegenstück zu
folgender Nummer. Vergleichbare Bild-
paare als Darstellung des „Morgens"
und des „Abends" sind häufig im Werk
Lorrains anzutreffen. Das Gemälde
wurde erstmals 1831 von C. Heinzmann für die Kgl. Sammlung kopiert,
heute Residenzmuseum, München,
Inv.Nr. KIV/Ny 70.

1342

1343

1341
Plattengemälde nach C. Lorrain
um 1858, Bemalung F. le Feubure

0,9 x 25,2 x 36,1 cm
PM: RS; RM: „25 V", „15 · 10½ · b",
darunter „6"; im Bild rechts unten sign.
„le Feubure Ferd."
Inv.Nr. B 752 (Prov. unbekannt)

Rechteckige Platte, an den Schmalseiten weiß belassener Rand. Originalgetreue Kopie des Gemäldes „Hafen
bei aufgehender Sonne" von Claude
Lorrain; im Licht der ersten kräftigen
Sonnenstrahlen beladen im Vordergrund Seeleute ein Boot, links das noch
abgetakelte Schiff, rechts ein antiker
Triumphbogen.

Der Triumphbogen entspricht dem
Titusbogen auf dem Forum Romanum,
der in Lorrains Gemälden mehrfach
Verwendung fand. Das Gemälde entstand 1674 als Gegenstück zu obigem
Bild, heute in der BStG (MK München
1983, Nr. 381). Das Gemälde wurde
erstmals 1832 von C. Heinzmann
für die Kgl. Sammlung kopiert, heute
Residenzmuseum, München, Inv.
Nr. KIV/Ny 71.

1342
Plattengemälde nach C. Lorrain
um 1858, Bemalung F. le Feubure

0,8 x 25 x 34,9 cm
PM: RS; RM: „W" und „$"; im Bild rechts
unten sign. „le Feubure Ferd."
Inv.Nr. B 753

Rechteckige Platte, an den Schmalseiten weiß belassener Rand. Originalgetreue Kopie des Gemäldes „Die Ver-
stoßung der Hagar" von Claude
Lorrain; links die Seitenfassade eines
palastartigen Hauses, von dessen Dach-
terasse Sarah zusieht, wie Abraham auf
ihr Betreiben die Magd Hagar und
ihren gemeinsamen Sohn Ismael aus
dem Haus weist. Die Handlung wird
von dem Blick in eine weite Landschaft
mit Bergen und Meer in weichem Son-
nenlicht dominiert.

Das Gemälde entstand 1668 in Rom
und kam mit der Sammlung des Herzogs Karl II. August von Zweibrücken
nach München, BStG (MK München
1983, Nr. 604). Das Gemälde wurde
erstmals 1833 von C. Heinzmann für
die Kgl. Sammlung kopiert, heute
Residenzmuseum, München, Inv.
Nr. KIV/Ny 72, derzeit im BNM,
Inv.Nr. 62/34.

1343
Plattengemälde nach C. Lorrain
um 1858, Bemalung F. le Feubure

0,5 x 24 x 31 cm
PM: RS; RM: „S", „6" und Strich; im Bild
rechts unten sign. „Ferd. le Feubure"
Inv.Nr. B 750 (Prov. unbekannt)

Rechteckige Platte. Originalgetreue
Kopie des Gemäldes „Hagar in der
Wüste" von Claude Lorrain; unter
einem Baum rechts im Vordergrund
Hagar und das verdurstende Kind
Ismael, davor der rettende Engel, der
den Weg zu einer Quelle weist, links
der Blick in eine weite Berglandschaft.

Die Szene ist aus der Wüste in eine
idyllische Landschaft verlegt. Das ebenfalls 1668 datietre Gemälde ist das
Gegenstück zu voriger Nr., heute BStG
(MK München 1983, Nr. 598). Die erste Kopie des Gemäldes aus dem Jahr
1848 wurde noch von C. Heinzmann
begonnen und nach dessen Tod von
F. le Feubure vollendet, heute im
BNM, Inv.Nr. 62/33.

Nymphenburg im 20. Jahrhundert

Die Ära Albert Bäuml (1888 – 1929)

Am 1.1.1888 übernahm Albert Bäuml (zur Biographie siehe Kat. 1373) die Leitung der Porzellanmanufaktur Nymphenburg, die seit 1856 unter seinem Vorgänger, Ferdinand Scotzniovsky, neben technischen Porzellanen, Laborbedarf, Geschirren mit einfachen Rand- und Druckdekoren nur ein kleines Sortiment an Kunstporzellan produzierte. Das Finanzministerium entschied sich bei der Neuvergabe der Pacht für A. Bäuml, obwohl er als Letzter von 78 Bewerbern seine Unterlagen eingereicht hatte, aufgrund seiner programmatischen Erklärung, „da anzufangen, wo die Alten aufgehört hatten", also die alte Tradition Nymphenburgs mit Kunstporzellanen wieder aufleben zu lassen. Zum Zeitpunkt der Übernahme durch A. Bäuml war die Manufaktur in einem „desolaten Zustand", wie er selbst später erklärte. Binnen weniger Jahre mußten die technischen Einrichtungen fast alle erneuert werden, und nur mit neu eingestelltem Fachpersonal ließen sich Verbesserungen der Porzellanmasse und der Farben erzielen. 1894 wurde das Gießverfahren bei der Figurenproduktion eingeführt. Neben neuen Ausformungen der Modelle des 18. Jahrhunderts lieferten zeitgenössische Künstler Entwürfe für Geschirre und Figuren. Technische Porzellane blieben jedoch noch über Jahre ein wichtiger Einnahmefaktor. Seit 1893 nahm die Manufaktur an allen Welt- und wichtigen Kunstausstellungen teil, die den Ruf ihrer Erzeugnisse dank künstlerischer Leistungen und technischer Perfektion international verbreiteten. Gemeinsam mit seinen Söhnen Dr. Fritz und Alfred, die seit 1912 mitarbeiteten, und Kurt Bäuml, der 1917 in die Manufaktur eintrat, gelang es A. Bäuml, die schwierigen Jahre nach dem 1. Weltkrieg zu meistern. Mit der Wiederauflage aller damals bekannten Bustelli-Figuren sowie zahlreicher Geschirre und Dekore des 18. Jhs. konnte Albert Bäuml nach rund 40 Jahren sein selbst gestelltes Programm noch vor seinem Tod im Jahr 1929 zum Abschluß bringen.

Figuren des 20. Jahrhunderts

Die Wiederaufnahme der Figurenproduktion unter A. Bäuml fiel mit der Neorokoko-Bewegung zusammen, die sich auf der Kunstgewerbeausstellung in München 1888 als moderner Stil durchsetzen konnte. Man schuf jedoch nur wenige neue Modelle in der Auffassung des eklektischen Historismus, sondern begann, anhand von Originalen den Figurenbestand des 18. Jhs. neu auszuformen (Kat. 1344, 1368).

Nymphenburg in the 20th Century

The Albert Bäuml Era (1888 – 1929)

On 1 January 1888, Albert Bäuml (see cat. no. 1373 for his biography) took over the management of the porcelain factory. Under his predecessor Ferdinand Scotzniovsky, since 1856, the factory had primarily been producing technical porcelain, laboratory equipment, and tableware with simple edge and transfer print decors, but only a small assortment of art porcelain. The ministry of finance probably decided to give A. Bäuml the new lease, even though he was the last of 78 to submit his application, because of his programmatic claim "to begin where the ancients had stopped," i.e., to revive the old Nymphenburg tradition of art porcelain. At the time A. Bäuml took over the factory, it was in a "desolate state," as he himself later explained. Within a few years, almost all the technical installations had to be renewed and only with the newly hired specialized staff could an improvement of the porcelain paste and colors be achieved. In 1894, the casting process was introduced for making figures. Aside from new executions of the models of the 18th century, contemporary artists supplied the designs for tableware and figures. Technical porcelain remained, however, an important source of income over many years yet. As of 1893, the factory participated in all world fairs and in all important art exhibitions, which spread the reputation of its products based on artistic achievement and technical perfection. Together with his sons (Dr.) Fritz and Alfred, who had been working at the factory since 1912, and Kurt Bäuml, since 1917, Albert Bäuml was able to overcome the difficult period after World War I. With the re-edition of all the then well-known Bustelli figures as well as numerous pieces of tableware and decors of the 18th century, Bäuml was able to finish the program he had set himself after about forty years, just before his death in 1929.

Figures of the 20th century

The new production of figures under Albert Bäuml coincided with the peak of the neo-rococo movement, which gained acceptance as a modern style at the arts and crafts exhibition in Munich. The concept of historicism did not lead to new models, however; instead one began to execute the figures of the 18th century anew (cat. nos. 1344, 1368).

Den wichtigsten künstlerischen Impuls nach der Jahrhundertwende gab Joseph Wackerle (1880–1959), der im Frühjahr 1905 als junger Bildhauer seine ersten Modelle für Porzellan schuf (Kat. 1345–1349). Auch nach seiner Berufung an die Unterrichtsanstalt am Kunstgewerbemuseum in Berlin 1909 und der Rückkehr nach München 1917 blieb er über Jahrzehnte der Manufaktur verbunden und gehört zu den bedeutendsten Porzellanplastikern des 20. Jahrhunderts. Höfische Aufträge gaben der Manufaktur immer wieder Gelegenheit, an das Erbe des 18. Jahrhundert anzuknüpfen (Kat. 1371, 1372).

Als einzige Porzellan-Manufaktur stellte man in Nymphenburg seit etwa 1905 auch unglasierte Terrakotten und Majoliken her (Kat. 1369–70, 1377–78), die für Gartendekorationen, Raumausstattungen und als Baukeramik Verwendung fanden.

The most important artistic impulse after the turn of the century came from Joseph Wackerle (1880–1959), who created his first models for porcelain as a young sculptor in the spring of 1905 (cat. nos. 1345–1349). Even after being appointed to the school of the Kunstgewerbemuseum in Berlin in 1909 and after returning to Munich in 1917, he continued to be associated with the factory over decades and belongs to the most important porcelain sculptors of the 20th century. Royal commissions always gave the factory new opportunities to draw on the heritage of the 18th century (cat. nos. 1371, 1372).

Being the only porcelain factory in Germany, Nymphenburg also produced unglazed terracotta and majolica (cat. nos. 1369–70, 1377–78), used for garden decoration, interiors, and as building material, as of about 1905.

1344
Kavalier und Dame
um 1893, Neuausformung nach
J. Ponhauser

H. 15,4 cm
PM: RS 41, Strich; MM: „U."; aufgemaltes Rautenschild mit Goldrand vorne am Sockel
Inv.Nr. CB 3 (Familienbesitz)

Auf unregelmäßigem Schollensockel mit Golddekor ein schreitendes Paar, die Dame links in lindgrünem Rock, weißem Überkleid mit bunten Blumen, der Kavalier rechts in schwarzen Hosen, lila Weste und hellblauem Rock. Zartes Inkarnat.

Es handelt sich hier um eine ungenaue Nachbildung eines Ponhauser-Modells, das für das Gartendessert 1755 entstanden ist. Im Vergleich zu zwei zeitgenössischen Ausformungen des 18. Jhs. im BNM, Inv.Nr. Ker 2113 u. 2114, differieren der Sockelumriß und die Form des Fächers, es fehlt der Hut des Kavaliers unter seinem linken Arm, und in der Gestaltung von Armen und Händen bestehen leichte Unterschiede. Auch die Farbgebung der Bemalung ist nicht historisch. Da die Neuausformungen der 1890er Jahre von Gipsmodellen stammen, die den Vorbildern abgenommen wurden, ist durch den Schwund des Materials beim Trocknen und Brennen das Ergebnis um $1/7$ kleiner.

1345
Dame mit Muff (Abb. s. S. 360)
1906, J. Wackerle

H. 35 cm
PM: RS 47; RM: „163" (Modell-Nr.); auf der Oberseite des Sockels rückseitig braunes Feld mit ausgespartem Monogramm „JW."
Inv.Nr. A 263 (Familienbesitz)

Auf einer geschwungenen Sockelplatte im Gehen nach vorn gebeugte Dame in bodenlangem, hellbraunem, mit geritztem Karomuster versehenem Rock; braune Schoßjacke mit Achselschlaufen, auf dem braunen Haar ein weißes Tuch mit Bogenfransen, die Hände in einem weiß, braun-grau melierten Muff vor der Taille. Zartes Inkarnat.
Bemalung in Unterglasur.
Weißer Fleck am Rock auf der Rückseite. Schleifen bestoßen.

Unbemalt im MStm, Inv.Nr. K 73/1004 (MK München 1974, Nr. 133), und MKH, Frankfurt, Inv. Nr. 4981 (MK Frankfurt 1990, Nr. 38). Die Figur wurde im April 1906 erstmals ausgeformt und zusammen mit einem unbemalten Modell, der „Dame im Sessel", anschließend auf der III. Deutschen Kunstgewerbeausstellung in Dresden präsentiert. Beiden Figuren, „die unstreitig das beste sind, was in der neuen Zeit auf dem Gebiet der figürlichen Porzellanplastik geschaffen worden ist", zollte die Kritik höchste Aufmerksamkeit (Zimmermann 1906, S. 235). Eine der folgenden Figuren war auf der Gedächtnisausstellung J. Wackerle (AK München 1960, Nr. 96). Eine Figur mit obiger Staffage, ausgeführt von Robert Böck, im KGM, Köln, Inv.Nr. E 3855 (MK Köln 1975, Nr. 187).

Publ.: Zimmermann 1907; Ziffer 1987, S. 303, 306

1344

1345

1347
Dame mit Muff
1906, J. Wackerle, Bemalung 1907/09

H. 35 cm
PM: RS 46; RM: „163"; MM: auf der Oberseite des Sockels rückseitig braunes Feld mit
ausgespartem Schriftzug „J Wackerle"
Inv.Nr. A 261 (Familienbesitz)

Modell wie vorige Nr., der dunkelbraune Rock mit ausgekratzten rosa
Blüten und hellgrünen Blättern gemustert, graue Jacke und Kopftuch, weiß-
braun gefleckter Muff. Bemalung in
Unterglasur.
Bogenfransen an einem Bandende
defekt.

Publ.: Kat. 1914, Taf. 28

1348
Dame im Sessel
1906, J. Wackerle, Bemalung 1907

23,4 x 18,5 x 28,7 cm
PM: RS 47; RM: „164"; auf der Oberseite des
Sockels rechts braunes Feld mit ausgespartem
Schriftzug „JWackerle"
Inv.Nr. A 275 (Familienbesitz)

1346

1347

1346
Dame mit Muff
1906, J. Wackerle, Bemalung 1907/09

H. 35 cm
PM: RS 46; RM: „163"; auf der Oberseite des
Sockels rückseitig braungraues Feld mit aus-
gespartem Schriftzug „JWackerle"
Inv.Nr. A 262 (Familienbesitz)

Modell wie vorige Nr., jedoch Rock
graubraun meliert mit grünen Wellenstreifen; Jacke und Haar braun, Kopftuch weiß, Muff silbergrau mit weißen
Tupfen. Bemalung in Unterglasur.
Verzierungen am Kopftuch leicht
beschädigt.

Mit waagrechten Streifen im KGM,
Berlin, Inv.Nr. WA 2 (MK Berlin
1966, Nr. 115), ebenso im Kat. 1914,
Taf. 33. Mit grünen Tupfen im Rock
das Ex. im BNM, Inv.Nr. 84/130.

1348

1349

Rechteckiger Sockel mit abgeschrägten Ecken, darauf ein Sessel mit rosa-
grünem Blumenmuster in der Polste-
rung, in dem sich eine Dame entspannt
zurücklehnt und mit einem blauen
Fächer in der Rechten Kühlung zu-
fächelt, die Beine in violetten Strümpfen kokett übereinandergeschlagen und
das dunkelbraune Kleid mit mattblauen
Volants samt weißem Unterrock über
die Knie hochgezogen. Grüne Schuhe.
Bemalung in Unterglasur.
Ausgekitteter Brandriß auf der Rückseite.

Vergleichsstück im Werdenfelser Heimatmuseum, Garmisch-Partenkirchen,
und mit einer Bemalung von L.C.
Frenzel im Archiv der Manufaktur
(AK Hohenberg 1995, Abb. 308). Eine
der folgenden Figuren war auf der Gedächtnisausstellung J. Wackerle (AK
München 1960, Nr. 95).

Publ.: Kat. 1914, Taf. 30

1349
Dame im Sessel
1906, J. Wackerle, Bemalung 1907

23,4 x 18,5 x 28,7 cm
PM: RS 46; RM: „164"; auf der Oberseite des
Sockels rechts grünes Feld mit ausgespartem
Schriftzug „JWackerle"
Inv.Nr. A 276 (Familienbesitz)

Modell wie vorige Nr., das Polster blau-
beige meliert mit geritztem Rauten-
muster, das Kleid grün mit weißen Streifen und weißen Volants, die Strümpfe
hellgrau, der Fächer blaumeliert.
Bemalung in Unterglasur.
Ausgekittete Brandrisse im Sockel
rückseitig.

Weitere Bemalungen mit beigem Kleid
im KGM, Köln, Inv.Nr. E 4722 (MK
Köln 1975, Nr. 186) und grünkariertem
Kleid im BNM, Inv.Nr. 84/131.

1350
Pierrot und Pierrette (Abb. s.S. 362)
1906, J. Wackerle, Bemalung 1907

H. 31,5 cm
PM: RS 47; RM: „170"; auf der Oberseite des
Sockels rechts braunes Rechteck mit ausge-
spartem Schriftzug „JWackerle"; Etiketten
bez. „No. 2" und „i 178"
Inv.Nr. A 264 (Familienbesitz)

Auf asymmetrischer Sockelplatte ein
beschwingtes Paar, links Pierrette in
Rokokokostüm mit altrosa Rock, dessen
Pliséesaum mit blauen Bordüren verziert ist, braunem Überkleid mit weiß
geritztem Spitzenmuster, hellgrau ge-
puderter Perücke, dunkelbrauner Gesichtsmaske und gelbroten Schuhen.
Pierrot, der seine Dame mit der rechten Hand am Kinn liebkost, in altrosa
Kostüm mit brauner Garnierung und
dunkelbraunem Hut; altrosa Nasenmaske. Zart getöntes Inkarnat.
Bemalung in Unterglasur.

1350

Gesichtsmaske graubraun. Der Kavalier in braungrauem Kostüm. Bemalung in Unterglasur.

Ebenso staffiert das Ex. im KGM, Berlin, Inv.Nr. WA 3 (MK Berlin 1966, Nr. 117), die Dame in blaugrau-grünem Kleid, Pierrot in Grüngrau ebenfalls KGM, Berlin, Inv.Nr. 1988/54. Nachdem Wackerle 1909 nach Berlin übersiedelt war, führte L.C. Frenzel die Unterglasurbemalung der Figuren aus, siehe Kat. 1352, 1355, 1362-63, 1366, zum Künstler siehe Kat. 1428.

1353
Dame mit Äffchen
1906, J. Wackerle, Bemalung 1907

26,5 x 21,3 x 18,5 cm
PM: RS 47; RM: „185"; auf der Oberseite des Sockels in blauem Feld ausgesparter Schriftzug „JWackerle"; alte Etiketten: „No 3",
„O.N. 805" und „h 178"
Inv.Nr. A 272 (Familienbesitz)

Auf asymmetrisch geschwungener Sockelplatte ein halbrunder, weißer Gartenstuhl mit dunkelgrauem, weiß gerautetem Sitzpolster, darin eine sich nach rechts zurücklehnende Dame in blauem Straßenkostüm mit dreifach gestuftem, weiß gesäumtem Rock über einem gerüschten Unterrock, einen blauen Hut mit weißer Straußenfeder

1351

Eine Figur mit dieser Staffierung im Grassimuseum, Leipzig, Inv.Nr. 13.44 (MK Leipzig 1983, Nr. 131). Eine der folgenden Figuren war auf der Gedächtnisausstellung J. Wackerle (AK München 1960, Nr. 97).

1351
Pierrot und Pierrette
1906, J. Wackerle, Bemalung 1907

H. 31,5 cm
PM: RS 46 und „170"; auf der Unterseite in Grau bez. „Original"; auf der Oberseite des Sockels braunes Feld mit ausgespartem Schriftzug „JWackerle"
Inv.Nr. A 265 (Familienbesitz)

Modell wir vorige Nr., das Kleid der Dame orangerot, der Rock mit ausge-

ritztem Blütenrankenmuster, die Bordüren rotbraun. Der Kavalier mit orangeroter Nasenmaske in rotbraunem Kostüm. Bemalung in Unterglasur.

1352
Pierrot und Pierrette (o. Abb.)
1906, J. Wackerle, Bemalung
L. C. Frenzel nach 1909

H. 31,5 cm
PM: RS 46; RM: „170", darunter „3"; auf der Oberseite des Sockels in dunkelgrauem Feld der ausgesparte Schriftzug „JWackerle", darunter „L.C.F."
Inv.Nr. A 266 (Familienbesitz)

Modell wie vorige Nr., das Überkleid der Dame altrosa, der dunkelgraue Rock mit geritzten Blütenstreifen,

auf dem brünetten Haar, unter dem Kinn mit einer Schleife gebunden. Schuhe grün. Mit der Rechten füttert sie ein graubraunes Äffchen, das auf der Lehne neben ihr sitzt und die linke Pfote auf die Schulter seiner Besitzerin gelegt hat. Zartes Inkarnat. Bemalung in Unterglasur.
Haarriß im Sockel.

Ein Ex. in hellblauem Kleid, jedoch mit gestreiftem Polster im KGM, Berlin, Inv.Nr. WA 4. Erst diese Figur als Gegenstück zur „Dame mit Muff" klärt den Zusammenhang beider Modelle, die bewußt Kontraste verkörpern: das hochgeschlagene Kleid und der Kühlung verschaffende Fächer interpretieren den Sommer bei hohen Temperaturen – der wärmende Muff und die Haube den Winter mit Eiseskälte. Ebenso symbolisieren die Figuren die konträren Charaktere der Damen: einerseits die legere Kokette – andererseits die biedere Bürgersfrau. Somit gelang es Wackerle, mit seinen Erstlingswerken durchaus die Nachfolge Bustellis anzutreten. Ernst Zimmermann bemerkte, daß beide Figuren „die Sensation der letzten Deutschen Kunstgewerbe-Ausstellung zu Dresden waren. Wer sieht nicht hier [...] den modernen Geist, der ein bißchen frivol wird, ein bißchen Simplizissimusart verrät und doch dabei rein humoristisch, rein gefällig und zierlich bleibt und so Wesen

1355

1353

schafft, die alle in gleicher Weise für uns lebendig sind" (Zimmermann 1907). Eine der folgenden Figuren war auf der Gedächtnisausstellung J. Wackerle (AK München 1960, Nr. 94).

Publ.: Kat. 1912, Taf. 33; Miller 1986, Abb. S. 3023

1354
Dame mit Äffchen (o. Abb.)
1906, J. Wackerle, Bemalung 1907

26,5 x 21,3 x 18,5 cm
PM: RS 47; RM: „185"; auf der Oberseite des Sockels in graugrünem Feld ausgesparter Schriftzug „JWackerle"
Inv.Nr. A 273 (Familienbesitz)

Modell wie vorige Nr., das Polster hellgrau mit dunkleren Streifen, das Kleid graugrün mit dunkelgrünen Verzierungen, hellbraune Bluse, dunkelgrüner Hut, zartes Inkarnat. Bemalung in Unterglasur.
Stuhllehne gekittet, ausgekitteter Brandriß auf der Rückseite.

1355
Dame mit Äffchen
1906, J. Wackerle, Bemalung
L. C. Frenzel nach 1909

26,5 x 21,3 x 18,5 cm
PM: RS 46; RM: „185" und „3"; RS 46 blaustaffiert rechts vorne am Sockel, auf der Oberseite in hellbraunem Feld ausgesparter Schriftzug „JWackerle L.C.F."
Inv.Nr. A 274 (Familienbesitz)

1356

1356
Husar
1907, J. Wackerle

H. 37,5 cm
PM: RS 46; RM: „246"; auf der Oberseite des
Sockels in dunkelgrauem Rechteck ausgespar-
ter Schriftzug „JWackerle"
Inv.Nr. A 268 (Familienbesitz)

Auf asymmetrisch ausgeschnittener
Sockelplatte stehender Offizier mit
Schnurrbart, das linke Bein vorgestellt,
die rechte Hand zum Gruß am dunkelbraunen Tschako mit hellgrünen Kor-
deln; flaschengrüne Uniform aus Kniehosen, Jacke mit weißer Verschnürung
und graubraunen Stiefeln. Über der
linken Schulter einen kurzen, dunkelbraunen Umhang mit hellbraunem
Pelz verbrämt, am Gürtel eine braune
Umhängetasche mit reliefiertem Monogramm JW. Bemalung in Unterglasur.

Mit dieser Bemalung im KGM, Berlin,
Inv.Nr. WA 1 (MK Berlin 1966, Nr.
115). Der „Husar" wurde als Gegenstück zur „Dame mit Muff" entworfen,
um ein Paar zu bilden. Auch in der
Farbauswahl der Staffagen beziehen
sich beide Modelle aufeinander. Die
erste Präsentation des Paares war auf
der Dresdner Kunstausstellung 1908.
Eine der folgenden Figuren war auf der
Gedächtnisausstellung J. Wackerle
(AK München 1960, Nr. 98).

Publ.: Kat. 1912, Taf. 38

1357
Husar (o. Abb.)
1907, J. Wackerle

H. 39,5 cm
PM: RS 46; RM: „246"; auf der Oberseite des
Sockels in braunem Feld ausgesparter Schrift-
zug „JWackerle"; altes Etikett bez. „327"
Inv.Nr. A 269 (Familienbesitz)

Modell wie vorige Nr., die Uniform in
dunklem Schokoladenbraun mit Beige.
Bemalung in Unterglasur.

Publ.: Kat. 1914, Taf. 28

Modell wie vorige Nr., das Polster hell-
grau mit blauem Blumenmuster, das
Kleid hellgrau mit grünen Säumen und
Knöpfen, der Hut dunkelpetrol mit
blauem Band und hellblauer Feder,
das Äffchen hell- und dunkelbraun.
Bemalung in Unterglasur.
Ausgekittete Brandrisse am Sockel.

1358
Türkengruppe
1907, J. Wackerle

H. 18 cm
PM: RS 46; RM: „252"; auf der Fächer-Rück-
seite weiß umrandeter Schriftzug „Wackerle"
Inv.Nr. A 281 (Familienbesitz)

Auf einem blau-grün gestreiften Kissen
dunkelhaarige Dame im Schneidersitz
in türkischer Kleidung aus blauen Pluderhosen und Fez mit einem braun-
grün-blau marmorierten Fächer in der
Linken, die Rechte auf der Schulter
eines schnauzbärtigen Türken in braun-
grün-gelb meliertem Hosengewand
mit weißen Wellenstreifen, langer grüngestreifter Jacke und einem perlen-
geschmückten, blaugestreiften Turban
auf dem Kopf. Der Osmane lehnt sich
an seine Odaliske, hat ebenfalls die
Beine überkreuzt und trägt blaue Pan-
toffeln. In der angehobenen Rechten
hält er eine Pfeife. Zartes Inkarnat.
Bemalung in Unterglasur.
Pfeife fehlt, Brandriß am Hals der
Dame.

Mit gleicher Bemalung im KGM, Ber-
lin, Inv.Nr. WA 6 (MK Berlin 1966,
Nr. 116). Eine der folgenden Figu-
ren auf der Gedächtnisausstellung
J. Wackerle (AK München 1960,
Nr. 101).

Publ.: Kat. 1914, Taf. 29

1358

1360

1359
Türkengruppe (o. Abb.)
1907, J. Wackerle, Bemalung R. Böck

H. 18 cm
PM: RS 47; RM: „252", darunter „3"; auf der
Rückseite des Fächers geritzt „JWackerle",
darunter „R.B."
Inv.Nr. A 282 (Familienbesitz)

Modell wie vorige Nr., das Kissen blau-
weiß gestreift, die Kleidung der Dame
blau mit dunkelgrüner Bluse und blauem Fez, Fächer außen weiß-blau-beige-
braun und grün gemustert. Der Mann
in gestreiftem Gewand in Beige, Blau,
Grün und Braun, grün-braun gestreifte
Jacke, blauer Turban mit grünem Halbmond. Zartes Inkarnat. Bemalung in
Unterglasur.

Robert Böck (geb. 1890) war von 1904
bis 1932 als Maler in Nymphenburg
tätig.

1360
Türkengruppe
1907, J. Wackerle

H. 18 cm
PM: RS 46, darunter „252", darüber „2"
Inv.Nr. A 283 (Familienbesitz)

Modell wie vorige Nr., Kissen braun-
beige Streifen, Kleidung der Dame hell-
blau mit weißen Litzen und grün-braun
gemustertem Fächer. Türke in grünem
Gewand mit geritztem, bräunlichem
Paiselymuster, grünen Schuhen und
hellgrünem Turban. Zartes Inkarnat.
Bemalung in Unterglasur.
Pfeife fehlt.

1361

1361
Spanische Tänzer
1909/10, J. Wackerle

H. 35,5 cm
PM: RS 47; RM: „281"; auf der Oberseite des
Sockels in grauem Feld ausgesparter Schriftzug
„JWackerle"
Inv.Nr. A 271 (Familienbesitz)

Auf dreieckig gerundeter Sockelplatte
spanisches Tanzpaar beim Flamenco.
Die Dame in schwingendem, dunkelbraunem Kleid mit blauen Rüschen und
ausgeritztem, rosa-blau-grünem Blütenmuster, in der erhobenen Rechten einen gelbbraunen Fächer, die Linke in
die Hüfte gestützt, der grüne Schal von
der Schulter gefallen. Ihr Partner mit
Kastagnetten in den erhobenen Händen
trägt altrosa Strümpfe, braune Kniehosen und kurze Jacke mit Schulter-
quasten, eine gelbbraune Schärpe und
einen braunen runden Hut über einem
altrosa Kopftuch, das Haar zum Zopf
gebunden. Deutliches Inkarnat.
Bemalung in Unterglasur.

Die Kostümierung als Zigeunerin und
Torero zeigt den Tanz als folkloristische
Abendunterhaltung, die spanische
Tanzpaare in Deutschland auf Klein-
bühnen und in Kabaretts darboten.
Zu diesen Künstlern gehörte z. B. die
Spanierin Rosita Romero, die um 1908
in München auftrat (Ziffer 1989a,
S. 544). Ein Vergleichsstück in unbe-
kanntem Besitz (Neumeister, Mün-
chen, 21.9.1989, Nr. 2109). Die ver-
mutlich erste Bemalung war nur in
Unifarben (Dekorative Kunst, XIV,
Oktober 1910, S. 41).

1362
Pierrot und Pierrette mit Vogelkäfig
1909/10, J. Wackerle, Bemalung
L. C. Frenzel

H. 32,5 cm
PM: RS 46, ein zweier auf der Oberseite
des Sockels blaustaffiert; RM: „282",
darunter „3"; auf der Oberseite des Sockels
in braunem Feld ausgesparter Schriftzug
„JWackerle L.C.F."
Inv.Nr. A 270 (Familienbesitz)

Auf unregelmäßig ovaler Sockelplatte
sich deutlich nach vorne beugendes
Paar, gegenseitig untergehakt. Pierrot
links in zartlila-weiß gerautetem Kostüm mit dunkelbraunen Schuhen,
Gürtel, Gesichtsmaske und Hut, den
rechten Arm auf dem Rücken. Die
Dame rechts in altrosa Kleid mit dunkelbraunen Rüschen, dunkelbrauner
Gesichtsmaske und flaschengrünem
Hut, unter dem linken Arm einen gelb-
braunen Vogelkäfig. Zartes Inkarnat.
Bemalung in Unterglasur.

Das Modell entstand im Auftrag des
Porzellanhändlers Stern in Paris. Unbe-
malt im KGM, Berlin, Inv.Nr. WA 5.
Die Gruppe in einer Bemalung von L.C.
Frenzel Slg. Bröhan, Berlin (AK Berlin
1969, Nr. 907) und mit etwas anderer
Staffierung in unbekanntem Besitz
(Neumeister, München, 20.9.1978,
Nr. 458).

Publ.: AK München 1960, Nr. 102

1362

1363

1364
Tegernseerin
1910, J. Wackerle

H. 36 cm
PM: RS 46; RM: „488"; auf der Rückseite
hellblaues Feld mit ausgespartem Schriftzug
„JWackerle"
Inv.Nr. A 278 (Familienbesitz)

Modell wie vorige Nr., Kleid in hel-
lem Grünblau mit dunkelgrün-weißen
Karos; blaugraue Schürze mit weißen
Streifen, hell graubrauner Hut, Ohrrin-
ge und Halsband grün. Zartes Inkarnat.
Bemalung in Unterglasur.

Publ.: Dekorative Kunst, XV, Oktober 1911,
Abb. S. 26; Kat. 1914, Taf. 29

1364

1363
Tegernseerin
1910, J. Wackerle, Bemalung
L. C. Frenzel

H. 36 cm
PM: RS 46; RM: „488"; auf der Rückseite
in braunem Feld ausgesparter Schriftzug
„JWackerle", darunter „L.C.F."
Inv.Nr. A 277 (Familienbesitz)

Auf quaderförmigem Sockel sitzende
Bäuerin, die Hände in den Schoß gelegt; in bodenlangem, dunkelgrünblau-
em Kleid mit großem Karomuster, blaugraue Schürze mit hellen, geritzten
Streifen, einen dunkelbraunen, flachen

Hut auf dem hochgesteckten Haar.
Blaue Ohrringe. Deutliches Inkarnat.
Bemalung in Unterglasurblau.

Ein Vergleichsstück im Werdenfelser
Heimatmuseum, Garmisch-Parten-
kirchen sowie im BNM, Inv.Nr.
77/123. In blauem Kleid ohne Karo-
muster in einer Bemalung von L. C.
Frenzel im KGM, Berlin, Inv.Nr. WA 7.
Eine der folgenden Figuren war auf der
Gedächtnisausstellung J. Wackerle
(AK München 1960, Nr. 100).

Publ.: Westermanns Monatshefte, 56. Jg.,
1911/12, Abb. S. 588

1365
Bayerischer Chevauleger
(o. Abb.)
1913, J. Wackerle

H. 30,5 cm
PM: RS 46, „387" und „1"; MM: in Grün
bez. „N. 1"
Inv.Nr. A 279

Ovaler, aufgewölbter Sockel in Graugrün mit einer Trommel neben Baumstumpf, darauf naturalistisch bemalter,
nach rechts steigender Apfelschimmel
mit blauer Satteldecke. Reiter in der
Uniform eines Chevaulegers mit braunen Stiefeln, weißer Hose, dunkelgrün-
roter Jacke und braunschwarzem Raupenhelm mit gelbem Busch; die linke
Hand am Zügel, in der Rechten der
gezogene Degen. Zartes Inkarnat.
Bemalung in Unterglasur.
Schwertspitze, Zügel, Feder abgebrochen. Glasur stellenweise aufgeplatzt.

1366
Bayerischer Chevauleger
1913, J. Wackerle, Bemalung von
L. C. Frenzel

H. 30,5 cm
PM: RS 46 und „2" auf der Unterseite, ein
zweiter RS 46 blaustaffiert vorne am Sockel;
RM: „387"; grün bez. „N. 16"; auf der Ober-
seite des Sockels rückseitig ausgeritzt
„JWackerle", unter der Trommel „L.C.F."
Inv.Nr. A 280 (Familienbesitz)

Form wie vorige Nr., der Chevauleger
in grün-rosa Uniformjacke und brau-
nem Raupenhelm mit schwarzem
Busch. Zartes Inkarnat. Bemalung in
Unterglasur.
Zügel defekt, Degenspitze fehlt.

Das Modell „Chevauleger" wurde als
limitierte Serie in nur 25 Exemplaren
ausgeformt und nach einem Subskrip-
tionsverfahren ab Oktober 1913 ausge-
liefert.

Publ.: Dekorative Kunst, XVII, August 1914,
Abb. S. 522

1366

1367

1367
Perlhuhn
um 1910, T. Kärner

H. 23,5 cm
PM: RS 46; RM: „454"
Inv.Nr. CB 21 (Familienbesitz)

Auf Natursockel mit Aststumpf sitzendes Perlhuhn nach links, den Kopf gesenkt und dem Betrachter zugewandt. Naturalistische Bemalung mit Braun- und Blautönen in Unterglasur.
Risse auf der Unterseite des Körpers.

Der Bildhauer Theodor Kärner (1884–1966) war zwischen 1905 und 1918 in der Manufaktur als Modelleur angestellt. Neben seinen unvergleichlich naturnahen Tierdarstellungen war er auch an den Neuausformungen der Bustelli-Modelle beteiligt und schuf einige figürliche Porzellanplastiken. Ein von Alfred Zobl 1912 staffiertes „Perlhuhn" im KGM, Berlin, Inv.Nr. WA 16 (MK Berlin 1966, Nr. 119), mit gleicher Staffage ohne Signatur im Hessischen Landesmuseum, Darmstadt, Inv.Nr. Kg 64:74 (vgl. G. P. Woeckel, Die Tierplastik der Nymphenburger Porzellan-Manufaktur, München, 1978, S. 150, Nr. 47a).

1368
Büste Graf Sigmund von
Haimhausen (Abb. s. S. 15)
1910, Neuausformung nach Modell von F. A. Bustelli, vollendet von D. Auliczek; Bemalung G. Unger

H. 44 cm
PM: RS 47; innen im Sockel in Schwarz bez. „Neue Ausformung", gegenüber „G. Unger 1910 cop." und „8278"
Inv.Nr. A 284 (Familienbesitz)

Über einem reich mit goldenen Voluten geschmückten, viereckigen Sockel tra-

gen vergoldete Rocaillen die unbemalte, fast lebensgroße Büste des Grafen, der um den Hals, an rotmoiréefarbenem Band, das vergoldete Kerykeion trägt. Die Locken werden von einer schwarzen Schleife im Nacken gehalten.
Brandrisse auf der Unterseite des Sockels, Schleife defekt, eine Locke abgebrochen.

Hierbei handelt es sich um das Zweitstück einer Neuausformung nach dem, nur in einem Exemplar erhaltenen Original des 18. Jhs. aus dem Besitz der

bayerischen Salinenverwaltung, das im Jahr 1910 als museales Objekt an das BNM abgegeben wurde, Inv.Nr. Ker 4369. Man geht heute davon aus, daß Bustelli die Büste geschaffen hat, und nach seinem Tod Auliczek den Sockel hinzufügte und damit das Werk vollendete.
Der Maler Gustav Unger (1869–1949) war von 1893 bis 1945 als Blumen- und Figurenmaler in der Manufaktur tätig.

1369

1370

1369
Ceres als Sommer
1912, nach einem Modell des späten 18. Jhs.

Roter Ton, weiß glasiert
H. 133 cm
PM: großes Rautenschild auf dem Sockel
Inv.Nr. A 258 (Familienbesitz)

Auf ovalem, naturalistisch gestaltetem Sockel leicht nach links gewandte Figur mit halb entblößtem Oberkörper, in der erhobenen Linken eine Sichel, in der rechten Hand Kornähren, ein Ährenkranz auf dem Kopf, locker geschlungenes Gewand.

Sichel abgebrochen und locker, Ährenkranz abgebrochen und gekittet, Ferse und Sockel bestoßen.

1370
Bacchus als Herbst
1912, nach einem Modell des späten 18. Jhs.

Roter Ton, weiß glasiert
H. 139 cm
ohne Marke
Inv.Nr. A 259 (Familienbesitz)

Sockel wie vorige Nr., stehende männliche Figur mit einem Fell über linker

Schulter und Scham; Trauben in beiden Händen, einen Traubenkranz im Haar.

Beide Figuren wurden von dem Münchner Architekten Gabriel v. Seidl (1848–1913) nach alten, von ihm gelieferten Holzfiguren für zwei Nischen im Oberlichtsaal des Restaurants im Klubhaus Palais Preysing in München bestellt (KuH, 63, Juni 1913, Abb. 699), das im 2. Weltkrieg ausgebombt wurde.

1371

1371
Welfenroß als Tafelaufsatz

1913, J. Wackerle, Bemalung G. Unger

H. 62 cm
PM: RS 47; in Schwarz bez. „G. Unger"
Inv.Nr. CB 43 (Familienbesitz)

Hoher, geschweifter Sockel mit bunter
Blumenmalerei und Schmetterlingen
auf goldstaffierten Volutenfüßen. Sockel
schräg nach vorne ansteigend und in
einer Volute endend, darauf eine große
Wappenkartusche mit farbigem Wappen der Herzöge von Braunschweig
und Lüneburg liegend, flankiert von
einem Putto mit der purpur-goldenen
Herzogskrone in beiden Händen.
Darüber ein steigender, naturalistisch
bemalter Apfelschimmel. Auf der Stirnseite des Sockels in Gold: „Vierund-
zwanzigster Mai Neunzehnhundert-
dreizehn".
Reparierter Brandriß am rechten
Vorderlauf.

Der Tafelaufsatz bildete zusammen
mit einer ovalen Unterplatte den Mit-
telpunkt eines Services, das 1912/13
im Auftrag des Landesdirektoriums
der Provinz Hannover für Herzog Ernst
August von Braunschweig und Lüneburg und die Kaisertochter Victoria
Luise als Hochzeitsgeschenk geschaffen
wurde. Der Tafelaufsatz stellt das heral-
dische Welfenroß des Herzogtums mit
Attributen der dynastischen Verbindungen dar. Das Service war für 50 Personen gedacht und umfaßte für 11 Gänge
etwa 700 Einzelteile. Für die Mehrzahl
der Teller, Platten und Schalen wurde
das alte kurfürstliche Hofservice zur
Grundlage der rund 400 allerdings
jeweils unterschiedlichen Bemalungen.

Publ.: Ein Prunkservice der Staatlichen
Porzellan-Manufaktur Nymphenburg, in:
Dekorative Kunst, XXV, Januar 1922,
S. 94–100, Abb. gg. S. 96

1372
Bayerischer Löwe als Tafelaufsatz
1918, J. Wackerle, Bemalung G. Unger

H. 57,5 cm
PM: RS 48 auf der Unterseite, RS 47 mit
blauer Staffage auf der Stirnseite des Sockels;
auf der Rückseite in Gold bez. „20. Februar
1868–1918", auf der Unterseite in Schwarz
bez. „G. Unger geb. 1869"
Inv.Nr. CB 47 (Familienbesitz)

Auf einer konturierten Sockelplatte mit
getrepptem, blau- goldstaffiertem Profil
steht ein viereckiger, leicht ansteigender Sockel, der in eine hohen Volute
übergeht und mit plastischen Blumen
besetzt sowie bunten Blumenbuketts
und Schmetterlingen mit einer Staffage
in Purpur, Blau und Gold bemalt ist.
Darauf aufrecht sitzender Löwe in Hellbraun, den Kopf zur Seite gewandt.
Mit der rechten Pranke stützt er sich
auf die Volute, mit der linken Pranke
hält er eine Wappenkartusche mit dem
farbigen Wappen des Königreiches
Bayern in Relief, darüber eine plastisch
durchbrochene Krone in Purpur und
Gold.

Duplikat einer Anfertigung anläßlich
der Goldenen Hochzeit von König
Ludwig III. v. Bayern (1845–1921) mit
Marie Therese, geb. Erzherzogin von
Österreich-Este (1849–1919).

Publ.: Dekorative Kunst, XXII, Oktober 1918,
gg. S. 17

1372

1374

1375

1373
Büste Albert Bäuml
1920, B. Bleeker

H. 23 cm
RM: auf der Rückseite bez. und
dat. „B. Bleeker 1920"
Inv.Nr. A 285 (Familienbesitz)

Kopf nach dem Leben porträtiert, mit
kleinem, rechteckigem Sockel am Hals-
ansatz. Unbemalt.

Albert Bäuml wurde am 15.6.1855 in
Theusing b. Karlsbad als Sohn eines
Meierhofpächters auf den Gütern des

1373

Herzogs von Beaufort geboren. Nach
einer kaufmännischen Ausbildung in
Pilsen zwang ihn die schlechte wirtschaftliche Lage in Böhmen um 1870,
eine Stellung in einer Augsburger
Textilfirma anzunehmen. Auf einer
seiner zahlreichen, damit verbundenen
Reisen durch ganz Bayern lernte er
in Passau die Patriziertochter Therese
Obermeyer kennen, die er am 9.9.1884
heiratete. Im Jahr 1887 bewarb er sich
auf Anregung seines Schwagers Albert
Lenck, dessen Frau Lina die Passauer
Porzellanfabrik Dressel, Kister & Co.
gehörte, um die Pacht der Nymphenburger Porzellanmanufaktur, deren
Leitung er 1888 übernahm. Seinen
wirtschaftlichen Erfolg dokumentierte
die Verleihung des Titels „Kgl. Kommerzienrat" am 25.12.1900. Im Jahr
1914 erhielt er das „Ritterkreuz 1.
Klasse mit Eichenlaub vom Großher-
zoglich Badischen Orden von Zähringer
Löwen". Am 9.3.1929 verstarb Albert
Bäuml in München im Alter von 74
Jahren. Seine Büste schuf der Bildhauer
Bernhard Bleeker (1881–1968), der
an der Münchner Akademie studiert
hatte und durch zahlreiche Bildnis-
büsten und Großplastiken in München
bekannt wurde. Im Archiv der Manufaktur und in Privatbesitz befinden sich
zwei weitere Ausformungen, deren
Sockel ebenfalls in Porzellan mitge-
gossen sind.

Publ.: Thoma 1949, Abb. S. 31

1374
Gruppe „Der Tag"
1921/22, J. Wackerle

43 x 67 x 16 cm
PM: RS 48, „572", darunter „1", auf der
rechten Seite des Sockels RS 48
Inv.Nr. CB 36 (Familienbesitz)

Auf schmalem, länglichem Sockel mit
hellgrün-gelber Blätterstaffage zwischen
eisenroten Früchten ruht links eine
blonde Frau in fließendem hellblauem
Gewand, rosa-gelbem Überwurf und
dunkelgrünem Schultertuch; sie stützt
sich mit dem rechten Arm auf ein
eisenrotes Kissen mit goldenen Quasten
und reicht ihre Linke einem nackten
Knaben, der mit beiden Händen eine
blau-gelbe Schale trägt, die mit plastischen Blumen gefüllt ist. Betontes
Inkarnat.

1375
Gruppe „Die Nacht"
1921/22, J. Wackerle

37,7 x 63,7 x 21,5 cm
PM: RS 47 und „5"; RM: „571"
Inv.Nr. CB 37 (Familienbesitz)

Sockel wie vorige Nr., mit hellbrauner
Kante und grün-braun-blau gestrichelter
Oberfläche, darauf vor einem ebenso
staffierten Baumstumpf, eine schlafende
Frau in fließendem, grün-gelb-blauem
Gewand, den rechten Arm auf einen

hohen gelb-braunen Flechtkorb und das
blonde Haupt auf die Schulter gelegt.
Zu ihren Füßen steht ein Putto mit rotbraunen Haaren, der ein blaues Tuch
mit eisenrotem Futter und goldenen
Sternen emporhält, das rechts über eine
Baumgabel drapiert ist.

Mit anderer Staffage im MStm, Inv.
Nr. K 73/977 (MK München 1974,
Nr. 137) und in unbekanntem Besitz;
zusammen mit einer dritten Gruppe
aus dem Jahr 1924 wurde die Serie in
„Morgen", „Mittag" und „Abend" um-
benannt (Ziffer 1993/II, Nr. 298-299).

Publ.: Zimmermann 1937, Abb. S. 10

1376
„Raucher"
1924, J. Wackerle, Bemalung
M. M. Oswald 1937

H. 55 cm
PM: RS 47 und „578"; in Eisenrot
bez. „Muster Oswald"
Inv.Nr. CB 38 (Familienbesitz)

Auf rundem Sockel mit graublauem
Netzwerk als Randstaffage frontal
stehende Figur in stilisiertem Rokoko-
Kostüm aus blauen Kniehosen, blau-
weiß gestreifter Weste, weißem Rock
mit blauen Streublumen und schwarz-
grauer Allongeperücke; die Beine sind
hintereinandergestellt, die rechte Hand
auf dem Rücken, in der Linken eine
lange Pfeife. Daneben auf dem Sockel
ein aufwartender, grauschwarz staffierter Windhund.

Pendant zu einen „Holländischen
Raucher", der neben einem Tabakstopf
steht (Modellnr. 577). Beide Figuren
staffierte der Arch. Max Michael Oswald
entsprechend der Bar 1. Klasse auf dem
von ihm ausgestatteten Passagierschiff
„Patria" der Hamburg-Amerika-Linie.
Paare mit dieser Staffage in BLM, Karlsruhe, Inv.Nr. 80/413-414 (AK Hohenberg 1992) und Münchner Privatbesitz
(Ruef, München, 15.11.1978, Nr.
850); mit der Staffage nach Wackerles
Entwurf in mattem Rosa und Blau zwei
Ex. in unbekanntem Besitz (Weltkunst,
15.2.1986, S. 473). Das Paar in beiden
Staffagen besitzt das Art Institute of
Chicago, Inv.Nr. 1981. 1008-1011.

1376

1377

1378

1379

1377
Hebe
1925, J. Wackerle

Roter Ton, weiß glasiert
H. 125 cm
ohne Marke
Inv.Nr. A 296 (Familienbesitz)

Ovale Sockelplatte, darauf stehende,
weibliche Figur in antikisiertem Ge-
wand, auf dem Haupt einen flachen
Hut, in der Rechten eine Schale, in der
Linken einen Stab mit Traubenreben;
links steht eine hohe schlanke Vase mit
Hirschrelief.
Brandriß im Sockel.

Publ.: Zimmermann 1934, Abb. S. 21;
AK München 1960, Nr. 92

1378
Ganymed
1925, J. Wackerle

Roter Ton, weiß glasiert
H. 155 cm
ohne Marke
Inv.Nr. A 297 (Familienbesitz)

Ovale Sockelplatte, darauf stehender
Jüngling in kurzem Gewand, ein Tuch
über der linken Schulter. In der Linken
trägt er einen Krug, rechts neben ihm
sitzt ein großer Adler.

Die Figuren „Hebe" und „Ganymed"
schuf Wackerle ursprünglich als vergoldete Holzplastiken 1921 für die Ausstattung eines Speisezimmers (Dekorative Kunst, XXV, Februar 1922, Abb.
S. 116–117). Das Paar zierte den
Treppenaufgang zur Estrade in der
Deutschen Abteilung auf der Internationalen Ausstellung für Kunst und
Technik, Paris 1937.

Publ.: AK München 1960, Nr. 93

1379
Mädchen mit Tambourin
1939, J. Wackerle

H. 117 cm
PM: RS; RM: „871"
Inv.Nr. CB 51 (Familienbesitz)

Auf ovalem Sockel stehende, nackte
Tänzerin mit Tuch über der linken
Schulter, das auf den linken Oberschen-
kel fällt, das linke Bein auf eine am
Sockel liegende Amphore gestellt, in
der Linken ein Tambourin, den rechten
Arm ausgestreckt. Unbemalt.

Die Figur gehört zu einer vierteiligen
Serie mit einem „Mädchen mit Doppelflöte", einem „Lauschenden Hirten"
und einem „Jüngling mit Leier", die
für vier Nischen im Musiksaal eines
Berliner Ministeriums bestimmt waren
(Deubner 1942, Abb. S. 46–47).

Geschirre des 20. Jahrhunderts

Tableware of the 20th Century

Keramtechnische Verbesserungen führten schon in den 1890er Jahren zu einer hohen Qualität der Bemalungen durch neue Farben und Techniken.

Speziell für die Pariser Weltausstellung 1900 wurden das Fischservice von Hermann Gradl (Kat. 1383–1401) und das Speiseservice „Modern" von Max Rossbach entworfen, das 1902 modifiziert wurde (Kat. 1402–1415). Der Erfolg beider Services stellte Nymphenburg an die Spitze der Bewegung des floralen Jugendstils.

Zu den Spezialitäten der Manufaktur zählte die virtuose Beherrschung der Unterglasurfarben, deren Zusammensetzung von französischen Chemikern entscheidend verbessert worden war. Neben der naturgetreuen Staffierung von Tierfiguren (Kat. 1367) wählte vor allem Rudolf Sieck Unterglasurfarben für seine großen Plattenbemalungen mit stimmungsvollen Landschaften, die auf Kunstausstellungen der angewandten Kunst ihren gebührenden Rang sicherten (Kat. 1419–1425). Höchste technische wie künstlerische Fertigkeiten besaß auch der Maler Ludwig Carl Frenzel, der neben der Unterglasurmalerei besonders in Pâte-sur-Pâte-Technik arbeitete (Kat. 1428–1433).

Technical improvements in the ceramic production resulted in a high quality of painted decoration due to new colors and techniques even in the 1890s. The fish service by Hermann Gradl (cat. nos. 1383–1401) and the dinner service *Modern* by Max Rossbach, modified in 1902, were created especially for the Paris World's Fair in 1900, (cat. nos. 1402–1415). The success of both services placed Nymphenburg at the head of the floral Jugendstil movement.

The virtuous command of underglaze colors, whose composition had been decisively improved by French chemists, was one of the specialties of the factory. Aside from the true to life painting of animal figures (cat. no. 1367), it was above all the underglaze colors Rudolf Sieck chose for his large painted platters with the atmospheric landscapes that secured due standing at the art exhibitions of applied arts (cat. nos. 1419–1425). The painter Ludwig Carl Frenzel also possessed the highest technical and artistic skill. Aside from painting with underglaze colors, he worked particularly in the pâte-sur-pâte technique (cat. nos. 1428–1433).

1380
Flaschenvase
1891, Bemalung E. Stegmayer

H. 33 cm, Ø 15 cm
PM: RS 42; Hexagramm-Marke in Schwarz
Nr. 49; MM: in Schwarz „4002/500/5"
(Dekornr.) und „unverkäuflich"
Inv.Nr. CB 14 (Familienbesitz)

Bauchige Flaschenvase mit schlankem, hohem Hals. Zwischen grüngrundigen Bordüren umlaufend Rapportmuster im chinesischem Stil aus Drachen, Blumen und Schmetterlingen. Auf dem Hals aufsteigende Dekorspirale aus Blütenmotiven. Bemalung mit reliefartig aufgetragenen Emailfarben, Goldstaffage.

1889 war dem Chemiker Viktor Schäffner aus Bad Ischl die Entwicklung neuer Emailfarben gelungen, die für Dekore im Chinesischen Stil verwendet wurden. Für deren Ausführung wurde 1891 der Maler Edmund Stegmayer (geb. 1841) aus Znaim engagiert, der bis 1897 in Nymphenburg tätig war. Der technische wie künstlerische Aufwand fand in der damaligen Fachpresse gebührende Würdigung, obwohl nur eine kleine Anzahl dieser sehr kostspieligen Gegenstände hergestellt wurde. Der Dekor wurde in das Musterbuch von 1815 auf S. 38 eingefügt; im Buch damals wohl freigebliebene Seiten bilden noch weitere chinesische Bemalungen ab.

1380

1382

1386   1383

1381
Flaschenvase
um 1894

H. 25,8 cm, Ø 11,5 cm
PM: „2"; blaue Marke Nr. 50
Inv.Nr. CB 13 (Familienbesitz)

Modell wie vorige Nr., nur kleiner. Auf kobaltblauem Fond in Unterglasur auf beiden Seiten vierpaßige Schmuckreserven mit bunter Blumenmalerei in Aufglasur über umlaufender Goldbordüre, darüber stilisierte Goldstaffage und spitzovales blaugraues Medaillon.

1381

1382
Bildplatte
um 1898

Ø 31,3 cm
RM: zwei Striche; blaue Marke Nr. 50;
MM: in Gold „8"
Inv.Nr. B 756 (Familienbesitz)

Rund, flache Schale mit weitausladenem Rand, rückseitig Aufhängeöse. Bemalt mit dem Brustbild einer unbekleideten Schönheit, die auf einem Wolkenbett liegt und von einem geflügelten Amor geküßt wird. Mattglänzende Goldbordüre mit Sternkante. Rückseitig Aufhängeösen.

Das Thema auch auf einem Berliner Plattenbild (Christie's, New York, 29.11.1979, Nr. 46).

1389

1383–1401
19-tlg. Fischservice
1899/1900, Form und Dekor H. Gradl
Inv.Nr. CB 1a-t (Familienbesitz)

1383–1384
Zwei Deckelschüsseln
H. 17,5 cm
PM: RS und „688" (Modell-Nr.); MM: „624" (Dekor-Nr.) und „XXI" (Maler-Nr.), roter Stempel „gesetzlich geschützt".
1384: PM: RS 41 und „688"; blaue Marke Nr. 52
Inv.Nr. CB 1a-b
Rund, auf eingezogenem Standring gedrückt bauchige Wandung mit gewelltem Reliefband zwischen den plastischen Seeadlerköpfen als Handhaben, gestuft gewölbter Aufsatzdeckel mit schlingenförmigem Henkel, der in den purpur-goldenen Zweig eines Wasserhahnenfußes übergeht, der sich zum Rand hin vielteilig verästelt. 1383: Auf der Wandung ein naturalistisch gemalter Hecht, gegenüber ein Zander, auf dem Deckel ein Fischschwarm.

1392

1384: Ein Hummer, gegenüber ein Taschenkrebs und Muscheln, auf dem Deckel ein Lachs über hellgrüngestreiftem Grund.

1385–1386
Zwei Saucieren auf Unterteller Form „Modern"

10 x 22 x 12 cm
PM: RS 41; blaue Marke Nr. 52; MM: in Grün „624" und „XXI", roter Stempel „gesetzlich geschützt"
Inv.Nr. CB 1c-d
Oval, glatter Standring, schräge Fahne mit gewelltem Rand, zur Schmalseite versetzt schifförmige Saucière mit erhöhtem Gießer, aus dem Rand ausgezogener schlingenförmiger Henkel, der in den Rand des festen Untertellers übergeht. Seitlich und zum Gießer aufsteigend purpur-goldener Hahnenfußzweig, dazwischen ein Saibling und Kaulquappen über hellgrüngestreiftem Grund.

1387–1388
Zwei ovale Platten

4,6 x 61,5 x 29,2 cm
PM: RS 45 und „688"; blaue Marke Nr. 52; MM: „624" und „XXI", roter Stempel „gesetzlich geschützt"
Inv.Nr. CB 1e-f
Querovale, vierpassige Schale mit gewelltem, auf der Oberseite durchbrochenem Rand auf glattem Standring. Die geschwungene, purpur-goldene Randstaffage geht in einen vielteiligen Hahnenfußzweig in der rechten Ausbuchtung über. Bemalt jeweils mit einem naturalistischen Hecht über grüngestreiftem Grund.
1388: Absprengung an der Schmalseite, Haarriß.

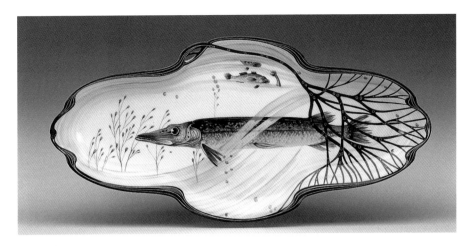

1388

1389–1401
Dreizehn flache Teller

Ø 23,5 cm, H. 2,8 cm
1389, 1390, 1392-1394, 1397, 1401:
PM: RS 44; blaue Marke Nr. 52; MM: wie vorige Nr. 1391, 1398–1400: PM: RS 44; blaue Marke Nr. 52. 1396: PM: RS 45; blaue Marke Nr. 51; 1395: PM: RS 46; grüne Marke Nr. 52; MM: in Rot bez. „624" und „172"
Inv.Nr. CB 1g-t
Rund, flacher Coupeteller mit gewelltem, einmal durchbrochenem Rand, dessen geschwungene, purpur-goldene Randstaffage in einen vielteiligen Hahnenfußzweig übergeht, konzentrisch grüngestreifter Grund.
1389: Hummer. 1390: Zuchtkarpfen 1391: Gründlinge. 1392: Wildkarpfen. 1393: Bachforelle. 1394: Zander. 1395: Taschenkrebs und Muscheln. 1396: Zander. 1397: Fischschwarm vor dem Netz. 1398: Taschenkrebs und Muscheln. 1399: Hummer. 1400: Regenbogenforelle. 1401: Hecht 1395 spätere Ergänzung.

Mit diesem Service wurde der Maler Hermann Gradl (1869–1934) speziell für die Pariser Weltausstellung beauftragt. Der bewegte Umriß, der von der Malerei aufgenommen und fortgeführt wird, zählt zu den gelungensten Umsetzungen des floralen Jugendstils. Die Saucieren Kat. 1385–86 gehören formal zum 1900 entstandenen Service „Modern" von Max Rossbach. Eine weitere Tellervariante im Art Institute of Chicago, Inv. Nr. 1990.579. Ein 14-tlg. Service mit ovaler Platte, Saucière und 12 Tellern im V&A, London, Inv.Nr. C.18 to M-1970 (Burlington Magazin, Juni 1971, S. 329, Abb. S. 334), ein 22-tlg. Service in der Slg. Bröhan (AK Berlin 1969, Nr. 911-914), ein Service mit Terrine, Saucière, Platte und 18 Tellern in unbekanntem Besitz (Neumeister, München, 20.9.1985, Nr. 92), ebenso ein Service mit zehn Tellern (Metz, Heidelberg, 29.6.1996, Nr. 450).

1395

1397

1401

1406   1402

1402–1415
14-tlg. Speiseservice
Form „Modern S"

1900/1902, Form und Dekor
M. Rossbach
Inv.Nr. CB 2a-o (Familienbesitz)

1402
Terrine

um 1902
18,5 x 36 x 20,5 cm
PM: RS und „2"; MM: in Violett „1302"
(Dekor-Nr.), „O.1015" (Auftrags-Nr.) und
„XXVI" (Maler-Nr.), roter Stempel „gesetzlich
geschützt"
Inv.Nr. CB 2a
Oval, auf vier kleinen Volutenfüßchen
schalenförmiger Korpus mit in der Mitte gewelltem Rand, an den Schmalseiten in die senkrechten, glatten Schlaufenhenkel übergehend, der sich zu den
Füßchen hin teilt. Bemalt mit getreppt
aufsteigendem, rotem Mohn mit offenen Blüten und Knospen in koloriertem
Umrißdruck.
Minimal bestoßen.

1403
Ovale Platte (o. Abb.)

3,6 x 37 x 23 cm
PM: RS 41 und „5"; blaue Marke Nr. 52;
MM: wie vorige Nr.
Inv.Nr. CB 2b
Oval, flacher Spiegel, Steigebord der ge-
wellten Fahne entsprechend gebuckelt.
Dekor wie vorige Nr.

1404
Beilagenschale (o. Abb.)

6 x 25,8 x 21 cm
PM: RS 41 und „3"; Blaumarke Nr. 52;
M: wie vorige Nr.
Inv.Nr. CB 2c
Oval mit flachem Spiegel, hohem Stei-
gebord und gewellter, schmaler Fahne.
Dekor wie vorige Nr.

1405
Salatschale (o. Abb.)

H. 8,5 cm, Ø 26 cm
PM: RS 41 und „3"; blaue Marke 52;
MM: wie vorige Nr.
Inv.Nr. B CB 2d
Rund, tief gemuldet mit steilem Rand
und schmaler, waagerechter Fahne.
Dekor wie vorige Nr.

1406
Runde Platte

H. 4,2 cm, Ø 32 cm
PM: RS 45 und „2"; MM: wie vorige Nr.
Inv.Nr. CB 2e
Rund, glatter Spiegel, Steigebord der
breiten Fahne mit gewelltem Rand entsprechend gebuckelt. Dekor wie
vorige Nr.

1407–1408
Zwei flache Teller (o. Abb.)

H. 3,0 cm, Ø 25,4 cm
PM: RS 44 und Strich; blaue Marke Nr. 52;
MM: wie vorige Nr.
Inv.Nr. CB 2f-g
Modell der Platte entsprechend, nur
kleiner, Dekor wie vorige Nr.

1409–1415
Sieben tiefe Teller (o. Abb.)

H. 4,2 cm, Ø 25,4 cm
PM: RS 44 und Strich; blaue Marke Nr. 52;
MM: wie vorige Nr.
Inv.Nr. CB 2h-o
Form wie vorige Nr., nur mit höherem
Steigebord, Dekor wie vorige Nr.
Bemalung berieben.
1412, 1414: am Rand bestoßen

Die Platten, Schalen und Teller entwarf
der Maler Max Rossbach (1871–1947)
im Jahr 1900 zusammen mit einer runden, gebuckelten Terrine (AK München
1988, Nr. 6.2.2.19). Im Jahr 1902
wurde diese durch das schalenförmige
Modell ersetzt, das seinerseits aus der
Zuckerdose eines Kaffeeservices des
Jahres 1900 entwickelt wurde (BSV
Zug.Nr. 564, Neumeister, München,
4.12.1985, Nr. 170a). Gemeinsam mit
der neuen Terrine entwarf Rossbach
auch eine neue Kaffee-, Tee- und
Milchkanne in schlanker Balusterform
(AK München 1988, Nr. 6.2.2.25).

1416
Bildteller

1905, Bemalung Müller

H. 2,5 cm, Ø 26,4 cm
PM: RS 44; blaue Marke Nr. 52; im Bild Mitte
rechts bez. „Müller. München. 1905"
Inv.Nr. CB 12 (Familienbesitz)

Rund, flacher Spiegel mit breiter, gold-
geränderter Fahne, kobaltblau in Unterglasur. Im Steigebord Band mit
goldgraviertem Blattstab, im Spiegel
ein Portrait der drei Kinder Fritz
(geb. 1887), Alfred (geb. 1891) und
Kurt Bäuml (geb. 1899) vor grauem
Hintergrund in Aufglasurmalerei.

1417

1418

1417
Bildteller
1905, Dekor und Bemalung
J. Wackerle

Ø 31 cm
ohne Marke; im Bild rechts außen bez.
„J.W. 05"
Inv.Nr. B 770 (Familienbesitz)

Coupeteller, d.h. mit flachem Spiegel
und aufgebogenem Rand. Im Spiegel
rundes Bildfeld mit zwei Damen in
Rokoko-Kostümen vor Schloß
Nymphenburg in blasser, grau-grüner
Unterglasurmalerei.

1416

1418
Bildteller
um 1905, Dekor und Bemalung
J. Wackerle

Ø 31,5 cm
PM: RS 47, blaue Marke Nr. 51; im Bild links
bez. „J.W"
Inv.Nr. B 769

Coupeteller, im runden Bildfeld mon-
däne Dame auf einem Sofa, die mit
zwei Katzen spielt, in zartlila, blauer
und grüner Unterglasurmalerei.

1419
Bildteller „Schneeschmelze"
1906, Dekor und Bemalung R. Sieck

Ø 37,4 cm
PM: RS 47; im Bild Mitte links bez. „R. Sieck"
Inv.Nr. B 766 (Familienbesitz)

Coupeteller, im runden Bildfeld
Flußlauf zwischen schneebedeckten
Wiesen, dahinter hügelige Waldland-
schaft unter wolkigem Himmel in
braun-grüner Unterglasurmalerei.
Drei Glasurfehler auf der Oberseite.

Der Maler Rudolf Sieck (1877–1957)
war von 1906 bis zu seinem Tod für
die Manufaktur als freier Mitarbeiter
tätig. Besonders in den ersten Jahren

führte Sieck seine Bemalungen häufig
selbst aus. Bei Ausführungen durch Maler der Manufaktur finden sich auf den
Platten und Tellern meist rückseitig der
Titel des Motivs und der Name seines
Entwerfers. Die besondere Wirkung des
weißen Porzellans als Malgrund nutzte
Sieck bei seinen Winterdarstellungen,
wobei der durch Aussparungen in der
Bildkomposition den Schneefall sichtbar
werden ließ (vgl. Kat. 1424).

Publ.: AK Dresden 1906, Abb. S. 241

1419

1420
1422

1421
1423

1420
Bildteller „Veitshöchheim"
1906, Dekor und Bemalung R. Sieck

Ø 31,5 cm
PM: RS 47, blaue Marke Nr. 52; im Bild
rechts unten bez. „R.S."
Inv.Nr. B 768 (Familienbesitz)

Flache Coupeschale auf eingezogenem
Standring, im runden Bildfeld Blick
über den mit Seerosen bewachsenen
Teich auf die Gartenseite von Schloß
Veitshöchheim, dem ehemaligen Sommersitz der Würzburger Fürstbischöfe;
auf der Treppe eine Dame in gelbem
Kleid; grüne, gelbe und graue Unterglasurmalerei.

1424   1425

1421
Bildteller „Rauhreif"
1906, Dekor R. Sieck, Ausführung
L. C. Frenzel

Ø 37 cm
PM: RS 47, blaue Marke Nr. 52; MM: in
Schwarz bez. „Rauhreif R. Sieck von L.C.F. xx"
Inv.Nr. B 765 (Familienbesitz)

Coupeteller, in dunkelgrauer Umrahmung winterliche Hügellandschaft mit
einzelner Weide, von Rauhreif überzogen, in weiß-grauer Unterglasurmalerei.

1422
Bildteller
„Tannwald im Schnee"
1906, Dekor und Bemalung R. Sieck

Ø 37 cm
PM: RS 47; im Bild rechts unten bez. „RS"
Inv.Nr. B 763 (Familienbesitz)

Coupeteller, im runden Bildfeld schnee-
bedeckte Bergwiese mit tiefverschnei-
ten Tannen, im Hintergrund ein be-
waldetes Gebirge, in grauer und grau-
grüner Unterglasurmalerei.

Publ.: AK Dresden 1906, Abb. S. 241

1423
Bildteller
„Nymphenburg: Seitenweg"
1908, Dekor und Bemalung R. Sieck

Ø 36,5 cm
PM: RS 48, blaue Marke Nr. 52; im
Bildfeld rechts auf einem Postament bez.
„R. Sieck 1908"
Inv.Nr. B 793 (Familienbesitz)

Coupeteller, im runden Bildfeld Blick
durch die Buchenhecken auf den nördlichen Pavillon von Schloß Nymphenburg im Herbst in brauner, graugrüner
und dunkelgrauer Unterglasurmalerei.

1424
Bildteller
„Nymphenburg: Es schneit"
1908, Dekor und Bemalung R. Sieck

Ø 36 cm
PM: RS 46, blaue Marke Nr. 52; im Bild links
unten bez. „R. Sieck 1908"
Inv.Nr. B 764 (Familienbesitz)

Coupeteller, im runden Bildfeld Blick
auf Schloß Nymphenburg von der Park-
seite bei Schneefall in graugrüner,
bräunlicher und hellgrauer Unterglasurmalerei.

Die Titel der beiden 1908 entstandenen Teller folgen einer Abrechnung
von R. Sieck mit der Manufaktur.

1425
Bildteller „Herbst"
um 1906, Dekor R. Sieck,
Ausführung um 1910/11

Ø 28 cm
PM: RS 47; grüne Marke Nr. 52; in Grau bez.
„Herbst von Rudolf Sieck"
Inv.Nr. B 767 (Familienbesitz)

Coupeschale, im runden Bildfeld Blick
über hügelige Wiesen und Felder vor
einem Wald, links Sicht auf ein Dorf
in brauner und grüner Unterglasurmalerei.

Publ.: Kat. 1914, Taf. 179, Nr. 11

1429

1430

1426
Bildteller „Kavaliershaus"
1913, Bemalung F. Hohle

Ø 23,9 cm
PM: RS 46; in Grau bez. „1913"; im Bild
rechts unten bez. „F. Hohle"
Inv.Nr. CB 10 (Familienbesitz)

Coupeteller mit Volldekor, Ansicht des
Kavaliershauses im Nördlichen Schloß-
rondell Nr. 8, das im 18. Jh. als Magazin, später für Verkauf und Verwaltung
genutzt wurde. Bunte Aufglasurmalerei.
Schmaler Goldrand.

Franz Hohle, geb. 1866 Bamberg, von
1907 bis 1921 als Maler tätig.

1427
Bildteller „Kavaliershaus"
1913, Bemalung F. Hohle

Ø 25,3 cm
PM: RS 46; grüne Marke Nr. 52; in Schwarz
bez. „zum 25jährigen Geschäftsjubiläum am
22. Februar 1913 in dankbarer Verehrung
gewidmet von Franz Hohle"
Inv.Nr. CB 11 (Familienbesitz)

Coupeteller mit Volldekor, Ansicht des
Kavaliershauses im Nördlichen Schloß-
rondell Nr. 6, das im 18. Jh. als Amts-
kanzlei und Magazin, später als Wohn-
haus der Manufakturleitung genutzt
wurde. Bunte Aufglasurmalerei.
Schmaler Silberrand.

1428
Bildteller „Schwäne" (o. Abb.)
1911, Dekor und Bemalung
L. C. Frenzel

Ø 37,2 cm
PM: RS 46 und „532"; grüne Marke Nr. 51;
MM: in Grün bez. „XXV"; im Bild Mitte unten
bez. „Ludw. C. Frenzel. 1911."
Inv.Nr. B 760 (Familienbesitz)

Coupeteller, im runden Bildfeld zwei
Schwäne im blaugrünen Wasser in
Pâte-sur-Pâte-Technik.

Ludwig Carl Frenzel (1857–1933)
vervollkommnete die Pâte-sur-Pâte-
Technik in Nymphenburg seit seinem
Eintritt in die Manufaktur 1896 und
verwendete sie zunächst für die Darstellung antikisierender Figuren, ab
1908 für die Schwanenmotive des
Nymphenburger Parks, die über Jahrzehnte sein bevorzugtes Bildmotiv blieben (Ziffer 1989, S. 258–259). Aufgrund seines nuancierten Farbgefühls
und seiner technischen Perfektion
zählen Frenzels Unterglasurbemalun-
gen der Wackerle-Figuren zu seinen besten Leistungen, siehe Kat.1352, 1355,
1362–63, 1366.

1426

1427

1431   1433

1429
Bildteller Schwäne
1920, Dekor und Bemalung
L. C. Frenzel

Ø 37 cm
PM. RS 47; grüne Marke Nr. 52; im Bild Mitte
unten bez. „Ludw. C. Frenzel 1920"
Inv.Nr. B 757 (Familienbesitz)

Coupeteller, im runden Bildfeld zwei
Schwäne im Becken der Großen Kaskade, im Hintergrund Schloß Nymphenburg in zartfarbener Unterglasurmalerei
mit Pâte-sur-Pâte-Technik.

1430
Bildteller Schwäne
1921, Dekor und Bemalung
L. C. Frenzel

Ø 37 cm
PM: RS 47; im Bild Mitte unten bez.
„Ludw. C. Frenzel 1921!"
Inv.Nr. B 758 (Familienbesitz)

Coupeteller, im runden Bildfeld drei
Schwäne im See vor dem Apollotempel
im Nymphenburger Schloßpark in zartfarbener Unterglasurmalerei mit Pâte-
sur-Pâte-Technik.

1431
Bildteller Schwäne
1929, Dekor und Bemalung
L. C. Frenzel

Ø 37 cm
PM: RS 47; grüne Marke Nr. 52; im Bild Mitte
unten bez. „Ludw. C. Frenzel 29"
Inv.Nr. B 761 (Familienbesitz)

Coupeteller, im runden Bildfeld drei
Schwäne im Kanal vor dem Gartenparterre von Schloß Nymphenburg in
zartfarbener Unterglasurmalerei mit
Pâte-sur-Pâte-Technik.

1432
Bildteller Schwäne (o. Abb.)
1929, Dekor und Bemalung
L. C. Frenzel

Ø 30,3 cm
Grüne Marke RS 52; MM: in Grün bez.
„XXXI"; im Bild Mitte unten bez.
„Ludw. C. Frenzel 1929"
Inv.Nr. B 762 (Familienbesitz)

Coupeteller, im runden Bildfeld zwei
Schwäne im See vor dem Apollotempel
im Nymphenburger Schloßpark in zartfarbener Unterglasurmalerei mit Pâte-
sur-Pâte-Technik.

1433
Bildteller Schwäne
1930, Dekor und Bemalung
L. C. Frenzel

Ø 36,5 cm
PM: RS 47; grüne Marke Nr. 52;
MM: in Grün bez. „III.", im Bild bez.
„Ludwig C. Frenzel"
Inv.Nr. B 759 (Familienbesitz)

Coupeteller, im runden Bildfeld zwei
Schwäne im See vor dem Apollotempel
im Nymphenburger Schloßpark in zartfarbener Unterglasurmalerei mit Pâte-
sur-Pâte-Technik.

1434
Deckelvase (Abb. s. S. 386)
nach 1912, Dekor J. Wackerle,
Bemalung H. Moosbauer

H. 51,3 cm
Grüne Marke Nr. 52; MM: in Schwarz bez.
„Prof. Wackerle München/H. Moosbauer"
Inv.Nr. CB 27 (Familienbesitz)

Hohe Balusterform mit geradem Hals
und Wulstrand; hochgewölbter Aufsatzdeckel. Umlaufend, vor schwarzem
Fond und von goldenen C-Bögen und
Rankendekor begrenzt, ein senkrecht
graulinierter Streifen mit einem breiten

1434

Blumenband aus Rosen, Tulpen, Narzissen, Aurikeln und Winden, dazwischen einige Schmetterlinge in natürlichen Farben. Auf dem Deckel zwei sechspassige, goldgerahmte Medaillons mit bunten Blumen auf grauliniertem Grund.

Hedwig Schallweg-Moosbauer (1890–1983) war zwischen 1904 und 1951 als Porzellanmalerin in Nymphenburg tätig und führte besonders Entwürfe von J. Wackerle in ausgezeichneter Qualität aus. Gleich große Vergleichsstücke in unbekanntem Besitz (Ruef, München, 14.11.1984, Nr. 375; ebendort, 26.6.1991, Nr. 269; Metz, Heidelberg, 21.3.1992, Nr. 541; Neumeister, München, 28.6.1995, Nr. 127). Bei einer Variante der Bemalung für diese Vase (Modellnr. 881, entworfen um 1905/06) ersetzte Wackerle den schwarzen Fond durch ein graues Schuppenmuster.

Publ.: Dekorative Kunst, XV, Oktober 1911, S. 27; Kat. 1914, Taf. 191, Nr. 1

1435
Deckelvase
1919, Bemalung H. Oehme

H. 50 cm
PM: „881"; grüne Marke Nr. 52; MM: in Rotbraun bez. „Original Hugo Oehme 1919"
Inv.Nr. CB 29 (Familienbesitz)

Form wie vorige Nr., in preußischblauem Fond ausgesparte, goldene Rocaillereserven mit bunter, idyllischer Flußlandschaft, im Vordergrund ein Paar in Rokoko-Kostümen, gegenüber ein Bukett aus purpurnen Rosen und Päonien mit herbstlichem Blattwerk, seitlich schmälere Bildstreifen mit blauen Rosengirlanden. Blaues Rosenmedaillon auf dem Deckel. Standlinie, Wellendekor am Hals und Deckelrand vergoldet.

Der Maler Hugo Oehme (geb. 1873) trat am 1.12.1910 in die Manufaktur ein und war bis 30.3.1920 tätig.

1435

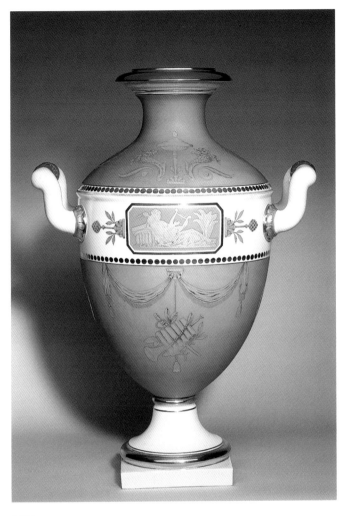

1436

Den figürlichen Darstellungen dieser Bemalung liegen Entwürfe des Graphikers Alfred Hagel zugrunde. Troost ließ die Gärtner-Vase „K" aus dem Vasenblatt von 1831 nach seinen Angaben vergrößern. Vermutlich lag diesem Auftrag die Einbindung der Vase in eine umfassende Raumausstattung zugrunde.

Publ.: Kat. 1924, Taf. 213, Nr. 2; Zimmermann 1937, Abb. S. 30; Deubner 1942, Abb. S. 50

1437
Prunkvase
1919, Dekor P. L. Troost und A. Hagel, Ausführung 1940

H. 58 cm
PM: RS 48, „965" und „2"; RM: „3"
Inv.Nr. B 744a (Familienbesitz)

Form wie vorige Nr., Sockelplatte und Korpus mit maronbraunem Fond, Fuß und Henkel weiß-gold staffiert. Ovale Medaillons in goldgravierten Lorbeerrahmen mit Schleifen, darin abgesetzte hellblaue Felder mit weiblicher Allegorie des Frühlings (Flora), gegenüber

1436
Prunkvase
1919, Dekor P. L. Troost und A. Hagel

H. 60 cm
PM: RS 48, „965" und „2";
grüne Marke Nr. 52
Inv.Nr. B 755 (Familienbesitz)

Vergrößertes Modell der Amphorenvase nach Entwurf Friedrich v. Gärtners. Der Korpus und die Schulterzone mit mattem, graurosa Fond, darauf, auf den Schauseiten, zweiteilige Tuchdraperie, darunter Musikinstrumente in Goldgravur. In der ausgesparten Henkelzone zwischen goldenen Punktreihen rechteckige Medaillons mit goldgravierten, allegorischen Figuren mit Musikinstrumenten auf hellgrünem Grund, seitlich Halbrosetten mit Pinienzapfen, auf der Schulter eine geständerte Opferschale zwischen Füllhörnern in graviertem Gold. Sockel, Fuß und Henkel mit matter und polierter Goldstaffage (Dekor Nr. 1544).

1437

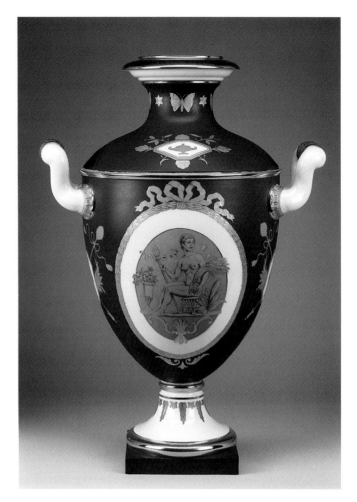

1437 verso

Allegorie des Herbstes (Bacchus) in
Goldgravur, unterhalb der Henkel acht-
eckige Felder mit goldgravierten Lyren
über gekreuzten Pinienszeptern und
stilisierten Blumen, auf der Schulter
rautenförmige Medaillons mit Deckel-
schalen, auf dem Hals Sterne und
Schmetterlinge (Dekor Nr. 2235).
Brandrisse innen im Fuß.

Den figürlichen Darstellungen dieser
Bemalung liegen Entwürfe von Alfred
Hagel zugrunde, der später auch an der
Ausstattung von Passagierschiffen beteiligt war. Der Dekor wurde „erst nach
dem fertigen Entwurf im Jahre 1940
zum ersten Mal auf Porzellan übertragen" (Brief Dr. Bäuml an G. Troost,
9.11.1944, Archiv SPMN).

1438
Kleine Schale
1936, Dekor R. Sieck, Bemalung
R. Diewok

H. 7,6 cm, Ø 13,3 cm
PM: RS 46; RM: „P.E.4" (Massebezeichnung)
und „1321" (Modellnr.); blaue Marke Nr. 52;
MM: in Blau bez. „Entw. Rudolf Sieck,
ausgef. RD"
Inv.Nr. CB 7 (Familienbesitz)

Ausgestellter, stark eingezogener Standring, niedrige gebauchte Wölbung mit
nach oben weit ausladendem Rand. Auf
der Bauchung blaue Wellenlinie, innen
umlaufend ein Band „fleurs en terasse"
aus blauen und gelbroten Akeleien in
Emailmalerei, blaue Randlinien (Dekor
Nr. 2163).

Diese Unterglasurmalerei ist durch den
mehrfachen Auftrag der Emailfarben
leicht erhaben und besitzt einen wei-
chen Schmelz. „Die Leitung der Manufaktur versuchte schon längst die Technik der Ming-Porzellane mit ihrem
wundervollen Glanz und ihrer diskre-
ten Pracht ins Europäische umzustel-
len. Im letzten Jahr ist ihr dieses

1438

1439

1440

schwierige Experiment gelungen und
Sieck hat dazu ausgezeichnete Entwürfe geliefert." (Zimmermann 1937,
S. 48/49). Der akademische Kunstmaler Rudolf Diewock (auch Diwok oder
Diewok, die Schreibweise wechselt
selbst bei seiner Unterschrift), geb.
1890 in Berlin, war von 1912 bis zu
seinem Tod 1940 als Porzellanmaler
tätig. Neben der Ausführung fremder
Entwürfe schuf er zahlreiche Geschirr-
dekore, darunter humorvolle figürliche
Szenen.

Publ.: Zimmermann 1937, Abb. S. 49

1439
Große Schale
1936, Dekor R. Sieck, Bemalung
R. Diewok

H. 6,4 cm, Ø 40,7 cm
PM: RS 47; RM: „P.E.4"; blaue Marke Nr. 52;

MM: in Blaugrün bez. „Entw. Rudolf Sieck,
Ausgef. R. Diwok"
Inv.Nr. CB 9 (Familienbesitz)

Kleiner Standring, flacher Spiegel mit
steil aufragender Wandung. Im Spiegel
ein Kranz aus Weinblättern und Ranken in zwei Grüntönen und etwas
Gelb, gelbe Trauben in Emailmalerei
(Dekor Nr. 2162 „Weinrebe").
Feine Glasurrisse

Publ.: Zimmermann 1937, Abb. S. 49

1440
Große Schale
1936, Dekor R. Sieck, Bemalung
R. Diewok

H. 12,2 cm, Ø 33,2 cm
RM: „P.E.4"; blaue Marke Nr. 52; in Graugrün bez. „Entw. Rudolf Sieck, Ausgef.: RD.";
grüner Stempel „Importé d'Allemagne";

Etikett der Weltausstellung Paris 1937 bez.
„Schale No. 1323, Akelei, Email aus Biskuit
v. Sieck"
Inv.Nr. CB 8 (Familienbesitz)

Auf nach innen abgesetztem Standring
glatte, konisch weit ausladende Wandung. Auf der Außenseite über einem
grünen Blätterkranz bunte Schmetterlinge und Blattwerk, auf der Innenseite
im Spiegel eine grüne Wellenlinie, auf
der Wandung über grünen Blättern
„fleurs en terasse" aus bunten Akelei-
en, dazwischen Schmetterlinge und
Insekten in Emailmalerei (Dekor
Nr. 2161).
In mehrere Teile zerbrochen und
gekittet. Die Schale zählt zu den preis-
gekrönten Exponaten der Internationalen Ausstellung in Paris 1937.

Publ.: Zimmermann 1937, Abb. S. 48

Marken

Marks

Die Nymphenburger Manufakturmarke leitet sich aus dem wittelsbachischen Rautenschild her. Ihre symmetrische Form ergibt sich aus zwei konkaven Schwüngen oben, jeweils einer konvexen Einziehung an der Seite sowie ein- und ausschwingenden Linien diagonal nach unten zur Spitze. Das Feld ist mit einer unterschiedlichen Zahl von schmalen Rauten im Relief gefüllt, deren lange Spitzen von links oben nach rechts unten zeigen.

Merkmale, die auf unterschiedliche Preßstempel zurückgehen, definieren sich aus deutlichen Unterschieden von jeweils einem oder mehreren Bestandteilen dieser Grundform und sind nach Beispielen aus der Slg. Bäuml entsprechend ihrer Höhe jeweils nach Jahrhunderten geordnet aufgeführt. Der bei Figuren des 18. Jhs. häufig um das Schild gemalte Goldrand verunklärt die eigentliche Form.

Während die ersten Stempel vom Hofmedailleur Bartholomäus Schega 1754 aus Messing gefertigt wurden, scheint die gegenläufige Ausrichtung der Rauten auf RS 19–21 daher zu resultieren, daß die neuen Stempel im Negativ-Verfahren aus Porzellan hergestellt wurden und die Umkehrung der Rauten unbeachtet geblieben war. Bis heute sind Stempel aus unglasiertem Biskuitporzellan in der Manufaktur üblich, die meist einem Arbeitsplatz zugeordnet sind (Bossierer, Dreher). Trotzdem läßt sich die Verwendung eines Stempels meist zeitlich eingrenzen, wenn auch nachfolgende Festlegung noch Raum für weiterere Untersuchungen einräumt.

The Nymphenburg factory mark is derived from the Wittelsbach coat of arms with its diamond shapes. The symmetrical form consists of two concave curves at the top, a convex indentation at each side, as well as lines curving diagonally in and out towards the point at the bottom. The surface is covered with a varying number of elongated diamonds in relief, of which the acute angles are pointing to the upper left and lower right.

Clearly distinguishable differences in one or more elements of this basic form characterize the various stamps. Examples from the Bäuml collection are arranged within each century according to height. The gold edge painted around the coat of arms on the figures of the 18th century obscures the actual shape.

While the first stamps, made by the court medalist Bartholomäus Schega in 1754, were of brass, the diamonds on RS 19–21, which are oriented in the opposite direction, seem to result from the fact that the new stamps were made of porcelain in a negative process and the resulting mirror image of the diamond shapes was disregarded. Up to the present day, unglazed biscuit porcelain stamps are customary at the factory; they are usually assigned to one worker (repairer, thrower). Nevertheless, the period of time in which a stamp was used can usually be determined, as can be seen below, even if there is still room for further research.

Marken des 18. Jahrhunderts

Rauten im Verlauf von links oben nach rechts unten

 RS 1 H 8 mm: der hochrechteckige Schild zeigt drei Reihen von Rauten, wobei links oben drei Rauten nebeneinander erkennbar sind. Die untere Kontur ergibt sich aus zwei geschwungenen Linien. Um 1755–1760, nur bei großen Figurengruppen

 RS 2 H 7/8 mm: obere Hälfte des Schildes und Anzahl der Rauten wie oben, jedoch die untere Kontur seitlich jeweils mit einem Einzug. Um 1755–1765

 RS 3 H 7 mm: Umrißform wie RS 1, jedoch sind die Rauten links oben nur angeschnitten. Um 1755–1770

 RS 4 H 6/7 mm: wie RS 2, nur 1 mm kleiner. Um 1755–1795

 RS 5 H 6 mm: wie RS 3, nur 1 mm kleiner. Die mittlere Rautenreihe links unten beginnt in der Mitte des geschwungenen Abschnitts. Um 1755–1770

 RS 6 H 6 mm: wie RS 5, jedoch von den beiden oberen Schwüngen der linke größer als der rechte, die Marke wirkt optisch leicht kopflastig. Die mittlere Rautenreihe links unten beginnt etwas höher. Um 1755–1770

 RS 7 H 5/6 mm: wie RS 5, nur kleiner, in der Gesamtform nahezu quadratisch. Um 1760–1790

RS 8 H 5/6 mm: die Umrißbögen sind nur wenig geschweift und bilden eine hochrechteckige Form. Die Rauten sind besonders schmal, fast strichförmig. Um 1755–1780

RS 9 H 5 mm: wie RS 5, nur 1 mm kleiner. Der leicht hochrechteckige Umriß ist symmetrisch ausgewogen und erlaubt sechs Reihen von Rauten in der Diagonalen. Um 1755–1780

RS 10 H 5 mm: wie RS 8, nur etwas kleiner, die seitlichen konvexen Einzüge höher, wodurch die Marke schmaler wirkt; meist tief eingedrückt. Um 1760–1780

RS 11 H 5 mm: in der Diagonalen nur fünf Reihen Rauten, nach unten dreieckig auslaufend. Um 1790–1810

RS 12 H 5 mm: in der Diagonalen fünf Rauten, oben und unten in eine Spitze auslaufend. Um 1755–65, auf Tassen und Untertassen

RS 13 H 4 mm: seitliche Einzüge höher, deshalb eine hochrechteckige Form mit fünf Reihen von Rauten. Häufig sehr präzise sichtbar sowie oft in Verbindung mit der Hexagramm-Marke. Um 1760–1790

Gemalte Marken

Nr. 14 Unterglasurblaue Hexagramm-Marke in Sternform. 1763–1767?

Nr. 15 Unterglasurblaue Hexagramm-Marke in einer Zeile. 1763–1767?

Nr. 16 Unterglasurblaue CB-Marke für „Curbayern", nur auf Türkenkoppchen. Um 1760–1765

Nr. 17 Unterglasurblaue Imitation der Meissner Schwertermarke, nur auf Türkenkoppchen, dabei PM mit nur einer breiten Rautenreihe. Um 1760–1780

Rauten im Verlauf von rechts oben nach links unten

RS 18 H 6 mm: eckiger Umriß mit geraden Seiten, unten spitz, nur zwei Reihen Rauten. Um 1780–1800

RS 19 H 6 mm: wie RS 18, Umriß leicht geschwungen. Um 1790–1800

RS 20 H 5 mm: annähernd quadratische Schildform, Rauten in zwei Reihen wie RS 19. Um 1790–1810

Andere Umrißformen

RS 21 H 4 mm: Umriß in Kreuzform. Um 1790–1805

RS 22 H 5 mm: ovales Schild mit einer Einziehung in der Mitte oben, zwei annähernd senkrecht verlaufende Reihen von Rauten. 2. Hälfte 18. Jh.

RS 23 H 4 mm: Oval mit nur einer senkrechten Reihe von Rauten. Um 1780–1800

RS 24 H 4 mm: U–Form mit gerader Kante oben, eine Reihe Rauten, deren Spitzen von rechts oben nach links unten zeigen. Rechte obere Hälfte fast nie deutlich sichtbar. Um 1790–1810

Marken des 19. Jahrhunderts

RS 25 H 6/7 mm: Schild mit konischen Längsseiten, oben leichte Einkerbung, unten spitz, zwei Reihen großer, waagerechter Rauten. Um 1830, nur auf großen Vasen

RS 26 H 6 mm: geschwungener Umriß, zwei Reihen Rauten wie bei RS 20, aber deutlich voneinander getrennt. Um 1800–1810

RS 27 H 6 mm: hochrechteckige Form mit deutlichem Einzug in den Längsseiten, Rauten kaum sichtbar. Um 1810–20, häufig auf Tassen „Jasmin"

RS 28 H 5/6 mm: flache obere Wölbung, seitlich weit eingezogen, die rechte untere Ecke konkav eingewölbt, Rauten gut erkennbar. Um 1810–1820

RS 29 H 5/6 mm: annähernd quadratisch mit deutlichem Einzug seitlich, Rauten von links oben nach rechts unten. Um 1820

RS 30 H 5/6 mm: nierenförmiger Umriß mit einem Einzug auf der rechten Seite, flache Rauten von links unten nach rechts oben. Um 1845–1850

RS 31 H 5 mm: eckiger Umriß mit gerader Oberkante, schrägen Ecken, geraden Seiten, unten spitz; Rauten von links unten nach rechts oben in zwei Reihen. Um 1800–1815

 RS 32 H 5 mm: oben eingezogen, leicht geschwungene Seiten, rechts oben ausgbaucht, darunter eingezogen, unten spitz, Rauten wie vorige Nr. Um 1820

 RS 33 H 5 mm: geschwungener Umriß, links oben ausgebaucht. Um 1815

 RS 34 H 5 mm: geschwungener, nach unten dreieckig zulaufender Umriß, Rauten wie bei RS 11, nur in andere Richtung. Um 1820–1830

 RS 35 H 5 mm: wie RS 27, nur 1 mm kleiner. Um 1820

 RS 36 H 4/5 mm: sog. „Tartschenform" (d.i. Schildform m. Einschnitt), oben gerundet, rechts von der Mitte zur Spitze hin eingeschwungene Kontur, zwei deutlich sichtbare Reihen flach liegender Rauten. Fast immer in Verbindung mit Monogramm Adam Clairs. Um 1800–1830

 RS 37 H 4/5 mm: annähernd quadratisch, rechte Hälfte geschwungen, linke Hälfte eckig; in Verbindung mit PM „5" oder „¹⁄₅" (d.i. ¹⁄₅ Zusatz von organisch-vegetabilen Stoffen in der Massemischung). Um 1810–1850

 RS 38 H 4/5 mm: annähernd quadratisch, oben eingezogen, zwei schwach sichtbare Reihen Rauten. Um 1825–1850

 RS 39 H 7/9 mm: 7 mm hoher Schild mit Einkerbung oben, hohen Einwölbungen seitlich, unten spitz; darüber ein kleiner Stern. Zwei Reihen Rauten von links oben nach rechts unten. Um 1840–1850

 RS 40 H 7/5 mm: 5 mm hoher Schild in abgesetzter Kontur, oben eingewölbt, eckig umbrochene Ecken, unten gerundet; eine Reihe sehr breiter Rauten; darüber kleiner Stern. Um 1850

Marken des 19./20. Jahrhunderts

 RS 41 H 6/4 mm: 4 mm hoher Schild, Umriß wie RS 39, oben ausgebogene Kontur, Rauten nicht erkennbar, darüber sehr kleiner Stern. Um 1890–1900

 RS 42 H 7/6 mm: 6 mm hoher Schild, Umriß wie RS 41, nur größer. Um 1890–1900

 RS 43 H 8/6 mm: 6 mm hoher Schild, Umriß wie RS 39, Rauten nicht erkennbar, darüber kleiner Stern. Um 1890–1900

 **RS 44** H 8/10 mm: 8 mm hoher Schild, Umriß wie RS 40, unten spitz, drei Reihen Rauten, Spitzen von links oben nach rechts unten, darüber großer Stern. Um 1900–1902

 **RS 45** H 10/13 mm: 10 mm hoher Schild, Umriß und Rauten wie RS 44, nur größer. Um 1900–1902

 RS 46 H 5/6 mm: Schild ähnlich dem 18. Jh., oben flache, breite Bögen, dadurch kopflastig, Spitzen von links unten nach rechts oben, nur zwei Reihen von Rauten. Um 1900 ff.

 RS 47 H 7/8 mm: Umriß wie RS 46, nur größer, Spitzen von links oben nach rechts unten, nur eine breite Reihe von Rauten. Um 1905 ff.

 RS 48 H 11 mm: Umriß und Rauten wie RS 46, nur größer. Um 1900 ff.

 RS 49 Imitation der Hexagramm-Marke in Blauschwarz. Um 1892

 RS 50 H 11 mm: Stempel mit unterglasurblauem, rechteckigem Rautenschild mit großer Krone darüber. 1894–1895

 RS 51 H 13 mm: Stempel mit unterglasurblauem, leicht geschwungenem Rautenschild mit kleinerer Krone darüber, leicht gebogene Umschrift NYMPHENBURG. 1895–1900

 RS 52 H 12 mm: Stempel mit unterglasurblauem, oder -grünem, doppelt umrandetem Rautenschild in geschwungenem Umriß mit kleinerer Krone darüber, gebogene Umschrift NYMPHENBURG. In Blau: Um 1900–1912; in Grün: 1912–1975

Glossar/Glossary

Erklärung häufig vorkommender
Fachausdrücke

Agraffe
Zierelement, das einzelne Glieder übergreift
und dadurch miteinander verbindet
Ausschußzeichen
in das glasierte Stück eingeschliffene Striche,
die eine nicht erstklassige Ausformung bezeichnen; die Zahl der Striche entspricht dem
Grad der Fehler
Baluster
reich profiliertes oder stark geschwelltes Säul-
chen von runder oder vieleckiger Grundform
Bossierer
Manufakturarbeiter, der mit dem Zusammen-
setzen der einzelnen Teile einer Figur und
dem Versäubern der Nahtstellen beschäftigt ist
craqueliert
von Rissen durchzogen
Dreher
Manufakturarbeiter an der Drehbank mit
Töpferscheibe, der hauptsächlich mit der Aus-
formung von Geschirrteilen beschäftigt ist
Eierstab
Zierleiste, in der abwechselnd eiförmige und
pfeilspitzenartige Gebilde aufeinanderfolgen
Fahne
waagerechter oder schräger Rand eines Tellers
Feston
in Nymphenburg: Bezeichnung für dünne,
plastische Ranken am geschweiften Rand eines
Geschirrs
Gloriole
Strahlenkranz

godroniert
umrißgebende Einkerbungen auf der Ober-
fläche eines Gefäßes, die in senkrechten
S-Schwüngen verlaufen
Grisaille
Grau-in-Grau-Malerei
Kakiemon-Dekore
ostasiatische Blumendekore, benannt nach
dem japanischen Porzellanmaler Kakiemon,
der als Erfinder dieser Malerei gilt
Karnies
Bauglied mit S-förmigem, d.h. teils konvexem,
teils konkavem Profil
Kartusche
Umrahmung
Kauffahrteiszene
Hafenmotiv, das die Verladung der Waren auf
die Schiffe durch Matrosen in Gegenwart der
Kaufleute schildert
Koppchen
henkelloser, kleiner Becher
Kreuzband
parallele Streifen, die von Bändern überkreuzt
werden
Kuppa
Oberteil eines Glases
Lambrequin
Schabracke
Maskaron
stilisiertes Gesicht als Maske in Relief
Maßwerk
Ornament aus Kreissegmenten
Navette
augenförmiges Spitzoval

Ozier
Relief in Form eines Korbgeflechts

passig
aus Kreissegmenten zusammengesetzte
Umrißform
Perlstab
Schmuckleiste aus perlähnlichen Kugeln
Rapport
Bordüre oder Dekor durch mehrfache Wieder-
holung eines Musters
Reserve
durch Konturen oder Aussparung begrenztes
Malfeld
Schulter
Oberseite einer gerundeten oder eckigen
Gefäßform
Spiegel
Boden eines Tellers
Steigebord
Abschnitt eines Tellers zwischen dem Spiegel
und der Fahne
Trompe-l'œil
„Augentäuschung"; realistische Malerei, die
zwischen Gemaltem und Wirklichkeit kaum
unterscheiden läßt
Vermeil
vergoldetes Silber
Vier-(Drei-)paß
gotische Maßform aus vier (drei) Bogen-
segmenten
Vorstoß
schmaler, unbemalter Rand eines Geschirrs

Literatur/Literature

Grundlage des Kataloges

Hofmann — Friedrich H. Hofmann: Geschichte
der bayerischen Porzellan-Manufaktur Nymphen-
burg, 3 Bde., Leipzig 1921–1923
Bd. I: S. 1–200 Abb. 1–183 Tafeln 1–8
Bd. II: S. 201–368 Abb. 184–310 Tafeln 9–16
Bd. III: S. 369–732 Abb. 311–472 Tafeln 17–24

Verzeichnis der abgekürzten Literatur

AK Amsterdam 1952 — Het Nederlandse Porce-
lein aussen 1759 en 1810 in het Museum Willet-
Holthuysen, Juni–September, Amsterdam 1952
AK Berlin 1904 — Adolf Brüning: Europäisches
Porzellan des XVIII. Jahrhunderts, Katalog der vom
15. Februar bis 30. April 1904 im Lichthofe des
Kgl. Kunstgewerbemuse–Museums zu Berlin ausgestellten Porzellane, Berlin 1904
AK Berlin 1969 — Porzellan-Kunst, Teil I: Berliner Porzellane vom Rokoko bis zum Empire,
Teil II: Kunst-Porzellane und Keramik um 1900,
Sammlung Karl H. Bröhan, Berlin, Schloß Charlot-
tenburg, 8. Oktober bis Dezember 1969, Berlin
1969
AK Berlin 1986 — Winfried Baer u.a.: Von Gotz-
kowsky zur KPM, Aus der Frühzeit des frideriziani-
schen Porzellans, Ausstellung Schloß Charlotten-
burg, 17.8.–2.11.1986, Berlin 1986
AK Dresden 1906 — Das deutsche Kunsthandwerk 1906, III. Deutsche Kunstgewerbeausstellung
Dresden 1906, hrsg. vom Direktorium, München
1906
AK Dresden 1982 — Johann Friedrich Böttger
zum 300. Geburtstag, Meißen Frühzeit und
Gegenwart, Ausstellung der Staatlichen Kunstsammlungen Dresden und VEB Staatliche Porzellan-Manufaktur Meißen, 4.2.–2.8.1982
AK Frankfurt 1963 — Figürliche Keramik aus
zwei Jahrtausenden, Museum für Kunsthandwerk
und Adolf und Luisa Haeuser Stiftung, 22.11.1963
bis 16.2.1964, Frankfurt a.M. 1963
AK Frankfurt 1994 — Patricia Stahl: Höchster
Porzellan 1746–1796, unter Mitarbeit von Stefa-
nie Ohlig, Katalog zur Ausstellung im Historischen
Museum der Stadt Frankfurt a. M. 1994
AK Freising 1989 — Freising. 1250 Jahre Geist-
liche Stadt, Ausstellung im Diözesanmuseum und
in den historischen Räumen des Domhergs in Freising, 10.6.–19.11.1989, München 1989
AK Fulda 1994 — Hochfürstlich Fuldische Porzellanmanufaktur 1764–1789, bearbeitet von
Christoph Fritsche und Gregor Karl Stasch, mit
einer Einleitung von Ernst Kramer, Vonderau-
Museum, Fulda 1994
AK Hamburg 1989 — Klaus–Peter Arnold und
Verena Dieffenbach (Hrsg.): Meissener Blaumalerei
aus drei Jahrhunderten, Ausstellung im Museum
für Kunst und Gewerbe Hamburg, 16.9. bis
12.11.1989, Leipzig 1989
AK Hamburg 1993 — Berliner Porzellan des
18. Jahrhunderts aus eigenen Beständen, bearbeitet von Johanna Lessmann, Michaela Braesel,
Katharina Dück, Museum für Kunst und Gewerbe
Hamburg, 26.2.–25.4.1993
AK Heidelberg 1993 — Die Solitaires der Manu-
factur Frankenthal, bearbeitet von Dr. Carl Ludwig
Fuchs, Ausstellung des Kurpfälzischen Museums
der Stadt Heidelberg, 11.12.1993–20.2.1994,
Heidelberg 1993
AK Hohenberg 1992 — Petra Werner: Die Zwan-
ziger Jahre. Deutsches Porzellan zwischen Inflation
und Depression – Die Zeit des Art Deco?!, Muse-
um der Deutschen Porzellanindustrie, Hohen-
berg/Eger 1992
AK Hohenberg 1995 — Impulse. Europäische
Porzellanmanufakturen als Wegbereiter internatio-
naler Lebenskultur, Deutsches Porzellanmuseum,
Hohenberg 1995
AK Karlsruhe 1984 — Helge Siefert: Zur Ausstellung „Das Portrait auf Glas und Porzellan" im
Badischen Landesmuseum Karlsruhe, 20.6. bis
10.10.1984, Karlsruhe 1984
AK Lissabon 1987 — Porcelana Europeia, Reser-
vas do Palácio Nacional da Ajuda, Museu Calouste
Gulbenkian, Lisboa 1987
AK London 1954 — Exhibition of Rococo Art
from Bavaria, Victoria and Albert Museum, London
1954
AK München 1909 — Altes Bayerisches Porzel-
lan. Ausstellung im Studiengebäude des Bayeri-
schen Nationalmuseums, veranstaltet vom Bayer.
Nationalmuseum und vom Bayerischen Verein der
Kunstfreunde (Museumsverein), 25.7.–20.9.1909.
Offizieller Katalog im Auftrag der Direktion des

Bayerischen Nationalmuseums, bearbeitet von Friedrich H. Hofmann, München 1909

AK München 1958 — Europäisches Rokoko, Kunst und Kultur des 18. Jahrhunderts, Residenz München, 15.6.–15. 9.1958, München 1958

AK München 1960 — Josef Wackerle 1880–1959. Dem Bildhauer zum Gedächtnis, Katalogbearbeitung Dr. Inge Feuchtmayr, Ausstellung im Prinz-Carl-Palais, München, 11.11. bis 11.12.1960

AK München 1963 — Verzeichnis der ausgestellten Porzellanfiguren aus den Münchner Kurfürstlichen Manufakturen Neudeck und Nymphenburg, modelliert von Franz Anton Bustelli 1754–1763, Bayerisches Nationalmuseum, München 1963

AK München 1977 — Leo von Klenze als Maler und Zeichner, 1784–1864, Bayerische Akademie der Schönen Künste, 27.10.1977–29.1.1978, München 1977

AK München 1980 — Wittelsbach und Bayern, Bd. III/Teil 2: Krone und Verfassung. König Max I. Joseph und der neue Staat, München 1980

AK München 1981 — Albrecht Adam und seine Familie. Zur Geschichte einer Münchner Künstlerdynastie im 19. und 20. Jahrhundert, Ausstellung im Münchner Stadtmuseum, 23.10.1981 bis 15.1.1982, München 1981

AK München 1986 — Claus Grimm (Hrsg.): „Vorwärts, vorwärts sollst du schauen ...", Geschichte, Politik und Kunst unter Ludwig I., Katalog zur Ausstellung, Haus der Bayerischen Geschichte, München 1986

AK München 1987 — Hans Ottomeyer (Hrsg.): Biedermeiers Glück und Ende, ... die gestörte Idylle 1815–1848, Katalog der Ausstellung im Münchner Stadtmuseum, 10.5.–30.9.1987, München 1987

AK München 1988 — Norbert Götz und Clementine Schack-Simitzis (Hrsg.): Die Prinzregentenzeit, Münchner Stadtmuseum, München 1988

AK München 1991 — Gisela Scheffler und Paul Ernst Rattelmüller: Volkstracht und Landschaft in Altbayern. Ihre Entdeckung um 1800 durch Johann Georg von Dillis und seine Zeitgenossen, Ausstellung der Staatlichen Graphischen Sammlung München, 29.11.1991–9.2.1992, München 1991

AK München 1992 — Winfried Nerdinger (Hrsg.): Friedrich von Gärtner. Ein Architektenleben 1791–1847. Mit den Briefen an Johann Martin Wagner, Ausstellung des Architekturmuseums der Technischen Universität München im Münchner Stadtmuseum, München 1992

AK München 1994 — Katharina Hantschmann u.a.: Du Paquier contra Meissen. Frühe Wiener Porzellanservice, Ausstellung des Bayerischen Nationalmuseums, 9.12.1994 bis 5.3.1995, München 1994

AK München 1995 — Hans-Albert Treff (Hrsg.): Bärenstark. Natur- und Kulturgeschichte der Bären, Museum Mensch und Natur, München 1995

AK Nürnberg 1955 — Kunst und Kultur in Böhmen, Mähren und Schlesien, Ausstellung im Germanischen Nationalmuseum Nürnberg, Mai bis September 1955, Nürnberg 1955

AK Nürnberg 1993 — Ludwigslust. Die Slg. Irene und Peter Ludwig, 19.6.–10.10.1993, German. Nationalmuseum Nürnberg, Nürnberg 1993

AK Reichersberg 1974 — Die Bildhauerfamilie Schwanthaler 1633–1848. Vom Barock zum Klassizismus, Ausstellung des Landes Oberösterreich im Augustinerchorherrenstift Reichersberg am Inn, 3.5.–13.10.1974, Reichersberg 1974

AK Troppau 1906 — Katalog der Ausstellung von Europäischem Porzellan, Kaiser Franz Josef-Museum für Kunst und Gewerbe in Troppau (Schlesisches Landesmuseum), 1.2.–1.3.1906

AK Wien 1990 — Snuff Boxes oder Von der Sehnsucht der lüsternen Nase, bearbeitet von Richard Steiskal-Paur, Katalog zur Sonderausstellung des Österreichischen Tabakmuseums, 27.11.1990 bis 31.1.1991, Wien 1990

Baer 1983 — Winfried und Ilse Baer: ... Auf Allerhöchsten Befehl ... Königsgeschenke aus der Königlichen Porzellan-Manufaktur Berlin. Veröffentlichung aus dem KPM-Archiv der Staatlichen Porzellan-Manufaktur Berlin (KPM). I., Berlin 1983

Barsewisch 1988 — Bernhard von Barsewisch: Unterglasurblaue Malerei, in: Keramos 121, Juli 1988

Bäuml 1960 — Fritz Bäuml: Einiges über Nymphenburger Chinesen, in: Keramos 10, Oktober 1960, S. 7–12

Bäuml 1966 — Fritz Bäuml: Sieben Nymphenburger Maler des 18. Jahrhunderts, in: Keramos 34, Oktober 1966, S. 9–29

Bayern 1963 — Prinz Adalbert von Bayern: Die Herzen der Leuchtenberg. Chronik einer napoleonisch–bayerisch–europäischen Familie, München 1963

Biermann 1917 — Georg Biermann: Die Miniaturen-Sammlung S.K.H. des Großherzogs Ernst Ludwig von Hessen und bei Rhein, Leipzig 1917

Boehn 1921 — Max von Boehn: Das Bühnenkostüm in Altertum, Mittelalter und Neuzeit, Berlin 1921

Braun-Ronsdorf 1953 — Margarethe Braun-Ronsdorf: 200 Jahre Nymphenburger Tafelgeschirr, Darmstadt o.J. [1953]

Brunner 1977 — Herbert Brunner: Die Kunstschätze der Münchner Residenz, hrsg. von Albrecht Miller, München 1977

Buchheit 1909 — Hans Buchheit: Die Ausstellung von altem bayerischem Porzellan im Bayerischen Nationalmuseum, in: Münchner Jahrbuch der bildenden Kunst, II. Halbband 1909, S. 160–176

Bürklin 1971 — Heidi Bürklin: Franz Joachim Beich (1665–1748). Ein Landschafts- und Schlachtenmaler am Hofe Max Emanuels, Miscellanae Bavarica Monacensia, Neue Schriftenreihe des Stadtarchivs München, Heft 39, München 1971

Buten 1980 — David Buten: 18th century Wedgwood, A Guide for Collectors & Connoisseurs, New York 1980

Corbeiller 1966 — Clare Le Corbeiller: Alte Tabaksdosen aus Europa und Amerika, München 1966

Deubner 1942 — Ludwig Deubner (Hrsg.): Staatliche Porzellan-Manufaktur Nymphenburg, Ihre Entwicklung von der Gründung bis zur Gegenwart, Sonderdruck der Heimatzeitschrift „Das Bayerland", München 1942

Diesel 1989 — Matthias Diesel: Verlustierende Augenweide in Vorstellung herrlicher Gärten und Lustgebäude, hrsg. von Harri Günther, Stuttgart 1989

Ducret 1962 — Siegfried Ducret: Deutsches Porzellan und deutsche Fayencen, Baden-Baden 1962

Ducret 1965 — Siegfried Ducret: Joseph Jakob Ringler, der Zeichner, in: Keramos 30, Oktober 1965, S. 3–13

Ducret 1967 — Siegfried Ducret: Augsburger Hausmalerei, 1. Augsburger Goldchinesen, in: Keramos 37, Juli 1967, S. 3–62

Ducret 1973 — Siegfried Ducret: Keramik und Graphik des 18. Jahrhunderts, Vorlagen für Maler und Modelleure, Braunschweig 1973

Ducret 1977 — Siegfried Ducret: Porzellan der europäischen Manufakturen im 18. Jahrhundert, Eltville a. Rhein, 1977

Egge 1972 — Ina Egge: Die Geschirrmalerei der Manufaktur Frankenthal, Diss. phil., München 1972

Eriksen und De Bellaigue 1987 — Svend Eriksen and Geoffrey De Bellaigue: Sèvres Porcelain. Vincennes and Sèvres 1740–1800, London 1987

Falke 1887 — Jacob von Falke: Die K.K. Wiener Porzellanfabrik. Ihre Geschichte und die Sammlung ihrer Arbeiten im K.K. Oesterreich. Museum, Wien 1887

Falke 1919 — Otto von Falke: Deutsche Porzellanfiguren, Berlin 1919

Falke 1925 — Otto von Falke: Die Kunstsammlung von Pannwitz, Band II, Skulpturen und Kunstgewerbe, München 1925

Faÿ-Hallé / Mundt 1983 — Antoinette Faÿ-Hallé und Barbara Mundt: Europäisches Porzellan vom Klasizismus bis zum Jugendstil, Stuttgart 1983

Flurl 1792 — Mathias von Flurl: Beschreibung der Gebirge von Baiern und der Oberen Pfalz 1792, Nachdruck München 1992

Folnesics 1914 — Josef Folnesics: Die Wiener-Porzellan Sammlung Karl Mayer, Wien 1914

Franks 1896 — Sir A. Wollaston Franks: Collection of continental Porcelain, lent to the Bethnal Green Branch Museum, London 1896

Freyberger 1954 — Laurentius Freyberger: Die italienische Komödie in Franz Anton Bustellis Nymphenburger Porzellanfiguren, in: Der Zwiebelturm, Heft 2, 1954, S. 1–8

Frühsorge 1990 — Gotthardt Frühsorge, Der Kaffee oder die Unruhe des Daseins, in: Kunst und Antiquitäten, Heft 10, 1990, S. 20–27

Gauthier 1964 — Serge Gauthier: Les porcelainiers français du XVIIIe siècle, Paris 1964

Graepler 1955 — Carl Graepler: Ein Beitrag zur Bustelli-Forschung, in: Keramik-Freunde der Schweiz, Mitteilungsblatt Nr.33, Dezember 1955, S. 6–19

Grospietsch 1981 — Hans-Dieter Grospietsch: Vom Zauber alten Porzellans, Freiburg 1981

Grotemeyer 1971 — Paul Grotemeyer: Franz Andreas Schega 1711–1787. Münzstempelschneider und Medailleur an der kurfürstlichen Münze zu München, München 1971

Haager 1955 — Luisa Haager: Nymphenburg. Schloss, Park und Burgen, München 1955

Hackenbroch 1956 — Yvonne Hackenbroch: Meissen and other continental Porcelain, Faience and Enamel in the Irwin Untermyer Collection, London 1956

Hannover 1925 — Emil Hannover: Pottery & Porcelain. A handbook for collectors. III. European Porcelain, London 1925

Hantschmann 1996 — Katharina Hantschmann: Nymphenburger Porzellan 1797 bis 1847. Geschichte, Modelle, Dekore, Klinkhardt & Biermann, München 1996

Hantschmann 1996a — Katharina Hantschmann: Bayerische Ansichten auf Nymphenburger Porzellan des 19. Jahrhunderts, in: Weltkunst, 1.6.1996, S. 1266–1269

Hase 1971 — Ulrike von Hase: Joseph Stieler 1781–1858, München 1971

Hernmarck 1933 — Carl Hernmarck: Georg Demarées, Studien über die Rokokomalerei in Schweden und Deutschland, Uppsala 1933

Hintze 1965 — Erwin Hintze: Süddeutsche Zinngießer, Teil II, Nachdruck Osnabrück 1965

Hofmann 1908 — Friedrich H. Hofmann: Das Arcanum der Nymphenburger Porzellanfabrik, in: Archiv des Historischen Vereins von Oberbayern, Jg. 51, 1908, S. 89 ff.

Hofmann 1911 — Friedrich H. Hofmann: Frankenthaler Porzellan, 2 Bde., München 1911

Hofmann 1932 — Friedrich H. Hofmann: Das Porzellan der europäischen Manufakturen im XVIII. Jahrhundert, Berlin 1932

Hojer 1980 — Gerhard Hojer: Das Onyx-Service in der Münchner Residenz und seine Vorlagen, in: Weltkunst 1980, Nr. 14, S. 1976–1979

Honey 1947 — W.B. Honey: German Porcelain, London 1947

Honey 1952 — W.B. Honey: European Ceramic Art, London 1952

Hornig-Sutter 1986 — Monika Hornig-Sutter: Anselmo und Corine in neuem Lichte, Archäometrische Forschungen an Nymphenburger Porzellan, in: Weltkunst, 15.10.1986, S. 2996–2999

JB 1954/55 — Jahresbericht des Schweizerischen Landesmuseum, 1954–1955

Jedding 1986 — Hermann Jedding: Porzellan aus der Sammlung Blohm, Leihgaben von Ernesto und Emily Blohm, Museum für Kunst und Gewerbe Hamburg, Große Bilderhefte 1, Hamburg 1968

Junkelmann 1985 — Markus Junkelmann: Napoleon und Bayern. Von den Anfängen des Königreiches, Regensburg 1985

Kat. 1914 — Preisliste der Königlichen Porzellan-Manufaktur Nymphenburg, München o.J. [1914 erschienen]

Kirby 1985 — Ulrika Kirby: Die Küche der Amalienburg im Schloßgarten von Nymphenburg zu München, in: Keramos 108, April 1985, S. 19–98

Köllmann/Jarchow 1987 — Erich Köllmann/Margarete Jarchow: Berliner Porzellan, 2 Bde., Berlin 1987

Lill — Georg Lill: Europäische Porzellanfiguren des XVIII. Jahrhunderts, München o.J.

Ludwig 1981 — Horst Ludwig u.a.: Münchner Maler im 19. Jahrhundert, Bd. 1, München 1981

Meister/Reber 1980 — Peter Wilhelm Meister und Horst Reber; Europäisches Porzellan, Stuttgart 1980

Messerli-Bolliger 1989 — Barbara E. Messerli-Bolliger: Die Porzellansammlung des Jacobs Suchard Museums in Zürich, in: Keramos 123, Januar 1989, S. 3–38

Miller 1986 — Albrecht Miller: Nymphenburger Porzellan von Bustelli bis Wackerle, Sammlung Bäuml im Marstallmuseum des Schlosses Nymphenburg, in: Weltkunst, 15.10.1986, S. 3020–3023

MK Berlin 1966 — Wolfgang Scheffler: Werke um 1900, Kataloge des Kunstgewerbemuseums Berlin, Bd. II, Stiftung Preussischer Kulturbesitz, Berlin 1966

MK Berlin 1970 — Europäisches Kunsthandwerk vom Mittelalter bis zur Gegenwart. Neuerwerbungen 1959–1969, Kataloge des Kunstgewerbemuseums, Bd. IV, Berlin 1970

MK Berlin 1980 — Stefan Bursche: Meissen. Steinzeug und Porzellan des 18. Jahrhunderts, Kataloge des Kunstgewerbemuseums Berlin, Bd. IX, Berlin 1980

MK Berlin/Ost 1980 — Führer durch die Sammlungen Berlin (Ost) der Staatlichen Museen zu Berlin, Kunstgewerbemuseum Schloß Köpenik, Berlin 1980

MK Düsseldorf 1966 — Adalbert Klein (Bearb.): Europäisches Porzellan im Hetjens-Museum, Kataloge des Kunstmuseums, Bd. 1, Düsseldorf 1966

MK Frankfurt 1980 — Jugendstil-Keramik, Museum für Kunsthandwerk, Kleine Hefte 13, Frankfurt a.M. 1980

MK Frankfurt 1983 — Margit Bauer (Bearb.): Deutsches Porzellan des 18. Jahrhunderts. Geschirr und Ziergerät, Museum für Kunsthandwerk, Frankfurt a. M. 1983

MK Karlsruhe 1977 — Walther Franzius (Bearb.): Porzellanfiguren des 18. Jahrhunderts. Eine Auswahl aus den Sammlungen des Badischen Landesmuseums, Karlsruhe 1977

MK Köln 1980 — Barbara Beaucamp-Markowsky: Europäisches Porzellan und ostasiatisches Exportporzellan. Geschirr und Ziergerät, Katalog des Kunstgewerbemuseums Köln, Bd. VI, Köln 1980

MK Kopenhagen 1969 — The Danish Museum of Decorative Art, Activities and Aquisitions 1964–69, Copenhagen 1969

MK Leipzig 1983 — Dieter Gielke (Bearb.): Europäisches Porzellan im Museum des Kunsthandwerks Leipzig „Grassimuseum", Leipzig o.J. [wohl 1983]

MK München 1908 — Friedrich H. Hofmann: Das europäische Porzellan des Bayer. Nationalmuseums, Bd. X, München 1908

MK München 1912 — Friedrich H. Hofmann: Führer durch das Porzellan–Kabinett der K. Residenz in München, München 1912

MK München 1974 — Helga D. Hofmann (Bearb.): Kleinplastik und figürliches Kunsthandwerk aus den Beständen des Münchner Stadtmuseums 1880–1930, München 1974

MK München 1983 — Alte Pinakothek München, München 1983

MK Nürnberg 1989 — Das Gewerbemuseum der LGA [=Landesgewerbeanstalt] im Germanischen Nationalmuseum, Nürnberg 1989

MK Providence 1965 — Elizabeth Temple Casey: The Lucy Aldrich Collection of European Porcelain Figures of the 18th Century, Museum of Art, Rhode Island School of Design, Providence/Rhode Island 1965

MK Stockholm 1984 — Aron Andersson Collection. European XVIIIth century porcelain. Introduction by Aron Andersson. Edited by Helena Dahlbäck Lutteman. Nationalmusei skriftserie N.S. 3 (Publications of the National Museum No. 3), Stockholm 1984

MK Toronto 1984 — J.P. Palmer und Meredith Chilton: Treasures of the George R. Gardiner Museum of Ceramic Art, Toronto 1984

MK Warschau 1964 — Sztuka Zdobnicza: Dary i Nsbytki 1945–1964, Warszawa 1964 [Dekorative Kunst. Geschenke und Erwerbungen 1945–1964, Warschau 1964]

MK Wien 1971 — Wilhelm Mrazek und Waltraud Neuwirth: Wiener Porzellan 1718–1864, Österreichisches Museum für angewandte Kunst, Katalog Neue Folge Nr. 3, Wien, 1. Auflage 1970, 2. Auflage 1971

Morgenroth 1989 — Walter Morgenroth: Tabakpfeifen sammeln. Kunstwerke in Porzellan. Ein Beitrag zur Geschichte des Rauchens, München 1989

Mundt 1981 — Barbara Mundt: Historismus, München 1981

Nagler — Georg Kaspar Nagler: Neues allgemeines Künstlerlexikon, Leipzig 1835–1852

Newman 1977 — Michael Newman: Die deutschen Porzellanmanufakturen, 2 Bände, Braunschweig 1977

Pauls-Eisenbeiss 1972 — Erika Pauls-Eisenbeiss: German Porcelain of the 18th Century, 2 Bde., London 1972

Pazaurek 1925 — Gustav E. Pazaurek: Deutsche Fayence- und Porzellan-Hausmaler, 2 Bde., Leipzig 1925

Pechmann 1947 — Günther von Pechmann: Die Italienische Komödie in Porzellan von Franz Anton Bustelli, Berlin 1947

Pierrette 1978 — Jean-Richard Pierrette: L'Œuvre gravé de François Boucher dans la Collection Edmond de Rothschild, Paris 1978

Piranesi 1778 — Giovanni Battista Piranesi: Vasi, Candelabri, Cippe, Sarcofagi, Tripodi etc., Roma 1778

Pluis 1994 — Jan Pluis: Bijbeltegels – Bibelfliesen. Biblische Darstellungen auf Niederländischen Wandfliesen vom 17. bis zum 20. Jahrhundert, Münster 1994

Proebst 1957 — München im Wandel der Jahrhunderte. Bilder aus der Sammlung Proebst, hrsg. vom Kreis der Freunde Alt-Münchens, München 1957

Reber 1974 — Horst Reber: Der Porzellanmaler Andreas Philipp Oettner, in: Keramos 63, Januar 1974, S. 1–46

Reinheckel 1968 — Günter Reinheckel: Plastische Dekorationsformen im Meißner Porzellan des 18. Jahrhunderts, in: Keramos 41/42, Juli/Oktober 1968, S. 1–123

Rococo 1956 — Rococo Art from Bavaria, London 1956

Röder 1931 — Kurt Röder: Das Kelsterbacher Porzellan. Werden und Vergehen einer deutschen Porzellanmanufaktur, Darmstadt 1931

Rollo 1964 — Charles Rollo: Continental Porcelain of the Eighteenth Century, London 1964

Röngten 1984 — Robert E. Röngten: The book of Meissen, Exton 1984

Rosenfeld 1949 — David Rosenfeld: Porcelain Figures of the eighteenth century in Europe, London/New York 1949

Rückert 1963 — Rainer Rückert: F. A. Bustelli, München 1963

Rückert 1963a — Rainer Rückert: Notizen zur Bustelli-Ausstellung, in: Keramos 22, Oktober 1963, S. 28–35

Rückert 1965 — Rainer Rückert: Eine Terracotta-Kleinplastik von Franz Anton Bustelli, in: Festschrift für Theodor Müller, Studien zur Geschichte europäischer Plastik, München 1965, S. 311–316

Rückert 1970 — Rainer Rückert: In memoriam Dr. phil. Fritz Bäuml, 1887–1969, in: Keramos 47, Januar 1970, S. 67–68

Rückert 1990 — Rainer Rückert: Biographische Daten der Meißener Manufakturisten im 18. Jahrhundert, Kataloge des Bayerischen Nationalmuseums, Bd. XX, München 1990

Sauerlandt 1923 — Max Sauerlandt: Deutsche Porzellanfiguren des XVIII. Jahrhunderts, Köln 1923

Schmidt 1925 — Robert Schmidt: Das Porzellan als Kunstwerk und Kulturspiegel, München 1925

Schmidt 1953 — Robert Schmidt: Frühwerke europäischer Porzellanmanufakturen. Sammlung Otto Blohm, München 1953

Schmitz 1819 — Carl Franz Ludwig Schmitz: Grundzüge zur Geschichte der kgl. bayer. Porzellan-Manufactur zu Nymphenburg, München 1819

Schmitz — Hermann Schmitz: Generaldirektør Ole Olsens Kunstsamlinger, Ole Olsens Kunstsammlungen, Bd. II, München o.J.

Schönberger 1949 — Arno Schönberger: Deutsches Porzellan, München 1949

Schuster 1936 — Marianne Schuster: Johann Esaias Nilson. Ein Kupferstecher des süddeutschen Rokoko, München 1936

Sedlmayr 1963 — Hans Sedlmayr: Bustelli und das Rokoko, Rede anläßlich der Eröffnung der Bustelli-Ausstellung des Bayerischen Nationalmuseums am 20. Juni 1963, in: Alte und moderne Kunst, Heft 71, November/Dezember 1963, S. 16–21

Simona 1945 — Luigi Simona: F. A. Bustelli ritorna, Locarno 1945

Snowman 1990 — Kenneth A. Snowman: Eighteenth Century Gold Boxes of Europe, Antique Collectors' Club, London 1990

Solowejcik 1978 — Roda Solowejcik: Thüringer Porzellan, Sammlungskatalog der Eremitage Leningrad, in: Keramos 81/82, Juli/Oktober 1978, S. 14–126

Spies 1994 — Hans-Bernd Spies (Hrsg.): Carl von Dalberg 1744–1817, Beiträge zu seiner Biographie, Aschaffenburg 1994

Stillfried 1879 — Heinrich Graf Stillfried: Leben und Kunstleistung des Malers und Kupferstechers Georg Philipp Rugendas und seiner Nachkommen, Berlin 1879

Tait 1962 — Hugh Tait: Porzellan, London 1962

Terrasson 1969 — J. Terrasson: Madame de Pompadour et la création de la „Porcelaine de France", Paris 1969

Th./B. — Thieme/Becker: Allgemeines Lexikon der bildenden Künstler von der Antike bis zur Gegenwart, Leipzig 1907ff.

Thoma 1947 — Hans Thoma: Zweihundert Jahre Nymphenburg 1747–1947, München 1947

VK Adelsberger 1930 — Sammlung A. Adelsberger, Nürnberg. Zweiter Teil: Steingut, Steinzeug, europäisches Porzellan, ostasiatisches Porzellan und Kunstgewerbe, Orientteppiche, Zinnarbeiten. Versteigerung bei Hugo Helbing, München, 9.–10.10.1930

VK Baden-Baden 1995 — Die Sammlung der Markgrafen und Großherzöge von Baden. Sotheby's, Baden-Baden, 6 Bde., 5.–21.10.1995

VK Biederstein 1930 — Versteigerung Schloß Biederstein. Helbing, München, 20.–25.9.1930

VK Buckardt 1925 — Die Sammlung Fritz Buckardt, Berlin. Deutsches und ausländisches Porzellan, deutsche Fayencen und Steingut. Cassirer und Helbing, Berlin, 8.–9.12.1925

VK Budge 1937 — Sammlung Frau Emma Budge, Hamburg. Paul Graupe, Berlin, 27.–29.9.1937

VK Czermak 1917 — Sammlung Czermak, München. Porzellane, bemalte Geschirre und Gefässe vorwiegend deutscher Manufakturen des 18. Jahrhunderts. Helbing, München, 15.–16.5.1917

VK Czermak 1920 — Antiquitäten, Möbel, Kunst- und Einrichtungsgegenstände, Gemälde, Nachlass Ernst Czermak, K.K. Major A.D., München. Helbing, München, 23.–24.11.1920

VK Darmstädter 1925 — Sammlung Darmstädter, Berlin. Europäisches Porzellan des XVIII. Jahrhunderts, Bearbeitung von Prof. Dr. Schnorr von Carolsfeld. Lepke, Berlin, 24.–26.3.1925

VK Dobay 1926 — Sammlung Dr. Aurel von Dobay, Budapest. Porzellanplastik des XVIII. Jahrhunderts. Lepke, Berlin, 9.–10.12.1926

VK Drey 1936 — Aus dem Besitz der Firma A.S. Drey, München (Räumungsverkauf). Graupe, Berlin, 18.6.1936

VK Fischer 1906 — Katalog der ausgewählten und erstklassigen Sammlung Alt-Meißner Porzellan aller Stilrichtungen des XVIII. Jahrhunderts nebst einem Anhang Porzellan anderer Manufakturen des Herrn Rentners C.H. Fischer in Dresden. Heberle, Köln, 25.10.1906

VK Fischer 1918 — Katalog der Slg. Fischer, Dresden. Helbing, München, 13.–14.5.1918

VK Franckenstein 1901 — Katalog der Porzellansammlung des Herrn Heinrich Freiherrn von und zu Franckenstein, München. Gruppen, Figuren und Gefässe deutscher Manufakturen. Helbing, München, 10.–11.6.1901

VK Franckenstein 1912 — Kunstsammlungen Heinrich Freiherr von und zu Franckenstein †, München. Abteilung I. Antiquitäten und Möbel. Helbing, München, 28.3.1912

VK Frank 1919 — Sammlung Finanzrat Karl Frank †, Augsburg. Dr. F.X. Weizinger & Co., München, 11.9.1919

VK Gasser 1912 — Europäische Keramik des 16. bis 18. Jahrhunderts aus dem Besitz des Freiherrn Rudolf von Gasser, München, langjährigen bayerischen Gesandten in St. Petersburg. Helbing, München, 28.2.–1.3.1912

VK Girtanner 1926 — Sammlung Friedrich Girtanner, Zürich. Porzellangeschirr, Majoliken, Fayencen, Steinzeug und Gläser. Lepke, Berlin, 9.–10.12.1926

VK Härtel 1907 — Porzellane sowie einige Antiquitäten und Kunstgegenstände aus dem Nachlasse des Herrn Rentier Gustav Härtel, Dresden. Helbing, München, 23.5.1907

VK Hirth 1898 — Collection Georg Hirth. I. Abtheilung: Deutsch Tanagra, Porzellan-Figuren des achtzehnten Jahrhunderts, gesammelt von Georg Hirth, bearbeitet von Hugo Helbing unter Mitwirkung von Ludwig Carl Frenzel und Herbert Hirth, Text- und Tafelband, München & Leipzig 1898

VK Hirth 1916 — Versteigerung Sammlung Hirth. Band I Text, Band II Tafeln. Helbing, München, 28.11.1916 und folgende Tage, München 1916

VK Jahn 1989 — Sammlung Jahn, Meissen-Porzellan, Vorwort von Hermann Jedding. Kunsthaus Lempertz, Köln, 12.6.1989

VK Jourdan 1910 — Sammlung Carl Jourdan, Frankfurt a.M. Porzellan, Kunstgewerbe des XVI. bis XVIII. Jahrhunderts. Lepke, Berlin, 18.–20.10.1910

VK Kirchberger 1927 — Sammlung André Kirchberger, Ems. Deutsches Porzellan des XVIII. Jahrhunderts, beschrieben von Schnorr von Carolsfeld. Paul Cassirer und Hugo Helbing, Berlin, 22.11.1927

VK Levi 1956 — Catalogue of an unique collection of Nymphenburg Porcelain, mainly modelled by Franz Anton Bustelli. The property of a gentleman. Christie's, London, 2.–3.7.1956

VK Mühsam 1925 — Sammlung Kommerzienrat Jacques Mühsam, Berlin. Kunstauktionshaus Glückselig GmbH, Wien, 27.–30.4.1925

VK Oppenheim 1936 — Sammlung Frau Margarethe Oppenheim. Julius Böhler, München, 18.–20.5.1936

VK Ostermann 1928/I — Sammlung Dr. Paul von Ostermann, Darmstadt-München, beschrieben von Otto von Falke. Paul Cassirer und Hugo Helbing, Berlin, 30.10.–2.11.1928

VK Ostermann 1928/II — Sammlung Dr. Paul von Ostermann, Darmstadt-München, II. Teil. Helbing, München, 18.–19.12.1928

VK Pannwitz 1905 — Sammlung von Pannwitz, Vorwort von Dr. Ernst Bassermann-Jordan. Helbing, München, 24.–25.10.1905

VK Quadt 1913 — Antiquitäten, Kunstgegenstände u. Möbel aus dem Nachlasse der verstorbenen Frau Gräfin Alfred von Quadt-Wykradt-Isny, Tegernsee. Helbing, München, 17.–18.11.1913

VK Dr. Remé 1938 — Antiquitäten-Sammlung Dr. Gustav-Adolf Remé. Hans W. Lange, Berlin, 7.–9.4.1938

VK Ridder 1931 — Seltene Porzellan-Plastik (Sammlung de Ridder). Hahn, Frankfurt a.M., 3.6.1931

VK Rittershausen 1917 — Antiquitäten, Kunstgegenstände, Miniatur und alte Ölgemälde. Nachlaß Oberstabsarzt Dr. Karl Rittershausen, München. Helbing, München, 15.2.1917

VK Rüttgers 1927 — Sammlungen Rüttgers, München und Sönksen, London/Plön. Europäische Porzellane, ostasiatische Fayencen, Möbel, Stiche, alte Gemälde, eingeleitet und bearbeitet von Dr. Armin Hausladen. Helbing, München, 28.–29.10.1927

VK Sayn-Wittgenstein 1907 — Collection Prinz Otto Sayn-Wittgenstein, Egern-Rottach, Kunst und Kunstgewerbe des XVII. und XVIII. Jahrhunderts. Helbing, München, 28.10.1907

VK Seitz 1912 — Sammlung Prof. Otto Seitz. Helbing, München, 4.11.1912

VK Seligmann 1917 — Porzellane, Edelglas, Goldschmiedearbeiten, alte Möbel und Schnitzereien, Gobelins, Bucheinbände und Bücher, Münzen, moderne Gemälde und Zeichnungen aus dem Besitz des verewigten Kommerzienrat Moritz Seligmann, Köln a.Rh. Helbing, München, ab 23.1.1917

VK Stegmann 1917 — Alte vorwiegend süddeutsche Fayencen und Porzellane, Gläser, Arbeiten in Edelmetall, Bronze und Zinn, Skulpturen, Möbel, Gobelins und Kostüme, Miniaturen etc. aus den Nachlässen Dr. Hans Stegmann, München, Direktor des Bayerischen Nationalmuseums; Dr. Wilhelm Schmidt, München, Direktor der Graph. Sammlung, München; Prof. A. von Wierusz-Kowalski, München; Rudolf Hübel, Meran. Helbing, München, 17.–19.4.1917

VK Stein 1924 — Sammlung Rudolf Stein. Wiener und deutsches Porzellan. Glückselig & Wärndorfer GmbH, Wien, 10.–12.3.1924

VK Steinharter 1918 — Nachlass Kommerzienrat Adolf Steinharter, München. Helbing, München 28.–29.5.1918

VK Strauss 1922 — Sammlung Dr. Max Strauss, Wien. Porzellan und deutsches Glas. Glückselig & Wärndorfer GmbH, Wien, 16.–19.1.1922

VK Thurn und Taxis 1993 — Die Fürstliche Sammlung Thurn und Taxis, Bd. III. Sotheby's, Regensburg 16.–18.10.1993

VK Wurz 1924 — Sammlung Jean Wurz, Mannheim. Frankenthaler Porzellan, Arbeiten anderer deutscher Manufakturen. Lepke, Berlin 10.–11.12.1924

Vriesen 1960 — Hellmuth Vriesen: Neue Theaterkupfer aus der Werkstatt von Martin Engelbrecht, in: Maske und Kothurn, Vierteljahresschrift für Theaterwissenschaft, hrsg. v. Inst. f. Theaterwissenschaft an der Universität Wien, Jg. 6, Heft 3, 1960, S. 276–279, Tafel XI, XII

Walcha 1963 — Otto Walcha: Porzellan, Leipzig 1963

Ware 1951 — George W. Ware: Deutsches und Oesterreichisches Porzellan, Frankfurt a.M. 1951

Wark 1960 — Ralph Wark: Adam Friedrich von Loewenfinck, Stand der heutigen Kenntnisse, in: Keramikfreunde der Schweiz, Nr. 50, April 1960, S. 31–34

Wellensieck 1983 — Hertha Wellensieck: Hundert alte Tassen aus Porzellan, München 1983

Wichmann 1981 — Siegfried Wichmann: Meister – Schüler – Themen. Münchner Landschaftsmaler im 19. Jahrhundert, Herrsching 1981

Wynter 1971 — Harriet Wynter: An Introduction to European Porcelain, London 1971

Wyss 1965 — Robert L. Wyss: Porzellan. Meisterwerke aus der Sammlung Kocher. Deutsches Porzellan des 18. Jahrhunderts im Bernischen Historischen Museum, Bern 1965

Zick 1965 — Gisela Zick: D'Après Boucher, in: Keramos 29, Juli 1965, S. 3–47

Ziffer 1987 — Alfred Ziffer: Dame mit Muff, Joseph Wackerles erste Arbeit für Nymphenburg, in: Antiquitäten-Zeitung, Nr. 12, 1987, S. 303, 306

Ziffer 1989 — Alfred Ziffer: Frenzels Schwäne, in: Antiquitäten–Zeitung, Nr. 9, 1989, S. 258–259

Ziffer 1989a — Alfred Ziffer: Münchener Flamenco, Wackerle-Gruppe bei Neumeister, München, in: Antiquitäten-Zeitung, Nr. 19, 1989, S. 544

Ziffer 1991 — Alfred Ziffer: Le porcellane, Cataloghi delle collezioni 1, Museo Provinciale d'Arte, Trento 1991

Ziffer 1993 — Porzellan. Die schönsten Motive und Dekore aus berühmten Manufakturen, München 1993

Ziffer 1993a — Alfred Ziffer: Moderne Aphrodite, Wackerle-Porzellangruppe auf Schloß Ahlden, in: Antiquitäten-Zeitung, Nr. 10, 1993, S. 298–299

Zimmermann 1906 — Ernst Zimmermann: Nymphenburger Porzellan, in: Illustrierte Zeitung, Leipzig, Nr. 3334, 23.5.1906

Zimmermann 1906a — Ernst Zimmermann: Keramik. Bemerkungen zur 3. deutschen Kunstgewerbeausstellung Dresden 1906, in: Kunstgewerbeblatt N.F., 17. Jg., Dezember 1906, S. 232–238

Zimmermann 1937 — Walther Zimmermann: Zeitgemäße Arbeiten der Staatlichen Porzellan-Manufaktur Nymphenburg, München o.J. [1937]

Register/Index

Personenregister

Ortsregister

Ludwigsburg 11, 16, 202, 229
Lyon 328
Mannheim 254
Mannheim, Reiss-Museum 43, 268
Meissen 9, 11, 20, 21, 39, 52, 58, 87, 93, 98,
110, 112, 113, 118, 120, 122, 123, 126, 127,
134, 145, 151, 152, 159, 171, 172, 175, 176,
178, 200, 202, 219, 230–232, 236, 237, 240,
243, 251
München 39, 53, 243, 248, 322, 324, 328,
329, 331, 332
München, BNM 9, 11, 22, 24–26, 28–30, 32,
33, 35–37, 39–45, 47–50, 52–59, 61–71,
76–81, 83, 85–87, 92–94, 96, 99, 100, 101,
103, 113, 117–120, 122, 124, 127, 133, 134,
137, 139, 142, 145–147, 151, 153, 156–160,
164, 167, 172, 175, 176, 179, 184–187, 189,
190, 192, 197–199, 203, 204, 209, 213, 215,
220, 221, 225, 228–231, 236, 237, 241, 248,
250, 251, 256–259, 263, 265–272, 277, 287,
288, 293, 296–299, 303, 317, 322, 326, 331,
332, 338, 340, 344–346, 357, 359–361, 363,
368, 370
München, BStG 354, 356, 357
München, GSlg 325
München, MStm 35–37, 40, 159, 184, 262,
263, 268, 273, 275, 301, 312, 318, 322, 329,
334, 342, 345, 347, 352, 359, 375
München, Residenzmuseum 24, 28, 29, 32,
47, 48, 50, 58, 61–63, 69–71, 79, 81–83,
87–89, 91, 92, 94, 96, 126, 129, 130, 134,
141, 142, 156, 167, 172, 179, 181, 183, 194,
200, 209, 212, 227, 248, 251, 257, 265, 266,
269, 270, 277, 279, 349, 356, 357
München, WAF 26, 28, 50, 176, 187, 193,
268, 270, 293
Muralto 16
Neapel, MNC 244, 246, 248
Neudeck i.d. Au 14, 16, 21, 107, 115, 178,
199, 203, 229, 232, 241
Neuried 321
New York, Cooper-Hewitt 209

New York, MMA 29, 32, 35, 41, 50, 52, 53,
58, 59, 62, 64, 65, 67, 70, 77–79, 123, 132,
173, 193, 197, 228, 236, 245
Niderweiler 194, 322
Nizza 348
Nürnberg 197, 332
Nürnberg, GNM 38, 52, 58, 70
Nürnberg, LGA/GNM 27, 30–32, 35, 39, 55,
89, 109, 132, 138, 147, 181
Nymphenburg, BSV 43, 50, 123, 181, 188,
220, 228, 234, 322, 352, 380
Nymphenburg, Schloß u. Parkburgen 11, 14,
18, 182, 183, 197, 218, 224, 381, 383–385
Obernzell 254
Opava/Troppau 28, 29, 79, 100, 101, 184,
221, 238
Paris 17, 100, 177, 183, 255, 376, 377, 379,
389
Paris, Dagoty 296, 297, 313
Paris, MAD 71, 116, 151, 159, 176, 189, 215,
222
Paris, Samson 100
Passau 254, 325, 329, 374
Pfalz-Zweibrücken 125
Pilsen 374
Planegg 321, 332
Pompeij 276, 291
Potsdam 96
Rappoltsweiler 260
Ratingen, Stadtmuseum 257, 268
Regensburg 199, 247, 323, 329
Rom 17, 255, 264
Rosenheim, Stadtmuseum 251
Saargemünd 270
Sachsen 126
Sachsen-Gotha 354
Salzburg 183, 326
Schleißheim 183, 184
Schliersee 326, 331
Schwerin, Staatl. Mus. 52, 154, 193
Sèvres 11, 118, 159, 176, 192, 226, 227, 293,
295, 309

Sèvres, MNC 42, 54–56, 102, 106, 147, 213,
214, 222, 266, 270, 277, 293, 309, 347
Solln 321
Speyer, Hist. Museum 269
Spitzing 326
St. Cloud 116
St. Paul 103, 106
St. Petersburg, Eremitage 248, 313
Starnberg 182, 184, 248, 323, 325
Stockholm, Nationalmuseum 36, 50, 58, 88,
102, 111, 145, 151, 181, 186, 193, 212, 228,
283
Straßburg 202
Straubing 35, 329
Stuttgart 324
Stuttgart, WLM 22, 24, 27, 28, 32, 33, 38–40,
43–45, 47, 50, 52, 54, 66, 69, 109, 119, 137,
146, 194, 195, 214, 241, 248, 256, 294, 343,
354
Ulm 258
Tegernsee 312, 325, 327, 347
Theusing b. Karlsbad 374
Toronto, GGMCA 52, 53, 61, 64, 65, 67, 70,
139, 198
Traunstein 330
Trento, MPA 25, 27, 29, 32, 38, 44, 48–50,
53, 56, 61, 63, 65, 70, 76, 98, 100
Trier 247
Veitshöchheim 382
Venedig 60, 182
Wien 11, 14, 16, 71, 73, 88, 99, 100, 101,
103, 113, 115, 126, 151, 162, 175, 213,
226, 241, 264, 293, 309, 333
Wien, MAK 36, 61, 69, 86, 142, 217, 249
Warschau 230
Warschau, Museum 70
Würzburg 324
Znaim 377
Zürich, Johann-Jacobs-Museum 79, 343
Zürich, SLM 38, 48, 49, 58, 70

Sammlungsregister

Adelsberger 209, 251
Aldrich 63, 68
Augst 48
Baden-Baden 251, 270
Baer 26, 43, 198
Baer-Lust 70
Bath 88
Bäuml 27, 30, 32, 34, 35, 68, 71, 133, 175,
191, 213, 222, 288, 324, 333
Beckhardt 78, 236
Berg-Lust 50
Blohm, Ernesto 40, 47, 61, 69
Blohm, Otto 26, 27, 53, 61, 70, 164, 186, 217
Böhler 27, 28, 30, 32, 33, 52, 53, 56, 137, 250,
340
Brioli 222
Buckardt 35, 36, 39, 50, 52, 53
Budge 43, 53, 61, 62, 66, 69, 70, 246
Christner 45, 50, 65, 89
Coubertin 293
Czermak 111, 115, 122, 141, 231
Dallwitz 47
Darmstädter 9, 36, 37, 44, 48, 65, 68, 69, 76,
98, 203, 256
Dobay 54
Dosquet 41, 67
Drey 24, 28, 31, 57, 137–139, 143, 150, 197
Ducret 64, 112, 186
Eckstein, Sir B. 9, 39
Feit 30, 33, 61, 63, 65, 67–70
Fischer 22, 29, 39, 42, 48, 50, 118
Franckenstein 50, 240, 322
Frank 116, 119, 124, 271
Franks 193, 212, 224, 248, 266
Gasser 112, 119, 120, 142, 147, 220, 257, 268

Girtanner 187
Goldschmidt-Rothschild 76, 248
Gossage 43
Grauer 238
Gumprecht 24
Halifax 42
Hering 145
Hirsch 50
Hirth 9, 22, 26–28, 30–32, 38–42, 49, 54, 57,
61, 63, 64, 76, 79, 87–89, 92–94, 96, 100,
101, 103, 106, 109, 110, 113, 117–120, 123,
142, 226, 249, 251, 256, 268, 278, 292, 295
Hofhaltung (Silberkammer/Konditorei „H.C.H.")
28, 29, 32, 33, 82, 89, 111, 117, 120, 123,
134, 147
Hohenner 180
Jahn 45, 68
Jourdan 50, 71, 79, 154
Kler 24
Kramarsky 65
Lämmle 136, 222
Lanna 249
Leonhard 262, 324
Leopold 67
Levi 24–33, 38–45, 48–50, 52, 53, 55, 57–59,
61–64, 68–70, 73, 77, 80, 83, 84, 88, 89,
99–102, 104–106, 136, 137, 172, 195, 204,
208, 241, 246, 248, 251, 258
Lichnowsky 43
Linski 41, 52, 53, 58, 59
Ludwig 48
Ludwig Viktor v. Habsburg 209
Mühsam 24, 30, 43, 187, 251
O'Byrne 45
Olsen 48

Oppenheim 204, 207
Ostermann 24–27, 29, 32, 33, 52, 53, 55, 73,
89, 100, 111, 128, 157, 160, 167, 170, 172,
189, 206, 218, 224, 225, 229, 231, 251, 258,
262, 270, 277, 324, 336, 339
Pannwitz 26, 28, 30, 31, 44, 45, 48, 50, 61,
65–67, 70
Quadt 26, 32, 33, 52, 53, 57, 66, 73, 81, 86, 165
Remé 39, 65, 146, 253
Ridder, de 29, 32, 33, 39, 66, 76
Rittershausen 24, 32, 167, 293
Rockefeller 30, 50, 250
Rüttgers 28, 29, 32, 44, 45, 66, 70, 98, 259,
338
Sayn-Wittgenstein 29, 30, 41, 45, 68, 98, 134,
136, 137, 141, 278
Schöller 40, 91, 137
Seitz 29, 80, 85, 109, 110, 124, 258, 277
Seligman 206
Sheafer 9, 62, 64, 65, 70, 77, 79
Stegmann 27, 30, 166, 227, 280
Stein 69
Steinharter 125, 147
Strauss 102, 293
Thurn und Taxis 71, 78, 115, 163, 248, 326,
345, 347
Untermyr 50, 236
Vagliano 70
Walker 68
West, Lady 135
Wickes 248
Wilson 29, 70, 77, 78
Wurz 35, 91
Zschokke 27
Zuylen van Nyevelt 63, 65, 67–70

1747 - 1997
250 JAHRE PORZELLAN-MANUFAKTUR NYMPHENBURG

Der barocke Kavaliersbau am Schlossrondell ist seit fast 250 Jahren die Wiege der Nymphenburger Porzellan-Kollektionen. Bis heute fertigen dort hochqualifizierte Kunsthandwerker Figuren und Sammlung Bäuml und dem Manufaktur — originalgetreu. von Hand geformt, gedreht und Meisterwerke, deren Schönheit Glanz galanter und heiterer Zeiten heraufbeschwören. Tradition mit Zukunft. Service aus der vielgestaltigen reichhaltigen Formenschatz der Nach überlieferten Traditionen bemalt, entstehen authentische und Perfektion den lebendigen

Porzellan-Manufaktur Nymphenburg . Nördliches Schlossrondell 8 . 80638 München . Telefon 089.179 19 70 . Fax 089.17 91 97 50

Im historischen Kavaliersbau der Manufaktur sind die Verkaufsräume von Montag bis Freitag 8.30 Uhr - 17 Uhr geöffnet.

Die Verkaufsräume der **Porzellan-Manufaktur Nymphenburg** . Odeonsplatz 1 . Ecke Brienner Straße . 80539 München . Telefon 089.28 24 28 . Fax 089.280 23 81

sind geöffnet von Montag bis Freitag 10 Uhr - 18.30 Uhr . Samstag von 10 Uhr - 16 Uhr